わかって合格る

1級建築施工管理技士
一次検定8年過去問題集

技術士（建設）・一級建築士
1級建築施工管理技士
三浦伸也

licensed building site manager

JN012590

2025年度版

TAC出版

TAC PUBLISHING Group

はじめに

　1級建築施工管理技士は、一言でいえば〝建築施工管理〟のプロフェッショナルです。

　一定の工事では、現場に専任の監理技術者を置く必要がありますが、1級建築施工管理技士は一級建築士とともに、監理技術者になることができます。まさに、**工事現場には欠かせない存在**といっていいでしょう。

　本書はそんな、1級建築施工管理技士をめざす方のための一次検定8年過去問題集です。

　本書を手に取ってくださった方はすでにご存知かと思いますが、試験（1級建築施工管理技術検定）では建築学から施工、施工管理法、法規まで、とても広い範囲から出題されます。一次検定は60％を得点できれば合格となりますが、こうした幅広い分野を攻略しなければならないため、**いかに効率よく学習を進めていくかが鍵となります**。

　では、もっとも効率よく学習を進めていくにはどうすればよいでしょうか。

1. まずは、**試験で何が問われるかを十分に知ること**です。
2. その上で、**合格に直結する知識だけを蓄えていくこと**です。
3. 最後に、**その知識を実戦で使えるところまで磨き上げること**です。

　相手に勝つためには、相手をよく知らなければなりません。試験でも同様に、どんな項目がどんな切り口で問われるのか、最初に全体の傾向をきちんと把握しておくことが重要です。また、勉強に使える時間は限られていますので、試験でめったに問われない項目に時間を割くよりも、合格に必要不可欠な知識だけにしぼり込んで記憶していく方が効果的です。さらに、ただの丸暗記では本番であまり役に立たないため、覚えた知識を使って試験問題が解けるところまで、各項目をしっかりと理解しておく必要があります。つまり〝わかって合格る〟です。

本書は学習される方が徹底的に効率よく、理解しながら試験で使える知識が身につけられるよう、以下の工夫をしています。

- 平成29年度から令和6度まで、一次検定（学科試験）で出題された過去8年分・全616問を掲載しています。

- 学習効率が高い"科目別問題集"の長所と、本試験の形式を知ることができる"年度別問題集"の長所をともに取り入れ、7年分の問題は科目別、最新1年分（令和6年度）の問題は本試験と同じ年度別で収録しています。

- それぞれの問題に『わかって合格る1級建築施工管理技士 基本テキスト』（別売り）の参照部分を記載しています。

- 重要な語句は赤字で表記しているため、付属の赤シートを使えば、暗記のための反復学習が可能です。

- 持ち運びに便利な4分冊ですので、時と場所を選ばずに学習できます。

- さらに追加で2年分（平成27、28年度）の本試験問題＆解答解説をWebダウンロードサービスでご提供します（詳細は7ページに）。

TACでは、本書をメイン教材とした1級建築施工管理技士講座を開講しています。独学又は講座を通じ、本書を利用されたみなさんが1級建築施工管理技士の試験で見事合格を勝ち取られ、工事現場で欠かせない重要な技術者として活躍されることを心より願っております。

TAC 1級建築施工管理技士講座
三浦伸也

※本書は、2024年9月現在の法令やデータ等に基づいて記載しています。

1 一次検定（学科試験）で出題された 過去8年分・全616問を掲載

　1級建築施工管理技術検定の一次検定（学科試験）で、平成29年度から令和5年度までに出題された全544問と、最新の令和6年度に出題された全72問を掲載。つまり、**過去8年分・全616問**というボリュームです。

　さらに、Webダウンロードサービスでご提供する2年分（平成27、28年度）の本試験問題＆解答解説を併せて利用すれば、**過去10年分**の問題にチャレンジすることもできます（詳細は **7** ページに）。

2 科目別の問題と年度別の問題で試験対策も万全

　学習効率が高い〝科目別問題集〟の長所と、本試験の形式を知ることができる〝年度別問題集〟の長所をともに取り入れ、**平成29年度から令和5年度までの7年分の問題については科目別**、最新の**令和6年度の問題については年度別**で収録しています。

　一次検定では、出題された中から指定の問題数を解く科目があるため、まずは年度別になっている令和6年度の問題にさっと目を通し、試験形式を把握した後、科目別の問題を解くことをおすすめします。

　科目別の問題については、それぞれどんな内容が問われるのか、その傾向や切り口などを確認しながら解答しましょう。また試験での時間配分を知ることも大切ですので、年度別の問題を解く際は、時間をはかりながら行うとより効果的です。

3 全ての選択肢にわかりやすい解説＆問題に続けて読めるように配置

　本試験までに使える時間は限られているため、いかに効率的に学習を進めていくかで大きな差が出ます。本書はリズムよく学習を進めることができるよう、**全ての選択肢にわかりやすく丁寧な解説**をつけ、問題に続けて読めるように配置しています。問題と解説が別のパートにまとまった問題集と比べ、解説を探してページをめくる手間がなく、問題を解いたらすぐに答え合わせができるので、学習効率が段違いです。

4 パッと見てわかるイラスト図解

　1級建築施工管理技士の試験に合格するためには、さまざまな工法や設備、材料や機器についての知識が欠かせません。本書ではそれが実際にどんなものなのか、**豊富なイラストを用いて図解**していますので、パッと見てイメージがつかめます。

5 テキストと完全リンク

全ての問題には、『わかって合格る1級建築施工管理技士 基本テキスト』（別売り）の参照部分を記載しています。たとえば〝第1編2-3〟と書かれている場合は、テキストの第1編第2章第3節を示しています。わからなかった問題があった場合は、ぜひテキストに戻って復習しましょう。

→テキスト 第1編 2-3

6 マスターすべき問題がわかる難易度表示

全ての問題に、難易度をつけています。

難易度 A …… 基本的な問題（確実に正解してほしい問題）

難易度 B …… 標準的な問題（合否の分かれ目となる問題）

難易度 C …… 難しい問題（合否には大きく影響しない問題）

A、Bランクは確実にマスターしたい問題です。学習の進み具合によって、まずはこれらから解いていくのも一つの方法です。

7 理解度が確認できるチェックボックス&〔応用〕アイコン

チェックボックスを活用し、問題の理解度を自分なりに評価してみましょう。**得意分野・不得意分野を把握**でき、試験直前の見直しにも役立ちます。

また、令和3年度から出題されるようになった5肢の〝**応用能力問題**〟には〔**応用**〕**アイコン**をつけていますので、こちらもぜひ確認にお役立てください。

１ １級建築施工管理技士とは

　１級建築施工管理技士は、建築工事の施工計画・工程管理・品質管理・安全管理などを担う建築エンジニアとしての資格です。一定の工事現場には専任の監理技術者を置く必要がありますが、**１級建築施工管理技士は、一級建築士とともに監理技術者になること**が可能です。一次検定・二次検定の両方の試験に合格することで取得でき、建設業界では必須の資格として、毎年多くの方が受検しています。

２ 試験の概要

　１級建築施工管理技術検定は、建築業法第27条に基づく技術検定で国土交通省が実施しており、試験事務は国土交通大臣より指定を受けた一般財団法人建設業振興基金が行っています。

　令和３年度から〝学科試験〟〝実地試験〟の名称がそれぞれ〝一次検定〟〝二次検定〟に変更され、**一次検定に合格すると、年数制限なく、所定の実務経験を備えれば、いつでも二次検定を受検できる**ようになりました。

　また一次検定に合格すると、新たに創設された**１級建築施工管理技士補（１級技士補）**の資格が取得できます。１級技士補は監理技術者を補佐する資格で、本来、監理技術者を専任で設置すべき工事現場であっても、１級技士補を置くことで、監理技術者は**２つの現場を兼任**することが可能になります。

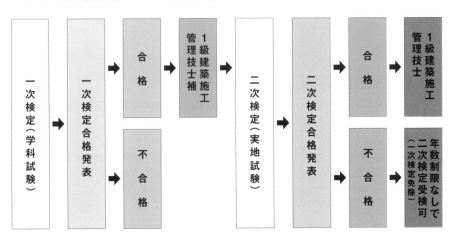

3 試験制度の変更点

　法改正による制度変更で、一次検定では「監理技術者補佐として、建築一式工事の施工の管理を適確に行うために必要な応用能力」を問う問題が出題されています（令和3～5年度は5肢択二、令和6年度より**5肢択一**）。

　また令和6年度より、一次検定の受検資格が大幅に緩和され、**学歴や実務経験を問わず、19歳以上であれば受検が可能**となっています。なお二次検定については、令和10年度までは制度改正前の受検資格による受検も可能です。

検定区分	検定科目	検 定 基 準	解答形式
一次検定	建築学等	1. 建築一式工事の施工の管理を適確に行うために必要な建築学、土木工学、電気工学、電気通信工学及び機械工学に関する一般的な知識を有すること。	4肢択一
		2. 建築一式工事の施工の管理を適確に行うために必要な設計図書に関する一般的な知識を有すること。	
	施工管理法	1. 監理技術者補佐として、建築一式工事の施工の管理を適確に行うために必要な施工計画の作成方法及び工程管理、品質管理、安全管理等、工事の施工の管理方法に関する知識を有すること。	
		2. 監理技術者補佐として、建築一式工事の施工の管理を適確に行うために必要な応用能力を有すること。	5肢択一
	法規	建設工事の施工の管理を適確に行うために必要な法令に関する一般的な知識を有すること。	4肢択一
二次検定	施工管理法	1. 監理技術者として、建築一式工事の施工の管理を適確に行うために必要な知識を有すること。	5肢択一
		2. 監理技術者として、建築材料の強度等を正確に把握し、及び工事の目的物に所要の強度、外観等を得るために必要な措置を適切に行うことができる応用能力を有すること。	記述
		3. 監理技術者として、設計図書に基づいて、工事現場における施工計画を適切に作成し、及び施工図を適正に作成することができる応用能力を有すること。	

4 過去8年間の受検者数・合格者数・合格率

年 度	学科試験（一次検定）			実地試験（二次検定）		
	受検者数	合格者数	合格率	受検者数	合格者数	合格率
平成29年度	24,755人	9,824人	39.7%	16,505人	5,537人	33.5%
平成30年度	25,198人	9,229人	36.6%	15,145人	5,619人	37.1%
令和元年度	25,392人	10,837人	42.7%	15,876人	7,378人	46.5%
令和2年度	22,742人	11,619人	51.1%	16,946人	6,898人	40.7%
令和3年度	22,277人	8,025人	36.0%	12,813人	6,708人	52.4%
令和4年度	27,253人	12,755人	46.8%	13,010人	5,878人	45.2%
令和5年度	24,078人	10,017人	41.6%	14,391人	6,544人	45.4%
令和6年度	37,651人	13,624人	36.1%	－	－	－

※ 二次検定の合格発表は、1月初旬となります。

5 一次検定について

　一次検定では「設備・外構・契約他」「施工管理」「施工管理（応用能力）」のように出題された**全問を解く科目**と、「建築学」「躯体施工」「仕上施工」「法規」のように出題された中から**指定の問題数を解く科目**があります。また、試験制度の変更にともない、一次検定の出題数も従来の82問から**72問**へと変更されています（解答数は従来と同じ**60問**）。

　なお、一次検定の合格基準は〝**60問中60%以上の得点**〟かつ〝**5肢択一で10問中60%以上の得点**〟となります。つまり、**全体では36問以上の正解、5肢択一でも6問以上の正解**が必要です。

科目	建築学	設備・外構・契約他	躯体施工	仕上施工	施工管理	施工管理（応用能力問題／5肢択一）	法規	合計
出題数	15問	5問	10問	10問	10問	10問	12問	72問
解答数	12問（一部指定）	5問	8問	7問	10問	10問	8問	60問

※ 上記は令和6年度試験の出題数です。

6 二次検定について

　二次検定は、以下の**6つの科目の大問**があり、それぞれにおいていくつかの小問が出題されます。マークシート形式の一次検定とは異なり、二次検定は記述問題と択一問題が混在する形式のため、記述問題対策として実際に文章を書く練習が欠かせません。二次検定の合格基準も"**60%以上の得点**"となりますが、記述問題で正解が公表されないうえ、各問題の配点も明示されていませんので、概ね**80%以上の正解**を目指して学習する必要があります。

1 『基本テキスト』を繰り返し読む

　最初は、赤字や太字の部分を中心に、用語や数値を確認しながら『わかって合格る1級建築施工管理技士 基本テキスト』（別売り）をスピーディに読み進めましょう。1回目から全てを覚える必要はありません。2回目、3回目と読む回数を重ねるごとに、各項目の構成やそれぞれの内容について、理解が深まり、知識も飛躍的に増えていきます。過去の本試験で出題された部分に引かれているアンダーラインも参考にしながら、頻出箇所や苦手なところはぜひ何度でも読むようにしてください。

2 テキストを読んだらすぐに〔例題〕や本書を解く

　学んだ知識を実戦で使えるものにするには、問題演習が欠かせません。『基本テキスト』に掲載されている一問一答形式の〔例題〕はもちろん、ひとつの章や節単位で、テキストを読んだらすぐに本書の該当部分を解きましょう（Webダウンロードサービスでご提供する2年分を追加利用すれば、過去10年分の問題を解くこともできます）。最初は問題に続けて解説を読んでしまってもかまいません。"テキストを読んだら問題集を解く"というサイクルを何度も繰り返すことで、確実かつ試験で使える知識が身につきます。

3 比較する、関連づける

　試験で問われる内容は広範囲にわたるため、自分なりに比較の視点をもち、関連づけながら整理することも重要です。テキストや問題集でも適宜、表などでまとめていますが、自分でも、テキストを読んで似ていると思った項目を比較する、問題集を解いたらテキストでその周辺知識を関連づけるといった作業をすることで、知識が点から線になり、やがて面に、そして立体的な生きた知識へとなっていきます。

4 過去問を使いつくす

　過去問を使う際は、単に問題が「解けた」「解けなかった」を確認するのではなく、それぞれの選択肢に対し、「どうして○なのか」「どこが×なのか」といった理由をもって答えられたかを確認するようにしましょう。たとえば四肢択一の問題なら、一問一答形式の問題が４問あると考え、**すべての選択肢についてしっかりとした理由をもって正誤判定できる**ようになるまで、過去問を使いつくすことが大切です。

5 さらに効率を重視する方には……

　『基本テキスト』を読む前に、まずは本書をはじめから終わりまで、さっと読んでみることをおすすめします。どんな内容が問われるのか、その範囲や深さなど、**先に試験の全体像を知っておくことで、より効率よく勉強を進めていく**ことが可能です。

模試で実力を把握

　TACでは、本試験の約１カ月前に公開模試を行っています。〝個人成績表〟から自分の弱点を分析・把握し、問題を復習すれば、本番での得点力もアップします。

1級建築施工管理技士 資格講座のご案内

　TACの１級建築施工管理技士講座では、みなさんのニーズにあわせて、総合対策コース（一次対策＋二次対策）、一次検定対策コース（一次検定試験の全範囲をマスターできる講座）、二次検定対策コース（経験記述を含め、二次検定試験の全範囲をマスターできる講座）の３種類をご用意。本書はこれらのコースの使用教材にもなっています。詳細はホームページでご案内していますので、ぜひご活用ください。

www.tac-school.co.jp/kouza_sekokan.html

～タイプにあわせて選べる３つの学習スタイル～

　自分のタイプにあわせて、通って学ぶ教室講座とビデオブース講座、自宅で学ぶWeb通信講座が選べます。万全の態勢で、みなさんを合格までサポートします。

平成29年度

目 次

MEMO

MEMO

MEMO

【執筆者紹介】
三浦伸也（みうら　しんや）
技術士（建設）、一級建築士、1級建築施工管理技士、不動産鑑定士2次試験合格。
大手ゼネコンに永年在籍し、施工技術の最前線で活躍。建設系の国家資格のみならず、
不動産鑑定士の2次試験に合格する等、不動産法律実務にも精通する。また、TAC
一級建築士の講師として、講師、教材開発といった教育経験も豊富で、TAC1級建
築施工管理技士講座では主任講師を担う。

わかって合格る1級建築施工管理技士シリーズ

2025年度版　わかって合格る1級建築施工管理技士　一次検定8年過去問題集

（2022年度版　2021年12月22日　初版　第1刷発行）
2024年12月1日　初版　第1刷発行

編　著　者	Ｔ　Ａ　Ｃ　株　式　会　社	
	（1級建築施工管理技士講座）	
発　行　者	多　　田　　敏　　男	
発　行　所	ＴＡＣ株式会社　出版事業部	
	（ＴＡＣ出版）	

〒101-8383 東京都千代田区神田三崎町3-2-18
電話 03(5276)9492(営業)
FAX 03(5276)9674
https://shuppan.tac-school.co.jp/

印　　　刷	株式会社　ワ　コ　ー	
製　　　本	東京美術紙工協業組合	

© TAC 2024　　Printed in Japan

ISBN 978-4-300-11456-8
N.D.C. 525

乱丁・落丁による交換、および正誤のお問合せ対応は、該当書籍の改訂版刊行月末日までとい
たします。なお、交換につきましては、書籍の在庫状況等により、お受けできない場合もござ
います。
また、各種本試験の実施の延期、中止を理由とした本書の返品はお受けいたしません。返金も
いたしかねますので、あらかじめご了承くださいますようお願い申し上げます。

各コース紹介

トータル本科生

特長	**一次検定と二次検定の一発合格を目指すコースです**

教材

「**わかって合格る 1級建築施工管理技士 基本テキスト**」(TAC出版)
「**わかって合格る 1級建築施工管理技士 一次検定8年過去問題集**」(TAC出版)
「**わかって合格る 1級建築施工管理技士 二次検定テキスト&12年過去問題集**」(TAC出版)
※上記のほか、各種テスト・公開模試等。経験記述(3回)の添削付。 ※上記は当講座受講料に含まれています。

教室講座講義時間 (午後1) **13:30~16:00** (午後2) **16:30~19:00**

通学開講地区 🪧 新宿校 教室講座 🎧 ビデオブース講座

札幌校・仙台校・水道橋校・新宿校・池袋校・渋谷校・八重洲校・立川校・町田校・横浜校・大宮校・津田沼校・名古屋校・京都校・梅田校・なんば校・神戸校・広島校・福岡校

通常受講料
受講料に教材費・消費税が含まれます。

学習メディア 🪧 教室講座 🎧 ビデオブース講座 📶 Web通信講座

通常受講料 242,000円 🪧🎧 **Webフォロー標準装備**

一次対策本科生

🎧 一般教育訓練給付制度 対象コースです | 条件を満たして修了した場合、受講料の一部が支給される制度です。詳細は「教育訓練給付制度パンフレット」をご覧ください。

特長	**一次検定の全範囲をマスターできるスタンダードコースです**

教材

「**わかって合格る 1級建築施工管理技士 基本テキスト**」(TAC出版)
「**わかって合格る 1級建築施工管理技士 一次検定8年過去問題集**」(TAC出版)
※上記のほか、各種テスト(公開模試含)等。 ※上記は当講座受講料に含まれています。

教室講座講義時間 (午後1) **13:30~16:00** (午後2) **16:30~19:00**

通学開講地区 🪧 新宿校 教室講座 🎧 ビデオブース講座

札幌校・仙台校・水道橋校・新宿校・池袋校・渋谷校・八重洲校・立川校・町田校・横浜校・大宮校・津田沼校・名古屋校・京都校・梅田校・なんば校・神戸校・広島校・福岡校

通常受講料
受講料に教材費・消費税が含まれます。

学習メディア 🪧 教室講座 🎧 ビデオブース講座 📶 Web通信講座

通常受講料 165,000円 🪧🎧 **Webフォロー標準装備**

二次対策本科生

🎧 一般教育訓練給付制度 Web通信講座が対象コースです | 条件を満たして修了した場合、受講料の一部が支給される制度です。詳細は「教育訓練給付制度パンフレット」をご覧ください。

特長	**経験記述と二次検定の重要論点全般をマスターできるコースです** **POINT** 充実の添削指導3回付!

教材

「**わかって合格る 1級建築施工管理技士 二次検定テキスト&12年過去問題集**」(TAC出版)
※上記のほか、テスト等。経験記述(3回)の添削付。 ※上記は当講座受講料に含まれています。

教室講座講義時間 (午後1) **13:30~16:00** (午後2) **16:30~19:00** (夜) **19:00~21:30**

通学開講地区 🪧 新宿校 教室講座 🎧 ビデオブース講座

札幌校・仙台校・水道橋校・新宿校・池袋校・渋谷校・八重洲校・立川校・町田校・横浜校・大宮校・津田沼校・名古屋校・京都校・梅田校・なんば校・神戸校・広島校・福岡校

通常受講料
受講料に教材費・消費税が含まれます。

学習メディア 🪧 教室講座 🎧 ビデオブース講座 📶 Web通信講座

通常受講料 99,000円 **セット申込割引受講料**※1 **77,000円** **一次生割引 受講料**※2 **88,000円**

🪧🎧 **Webフォロー標準装備**

※1 セット申込割引…一次対策と同時申込みすると適用可能です。後日の場合は「一次生割引」となります。
※2 一次生申込割引…一次対策本科生をお申込みの方が、後日申し込んだ場合に適用となります。

書籍の正誤に関するご確認とお問合せについて

書籍の記載内容に誤りではないかと思われる箇所がございましたら、以下の手順にてご確認とお問合せをしてくださいますよう、お願い申し上げます。

なお、正誤のお問合せ以外の**書籍内容に関する解説および受験指導などは、一切行っておりません。**
そのようなお問合せにつきましては、お答えいたしかねますので、あらかじめご了承ください。

1 「Cyber Book Store」にて正誤表を確認する

TAC出版書籍販売サイト「Cyber Book Store」の
トップページ内「正誤表」コーナーにて、正誤表をご確認ください。

CYBER TAC出版書籍販売サイト
BOOK STORE

URL：https://bookstore.tac-school.co.jp/

2 1の正誤表がない、あるいは正誤表に該当箇所の記載がない ⇒ 下記①、②のどちらかの方法で文書にて問合せをする

★ご注意ください★

お電話でのお問合せは、お受けいたしません。
①、②のどちらの方法でも、お問合せの際には、「お名前」とともに、
「対象の書籍名（○級・第○回対策も含む）およびその版数（第○版・○○年度版など）」
「お問合せ該当箇所の頁数と行数」
「誤りと思われる記載」
「正しいとお考えになる記載とその根拠」
を明記してください。
なお、回答までに1週間前後を要する場合もございます。あらかじめご了承ください。

① ウェブページ「Cyber Book Store」内の「お問合せフォーム」より問合せをする

【お問合せフォームアドレス】

https://bookstore.tac-school.co.jp/inquiry/

② メールにより問合せをする

【メール宛先　TAC出版】

syuppan-h@tac-school.co.jp

※土日祝日はお問合せ対応をおこなっておりません。
※正誤のお問合せ対応は、該当書籍の改訂版刊行月末日までといたします。

乱丁・落丁による交換は、該当書籍の改訂版刊行月末日までといたします。なお、書籍の在庫状況等により、お受けできない場合もございます。
また、各種本試験の実施の延期、中止を理由とした本書の返品はお受けいたしません。返金もいたしかねますので、あらかじめご了承くださいますようお願い申し上げます。

（2022年7月現在）

【本書のご利用方法】

分解して利用される方へ

色紙を押さえながら、「4分冊」の各冊子を取り外してください。

各冊子と色紙は、のりで接着されています。乱暴に扱いますと破損する恐れがありますので、丁寧に取り外しいただけますようお願いいたします。

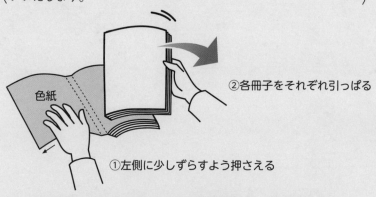

②各冊子をそれぞれ引っぱる

色紙

①左側に少しずらすよう押さえる

＊ 抜き取りの際の損傷についてのお取替えはご遠慮願います＊

TAC出版
TAC PUBLISHING Group

わかって合格る

1級建築
施工管理技士
2025年度版

一次検定8年過去問題集

第1分冊

第1編　建築学

第2編　設備・外構・契約他

licensed building site manager

TAC出版
TAC PUBLISHING Group

日照、日射及び日影に関する記述として、最も不適当なものはどれか。

① 水平ルーバーは西日を遮るのに効果があり、縦ルーバーは夏季の南面の日射を防ぐのに効果がある。

② 北緯35度における南面の垂直壁面の可照時間は、春分より夏至の方が短い。

③ 同じ日照時間を確保するためには、緯度が高くなるほど南北の隣棟間隔を大きくとる必要がある。

④ 建物の高さが同じである場合、東西に幅が広い建物ほど日影の影響の範囲が大きくなる。

解説 ────────────────── ➡テキスト **第1編** **1-1**

① × 水平ルーバーは、太陽高度の高い日射（夏季の南面の日射）を遮る効果が高く、**縦ルーバー（垂直ルーバー）は太陽高度の低い日射（西日）を遮る効果が高い。**

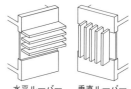

水平ルーバー　　垂直ルーバー

② ○ 水平面の1日の可照時間は、夏至＞春分・秋分（12時間）＞冬至であるが、南向き鉛直壁面の1日の可照時間については、夏至は日の出後・日没前の太陽位置がそれぞれ真東、真西よりも北側にあり南向き鉛直壁面に日照がないため、夏至が最短となり、春分・秋分（12時間）＞冬至＞夏至となる。

③ ○ **日照時間**とは、**可照時間**から近隣の建物等による日影時間を差し引いた時間である。緯度が高くなるほど太陽高度が低くなり、日影時間が長くなるため、同じ日照時間を確保するためには**隣棟間隔を大きくする**必要がある。

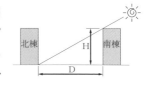

④ ○ 建築物が周囲の**日影**に及ぼす範囲は、一般に、建築物の高さよりも**東西方向の幅に大きく影響される。**高さは高くなっても影響範囲は、ほとんど変わらないが、東西方向の幅が少しでも大きくなると、影響範囲は広くなる。

正解 **1**

日照・日射・日影

日照及び日射に関する記述として、最も不適当なものはどれか。

① 同じ日照時間を確保するためには、緯度が高くなるほど南北の隣棟間隔を大きくとる必要がある。

② 夏至に終日日影となる部分は永久日影であり、年を通して太陽の直射がない。

③ 北緯35度付近で、終日快晴の春分における終日直達日射量は、東向き鉛直面よりも南向き鉛直面のほうが大きい。

④ 昼光率は、全天空照度に対する室内のある点の天空光による照度であり、直射日光による照度を含む。

解説 ----------------------------------- ➡テキスト 第1編 1-1

① ○ **日照時間**とは、**可照時間**から近隣の建物等による日影時間を差し引いた時間である。緯度が高くなるほど太陽高度が低くなり、日影時間が長くなるため、同じ日照時間を確保するためには**隣棟間隔を大きくする**必要がある。

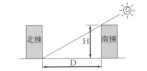

② ○ **夏至**に終日日影となる部分は、一年中日影であり、直射光が射すことはない。このような場所を**永久日影**という。

③ ○ 日射量の1日分の合計値を終日日射量といい、北緯35度のある地点における春分・秋分の日の終日日射量は、終日快晴の場合、その大小関係は**水平面＞南面＞東・西面**となる。

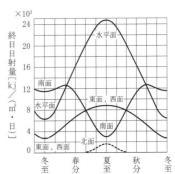

各面の終日日射量（北緯35°）

④ ✕ **昼光率**は、室内のある点の水平面照度と全天空照度との比率を求めたもので、採光による明るさの指標とするものである。ここで、**全天空照度**とは、周囲に障害物のない屋外での、**天空光**による水平面照度をいい、直射日光を除いた天空光のみの照度をいう。

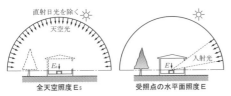

$$昼光率 = \frac{室内のある点の水平面照度 E}{全天空照度 E_S} \times 100 \,[\%]$$

正解 4

日照及び日射に関する記述として、最も不適当なものはどれか。

① 北緯35°における南面の垂直壁面の可照時間は、夏至日より冬至日のほうが長い。

② 日影規制は、中高層建築物が敷地境界線から一定の距離を超える範囲に生じさせる冬至日における日影の時間を制限している。

③ 水平ルーバーは東西面の日射を遮るのに効果があり、縦ルーバーは南面の日射を遮るのに効果がある。

④ 全天日射は、直達日射と天空日射を合計したものである。

解説 ・・ →テキスト 第1編 1-1

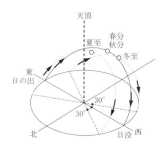

① ○ 水平面の１日の**可照時間**は、夏至＞春分・秋分（12時間）＞冬至であるが、南向き鉛直壁面の１日の可照時間については、夏至は日の出後・日没前の太陽位置がそれぞれ真東、真西よりも北側にあり南向き鉛直壁面に日照がないため、**夏至が最短**となり、春分・秋分（12時間）＞冬至＞夏至となる。

季節ごとの太陽の軌道
（北緯35°の地点）

② ○ **日影規制**（建築基準法56条の２）では、中高層建築物（高さ10m超などの建築物）が敷地境界線から一定路離を超える範囲において、平均地盤面からの一定高さの水平面に生じさせる**冬至日**の**日影時間**を規制する。なお、具体的な数値は条例などで定められる。

③ × **水平ルーバー**は、太陽高度の高い日射（夏季の南面の日射）を遮る効果が高く、**縦ルーバー**（垂直ルーバー）は太陽高度の低い日射（西日）を遮る効果が高い。

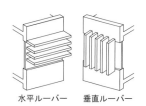

水平ルーバー　垂直ルーバー

④ ◯ **全天空日射**は、**直達日射**（大気圏で
散乱・吸収されたものを除いて地上に
直接達する日射）と**天空日射**（大気中
で散乱された後に地上に達する日射）
を合わせたものである。

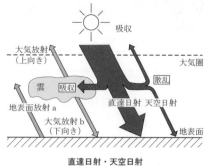

直達日射・天空日射

正解 3

採光及び照明に関する記述として、最も不適当なものはどれか。

① 演色性とは、照明光による物体色の見え方についての光源の性質をいう。

② グレアとは、高輝度な部分、極端な輝度対比や輝度分布などによって感じられるまぶしさをいう。

③ 照度とは、受照面の単位面積当たりの入射光束をいい、単位はlx（ルクス）である。

④ 全天空照度とは、天空光が遮蔽されることのない状況で、直射日光を含めた天空によるある点の水平面照度をいう。

解　説　　　　　　　　　　　　　　　　　➡テキスト 第1編 1-2

① ○ 物体の色は、それを照らす光源の種類によって見え方が異なってくる。このような光源の性質を**演色性**といい、光源によって分光分布が違うために生じる。たとえば、白色蛍光灯のように赤色の成分が不足する光源の下では、赤色がくすんで見える。

② ○ **グレア**とは、**高輝度な部分**や、**極端な明所と暗所の明るさの差（輝度対比）**などによって感じられるまぶしさをいう。不快感を生じさせるグレアを不快グレアという。

③ ○ **照度**とは、受照面に入射する、**単位面積当たりの光束**を表し、採光や照明による室内の明るさを示す目安として用いられる。単位は、[lx：ルクス] または [lm/㎡] である。なお、照度は、ある面が照らされる程度を示す指標であり、目で見た明るさ感と直接的な関係があるのは**輝度**である。

④ ✕ 屋外における光源には「直射日光」と「天空光」と「物からの反射」の3つがある。**全天空照度**とは、周囲に障害物のない屋外での、**天空光**による水平面照度をいい、**直射日光からの照度は含まない**。

正解 **4**

採光・照明

環境工学
R1-3

採光及び照明に関する記述として、最も不適当なものはどれか。

① 均等拡散面上における輝度は、照度と反射率との積に比例する。

② 演色性とは、光がもつ物体の色の再現能力のことで、光の分光分布によって決まる。

③ 昼光率とは、全天空照度に対する室内のある点の天空光による照度の比をいう。

④ 設計用全天空照度は、快晴の青空のときが薄曇りの日よりも大きな値となる。

解 説 .... ➡テキスト 第1編 **1-2**

① ○ **輝度**［cd/㎡］とは、ある面の視点方向への明るさ・輝きの程度を示す指標であり、**単位面積当たりの光度**である。**均等拡散面**（全ての方向に対して輝度が同じ理想的な面）上のある点の輝度は、**照度と反射率との積に比例**する。

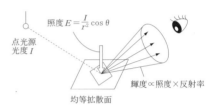

照度 $E = \dfrac{I}{r^2}\cos\theta$

点光源
光度 I

輝度 ∝ 照度×反射率

均等拡散面

② ○ **演色性**は、視対象の色の見え方に及ぼす光源の性質であり、光源が照らしている視対象の色をどの程度忠実に再現するかという性質をいう。演色のよし悪しは、**光源の分光分布、すなわち、光の色の成分に左右される**。なお、演色性は、視対象の色とは無関係である。

③ ○ **昼光率**は、室内のある点の水平面照度と全天空照度との比率を求め、採光による明るさの指標としたもので、**室内各部の反射率の影響を受ける**。

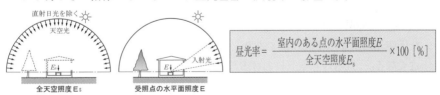

直射日光を除く ☀
天空光

E

全天空照度 E_s

☀

入射光

E

受照点の水平面照度 E

$$\text{昼光率} = \frac{\text{室内のある点の水平面照度}E}{\text{全天空照度}E_s} \times 100 \ [\%]$$

④ × **全天空照度**とは、周囲に障害物のない開放した場所における、直射光を除いた天空光による水平面照度であり、**快晴日よりも薄曇日のほうが大きくなる**。「快晴の青空」における設計用全天空照度は10,000lxであり、「特に明るい日（薄曇）」の50,000lxの$\dfrac{1}{5}$程度となる。

正解 **4**

採光及び照明に関する記述として、最も不適当なものはどれか。

① 演色性とは、照明光による物体色の見え方についての光源の性質をいう。

② 光束とは、単位波長当たりの放射束を標準比視感度で重みづけした量をいう。

③ 形状と面積が同じ側窓は、その位置を高くしても、昼光による室内の照度分布の均斉度は変わらない。

④ 設計用全天空照度は、快晴の青空のときが薄曇りのときよりも小さな値となる。

解説 ➡テキスト 第1編 1-2

① ○ **演色性**は、視対象の色の見え方に及ぼす**光源の性質**であり、光源が照らしている視対象の色をどの程度忠実に再現するかという性質をいう。演色のよし悪しは、光源の分光分布、すなわち、光の色の成分に左右される。なお、**演色性**は、視対象の色とは無関係である。

② ○ **光束**とは、ある面を単位時間に通過する光の放射エネルギー（単位波長当たりの**放射束**）で、**人の目が明るさを感じる強さ (標準比視感度)に基づいて補正(重みづけ)**した量をいう。単位はルーメン［ℓm］である。

③ × 室内の照度分布の均一さの目安には、室内の平均照度に対する最小照度の比率である**均斉度**を用いる。**高い位置の窓**ほど均斉度は**高く**なる。**位置が低い**と、窓近くは明るくなるが、室の奥は暗くなり、**均斉度は低く**なる。

④ ○ **全天空照度**とは、周囲に障害物のない開放した場所における、**直射光を除いた天空光による水平面照度**であり、**快晴の青空のときが薄曇りのときよりも小さくなる**。「快晴の青空」における設計用全天空照度は10,000lxであり、「特に明るい日（薄曇）」の50,000lxの$\frac{1}{5}$程度となる。

正解 **3**

MEMO

採光及び照明に関する記述として、**最も不適当なもの**はどれか。

① 横幅と奥行きが同じ室において、光源と作業面の距離が離れるほど、室指数は小さくなる。

② 設計用全天空照度は、快晴の青空のときのほうが薄曇りのときよりも小さな値となる。

③ 照度は、単位をルクス（lx）で示し、受照面の単位面積当たりの入射光束のことをいう。

④ 光度は、単位をカンデラ（cd）で示し、反射面を有する受照面の光の面積密度のことをいう。

解説 ----------------------------------→テキスト｜第1編｜1-2

① ○ 照明設計では、視作業面での必要照度を確保するため、照明器具の種類、数、配置を決めるための照明計算を行うが、**室指数**はその際に使う室の形状を表す数値で、次の計算式で求められる。

$$室指数 \quad K = \frac{X \cdot Y}{H(X+Y)}$$

X, Y：室の開口と奥行

H：光源面と作業面との垂直距離

室の光源面と作業面　　　室指数 **大**　　　室指数 **小**

したがって、室指数の値が**小さい**ほど、室が天井高に比べて**水平方向に狭い**形状であることを示し、光源と作業面の距離が**離れる**ほど室指数は**小さく**なる。

② ○ **全天空照度**とは、周囲に障害物のない開放した場所における、直射光を除いた天空光による水平面照度であり、快晴日よりも**薄曇日**のほうが**大きく**なる。「快晴の青空」における設計用全天空照度は10,000lxであり、「特に明るい日（薄曇）」の50,000lxの$\frac{1}{5}$程度となる。

③ ○ 照度とは、受照面に入射する**単位面積当たりの光束**を表し、採光や照明による室内の明るさを示す目安として用いられる。単位は、[lx：ルクス] または [lm/㎡] である。なお、照度は、ある面が**照らされる程度**を示す指標であり、目で見た明るさ感と直接的な関係があるのは輝度である。

入射光束

単位面積
［1㎡］

照度［lm/㎡ = lx］

④ ✕ 光度とは、点光源から特定の方向に**出射**する、**単位立体角**（1 [sr：ステラジアン]）**当たりの光束**を表し、点光源の明るさのことである。単位は[cd：カンデラ]である。なお、反射面を有する受照面の光の面積密度は輝度である。

点光源

単位立体角
［1sr］

出射光束

光度［lm/sr = cd］

正解 4

伝熱に関する記述として、最も不適当なものはどれか。

① 壁体内の中空層の片面にアルミ箔を貼り付けると、壁体全体の熱抵抗は大きくなる。

② 熱放射は、電磁波による熱移動現象であり、真空中でも生じる。

③ 壁体内にある密閉された中空層の熱抵抗は、中空層の厚さに比例する。

④ 総合熱伝達率は、対流熱伝達率と放射熱伝達率を合計したものをいう。

解説 ┄┄┄┄┄┄┄┄┄┄┄┄┄┄┄┄┄┄┄┄┄┄┄ ➡テキスト **第1編 1-3**

① ○ 熱移動の基本形態（プロセス）には、**伝導**（熱伝導）、**対流**（熱対流）、**放射**（熱放射）の3つがある。壁材料の空気層側に、アルミ箔などの反射性の高い材料を貼ると、**放射**による**伝熱**が減少するため、**熱抵抗**は約2倍になる。

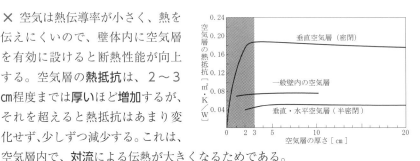

② ○ 光や熱放射は、全て太陽のような高温の物体から放出された**電磁波**で、人間の目に明るさとして感じられるものが**光**、熱効果を生むものが**熱放射**である。すなわち、**放射**（熱放射）とは、熱が物体から他の物体へ直接、**電磁波**の形で移動する現象で、太陽の発する熱（日射）が、空気のない大気圏外を通過して地球に届くように、真空中でも熱は伝わる。

③ ✕ 空気は熱伝導率が小さく、熱を伝えにくいので、壁体内に空気層を有効に設けると断熱性能が向上する。空気層の**熱抵抗**は、2〜3cm程度までは**厚い**ほど**増加**するが、それを超えると熱抵抗はあまり変化せず、少しずつ減少する。これは、空気層内で、**対流**による伝熱が大きくなるためである。

④ ○ **熱伝達**には、主に空気の対流と、他の物体からの放射という2つがあり、対流による伝熱を対流熱伝達、放射による伝熱を放射熱伝達という。**対流熱伝達率**、**放射熱伝達率**の合計が全体の熱伝達率（総合熱伝達率）となる。

正解 3

難易度 C	問題 009 CHECK ☑□□□	伝熱	環境工学 R4-2

伝熱に関する記述として、最も不適当なものはどれか。

① 熱放射は、電磁波による熱の移動現象で、真空中においても生じる。

② 壁体の含湿率が増加すると、その壁体の熱伝導率は小さくなる。

③ 壁体の熱伝達抵抗と熱伝導抵抗の和の逆数を、熱貫流率という。

④ 物質の単位体積当たりの熱容量を、容積比熱という。

解説 ・・・ →テキスト 第1編 1-3

① ○ 光や熱放射は、全て太陽のような高温の物体から放出された電磁波で、人間
の目に明るさとして感じられるものが光、熱効果を生むものが熱放射である。
太陽の発する熱（日射）が、空気のない大気圏外を通過して地球に届くように、
真空中でも熱は伝わる。

② × 材料が水や湿気を吸収すると（含湿率が大きくなると）、熱伝導率（熱の伝
わりやすさ）が大きくなる。これは、材料内部の熱伝導率の小さい空気が、そ
れよりも熱伝導率のはるかに大きな水と入れ替わるためである。

③ ○ 熱貫流とは高温側の空気から壁面への熱伝
達、壁面から反対側の壁面への熱伝導、そし
て壁面から低温側の空気への熱伝達という連
続した熱移動を全て総合した過程（熱通過）
のことである。壁の単位面積当たり、温度差
1℃当たり、1時間当たりの移動量を熱貫流
率という。この熱貫流率は、壁体の熱伝達抵抗と熱伝導抵抗の和の逆数として
求められる。

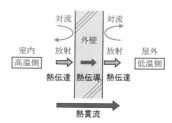

④ ○ 熱容量とは、物質の温度を1℃高めるのに必要な熱量のことで、比熱とは、
一般に質量1kgの物質の温度を1℃高めるために必要な熱量のことである。ま
た、容積（体積）1㎥を基準とする比熱を容積比熱と呼ぶ。

正解 **2**

換気に関する記述として、最も不適当なものはどれか。

① 換気量が一定の場合、室容積が大きいほど換気回数は少なくなる。

② 室内外の温度差による自然換気の場合、換気量は上下の開口部の高低差に比例する。

③ 室内空気の一酸化炭素の濃度は、6ppm以下となるようにする。

④ 室内空気の二酸化炭素の濃度は、1,000ppm以下となるようにする。

解 説 ──────────────────────────── →テキスト 第1編 1-4

① ○ **換気回数**とは、単位時間当たりの換気量を室容積で割った値である。換気量が一定の場合、室容積が大きいほど換気回数は少なくなる。

$$換気回数 (回/h) = \frac{換気量 (m^3/h)}{室容積 (m^3)}$$

② × **自然換気**とは風力や温度差といった自然の力を利用する換気のことである。換気量は開口部面積が大きいほど、温度差があるほど、吸・排気口の高低差が大きいほど大きくなる。設問の「高低差に比例する」が不適当で、「高低差の平方根に比例する」が正しい。ちなみに、開口部面積に対しては「比例」、高低差と温度差に対しては「平方根に比例」する。

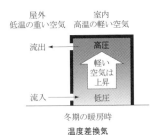

屋外
低温の重い空気
室内
高温の軽い空気

流出 ← 高圧

軽い
空気は
上昇

流入 → 低圧

冬期の暖房時
温度差換気

③④ ○ 建築基準法及び建築物衛生法（建築物における衛生的環境の確保に関する法律）に定められた以下の基準が、室内空気汚染物質の許容量の目安である。
  ❶ 一酸化炭素（CO）   6ppm（0.0006％）以下
  ❷ 二酸化炭素（CO_2）1,000ppm（0.10％）以下
  ※ $1\,ppm = 1 \times 10^{-6} = 0.000001 = 0.0001\%$

正解 2

換気に関する記述として、最も不適当なものはどれか。

① 第3種機械換気方式は、自然給気と排気機による換気方式で、浴室や便所などに用いられる。

② 自然換気設備の給気口は、調理室等を除き、居室の天井の高さの$\frac{1}{2}$以下の高さに設置する。

③ 営業用の厨房は、一般に窓のない浴室よりも換気回数を多く必要とする。

④ 給気口から排気口に至る換気経路を短くする方が、室内の換気効率はよくなる。

解 説 ➡テキスト 第1編 1-4

① ○ 機械換気方式には3種類あり、**第3種**［自然給気＋機械排気］は、空気を室内から外へ吸い出す（室内は負圧）ため、便所・浴室・湯沸室等に用いられる。なお、**第1種**［機械給気＋機械排気］は、室内の圧力の制御ができるため、調理室・屋内駐車場・機械室等に用いられる。**第2種**［機械給気＋自然排気］は、空気を室内へ取り込む（室内は正圧）ため汚染空気が入りにくく、クリーンルーム等に用いられる。

② ○ 建築物（換気設備を設けるべき調理室等を除く）に設ける自然換気設備において、**給気口**は、居室の**天井の高さ**の$\frac{1}{2}$**以下の高さ**に設け、常時外気に開放された構造としなければならない。

③ ○ 必要換気回数は、営業用厨房では30～60回/h、浴室では3～5回/hである。燃焼ガスや臭気の排出のため、**営業用厨房の換気回数**は他の一般用途に比べて多くなる。

④ ✕ **換気効率をよくする**ためには、給気口から排気口に至る**換気経路を長くする**。給気口から排気口に至る換気経路を短くすると、新鮮空気が室内に十分拡散することなく、ショートカットして排出されるため換気効率は悪くなる。

正解 4

15

換気に関する記述として、最も不適当なものはどれか。

① 室内空気の気流は、0.5m/s以下となるようにする。

② 室内空気の二酸化炭素の濃度は、1.0%以下となるようにする。

③ 室内空気の相対湿度は、40%以上70%以下となるようにする。

④ 室内空気の浮遊粉じんの量は、0.15mg/㎥以下となるようにする。

解説 ➡️テキスト 第1編 **1-4**

① ◯ 建築基準法施行令により、室内空気の**気流**は、**0.5m/s以下**となるようにする。

② ✕ 建築基準法施行令及び建築物衛生法（建築物における衛生的環境の確保に関する法律）に定められた以下の基準が、室内空気汚染物質の許容量の目安である。
   ❶ 一酸化炭素（CO）　　　　6ppm（0.0006%）以下
   ❷ 二酸化炭素（CO_2）1,000ppm（0.10%）以下
   ※　1ppm = 1×10^{-6} = 0.000001 = 0.0001%

③ ◯ 気温が高いと体表面温度が上昇して発汗し、その蒸発により気化熱が奪われて体温を一定に保つことができるが、湿度が高いと蒸発が遅くなって不快感が増す。建築基準法施行令により、**相対湿度は40%以上70%以下**となるようにする。

④ ◯ 建築基準法施行令及び建築物衛生法（建築物における衛生的環境の確保に関する法律）により、**浮遊粉じんの許容量は0.15mg/㎥以下**である。

正解 **2**

難易度 A	問題 013	換気	環境工学 R2-1

換気に関する記述として、最も不適当なものはどれか。

① 換気量が一定の場合、室容積が小さいほど換気回数は多くなる。

② 給気口から排気口に至る換気経路を短くするほうが、室内の換気効率はよくなる。

③ 全熱交換器を用いると、冷暖房時に換気による熱損失や熱取得を軽減できる。

④ 換気量が同じ場合、置換換気は全般換気に比べて、換気効率に優れている。

解 説 ➡テキスト 第1編 1-4

① ○ 換気回数とは、単位時間当たりの**換気量を室容積で割った値**である。換気量が一定の場合、室容積が小さいほど換気回数は多くなる。

$$換気回数 (回/h) = \frac{換気量 （m^3/h）}{室容積 （m^3）}$$

② ✕ 換気効率をよくするためには、給気口から排気口に至る**換気経路を長くする**。給気口から排気口に至る換気経路を短くすると、新鮮空気が室内に十分拡散することなく、ショートカットして排出されるため、換気効率は悪くなる。

③ ○ 全熱交換器は、換気の際に新鮮空気と排気との間で、**温度と湿度を同時に交換**するため、**換気による熱損失や熱取得を軽減**できる。

④ ○ **置換換気**は、設定温度よりやや低温の空気を床面付近から緩やかに吹き出し、室内の発熱により暖められた空気を**浮力**により天井付近から排出する方式で、空気が上昇するときに汚染物質をも上昇させて排出させることができる。新しい空気がピストンのように風下の古い空気を押し出す**ピストンフロー**の代表例であり、室内空気を攪拌しながら汚染質濃度を希釈する**全般換気**（完全混合）に比べて、換気効率が高い。

正解 2

換気に関する記述として、最も不適当なものはどれか。

① 風圧力による自然換気の場合、他の条件が同じであれば、換気量は風上側と風下側の風圧係数の差の平方根に比例する。

② 室内外の温度差による自然換気で、上下に大きさの異なる開口部を用いる場合、中性帯の位置は、開口部の大きい方に近づく。

③ 中央管理方式の空気調和設備を設ける場合、室内空気の一酸化炭素の濃度は、100ppm以下となるようにする。

④ 中央管理方式の空気調和設備を設ける場合、室内空気の浮遊粉塵の量は、0.15mg/㎥以下となるようにする。

解 説 .... ➡テキスト｜第 1 編｜**1-4**

① ○ **風圧力による換気量**は、「流量係数」×「開口部面積」×「外部風速」×「外部風向による風圧係数の差の平方根√」で求められる。したがって、開口条件（流量係数×開口部面積）と外部風速が一定ならば、「外部風向による風圧係数の差の平方根（√）」に比例する。

② ○ **中性帯**とは温度差換気の際、高さ方向において室内外の圧力差が0になる位置のことを指す。上下に大きさの異なる2つの開口部がある室において、温度差換気を行う場合、大きな開口部における内外圧力差は、小さな開口部に比べて小さくなる。このため、中性帯の位置は**開口部の大きいほう**へと近づくことになる。

上窓が大きい場合（ $t_i > t_o$ ）

③ ✕ 建築基準法施行令及び建築物衛生法（建築物における衛生的環境の確保に関する法律）に**室内空気汚染物質の許容量**が定められている。

❶ **一酸化炭素（CO）** 　　　**6ppm（0.0006％）以下**

❷ **二酸化炭素（CO_2）** 　　**1,000ppm（0.10％）以下**

※ 1 ppm = 1×10^{-6} = 0.000001 = 0.0001%

④ ○ 建築基準法施行令及び建築物衛生法（建築物における衛生的環境の確保に関する法律）により、**浮遊粉じんの許容量は0.15mg/㎥以下**である。

正解 3

問題 015 難易度A ☑CHECK □□□ 換気

換気に関する記述として、最も不適当なものはどれか。

① 必要換気量は、1時間当たりに必要な室内の空気を入れ替える量で表される。

② 温度差による自然換気は、冬期には中性帯より下部から外気が流入し、上部から流出する。

③ 全熱交換器は、冷暖房を行う部屋で換気設備に用いると、換気による熱損失や熱取得を軽減できる。

④ 室内の効率的な換気は、給気口から排気口に至る換気経路を短くするほうがよい。

解説 ➡テキスト 第1編 1-4

① ○ **必要換気量**は、室内の汚染質濃度を許容濃度以下に保つために必要な、1時間当たりの最小の換気量のことで、単位時間当たりの室内の汚染質発生量を室内の汚染質濃度の許容値と外気の汚染質濃度との差で除して求めることができる。一般に、必要換気量は**二酸化炭素1,000ppm以下**を基準とする場合が多く、**1人当たり30㎥/h程度**とされる。

② ○ **重力による自然換気**（**温度差換気**）は、冬期の暖房時、暖められた空気は軽いため上昇し、室の上部では空気が圧縮されて高圧になり、開口部から屋外へ流出し、室の下部では空気が希薄となり低圧となって、気圧の高い屋外の空気が開口部から室内へ流入する。**中性帯**とは、自然換気において室内外の圧力差が0になる垂直方向の位置をいう。

③ ○ **全熱交換器**は、換気の際に新鮮空気と排気との間で、温度と湿度を同時に交換するため、換気による熱損失や熱取得を軽減できる。

④ × 換気効率をよくするためには、給気口から排気口に至る**換気経路を長くする**。給気口から排気口に至る換気経路を短くすると、新鮮空気が室内に十分拡散することなく、ショートカットして排出されるため換気効率は悪くなる。

正解 4

音に関する記述として、最も不適当なものはどれか。

① 建物の床、梁、壁などを伝わる振動が最後に空気中に放射される音を固体音という。

② 人が知覚する主観的な音の大小をラウドネスといい、音圧レベルが一定の場合、100Hzの音よりも1,000Hzの音の方が大きく感じる。

③ 音波が障害物の背後に回り込む現象を回折といい、周波数が高くなるほど回折しやすい。

④ ある音が別の音によって聞き取りにくくなるマスキング効果は、両者の周波数が近いほどその影響が大きい。

解説 ·································→テキスト 第1編 **1-5**

① ○ **固体音（固体伝搬音）**は、建物の床や壁等を伝わる振動がそのまま伝搬し、**壁等の表面から空間へ放射される音**をいう。たとえば、マンション上階からの床衝撃音などが固体音といわれる。

② ○ **ラウドネス**とは、人間の知覚する音の大きさのことである。人間の聴覚は、周波数の高い音（高音）には敏感だが、周波数の低い音（低音）は聴き取りにくいという特性をもっている。そのため、1,000Hzの**高音は大きく**、100Hzの**低音は小さく聞こえる**。

③ ✕ 音には、防音塀や高速道路の遮音壁などの障壁を越えて裏側に回り込む**回折**現象がある。一般に、高音は直進する傾向が強く、音の波長が長い**低音のほうが回折は生じやすい**。

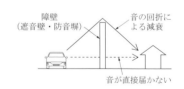

④ ○ **マスキング効果**とは、聴きたい音が他の音に隠されて（マスクされて）聴き取りにくくなる現象である。一般に、マスキング効果が大きいのは次のケースである。❶妨害音が大きい場合、❷妨害音の周波数が妨害される音の周波数に近い場合、❸妨害音の周波数が低い場合。

正解 **3**

吸音及び遮音に関する記述として、最も不適当なものはどれか。

① グラスウールなどの多孔質材料は、厚さが増すと高音域に比べて中低音域の吸音率が増大する。

② 共鳴により吸音する孔板は、背後に多孔質材料を挿入すると全周波数帯域の吸音率が増大する。

③ コンクリート間仕切壁の音響透過損失は、一般に高音域より低音域の方が大きい。

④ 単層壁の音響透過損失は、一般に壁の面密度が高いほど大きい。

解説　┄┄┄┄┄┄┄┄┄┄┄┄┄┄┄┄┄┄┄　➡テキスト 第1編 **1-5**

① ○ 剛壁にグラスウール等の**多孔質吸音材料**を設置する場合、その吸音材料を**厚**くすると、一般に、中低周波数域における**吸音率が大きくなる**。

② ○ **孔あき吸音板**は**共鳴器型**の吸音機構を利用した吸音板であり、背後空気層にグラスウール等の多孔質材料を入れると、全周波数帯域で吸音率が大きくなる。

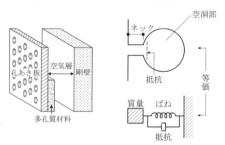

③ ✕ コンクリートのような均質な材料による**一重壁**の遮音性能は、入射音の**周波数が高い（高音）**ほど、**透過損失が大きく**なる。したがって、一般に低音域より高音域の方が透過損失は大きくなる。

④ ○ 均質な材料による**一重壁（単層壁）**の遮音性能は壁の単位面積（1㎡）当たりの質量である面密度［kg/㎡］が大きいほど**透過損失が大きく**なる（**質量則**）。

正解 **3**

音に関する記述として、最も不適当なものはどれか。

① 人間が聞き取れる音の周波数は、一般的に20Hzから20kHzといわれている。

② 室内の向かい合う平行な壁の吸音率が低いと、フラッターエコーが発生しやすい。

③ 自由音場において、無指向性の点音源から10m離れた位置の音圧レベルが63dBのとき、20m離れた位置の音圧レベルは57dBになる。

④ 音波が障害物の背後に回り込む現象を回折といい、低い周波数よりも高い周波数の音のほうが回折しやすい。

解 説 ……………………………… **➡テキスト　第1編　1-5**

① ○ **人間の可聴範囲**（人間が聞き取れる音）は、周波数で**20Hz〜20kHz**（20,000Hz）である。

② ○ **フラッターエコー**とは、室内の相対する平行平面や凹曲面において、**音の反射が繰り返して起こる**ことをいい、室内の向かい合う平行な壁の**吸音率が低いと発生しやすい**。吸音材等の対策をとることで防止することができる。

③ ○ 点音源から放射される音の強さは、伝搬距離の2乗に反比例して減衰する。したがって、点音源からの距離が2倍になると、**音の強さ**［W/㎡］は$\frac{1}{4}$になる。これは、音響エネルギーが4倍の面積に拡散されるためである。

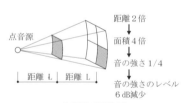

点音源の距離減衰

また、**音の強さが$\frac{1}{2}$になると、音圧レベルは3dB減少する**。したがって、距離が10mから20mの場合、距離が2倍になるので、音の強さは$\frac{1}{4}$になり、音圧レベルの差は−3dBの2倍の−**6dB**となるので、63−6 =57dBとなる。

④ ✕ 音には、防音塀や高速道路の遮音壁などの障壁を越えて裏側に回り込む**回折**現象がある。一般に、高音は直進する傾向が強く、**音の波長が長い（周波数が低い）低音のほうが回折は生じやすい**。

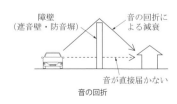

音の回折

正解　4

吸音及び遮音に関する記述として、最も不適当なものはどれか。

① グラスウールなど多孔質の吸音材の吸音率は、一般に低音域より高音域の方が大きい。

② コンクリート間仕切壁の音響透過損失は、一般に低音域より高音域の方が大きい。

③ 床衝撃音レベルの遮音等級を表すL値は、その値が大きいほど遮音性能が高い。

④ 室間音圧レベル差の遮音等級を表すD値は、その値が大きいほど遮音性能が高い。

解説 .... → テキスト 第1編 1-5

① ○ **多孔材料**（グラスウール等）の**吸音率**は、材料が厚いほど大きい。また、**高音域では大きく、低音域では小さくなる**。

② ○ 透過損失とは、壁や窓などによる遮音性能の程度を表す数値である。コンクリート間仕切壁などの単層壁の遮音性能は、一般に、壁の面密度が大きいほど、また、**周波数が高い（高音域）ほど、透過損失は大きくなる**（高音は遮音しやすいが低音は遮音しにくい）。

③ × **床衝撃音レベルに対する遮音等級**は、上下階を隔てる床への衝撃音（固体音）を遮断する性能を対象とし、音源室に設置した床衝撃音発生装置で加振したときの下階の音圧レベルを測定し、**L値**で評価する。具体的には、Lr−30〜80という等級で示す。**数値が小さいほど、遮音性が高い。**

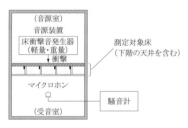

床衝撃音レベルの測定法

④ ○ **室間音圧レベル差に関する遮音等級**は、隣接する室での空気音を遮断する性能を対象とし、音源室と受音室の音圧レベル差を測定し、**D値**で評価する。具体的には、Dr−60〜30という等級で示す。**数値が大きいほど、遮音性が高い。**

正解 3

音に関する記述として、最も不適当なものはどれか。

① 音波は、媒質粒子の振動方向と波の伝搬方向が等しい縦波である。

② 音速は、気温が高くなるほど速くなる。

③ 音波が障害物の背後に回り込む現象を回折といい、低い周波数よりも高い周波数の音のほうが回折しやすい。

④ ある音が別の音によって聞き取りにくくなるマスキング効果は、両者の周波数が近いほどその影響が大きい。

解説 .... ➡テキスト 第1編 1-5

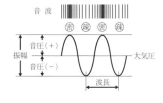

① 〇 **音**は、空気中でおきた物体の振動や爆発によって、空気が希薄になった部分と圧縮された部分とが規則的に生じ、その波（**音波**）が空気中を移動する現象である。したがって、音波は空気の振動する方向が進行方向と一致するために**縦波**（**疎密波**）とよばれる。

② 〇 **音速**とは、空気中を伝わる音の速度で、気温が**高い**ほど**速く**なる。気温15℃（常温）のとき**340m/s**である。

③ ✕ 音には、防音塀や高速道路の遮音壁などの障壁を越えて裏側に回り込む**回折**現象がある。一般に、**高音は直進**する傾向が強く、音の波長が長い（周波数が低い）**低音**のほうが**回折は生じやすい**。

④ 〇 **マスキング効果**とは、聴きたい音が他の音に隠されて（マスクされて）聴き取りにくくなる現象である。一般に、マスキング効果が大きいのは次のケースである。❶妨害音が大きい場合、❷妨害音の周波数が妨害される音の**周波数に近い**場合、❸妨害音の周波数が**低い**場合。

正解 3

難易度 **A** 問題 **021** CHECK ☑ □ □ □ **音**

吸音及び遮音に関する記述として、最も不適当なものはどれか。

① 吸音材は、音響透過率が高いため、遮音性能は低い。

② 多孔質の吸音材は、一般に低音域より高音域の吸音に効果がある。

③ 単層壁において、面密度が大きいほど、音響透過損失は小さくなる。

④ 室間音圧レベル差の遮音等級はD値で表され、D値が大きいほど遮音性能は高い。

解説 ················· ➡テキスト 第1編 1-5

① ○ **遮音材**は入射音に対して透過する音が小さく、**吸音材**は入射音に対して反射する音が小さい。したがって、吸音材は音響透過率が高く、遮音性能は低い。

遮音材

② ○ 多孔質材料（グラスウール等）の吸音率は、材料が厚いほど大きい。また、高音域では大きく、低音域では小さくなる。

吸音材

③ × 均質な材料による一重壁（単層壁）の遮音性能は壁の単位面積（1㎡）当たりの質量である**面密度**［kg／㎡］が大きいほど透過損失が**大きくなる**（質量則）。

④ ○ **室間音圧レベル差**に関する遮音等級は、隣接する室での空気音を遮断する性能を対象とし、音源室と受音室の音圧レベル差を測定し、D値で評価する。具体的には、Dr－60～30という等級で示す。数値が**大きい**ほど、遮音性が高い。

正解 **3**

地盤及び基礎構造に関する記述として、最も不適当なものはどれか。

① 圧密沈下の許容値は、独立基礎のほうがべた基礎に比べて大きい。

② 粘性土地盤の圧密沈下は、地中の応力の増加により長時間かかって土中の水が絞り出され、間隙が減少するために生じる。

③ 直接基礎の滑動抵抗は、基礎底面の摩擦抵抗が主体となるが、基礎の根入れを深くすることで基礎側面の受動土圧も期待できる。

④ 地盤の液状化は、地下水面下の緩い砂地盤が地震時に繰り返しせん断を受けることにより間隙水圧が上昇し、水中に砂粒子が浮遊状態となる現象である。

解説 ……………………………………………… →テキスト　第1編　**2-1**

① ✕ 圧密による**許容沈下量**は、**独立基礎**の方が、べた**基礎**に比べて**小さい**。上部構造に障害が発生するおそれがない範囲で、構造種別、地盤、基礎形式により、沈下量の許容値が目安として示されている。RC造建築物の圧密沈下の標準値は、独立基礎の場合5㎝、べた基礎の場合10㎝である（建築基礎構造設計指針）。

② ○ **粘性土地盤**の**圧密沈下**は、地中の有効応力の増加により、長時間かかって土中の間隙水が絞り出され、間隙が減少するためにおこる。沈下については、粘性土地盤では圧密沈下、砂質土地盤では即時沈下の検討が必要である。

③ ○ 直接基礎の**滑動抵抗**は、原則として**基礎底面と地盤の摩擦抵抗**により評価するが、直接基礎の根入れが2m程度以上ある場合には、**基礎根入れ部前面の受働抵抗**と、**基礎側面の摩擦抵抗**を考慮することができる。

④ ○ 地盤の**液状化**は、水で飽和した砂が、振動や衝撃による**間隙水圧の上昇**によりせん断抵抗を失い、水中に**砂粒子**が**浮遊状態**となる現象である。液状化した砂は水の2倍の体積重量をもつ液体となるため、これより重量の軽い地中埋設物が浮き上がるなどの現象が生じる。

正解 **1**

杭基礎に関する記述として、最も不適当なものはどれか。

① 支持杭を用いた杭基礎の許容支持力には、基礎スラブ底面における地盤の支持力は加算しない。

② 杭と杭の中心間隔は、杭径が同一の場合、打込み杭の方が埋込み杭より小さくすることができる。

③ 杭の極限鉛直支持力は、極限先端支持力と極限周面摩擦力との和で表す。

④ 地盤から求める杭の引抜き抵抗力に杭の自重を加える場合は、地下水位以下の部分の浮力を考慮する。

解説 .... ➡テキスト **第1編** **2-2**

① 〇 直接基礎と杭基礎を併用すると不同沈下や地震時の杭の障害が発生しやすいため、原則として避けるべきである。したがって、支持杭を用いた杭基礎の許容支持力に、基礎スラブ底面における地盤の支持力は加算しない。

② ✕ 杭の間隔の目安は次のとおりで、打込み杭の方が大きい。
　・**打込み杭**の間隔：杭径の**2.5倍**以上、かつ、75cm以上
　・**埋込み杭**の間隔：杭径の**2倍**以上
なお、打込み杭の方が大きいのは、杭を打ち込むと周囲の地盤が締め固められ、あとの杭が施工不能になる危険性があるからである。

③ 〇 **杭の極限支持力**は、杭の**極限先端支持力**と**極限周面摩擦力**の和による。

④ 〇 地震時の建築物の転倒モーメントにより、杭に引抜力が生じる場合、杭の引抜抵抗力は、杭周面の**摩擦抵抗＋杭の自重**で評価されるが、地下水による**浮力**を考慮する。

正解 **2**

基礎構造に関する記述として、最も不適当なものはどれか。

① 直接基礎の底面の面積が同じであれば、底面形状が正方形や長方形のように異なっていても、地盤の許容支持力は同じ値となる。

② フローティング基礎は、建物重量と基礎等の構築による排土重量をつり合わせ、地盤中の応力が増加しないようにする基礎形式である。

③ 基礎梁の剛性を大きくすることにより、基礎フーチングの沈下を平均化できる。

④ 地盤の液状化は、地下水面下の緩い砂地盤が地震時に繰り返しせん断を受けることにより間隙水圧が上昇し、水中に砂粒子が浮遊状態となる現象である。

解説 ➡テキスト **第1編** **2-2**

① ✕ 地盤の許容支持力は許容応力度に面積を乗じて求める。**許容応力度は基礎の形状によって異なる**ため、面積が同じであっても、基礎の形状が異なれば許容支持力も異なる。

② ◯ **フローティング基礎**とは、建物重量を地階や基礎を構築する際に排出する土の重量以下とすることにより、地盤中の応力が増加しないようにする直接基礎形式である。

③ ◯ 直接基礎である独立フーチング基礎は、地盤の圧密沈下により不同沈下を生じやすいが、**基礎梁の剛性を大きくすることによりフーチングの沈下を平均化**することができる。

④ ◯ 地盤の**液状化**は、水で飽和した砂が、振動や衝撃による間隙水圧の上昇によりせん断抵抗を失い、水中に**砂粒子**が**浮遊状態**となる現象である。液状化した砂は水の2倍の体積重量をもつ液体となるため、これより重量の軽い地中埋設物が浮き上がるなどの現象が生じる。

正解 **1**

難易度 B	問題 025	基礎	一般構造 R1-7

杭基礎に関する記述として、最も不適当なものはどれか。

① 基礎杭の周辺地盤に沈下が生じたときに杭に作用する負の摩擦力は、一般に摩擦杭の場合より支持杭の方が大きい。

② 杭と杭との中心間隔の最小値は、埋込み杭の場合、杭径の1.5倍とする。

③ 基礎杭の先端の地盤の許容応力度は、アースドリル工法による場所打ちコンクリート杭の場合よりセメントミルク工法による埋込み杭の方が大きい。

④ 外殻鋼管付きコンクリート杭の鋼管の腐食代は、有効な防錆措置を行わない場合、1mm以上とする。

解説 .... → テキスト / 第1編 / 2-2

① ○ **支持杭**は支持層に支持されてほとんど沈下しないので、圧密沈下する軟弱地盤を貫いている場合、周辺地盤が杭を一緒に引き下げるような下向きの「**負の摩擦力**」が発生する。一方、**摩擦杭**を採用する場合には、摩擦杭と周辺地盤がともに沈下し、杭と地盤の相対変位が生じないため、**負の摩擦力は小さい**。

② ✕ 杭の間隔の目安は次のとおりである。
  ・**打込み杭**の間隔：杭径の**2.5倍**以上、かつ、75cm以上
  ・**埋込み杭**の間隔：杭径の**2倍**以上
  なお、打込み杭の方が大きいのは、杭を打ち込むと周囲の地盤が締め固められ、あとの杭が施工不能になる危険性があるからである。

③ ○ 打込み杭は、砂質土では、締め固められ先端支持力は増加する傾向があり、埋込み杭は、杭先端地盤を根固め液で固化し、杭先端及び地盤の強化を図れる。一方、場所打ちコンクリート杭は、削孔時に杭先端付近が弱められる可能性がある。したがって、先端の地盤の許容応力度の大小関係は、**打込み杭>埋込み杭>場所打ちコンクリート杭**の順となる（建築基礎構造設計指針）。

④ ○ 鋼杭の腐食対策として、防錆塗装の他、**腐食代を見込んで杭の肉厚を1mm程度増す方法**がある（同上）。

正解 2

地盤及び基礎構造に関する記述として、最も不適当なものはどれか。

① 直接基礎における地盤の許容応力度は、基礎荷重面の面積が同一ならば、その形状が異なっても同じ値となる。

② 直接基礎下における粘性土地盤の圧密沈下は、地中の応力の増加により長時間かかって土中の水が絞り出され、間隙が減少するために生じる。

③ 圧密による許容沈下量は、独立基礎のほうがべた基礎に比べて小さい。

④ 基礎梁の剛性を大きくすることにより、基礎の沈下量を平均化できる。

解説　　　　　　　　　　　　　　→テキスト 第1編 2-2

① × 地盤の**許容応力度は基礎の形状によって異なる**ため、面積が同じであっても、基礎の形状が異なれば許容応力度も異なる。

② ○ **粘性土地盤の圧密沈下**は、地中の有効応力の増加により、長時間かかって土中の間隙水が絞り出され、間隙が減少するためにおこる。沈下については、粘性土地盤では圧密沈下、砂質土地盤では即時沈下の検討が必要である。

③ ○ 圧密による**許容沈下量**は、独立**基礎**の方が、べた**基礎**に比べて小さい。上部構造に障害が発生するおそれがない範囲で、構造種別、地盤、基礎形式により、沈下量の許容値が目安として示されている。RC造建築物の圧密沈下の標準値は、独立基礎の場合5cm、べた基礎の場合10cmである（建築基礎構造設計指針）。

④ ○ 直接基礎である独立フーチング基礎は、地盤の圧密沈下により不同沈下を生じやすいが、**基礎梁の剛性を大きくすることによりフーチングの沈下を平均化**することができる。

正解 **1**

杭基礎に関する記述として、最も不適当なものはどれか。

① 杭の先端の地盤の許容応力度は、セメントミルク工法による埋込み杭の場合より、アースドリル工法による場所打ちコンクリート杭の方が大きい。

② 杭の極限鉛直支持力は、極限先端支持力と極限周面摩擦力との和で表す。

③ 地盤から求める杭の引抜き抵抗力に杭の自重を加える場合、地下水位以下の部分の浮力を考慮する。

④ 杭の周辺地盤に沈下が生じたときに杭に作用する負の摩擦力は、一般に摩擦杭の場合より支持杭の方が大きい。

解説 ⋯⋯⋯⋯⋯⋯⋯⋯⋯⋯⋯⋯⋯⋯⋯⋯⋯⋯⋯⋯⋯ ➡テキスト／第1編 **2-2**

① **✕** 打込み杭は、砂質土では、締め固められ先端支持力は増加する傾向がある。埋込み杭は、杭先端地盤を根固め液で固化し、杭先端及び地盤の強化を図れる。一方、場所打ちコンクリート杭は、削孔時に杭先端付近が弱められる可能性がある。したがって、**先端の地盤の許容応力度**の大小関係は、**打込み杭＞埋込み杭＞場所打ちコンクリート杭**の順となる（建築基礎構造設計指針）。

② **○** 杭の極限支持力は、杭の**極限先端支持力と極限周面摩擦力の和**による。

③ **○** 地震時の建築物の転倒モーメントにより、杭に引抜き力が生じる場合、杭の引抜き抵抗力は、杭周面の**摩擦抵抗＋**杭の**自重**で評価されるが、地下水による**浮力を考慮**しなければならない。

④ **○** **支持杭**は支持層に支持されてほとんど沈下しないので、圧密沈下する軟弱地盤を貫いている場合、周辺地盤が杭を一緒に引き下げるような下向きの「**負の摩擦力**」が発生する。一方、**摩擦杭**を採用する場合には、摩擦杭と周辺地盤がともに沈下し、杭と地盤の相対変位が生じないため、**負の摩擦力は小さい**。

正解 **1**

杭基礎に関する記述として、最も不適当なものはどれか。

① 杭の周辺地盤に沈下が生じたときに杭に作用する負の摩擦力は、支持杭より摩擦杭のほうが大きい。

② 杭と杭の中心間隔は、杭径が同一の場合、埋込み杭のほうが打込み杭より小さくすることができる。

③ 杭の極限鉛直支持力は、極限先端支持力と極限周面摩擦力との和で表す。

④ 杭の引抜き抵抗力に杭の自重を加える場合、地下水位以下の部分の浮力を考慮する。

解 説 ....➡️テキスト / 第 1 編 / 2-2

① ✕ **支持杭**は支持層に支持されてほとんど沈下しないので、圧密沈下する軟弱地盤を貫いている場合、周辺地盤が杭を一緒に引き下げるような下向きの「**負の摩擦力**」が発生する。一方、**摩擦杭**を採用する場合には、摩擦杭と周辺地盤がともに沈下し、杭と地盤の相対変位が生じないため、**負の摩擦力**は**小さい**。

② ◯ 杭の間隔の目安は次のとおりである。

・打込み杭の間隔：杭径の2.5倍以上、かつ、75cm以上

・埋込み杭の間隔：杭径の2倍以上

　なお、打込み杭の方が大きいのは、杭を打ち込むと周囲の地盤が締め固められ、あとの杭が施工不能になる危険性があるからである。

③ ◯ 杭の極限支持力は、杭の**極限先端支持力**と**極限周面摩擦力**の和による。

④ ◯ 地震時の建築物の転倒モーメントにより、杭に引抜き力が生じる場合、杭の**引抜き抵抗力**は、杭周面の摩擦抵抗＋杭の自重で評価されるが、地下水による**浮力**を考慮しなければならない。

正解 **1**

鉄筋コンクリート造

一般構造
H29-5

鉄筋コンクリート構造に関する記述として、最も不適当なものはどれか。

① 壁板のせん断補強筋比は、直交する各方向に関して、それぞれ0.25%以上とする。

② 柱の主筋の断面積の和は、コンクリートの断面積の0.8%以上とする。

③ 床スラブの配筋は、各方向の全幅について、鉄筋全断面積のコンクリート全断面積に対する割合を0.1%以上とする。

④ 柱梁接合部内の帯筋間隔は、原則として150mm以下とし、かつ、隣接する柱の帯筋間隔の1.5倍以下とする。

解説 .... ➡ テキスト | 第1編 | **2-3**

① ○ 耐力壁のせん断補強筋比（鉄筋比）は、直交する各方向に対し、それぞれ**0.25%以上**とする。

② ○ **柱の主筋**の全断面積のコンクリート全断面積に対する割合は、**0.8%以上**とする。

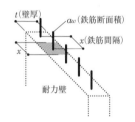

③ ✕ 床スラブ配筋には、主筋と配力筋があり、ともに荷重を負担するが、主筋が主体となって床スラブに作用する力を伝える。長方形スラブでは短辺方向を主筋とする。そして、主筋、配力筋とも鉄筋全断面積のコンクリート全断面積に対する割合は**0.2%以上**とする。

④ ○ **柱梁接合部内の帯筋間隔**は、原則として**150mm以下**とし、かつ、**隣接する柱の帯筋間隔の1.5倍以下**とする。

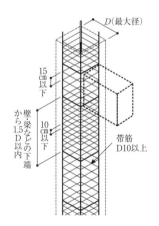

正解 | 3

鉄筋コンクリート構造に関する記述として、最も不適当なものはどれか。

① 梁のあばら筋にD10の異形鉄筋を用いる場合、その間隔は梁せいの$\frac{1}{2}$以下、かつ、250mm以下とする。

② 梁貫通孔は、梁端部への配置を避け、孔径を梁せいの$\frac{1}{3}$以下とする。

③ 柱のじん性を確保するため、短期軸方向力を柱のコンクリート全断面積で除した値は、コンクリートの設計基準強度の$\frac{1}{2}$以下とする。

④ 普通コンクリートを使用する場合の柱の最小径は、原則としてその構造耐力上主要な支点間の距離の$\frac{1}{15}$以上とする。

解説 .... →テキスト 第1編 **2-3**

① ○ 梁の**あばら筋**（スターラップ）の配筋には、D10以上の異形鉄筋（又は9mm以上の丸鋼）を用い、間隔は、**梁せいの$\frac{1}{2}$以下**、かつ**250mm以下**とする。

② ○ 梁の地震時の応力は、材端部で大きくなるので、**貫通孔**を設ける場合は、材端を避けて梁**中央部**に設け、孔径は梁せいの$\frac{1}{3}$**以下**とする。

③ × 柱のじん性確保のため、**柱の短期圧縮応力度**（軸方向力を柱の断面積で除した値）は、設計基準強度の$\frac{1}{3}$**以下**とすることが望ましい。これは、鉄筋コンクリート柱では圧縮応力度が高いほど、せん断ひび割れ強度は高くなるが、変形能力が小さくなり、ひび割れ発生後は脆性的な破壊をする危険性があるからである。

④ ○ **柱の小径**は、原則として、その構造耐力上主要な支点間の距離（内法寸法）の$\frac{1}{15}$**以上**とする。

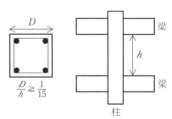

正解 3

問題 031 鉄筋コンクリート造

難易度 B

一般構造
R1-5

鉄筋コンクリート構造に関する記述として、最も不適当なものはどれか。

① 柱のせん断補強筋の間隔は、柱の上下端から柱の最大径の1.5倍又は最小径の2倍のいずれか大きい範囲を100㎜以下とする。

② 柱及び梁のせん断補強筋は、直径9㎜以上の丸鋼又はD10以上の異形鉄筋とし、せん断補強筋比は0.2%以上とする。

③ 一般の梁で、長期許容応力度で梁の引張鉄筋の断面積が決まる場合、原則として引張鉄筋の断面積はコンクリート断面積の0.2%以上とする。

④ 貫通孔の中心間隔は、梁に2個以上の円形の貫通孔を設ける場合、両孔径の平均値の3倍以上とする。

解説

→テキスト 第1編 2-3

① ○ 柱のせん断補強筋（帯筋）の間隔は、100㎜以下とする。ただし、柱の上下端より柱の最大径の1.5倍または最小径の2倍のいずれか大きい方の範囲外では、帯筋間隔を前記数値の1.5倍まで広げることができる。

② ○ 柱及び梁のせん断補強筋は、丸鋼9φ又は異形鉄筋D10以上を用い、せん断補強筋比（$p_w = \dfrac{a_w}{bx}$）は0.2%以上とする。

③ ✕ 長期許容応力度で梁の引張鉄筋の断面積が決まる場合、引張鉄筋比Pt≧0.4%以上又は存在応力によって必要とされる量の$\dfrac{4}{3}$倍のうち、小さい方の値以上とする。

④ ○ 梁に2個以上の円形の貫通孔を設ける場合、貫通孔の中心間隔は、両孔径の平均値の3倍以上とする。なお、貫通孔は、梁せいDの中心から上下にそれぞれD/6の範囲（梁中央のD/3以下の範囲）に設け、梁端部には設けない（鉄筋コンクリート造配筋指針・同解説）。

D（最大径）
15cm以下
壁・梁などの下端から1.5D以内
10cm以下
15cm以下
帯筋D10以上
主筋D13 4本以上
15cm以下
壁・梁などの上端から1.5D以内
10cm以下
15cm以下

正解 3

鉄筋コンクリート構造に関する記述として、最も不適当なものはどれか。

① 床スラブは、地震力に対し同一階の水平変位を等しく保つ役割を有する。

② 柱のじん性を確保するため、短期軸方向力を柱のコンクリート全断面積で除した値は、コンクリートの設計基準強度の$\frac{1}{2}$以下とする。

③ 壁板のせん断補強筋比は、直交する各方向に関して、それぞれ0.25%以上とする。

④ 梁に貫通孔を設けた場合、構造耐力の低下は、曲げ耐力よりせん断耐力のほうが著しい。

解説 .... →テキスト 第1編 **2-3**

① ○ 地震力は、床の位置に集中して作用するものとし、床スラブ等の水平構面から、柱や耐力壁等の垂直構面に伝わるものと考える。一般に、床スラブは、十分な耐力及び面内剛性を確保することで、変形は小さいことから無視することができ、同一階の**水平変位が**等しくなる（各水平構面の柱等の**層間変位は等し くなる**）。

② ✕ 柱のじん性確保のため、**柱の短期圧縮応力度**（軸方向力を柱の断面積で除した値）は、設計基準強度の$\frac{1}{3}$**以下**とすることが望ましい。これは、鉄筋コンクリート柱では圧縮応力度が高いほど、せん断ひび割れ強度は高くなるが、変形能力が小さくなり、ひび割れ発生後は脆性的な破壊をする危険性があるからである。

③ ○ **耐力壁のせん断補強筋比（鉄筋比）**は、直交する各方向に対し、それぞれ **0.25%以上**とする。

④ ○ 鉄筋コンクリート造の梁に**貫通孔**が設けられると、梁の構造性能は低下する。特に、**せん断終局強度の低下は著しい**。また、孔周囲には応力集中によるひび割れも発生しやすいことから、孔周囲は適切に補強することが必要である。なお、円型孔の直径や長方形孔の梁せい方向の辺長は、梁せいの$\frac{1}{3}$以下とし、同一の梁に2個以上の円形孔が設けられる場合、円形孔の中心間隔は孔径の3倍以上とすることが望ましい（RC構造計算規準・同解説）。

正解 **2**

難易度 B	問題 033 CHECK □□□	鉄筋コンクリート造	一般構造 R3-5

鉄筋コンクリート構造に関する記述として、最も不適当なものはどれか。

① 柱の主筋はD13以上の異形鉄筋とし、その断面積の和は、柱のコンクリート全断面積の0.8%以上とする。

② 柱のせん断補強筋の間隔は、柱の上下端から柱の最大径の1.5倍又は最小径の2倍のいずれか大きい方の範囲内を150㎜以下とする。

③ 梁の主筋はD13以上の異形鉄筋とし、その配置は、特別な場合を除き2段以下とする。

④ 梁のせん断補強筋にD10の異形鉄筋を用いる場合、その間隔は梁せいの$\frac{1}{2}$以下、かつ、250㎜以下とする。

解説 →テキスト 第1編 2-3

① ○ 柱の**主筋の全断面積**のコンクリート全断面積に対する割合は、**0.8%以上**とする。また、鉄筋径は**D13以上**の異形鉄筋、本数は**4本以上**とする。

② × **帯筋**（柱のせん断補強筋）の間隔は**100㎜以下**とするが、柱の上下端より柱の**最大径の1.5倍**または**最小径の2倍**のいずれか大きい方の**範囲外**（範囲内ではない）では、前記数値の1.5倍まで広げることができる。

③ ○ 梁の配筋は、**複筋**（圧縮側と引張側の両方に主筋を入れること）とし、主筋は異形鉄筋で**D13以上**、配置は**2段以下**とする。

④ ○ 鉄筋コンクリート構造の**梁のせん段補強筋**（**あばら筋**）の配筋は、

❶ **D10以上**の異形鉄筋を用いる。

❷ 間隔は、梁せいの$\frac{1}{2}$**以下**、かつ、**250㎜以下**とする。

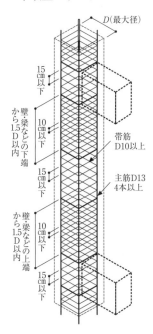

D(最大径)

15cm以下

壁・梁などの下端から1.5D以内 10cm以下

15cm以下

帯筋 D10以上

主筋D13 4本以上

壁・梁などの上端から1.5D以内 10cm以下

15cm以下

正解 2

鉄筋コンクリート造の建築物の構造計画に関する記述として、最も不適当なものはどれか。

① ねじれ剛性は、耐震壁等の耐震要素を、平面上の中心部に配置するよりも外側に均一に配置したほうが高まる。

② 壁に換気口等の小開口がある場合でも、その壁を耐震壁として扱うことができる。

③ 平面形状が極めて長い建築物には、コンクリートの乾燥収縮や不同沈下等による問題が生じやすいため、エキスパンションジョイントを設ける。

④ 柱は、地震時の脆性破壊の危険を避けるため、軸方向圧縮応力度が大きくなるようにする。

解説　　　　　　　　　　　　　　　　　　　　➡テキスト 第1編 2-3

① ○ 地震時に建築物に生じる**ねじれ**を抑制するためには（**ねじれ剛性**を大きくするためには）、耐力壁等の耐震要素は、中心部よりも外周部に配置する。

② ○ エアコン用の貫通孔などで一定の形状のものは、剛性及び耐力の低減を行うべき開口部に該当しないものとして取り扱うことができる。ただし、これらの開口部の周囲は適切に補強されている必要がある（国土交通省告示第594号第1）。

③ ○ 平面的に長大な建築物におけるコンクリートの**乾燥収縮**や**不同沈下**の問題や、L型やT型の建築物において形状が変化する部分への応力集中の問題に対応するため、**エキスパンションジョイント**を採用して、構造的に**独立させる**。

④ × RC造の柱は、強い地震による曲げ変形により、ひび割れをおこすことがある。ひび割れ発生後は、**脆性破壊**の一種である**せん断破壊**を生じやすくなる。これを防ぐため、**柱断面積を意識的に大きくして軸方向圧縮応力度が小さくなる**ように計画する。

正解 4

鉄筋コンクリート造

鉄筋コンクリート構造の建築物の構造計画に関する一般的な記述として、最も不適当なものはどれか。

① 普通コンクリートを使用する場合の柱の最小径は、その構造耐力上主要な支点間の距離の $\frac{1}{15}$ 以上とする。

② 耐震壁とする壁板のせん断補強筋比は、直交する各方向に関して、それぞれ0.25％以上とする。

③ 床スラブの配筋は、各方向の全幅について、コンクリート全断面積に対する鉄筋全断面積の割合を0.1％以上とする。

④ 梁貫通孔は、梁端部への配置を避け、孔径を梁せいの $\frac{1}{3}$ 以下とする。

解説 .... ➡テキスト 第1編 2-3

① ○ **柱の小径**は、原則として、その構造耐力上主要な支点間の距離（内法寸法）の $\frac{1}{15}$ 以上とする。

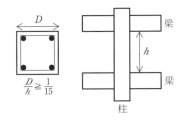

② ○ 耐力壁の**せん断補強筋比（鉄筋比）**は、直交する各方向に対し、それぞれ0.25％以上とする。

$\frac{D}{h} \geqq \frac{1}{15}$　柱　梁　梁　D　h

③ ✕ 床スラブ配筋には、主筋と配力筋があり、いずれも荷重を負担するが、主筋が主体となって床スラブに作用する力を伝える。長方形スラブでは短辺方向を主筋とする。そして、主筋、配力筋とも鉄筋全断面積のコンクリート全断面積に対する割合は0.2％以上とする。

④ ○ 梁の地震時の応力は、材端部で大きくなるので、**貫通孔**を設ける場合は、材端を避けて梁中央部に設け、孔径は梁せいの $\frac{1}{3}$ 以下とする。

正解 3

鉄骨構造に関する記述として、最も不適当なものはどれか。

① H形鋼は、フランジやウェブの板要素の幅厚比が大きくなると局部座屈を生じやすい。

② 中間スチフナは、梁の材軸と直角方向に配置し、主としてウェブプレートのせん断座屈補強として用いられる。

③ 部材に作用する引張力によってボルト孔周辺に生じる応力集中の度合は、高力ボルト摩擦接合の場合より普通ボルト接合の方が少ない。

④ 内ダイアフラムはせいの異なる梁を1本の柱に取り付ける場合等に用いられる。

解説 ……………………………………………………… ➡テキスト 第1編 **2-3**

① ○ 幅厚比（幅/厚）が大きくなると、幅（b）に対して板厚（t_2）が薄くなってしまうので、**局部座屈**が生じやすくなる。これを避けるために、**幅厚比**の制限を設けている。

フランジの幅厚比=b/t_2
ウェブの幅厚比=d/t_1

② ○ 中間スチフナーは、梁の材軸と直角方向に配置し、主としてウェブプレートのせん断座屈補強として用いられる。

③ × ボルト接合は、「**ボルト軸部のせん断力**」と「部材とボルト軸部との間の**支圧力**（物体の接触面に生じる局部的な圧縮力）」で応力を伝達する。**高力ボルト摩擦接合**は鋼材間のすべり（ずれ）がなく、伝達面積が広いので、ボルト孔周辺に生じる**応力集中が少ない**。したがって、応力集中の度合は、高力ボルト摩擦接合の場合より普通ボルト接合の方が大きい。

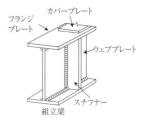

④ ○ **ダイアフラム**とは角形鋼管柱とH形梁の仕口部を一体化するための鋼板のこと。梁のフランジに作用する軸方向力を他の部材に伝える部材である。

下図のように、隣り合う梁に段差があり、かつ梁段差が小さい場合は、**内ダイアフラム**を使うことになる。

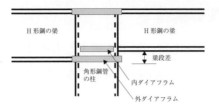

正解 3

難易度 **C** CHECK □□□ 問題 **037**　鉄骨構造

鉄骨構造に関する記述として、最も不適当なものはどれか。

① 梁の材質を、SN400AからSN490Bに変えても、断面と荷重条件が同一ならば、梁のたわみは同一である。

② 鉄骨造におけるトラス構造の節点は、構造計算上、すべてピン接合として扱う。

③ 材端の移動が拘束され材長が同じ場合、両端固定材の座屈長さは、両端ピン支持材の座屈長さより短い。

④ 柱脚に高い回転拘束力をもたせるためには、根巻き形式ではなく露出形式とする。

解 説 ･･ →テキスト 第1編 **2-3**

① ○ 梁の変形は、荷重に比例し、曲げ剛性（EI）に反比例する。**鋼材の強度が**SN400材からSN490材へ**高くなっても**E（弾性係数）は変わらず、同一断面であればI（断面2次モーメント）も変わらないため、**変形（たわみ）は同一**である。

② ○ 鉄骨造におけるトラス構造の節点は、構造計算上、すべて**ピン接合**として扱う。

③ ○ 材端条件が「両端ピン」の場合に比べて、「両端固定」の場合の方が、座屈長さl_kは**小さい**。

水平移動拘束の場合			水平移動自由の場合	
両端ピン	一端ピン 他端固定	両端固定	一端ピン（又は自由） 他端固定	両端固定
l / $l_k = l$	$l_k = 0.7l$	$l_k = 0.5l$	l / $l_k = 2l$	l / $l_k = l$

④ ✕ 鉄骨柱脚の固定度（回転拘束の程度）は、露出形式＜根巻き形式＜埋込み形式の順である。

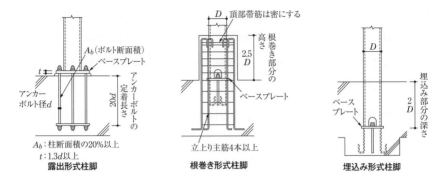

A_b：柱断面積の20%以上
t：1.3d以上
露出形式柱脚

根巻き形式柱脚

埋込み形式柱脚

正解 4

鉄骨構造

鉄骨構造に関する記述として、最も不適当なものはどれか。

① H形鋼は、フランジ及びウェブの幅厚比が大きくなると局部座屈を生じやすい。

② 角形鋼管柱の内ダイアフラムは、せいの異なる梁を1本の柱に取り付ける場合等に用いられる。

③ 部材の引張力によってボルト孔周辺に生じる応力集中の度合は、高力ボルト摩擦接合の場合より普通ボルト接合の方が大きい。

④ H形鋼梁は、荷重や外力に対し、せん断力をフランジが負担するものとして扱う。

解説 .... →テキスト／第1編 **2-3**

① ○ **幅厚比**(幅/厚)が大きくなると、幅(b)に対して板厚(t_2)が薄くなり、局部座屈が生じやすくなる。これを避けるため、幅厚比を一定値以下に制限している。

フランジの幅厚比=b/t_2
ウェブの幅厚比=d/t_1

② ○ **内ダイアフラム形式**は、柱内部の梁の上下のフランジ位置にダイアフラムを入れる形式である。梁せいの異なる梁を1本の柱に取り付ける場合等に用いられる。

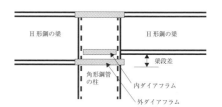

H形鋼の梁　H形鋼の梁
梁段差
角形鋼管の柱
内ダイアフラム
外ダイアフラム

③ ○ **ボルト接合**は、「ボルト軸部のせん断力」と「部材とボルト軸部との間の**支圧力**（物体の接触面に生じる局部的な圧縮力）」で応力を伝達する。**高力ボルト摩擦接合**は鋼材間のすべり（ずれ）がなく、伝達面積が広いので、ボルト孔周辺に生じる**応力集中**が少ない。したがって、応力集中の度合は、高力ボルト摩擦接合の場合より普通ボルト接合の方が大きい。

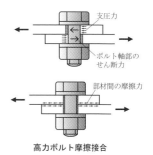

支圧力
ボルト軸部のせん断力
部材間の摩擦力
高力ボルト摩擦接合

④ × H形鋼のようなI形断面梁では、せん断力は**ウェブ**に均等に分布するものとして検討する（基礎シリーズ建築構造設計入門）。

正解 **4**

問題 039 鉄骨構造

難易度 **B**

一般構造 R2-6

鉄骨構造に関する記述として、最も不適当なものはどれか。

① 梁の材質をSN400AからSN490Bに変えても、部材断面と荷重条件が同一ならば、梁のたわみは同一である。

② トラス構造は、部材を三角形に組み合わせた骨組で、比較的細い部材で大スパンを構成することができる。

③ 節点の水平移動が拘束されているラーメン構造では、柱の座屈長さは、設計上、節点間の距離に等しくとることができる。

④ 構造耐力上主要な部分である圧縮材については、細長比の下限値が定められている。

解説
→テキスト／第1編 **2-3**

① ○ 梁の変形は、荷重に比例し、曲げ剛性（EI）に反比例する。**鋼材の強度が**SN400材からSN490材へ**高くなっても**E（弾性係数）**は変わらず**、同一断面であれば I（断面2次モーメント）も変わらないため、**変形（たわみ）は同一である。**

② ○ **トラス構造**とは、**節点がピンで部材を三角形に組み立てた構造骨組**をいい、比較的軽量で細い部材でも大スパンを構成することができる。一般に屋根の小屋組や、支点間距離の大きな梁を構成するのに用いられる。

③ ○ 筋かい付き骨組や耐震壁といった剛な骨組と剛な床組によって拘束された、節点の水平移動が拘束されているラーメン構造の場合、**座屈長さは支点間距離（階高）より長くなることはない**（鋼構造設計規準）。

耐震壁などにより水平移動拘束　　　水平移動が拘束されていない

座屈長さは節点間距離（階高）
$l_k = h$

座屈長さは節点間距離よりも長い
$l_k > h$

④ ✕ 圧縮力を負担する構造耐力上主要な部材は、**有効細長比の上限が定め**られている。たとえば、**鉄骨造の柱の有効細長比は、200以下としなければ**ならない。なお、**細長比 λ は**、**部材の座屈しやすさを表し、座屈長さと断面二次半径の比**で求められる。

$$細長比 \quad \lambda = \frac{l_k}{i} \quad \left(\frac{\text{mm}}{\text{mm}} = 単位なし\right)$$

細長比が大きいほど、細長く、座屈に弱い

正解 **4**

鉄骨構造に関する記述として、最も不適当なものはどれか。

① H形鋼は、フランジ及びウェブの幅厚比が大きくなると局部座屈を生じやすい。

② 部材の引張力によってボルト孔周辺に生じる応力集中の度合は、普通ボルト接合より高力ボルト摩擦接合の方が大きい。

③ シアコネクタでコンクリートスラブと結合された鋼製梁は、上端圧縮となる曲げ応力に対して横座屈が生じにくい。

④ H形鋼における、局部座屈の影響を考慮しなくてもよい幅厚比については、柱のウェブプレートより梁のウェブプレートの方が大きい。

解 説 .... ➡テキスト 第1編 **2-3**

① ○ **幅厚比**（幅/厚）が大きくなると、幅に対して板厚が薄くなってしまうので、**局部座屈**が生じやすくなる。これを避けるために、幅厚比の制限を設けている。

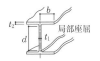

フランジの幅厚比=b/t_2
ウェブの幅厚比=d/t_1

② ✕ **ボルト接合**は、「ボルト軸部のせん断力」と「部材とボルト軸部との間の支圧力（物体の接触面に生じる局部的な圧縮力）」で応力を伝達する。**高力ボルト摩擦接合**は鋼材間のすべり（ずれ）がなく、伝達面積が広いので、ボルト孔周辺に生じる応力集中が少ない。したがって、**応力集中の度合**は、高力ボルト摩擦接合の場合より**普通ボルト接合の方が大きい。**

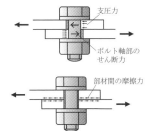

高力ボルト摩擦接合

③ ○ **シアコネクタ**でコンクリートスラブと結合された梁を**合成梁**という。コンクリートスラブにより鉄骨梁の上フランジの移動が拘束されることから、上端圧縮となる曲げモーメントに対して横座屈が生じにくい構造である。

④ ○ **幅厚比**には、材料が強度を発揮する前に局部的な座屈（局部座屈）が生じないように、**上限**が設けられている。柱のウェブプレートより梁のウェブプレートの方が幅厚比の上限値は大きく設定されている。幅厚比が**大きい**とは、幅に対して薄い板であることで、柱の幅厚比の方が、厳しい規定となっている。

正解 2

46

難易度 B	問題 041	鉄骨構造	一般構造 R4-6

鉄骨構造に関する記述として、最も不適当なものはどれか。

① 梁の材質をSN400AからSN490Bに変えても、部材断面と荷重条件が同一ならば、構造計算上、梁のたわみは同一である。

② 節点の水平移動が拘束されているラーメン構造では、柱の座屈長さは、設計上、節点間の距離に等しくとることができる。

③ トラス構造の節点は、構造計算上、すべてピン接合として扱う。

④ 柱脚に高い回転拘束力をもたせるためには、根巻き形式ではなく露出形式とする。

解説 ··· →テキスト 第1編 2-3

① ○ 梁の変形は、荷重に比例し、曲げ剛性（EI）に反比例する。鋼材の強度がSN400材からSN490材へ高くなってもE（弾性係数）は変わらず、同一断面であれば I（断面２次モーメント）も変わらないため、変形（たわみ）は同一である。

② ○ 筋かい付き骨組や耐震壁といった剛な骨組と剛な床組によって拘束された、節点の水平移動が拘束されているラーメン構造の場合、柱の座屈長さは支点間距離（階高）より長くなることはない（鋼構造設計規準）。

③ ○ 鉄骨造におけるトラス構造の節点は、構造計算上、すべてピン接合として扱う。

④ × 鉄骨柱脚の固定度（回転拘束の程度）は、露出形式＜根巻き形式＜埋込み形式の順である。

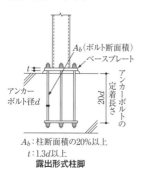

A_b：柱断面積の20%以上
t：1.3d以上
露出形式柱脚

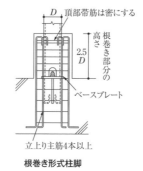

立上り主筋4本以上
根巻き形式柱脚

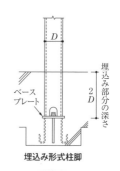

埋込み形式柱脚

正解 **4**

鉄骨構造に関する記述として、最も不適当なものはどれか。

① 角形鋼管柱の内ダイアフラムは、せいの異なる梁を1本の柱に取り付ける場合等に用いられる。

② H形鋼は、フランジやウェブの幅厚比が大きくなると局部座屈を生じにくい。

③ シヤコネクタでコンクリートスラブと結合された鉄骨梁は、上端圧縮となる曲げ応力に対して横座屈を生じにくい。

④ 部材の引張力によってボルト孔周辺に生じる応力集中の度合は、高力ボルト摩擦接合より普通ボルト接合のほうが大きい。

解説 ➡テキスト 第1編 **2-3**

① ○ **内ダイアフラム**形式は、柱内部の梁の上下のフランジ位置にダイアフラムを入れる形式である。梁せいの異なる梁を1本の柱に取り付ける場合等に用いられる。

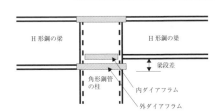

H形鋼の梁　　H形鋼の梁
梁段差
角形鋼管の柱
内ダイアフラム
外ダイアフラム

② × **幅厚比（幅/厚）** が大きくなると、幅に対して板厚が薄くなってしまうので、**局部座屈**が生じやすくなる。これを避けるために、幅厚比の制限を設けている。

局部座屈

フランジの幅厚比=b/t_2
ウェブの幅厚比=d/t_1

③ ○ **シアコネクタ**でコンクリートスラブと結合された梁を**合成梁**という。コンクリートスラブにより鉄骨梁の上フランジの移動が拘束されることから、上端圧縮となる曲げモーメントに対して横座屈が生じにくい構造である。

④ ○ **ボルト接合**は、「ボルト軸部のせん断力」と「部材とボルト軸部との間の支圧力（物体の接触面に生じる局部的な圧縮力）」で応力を伝達する。**高力ボルト摩擦接合**は鋼材間のずれがなく、伝達面積が広いので、ボルト孔周辺に生じる応力集中が少ない。したがって、応力集中の度合は、高力ボルト摩擦接合の場合より普通ボルト接合の方が大きい。

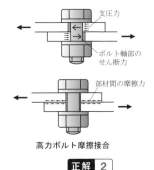

支圧力
ボルト軸部のせん断力
部材間の摩擦力
高力ボルト摩擦接合

正解 **2**

木質構造に関する記述として、最も不適当なものはどれか。

① 構造用集成材は、ひき板（ラミナ）又は小角材を繊維方向がほぼ同じ方向に集成接着したものであり、弾性係数、基準強度は一般的な製材と比べ同等以上となっている。

② 枠組壁工法は、木材を使用した枠組に構造用合板その他これに類するものを打ち付けることにより、壁及び床を設ける工法で、枠組壁は水平力と鉛直力を同時に負担することはできない。

③ 燃えしろ設計は、木質材料の断面から所定の燃えしろ寸法を除いた断面に長期荷重により生じる応力度が、短期の許容応力度を超えないことを検証するものである。

④ 直交集成板（CLT）は、ひき板（ラミナ）を幅方向に並べたものを、その繊維方向が直交するように積層接着した木質系材料であり、弾性係数、基準強度は一般的な製材の繊維方向の値と比べ小さくなっている。

解 説 ………………………………………………　➡テキスト　第1編　2-3

① ○ **構造用集成材**は、厚さ5cm以下の**ひき板（ラミナ）**又は小角材の節や割れなどを取り除いた後、**繊維方向をそろえて**多数重ね接着剤で接着形成したもので、基準強度や弾性係数は一般の製材と同等以上である。

② × **枠組み壁工法**は、木材で組まれた**枠組**（壁枠組、床枠組）に構造用合板等を釘で打ち付けて構成され、枠材に**2インチ×4インチ**の木材を基本として使用していることからツーバイフォー工法と呼ばれる。枠組壁は鉛直力及び水平力を同時に負担する。

③ ○ 「**燃えしろ設計**」とは、火災時の**燃えしろ**（燃えて炭化する部分）を除いた有効断面を用いて許容応力度計算を行い、構造耐力上支障のない（**長期荷重による応力度が短期許容応力度を超えない**）ことを確かめる方法である。表面部分が燃えても、中心部分は一定時間にわたり強度を保っているため、大断面木造建築物においては「燃えしろ設計」が有効である。

④ ○ **CLT（直交集成板）**は、厚さ数cmの**ひき板（ラミナ）**の繊維方向が互いにほぼ直角となるように積層接着されたもので、床版、壁等の面材に使用される。繊維方向の弾性係数、基準強度は一般的な製材の**繊維方向の値と比べ小さい**。

正解 **2**

木質構造

木質構造に関する記述として、最も不適当なものはどれか。

① 枠組壁工法は、木材を使用した枠組に構造用合板その他これに類するものを打ち付けることにより、壁及び床を設ける工法で、枠組壁は水平力と鉛直力を同時に負担することはできない。

② 2階建の建築物における隅柱は、接合部を通し柱と同等以上の耐力を有するように補強した場合、通し柱としなくてもよい。

③ 燃えしろ設計は、木質材料の断面から所定の燃えしろ寸法を除いた断面に長期荷重により生じる応力度が、短期の許容応力度を超えないことを検証するものである。

④ 構造耐力上主要な部分である柱を基礎に緊結した場合、当該柱の下部に土台を設けなくてもよい。

解 説 ·································· **→テキスト 第1編 2-3**

① ✕ **枠組壁工法**は、木材で組まれた**枠組**（壁枠組、床枠組）に構造用合板等を釘で打ち付けて構成され、枠材に**2インチ×4インチ**の木材を基本として使用していることからツーバイフォー工法と呼ばれる。枠組壁は鉛直力及び水平力を同時に負担する。

② 〇 階数が2以上の建築物における**隅柱**は、原則、**通し柱**としなければならない。しかし、接合部を通し柱と同等以上の耐力を有するように補強した**場合は管柱**とすることができる。

③ 〇「**燃えしろ設計**」とは、火災時の**燃えしろ**（燃えて炭化する部分）を除いた**有効断面**を用いて許容応力度計算を行い、構造耐力上支障のない（**長期荷重による応力度が短期許容応力度を超えない**）ことを確かめる方法である。表面部分が燃えても、中心部分は一定時間にわたり強度を保っているため、大断面木造建築物においては、「燃えしろ設計」が有効である。

④ 〇 構造耐力上主要な部分である**柱で最下階の部分**に使用するものの下部には、原則、**土台**を設けなければならない。ただし、当該柱を**基礎に緊結**した場合は、この限りでない（基準法施行令42条1項）。

正解 1

問題 045 木質構造

難易度 **B** CHECK ☑☐☐☐

木質構造に関する記述として、最も不適当なものはどれか。

① 同一の接合部にボルトと釘を併用する場合の許容耐力は、両者を加算することができる。

② 2階建ての建築物における隅柱は、接合部を通し柱と同等以上の耐力を有するように補強した場合、通し柱としなくてもよい。

③ 燃えしろ設計は、木質材料の断面から所定の燃えしろ寸法を除いた断面に、長期荷重により生じる応力度が、短期の許容応力度を超えないことを検証するものである。

④ 直交集成板（CLT）の弾性係数、基準強度は、強軸方向であっても、一般的な製材、集成材等の繊維方向の値と比べて小さくなっている。

解説 .... →テキスト 第1編 2-3

① **×** 同一箇所の接合部に異種の接合法を併用する場合、それぞれの**許容耐力を単純に加算する**ことはできない。それぞれの耐力を発揮する接合部の変位点が異なるためで、釘接合は初期剛性が大きく、ボルトはじん性は高いが、初期剛性は釘接合よりも小さく、単純に耐力を加算することはできない（木質構造設計規準）。

② **○** 階数が2以上の建築物における**隅柱**は、原則、**通し柱**としなければならない。しかし、接合部を通し柱と同等以上の耐力を有するように補強した**場合は管柱**とすることができる。

③ **○** 「**燃えしろ設計**」とは、火災時の**燃えしろ**（燃えて炭化する部分）を除いた有効断面を用いて許容応力度計算を行い、構造耐力上支障のない（**長期荷重による応力度が短期許容応力度を超えない**）ことを確かめる方法である。表面部分が燃えても、中心部分は一定時間にわたり強度を保っているため、大断面木造建築物においては、「燃えしろ設計」が有効である。

④ **○** CLT（**直交集成板**）は、厚さ数cmのひき板（ラミナ）の繊維方向が互いにほぼ**直角**となるように積層接着されたもので、床版、壁等の面材に使用される。繊維方向の弾性係数、基準強度は一般的な製材の**繊維方向の値と比べ**小さい。

正解 **1**

積層ゴムを用いた免震構造の建物に関する記述として、最も不適当なものはどれか。

① 水平方向の応答加速度と上下方向の応答加速度の双方とも大きく低減することができる。

② 地震時に免震層の変形に対し設備配管等が追従できるようにする必要がある。

③ 免震部材の配置を調整し、上部構造の重心と免震層の剛心を合せることで、ねじれ応答を低減することができる。

④ 免震層を中間階に設置する場合は、火災に対して積層ゴムを保護する必要がある。

解説 ──────────────── ➡テキスト／ 第1編 **2-3**

① ✕ **積層ゴム**は、柔らかいゴムと硬い鋼鈑を積層したもので、水平地震動に対する免震効果がある。一方、圧縮力には強いが引張力には弱く、**上下方向の地震動に対する免震効果は期待できない。**

② 〇 地盤及び免震層より下の構造と建物の相対的な水平変位は大きくなるため、建物外周部に**クリアランス（空間）** を設け、設備配管等が追従できるようにする必要がある。

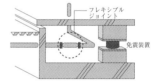

③ 〇 積層ゴムやダンパーなどの免震部材の配置を調整し、上部構造の**重心**（重さの中心）と免震層の**剛心**（硬さの中心）を合せることで、ねじれ応答を低減することができる。

④ 〇 低層部と高層部を有する建築物などでは、高層部の始まる**中間階に積層ゴム等の免振層**を設ける場合は、火災の危険があるため、**耐火被覆が必要**である。なお、建物の最下階の下に設置された免震層は、出火要因や可燃物がないため、耐火性は求められない。

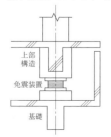

積層ゴム支承（積層ゴムアイソレータ）

地震時

正解 **1**

問題 047 免震構造

難易度 **A**

積層ゴムを用いた免震構造の建築物に関する記述として、最も不適当なものはどれか。

① 水平方向の応答加速度を大きく低減することができるが、上下方向の応答加速度を低減する効果は期待できない。

② 軟弱な地盤に比べ強固な地盤では大地震時の地盤の周期が短くなるため、応答加速度を低減する効果が低下する。

③ 免震部材の配置を調整し、上部構造の重心と免震層の剛心を合せることで、ねじれ応答を低減できる。

④ 免震層を中間階に設置する場合は、火災に対して積層ゴムを保護する必要がある。

解説 ………………………………………… →テキスト 第1編 2-3

① ○ **積層ゴムアイソレータ**は、柔らかいゴムと硬い鋼鈑を積層したもので、水平地震動に対する免震効果（応答加速度を低減する効果等）がある。一方、圧縮力には強いが引張力には弱く、また、**上下方向の地震動に対する免震効果は期待できない**。

② × **免震構造**は、積層ゴムなどにより**建築物の固有周期を**長周期化することにより、地震力（応答加速度）を小さくする。したがって、強固な地盤ほど地盤の周期が短くなるため、免震構造により建築物応答加速度を低減する効果は大きくなる。

③ ○ アイソレータやダンパーなどの免震部材の配置を調整し、上部構造の**重心**と免震層の**剛心**を合せることで、ねじれ応答を低減することができる。

④ ○ 低層部と高層部を有する建築物などでは、高層部の始まる中間階に免震装置を設ける場合がある。**中間階に積層ゴム支承**（アイソレータ）を設ける場合は、火災の危険があるため、変形追従性を有する耐火被覆が必要である。なお、最下層に免震層だけを設ける場合は免震層は基礎と見なされるので耐火被覆は不要となる。

正解 2

積層ゴムを用いた免震構造の建築物に関する記述として、最も不適当なものはどれか。

① 免震構造とした建築物は、免震構造としない場合に比べ、固有周期が短くなる。

② 免震部材の配置を調整し、上部構造の重心と免震層の剛心を合せることで、ねじれ応答を低減できる。

③ 免震層を中間階に設置する場合、火災に対して積層ゴムを保護する必要がある。

④ 免震構造は、建築物を鉛直方向に支える機構、水平方向に復元力を発揮する機構及び建築物に作用するエネルギーを吸収する機構から構成される。

解説 .... → テキスト 第1編 **2-3**

① **×** 積層ゴム支承（アイソレータ）を用いた**免震構造**は、建築物の**固有周期を長**くすることにより、地盤の**固有周期（短い）**との差を大きくして、**地震力**（応答加速度）を小さくする構造である。

② **○** 積層ゴムやダンパーなどの免震部材の配置を調整し、上部構造の**重心**（重さの中心）と免震層の**剛心**（硬さの中心）を合わせることで、**ねじれ応答**を低減することができる。

③ **○** 低層部と高層部を有する建築物などで、**中間階**に積層ゴム等の免震層を設ける場合は、火災の危険があるため**耐火被覆**が必要である。なお、建物の**最下階**の下の免震層は、出火要因等がないため、耐火性は求められない。

④ **○** 免震構造の、鉛直方向に支える機構と、建築物に作用するエネルギーを吸収する機構には、**積層ゴムアイソレータ**が用いられる。ゴムと鉄板を相互に挿入することにより、水平方向に大きく変形しながら建築物に作用するエネルギーを吸収し、鉛直方向には変形しないようにしたものである。水平方向に復元力を発揮する機構には、**ダンパー**などが用いられる。

正解 1

難易度 **A** 問題 **049** CHECK □□□ **免震構造**

免震構造に関する一般的な記述として、最も不適当なものはどれか。

① アイソレータは、上部構造の重量を支持しつつ水平変形に追従し、適切な復元力を持つ。

② 免震部材の配置を調整し、上部構造の重心と免震層の剛心を合わせることで、ねじれ応答を低減できる。

③ 地下部分に免震層を設ける場合は、上部構造と周囲の地盤との間にクリアランスが必要である。

④ ダンパーは、上部構造の垂直方向の変位を抑制する役割を持つ。

解説 ➡テキスト 第1編 **2-3**

① ○ 免震装置の一部である**アイソレータ**は、上部構造を支持しつつ、横揺れを長めの周期の揺れに変換するとともに、適切な復元力をもつ。

② ○ 積層ゴムやダンパーなどの免震部材の配置を調整し、上部構造の重心（重さの中心）と免震層の剛心（硬さの中心）を合わせることで、**ねじれ応答を低減**することができる。

③ ○ 地下部分に免震層を設ける場合、地盤及び免震層より下の構造と上部構造との相対的な水平変位が大きくなるため、上部構造を支える免震層の周囲には**クリアランス**が必要である。

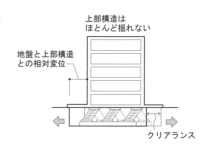

上部構造は
ほとんど揺れない

地盤と上部構造
との相対変位

クリアランス

④ × **ダンパー**は、上部構造の横方向の変位（揺れ）を、短時間でしっかりと静止させるための吸収装置である。

正解 4

建築物に作用する荷重及び外力に関する記述として、最も不適当なものは
どれか。

① 劇場、映画館等の客席の積載荷重は、固定席の方が固定されていない場合
　より小さくすることができる。

② 雪止めがない屋根の積雪荷重は、屋根勾配が60度を超える場合には0とす
　ることができる。

③ 倉庫業を営む倉庫の床の積載荷重は、実況に応じて計算する場合、2,900N/
　㎡とすることができる。

④ 防風林などにより風を有効に遮ることができる場合は、風圧力の算定に用
　いる速度圧を低減することができる。

解説 .... ➡テキスト 第1編 **3-1**

① ○ **劇場・映画館・**集会場等の客席又は集会室の床の計算上の積載荷重は固定席
　2,900N/㎡、その他の場合は3,500N/㎡で、**固定席の方が小さい**。理由は、席が
　固定されていないと、立見席などによる収容人数以上の積載荷重が想定される
　からである。

② ○ 雪止めがない屋根の積雪荷重は、屋根の勾配が60度以下の場合は、勾配によっ
　て低減することができ、**勾配が60度を超える場合**は、雪が滑り落ちるものとし
　て、**積雪荷重を0**とすることができる。

③ ✕ 倉庫業を営む**倉庫**の床の積載荷重は、実況による数値が3,900N/㎡未満の場
　合であっても、**3,900N/㎡**とする。

④ ○ 防風林など、建築物に近接して風を有効に遮るものがある場合には、**速度圧
　を$\frac{1}{2}$にまで低減する**ことができる。

正解 **3**

| 難易度 B | 問題 051 | 荷重・外力 | 構造力学 H30-8 |

荷重及び外力に関する記述として、最も不適当なものはどれか。

① 教室に連絡する廊下と階段の床の構造計算用の積載荷重は、実況に応じて計算しない場合、教室と同じ積載荷重の2,300N/㎡とすることができる。

② 保有水平耐力計算において、多雪区域の積雪時における長期応力度計算に用いる荷重は、固定荷重と積載荷重の和に、積雪荷重に0.7を乗じた値を加えたものとする。

③ 必要保有水平耐力の計算に用いる標準せん断力係数は、1.0以上としなければならない。

④ 速度圧の計算に用いる基準風速V_0は、その地方の再現期間50年の10分間平均風速値に相当する。

解説 ➡テキスト 第1編 3-1

① × 教室、売場、客席等に連絡する「廊下、玄関又は階段」の単位面積当たりの積載荷重は、実況に応じて計算しない場合、劇場等の「固定席でない客席」の数値（3,500N/㎡）による。教室などに連絡する廊下、階段の積載荷重は、集中度が高く、教室よりも大きな積載荷重となる。

積載荷重のポイント

室の種類	積載荷重の数値
教室、売場、客席等に連絡する「廊下、玄関又は階段」	劇場等の「固定席でない客席」の数値3,500N/㎡による
学校、百貨店の「屋上広場又はバルコニー」	百貨店等の「売場」の数値2,900N/㎡による

② ○ 多雪区域の場合には、積雪時における長期応力度計算に用いる荷重は、固定荷重と積載荷重の和に、積雪荷重に0.7を乗じた値を加えたものとする。

③ ○ 標準せん断力係数は、原則、許容応力度計算及び層間変形角の確認においては0.2以上、必要保有水平耐力を計算する場合においては、1.0以上としなければならない。

④ ○ 速度圧の計算に用いる基準風速は、稀に発生する暴風時（再現期間50年）の地上10mにおける10分間平均風速に相当する風速である。

正解 1

床の構造計算をする場合の積載荷重として、最も**不適当**なものはどれか。

① 店舗の売り場の積載荷重は、2,900N/㎡とすることができる。

② 集会場の客席が固定席である集会室の積載荷重は、2,900N/㎡とすることができる。

③ 倉庫業を営む倉庫の積載荷重は、2,900N/㎡とすることができる。

④ 百貨店の屋上広場の積載荷重は、2,900N/㎡とすることができる。

解 説 ＞＞＞＞＞＞＞＞＞＞＞＞＞＞＞＞＞＞＞＞＞＞＞＞＞＞＞＞＞ ➡テキスト｜ 第1編 ｜ **3-1**

① ○ 実況に応じて計算しない場合、**百貨店又は店舗の売場**の「床の構造計算をする場合の積載荷重」は、2,900N/㎡とすることができる。

② ○ 実況に応じて計算しない場合、劇場・映画館・集会場等の**客席又は集会室**で、**固定席**である場合、「床の構造計算をする場合の積載荷重」は2,900N/㎡とすることができる。

③ ✕ 倉庫業を営む**倉庫**の床の積載荷重は、実況による数値が3,900N/㎡未満の場合であっても、3,900N/㎡とする。

④ ○ 実況に応じて計算しない場合、**学校又は百貨店の屋上広場**の「床の構造計算をする場合の積載荷重」は2,900N/㎡（百貨店等の「売場」の数値）とすることができる。

積載荷重のポイント

室の種類	積載荷重の数値
教室、売場、客席等に連絡する「廊下、玄関又は階段」	劇場等の「固定席でない客席」の数値3,500N/㎡による
学校、百貨店の「屋上広場又はバルコニー」	百貨店等の「売場」の数値2,900N/㎡による

正解 3

| 難易度 A | 問題 053 CHECK ☑□□□ | 荷重・外力 | 構造力学 R4-8 |

建築物に作用する荷重及び外力に関する記述として、最も不適当なものはどれか。

① 風圧力を求めるために用いる風力係数は、建築物の外圧係数と内圧係数の積により算出する。

② 雪下ろしを行う慣習のある地方において、垂直積雪量が1mを超える場合、積雪荷重は、雪下ろしの実況に応じ垂直積雪量を1mまで減らして計算することができる。

③ 劇場、映画館等の客席の単位床面積当たりの積載荷重は、実況に応じて計算しない場合、固定席のほうが固定されていない場合より小さくすることができる。

④ 速度圧の計算に用いる基準風速は、原則として、その地方の再現期間50年の10分間平均風速値に相当する。

解説 →テキスト 第1編 3-1

① ✕ **風力係数**は、建築物の形状と風向によって定まるもので、**外圧係数と内圧係数の差**から求める。

　風力係数＝外圧係数－内圧係数

② ◯ 雪下ろしを行う慣習のある地方では垂直積雪量が1mを超える場合でも、積雪荷重を1mまで減じて計算することができる。

③ ◯ **劇場・映画館・集会場**等の客席又は集会室の床の計算上の積載荷重は固定席2,900N/㎡、その他の場合は3,500N/㎡で、**固定席の方が小さい**。席が固定されていないと、立見席などによる収容人数以上の積載荷重が想定されるからである。

④ ◯ 速度圧の計算に用いる**基準風速**は、稀に発生する暴風時（**再現期間50年**）の地上10mにおける10分間平均風速に相当する風速である。

正解 **1**

図に示す荷重が作用する片持ち梁の支点Cに生じるモーメント反力M_Cの値の大きさとして、正しいものはどれか。

① $M_C = 1\,kN\cdot m$

② $M_C = 4\,kN\cdot m$

③ $M_C = 5\,kN\cdot m$

④ $M_C = 9\,kN\cdot m$

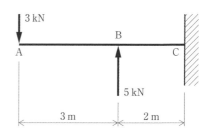

解 説 ‥‥‥‥‥‥‥‥‥‥‥‥‥‥‥‥‥‥‥‥‥‥‥ ➡テキスト 第1編 **3-2**

　片持ち梁の反力計算の基本問題である。反力計算は、次の3つの力のつり合い条件式から求める。

❶ $\Sigma X = 0$ （X方向の外力の合計は0）

❷ $\Sigma Y = 0$ （Y方向の外力の合計は0）

❸ $\Sigma M = 0$ （任意の点におけるモーメントの合計は0）

モーメントは、力×距離で求めることができるから、C点において考えると、

$\Sigma M = 0$ より -3×5（A点）$+ 5 \times 2$（B点）$- M_c$（C点）$= 0$

　$M_C = -5\,kN\cdot m$ （矢印は反時計回り）

　設問はM_Cの値の大きさを求めているので、③が正しい。

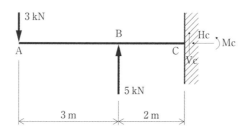

正解 **3**

MEMO

図に示す静定の山形ラーメン架構のＡＣ間に等分布荷重ｗが作用したとき、支点Ｂに生じる鉛直反力V_Bと、点Ｄに生じる曲げモーメントM_Dの値の大きさの組合せとして、正しいものはどれか。

① $V_B= 6$ kN、$M_D= 0$ kN・m

② $V_B= 6$ kN、$M_D=18$ kN・m

③ $V_B=12$ kN、$M_D= 0$ kN・m

④ $V_B=12$ kN、$M_D=18$ kN・m

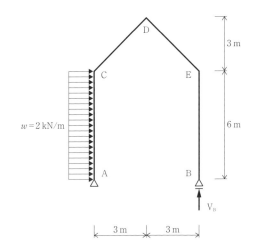

解 説 ········· →テキスト｜第1編｜3-3

部材に生じる「応力」は、求める点の左右どちらから計算しても同じ値（向きは反対）となり、どちらからでも求めることができる。解法の手順は、支点の反力を仮定し、反力を求めてから、応力を計算する。

この問題では、D点の曲げモーメントはD点より右側のB点の反力V_Bがわかれば、最も簡単に求めることができる。

反力を求める

図のように等分布荷重を集中荷重に置き換え、反力V_A、V_B、H_Aを仮定し、力のつり合い条件（$\Sigma X= 0$、$\Sigma Y= 0$、任意の点で$\Sigma M= 0$）から、反力を求める。

$\Sigma M_A= 0$より、

$(12\text{kN} \times 3\text{m}) - (V_B \times 6\text{m}) = 0$

$\therefore V_B = 6$ kN

（＋なので仮定の向きと同じ）

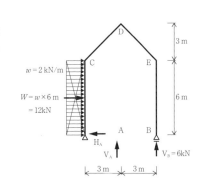

応力を求める

D点の右側で、D点の曲げモーメントM_Dを求める。

M_D(右)$= -(V_B \times 3\,\mathrm{m}) = -(6\,\mathrm{kN} \times 3\,\mathrm{m})$

$= -18\,\mathrm{kN \cdot m}$

（−なので反時計回り）

$\therefore M_D = 18\,\mathrm{kN \cdot m}$

したがって、②が正しい。

正解 2

単純梁に荷重が作用したときの梁のせん断力図が下図のようであるとき、そのときの曲げモーメント図として、正しいものはどれか。ただし、曲げモーメントは材の引張り側に描くものとする。

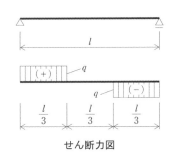

せん断力図

① ②

③ ④

（解説）··········· →テキスト 第1編 3-3

せん断力図から曲げモーメント図を導くための解法は、まず、せん断力図から外力（荷重と反力）を求め、そこからモーメント図を描くのが基本である。

A点及びD点の反力を図1のようにV_A、V_Dと仮定する。

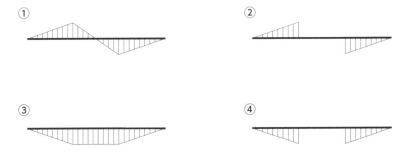

図1

AB部材、CD部材に着目すると、せん断力図からB点のせん断力は下向きq、C点のせん断力は下向きqとなり、$V_A = q$、$V_D = q$となる。

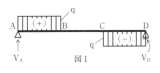

図2

したがって、荷重及び反力は図3のようになる。

図3

B点によって切断し、A－B間に着目すると、M_B $=\dfrac{q\,l}{3}$ となる。

図4

C点によって切断し、C－D間に着目すると、M_C $=\dfrac{q\,l}{3}$ となる。

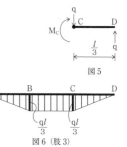

図5

A点はピン支点、D点はローラー支点であるため、モーメントはゼロ、B点及びC点のモーメントは $\dfrac{q\,l}{3}$ であるため、A～D点のモーメントをつなげれば、右のモーメント図となり、正解は③である。

$\dfrac{ql}{3}$　$\dfrac{ql}{3}$

図6（肢3）

正解 3

図に示す梁のＡＢ間に等分布荷重ｗが、点Ｃに集中荷重Ｐが同時に作用したときの曲げモーメント図として、正しいものはどれか。ただし、曲げモーメントは材の引張り側に描くものとする。

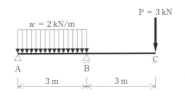

① 6 kN·m ／ 12 kN·m

② 9 kN·m ／ 9 kN·m

③ 9 kN·m

④ 6 kN·m ／ 3 kN·m

解 説 ➡ テキスト｜第１編 **3-3**

　梁のモーメント図の問題である。複雑な架構や応力状態になる場合には、複数の単純な状態の重ね合わせで考える。

　設問は、Ｃ点への集中荷重のみである状態と、ＡＢ間の等分布荷重のみの状態に分けて考える。

　Ｃ点の集中荷重のみである場合のモーメント図は、Ｂ点で３（kN）× ３（m）＝ ９（kN・m）となる。上に凸な三角形のモーメント図となる。

　ＡＢ間の等分布荷重のみである場合のモーメント図は、下に凸な二次曲線のモーメント図となり、その値は等分布荷重の最大モーメント $= \dfrac{\omega \ell^2}{8}$ となる。これを重ね合わせると❸となり、③が正しい。

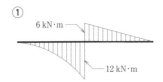

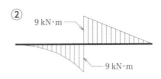

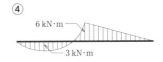

正解 3

難易度 **B** 問題 **058** 力学（応力・モーメント図） 構造力学 **R3-10**

図に示す単純梁ＡＢにおいてＣＤ間に等分布荷重ｗが作用したときの曲げモーメント図として正しいものはどれか。ただし、曲げモーメントは材の引張側に描くものとする。

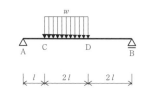

① ②

③ ④

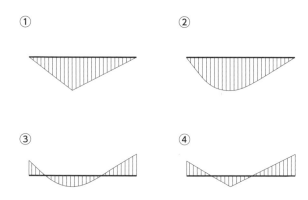

解説 ➡テキスト 第1編 **3-3**

単純梁のモーメント図の問題である。

【原則1】ピン・ローラーの支点は曲げモーメントがゼロとなる。

【原則2】等分布荷重の曲げモーメントは下に凸な二次曲線のモーメント図となる。

原則1により、③と④は誤りである。

原則2により、②が正しい。

正解 **2**

図に示す単純梁ＡＢのＣＤ間に等分布荷重ｗが、点Ｅに集中荷重Ｐが同時に作用するときの曲げモーメント図として、正しいものはどれか。ただし、曲げモーメントは、材の引張側に描くものとする。

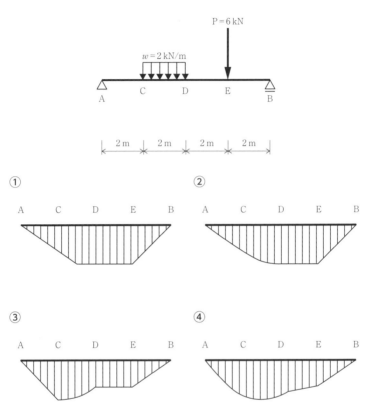

解 説 ....

支点反力V_A、V_Bを図のように仮定する。ＣＤ間の等分布荷重は、合力2（kN/m）× 2（m）＝ 4（kN）に置き換える。

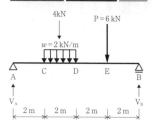

つり合い条件式により、

$\Sigma Y = 4（kN）+ 6（kN）- V_A - V_B = 0$

∴ $10 - V_A - V_B = 0$ ··· ❶

$\Sigma M_A = 4（kN）× 3（m）+ 6（kN）× 6（m）- V_B × 8（m）= 0$

∴ $V_B = 6$（kN） ··· ❷

❷を❶に代入すると $10 - V_A - 6 = 0$

∴ $V_A = 4$（kN）

各点のモーメントを求める。

Ａ、Ｂはピン、ローラー支点であるからゼロである。

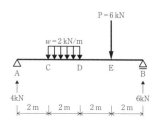

・Ｃ点 $M_C = 4（kN）× 2（m）= 8（kN·m）$

・Ｄ点 $M_D = 4（kN）× 4（m）- 4（kN）× 1（m）= 12（kN·m）$

・Ｅ点 $M_E = 6（kN）× 2（m）= 12（kN·m）$

各点のモーメントを結ぶと右図となる。その際には次の点に留意する。

・**荷重点間は、一定又は傾斜直線**

・**等分布荷重を受ける範囲は下に凸な二次曲線**

以上により、②が正しい。

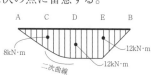

正解 2

69

図に示す3ヒンジラーメン架構に集中荷重Pが作用したときの曲げモーメント図として、正しいものはどれか。ただし、曲げモーメントは材の引張り側に描くものとする。

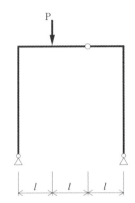

①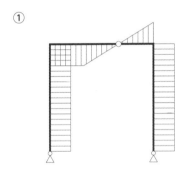

②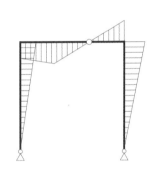

③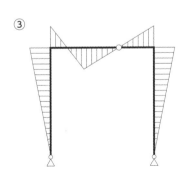

④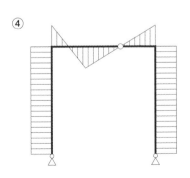

このような曲げモーメント図の正誤問題に関しては、まず支点や節点の特徴から絞り込むのが定石である。

①と④は、柱脚A・Bがピンであるにもかかわらず、曲げモーメントが発生しているので、誤りであることがわかる。

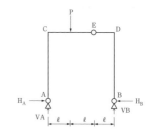

次に両側の柱（AC・BD）に発生している曲げモーメントは、柱の左右のどちら側が引張になっているかに注目する。

A点、B点の水平反力によって、柱に曲げモーメントが生じるが、一方、H_A、H_BはX方向のつり合いから、向きは逆になるはずである。

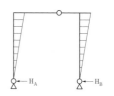

したがって、②のように両側の柱のいずれもが柱の右側に曲げモーメント（引張側）が生じることはあり得ない。

したがって、柱の曲げモーメント図は、③が正しいことがわかる。

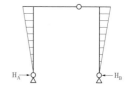

正解 3

71

図に示すラーメン架構に集中荷重3P及び2Pが同時に作用したときの曲げモーメント図として、正しいものはどれか。ただし、曲げモーメントは材の引張り側に描くものとする。

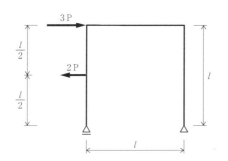

①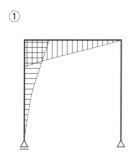

②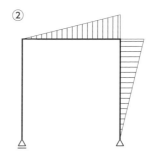

③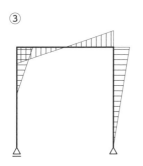

④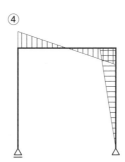

　ラーメンの曲げモーメント図の正誤問題である。支点反力を求めてすべての外力を明らかにしてから、**曲げ応力**を求め、曲げモーメント図を描く。

　支点反力V_A、V_E、H_Eを図1のように仮定する。なお、A点はローラー支点であるから、水平反力は生じない。

$$\Sigma X = 3P - 2P - H_E = 0$$
$$\therefore H_E = P$$
$$\Sigma Y = -V_A + V_E = 0$$
$$\therefore V_A = V_E \quad \cdots\cdots\text{❶}$$
$$\Sigma M_E = -V_A \times l - 2P \times \frac{l}{2} + 3P \times l = 0$$
$$\therefore -V_A l + 2P l = 0$$
$$V_A = 2P$$

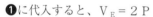

❶に代入すると、$V_E = 2P$

1）B点の曲げ応力

　B点で切断し、A点側を考えると、A点はローラー支点で水平反力がないため、B点にはモーメントが生じない。　∴$M_B = 0$

2）C点の曲げ応力

　C点で切断し、下側で考えると、$M_C = 2P \times \frac{1}{2} \times l = Pl$

　　∴柱の右側（内側）が引張となる。

3）D点の曲げ応力

　D点で切断し、下側（E点側）で考えると、$M_D = Pl$

　　∴柱の右側（外側）が引張となる。

　A点、E点はローラー支点、ピン支点であるからモーメントは発生しえず、ゼロである。

　以上から、

　　$M_A = 0$、　∴$M_B = 0$

　$M_C = Pl$（内側）、$M_D = Pl$（外側）、$M_B = 0$を結ぶと、図2の曲げモーメントが描ける。したがって、③が正しい。

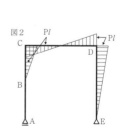

正解 3

図に示す3ヒンジラーメン架構の点Dにモーメント荷重Mが作用したときの曲げモーメント図として、正しいものはどれか。ただし、曲げモーメントは材の引張側に描くものとする。

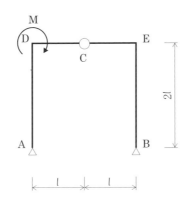

① 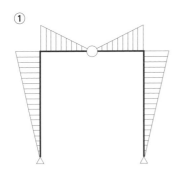　　　②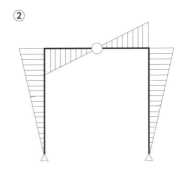

③ 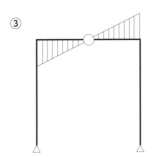　　　④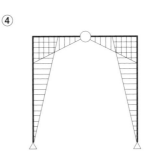

モーメント図の形の正誤を判定する問題は、各支点、節点の特徴から絞り込むのが定石である。

(1) ピンの場合、モーメントは生じない。

(2) 固定端の場合、回転角は0

(3) 剛節点の場合、接合角度は変わらない。

以上から、部材の**変形を想定**し、**どちら側が引張側になるか**を考え、モーメント図を描く。

D点はモーメント荷重Mによって回転角を生じるが、接合角度は変わらない。（図1）

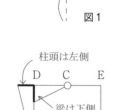

図1

そのため、柱ADの柱頭は左側が、梁DCのD点側は梁下が引張になることが分かる。したがって、モーメント図としてまず図2のように描くことができる。

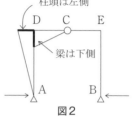

図2

次に、柱ADの左側にモーメントが生じていることから、A点には右向きの水平反力が生じ、B点にはそれとつり合うために左向きの水平反力が生じることが分かる。

B点に左向きの水平反力が生じれば、柱BEの柱頭では右側が引張になり、モーメント図は図3のようになる。

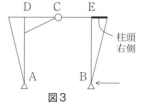

図3

E点において、モーメントはつり合うため、梁CEのE点側は梁上にモーメントが生じ、図4のようになる。

以上により、②が正しい。

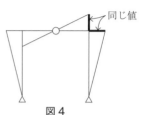

図4

正解 2

図に示す３ヒンジラーメン架構のＡＤ間に等分布荷重が作用したとき、支点Ａに生じる水平反力H_A及び鉛直反力V_Aの値の大きさの組合せとして、正しいものはどれか。

① $H_A = 60kN$、 $V_A = 40kN$

② $H_A = 60kN$、 $V_A = 48kN$

③ $H_A = 96kN$、 $V_A = 40kN$

④ $H_A = 96kN$、 $V_A = 48kN$

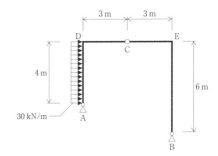

解説 .... → テキスト / 第1編 / **3-3**

　３ヒンジラーメンは、X・Y・M（モーメント）のつり合い条件に加えて、中央のヒンジ部分でモーメントが０になる性質を用いて支点反力を求める。

　支点反力、H_A、V_A、H_B、V_Bを図のように仮定する。

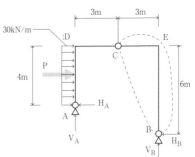

　ＡＤ間の等分布荷重を合力Ｐに置き換えると、

$$P = 30 \ (kN/m) \times 4 \ (m) = 120 (kN)$$

$$\Sigma X = 120 - H_A - H_B = 0 \cdots\cdots ❶$$

$$\Sigma Y = V_A + V_B = 0 \qquad \cdots\cdots\cdots ❷$$

$$\Sigma M_A = 120(kN) \times 2 \ (m) + H_B \times 2 \ (m) - V_B \times 6 \ (m) = 0$$

$$\therefore 120 + H_B - 3 \ V_B = 0 \quad \cdots\cdots ❸$$

Ｃ点の右側架構のモーメントが０であるから（図の点線内）、

$$M_{C右} = H_B \times 6 \ (m) - V_B \times 3 \ (m) = 0$$

$$\therefore 2H_B - V_B = 0 \qquad \cdots\cdots\cdots ❹$$

❹により、 $V_B = 2H_B$

これを❸に代入すると、$120 + H_B - 3 \times 2H_B = 0$

整理すると、 $H_B = 24(kN)$

$$\therefore V_B = 48(kN)$$

これらを❶に代入すると、$H_A = 96 (kN)$

❷に代入すると、$V_A = -48 (kN)$

したがって、H_A、V_Aの反力の大きさの組合せとしては、④が正しい。

なお、V_Aの反力の値は負の値となっているので、図のV_Aの向きは逆（下向き）になる。

正解 4

図に示す３ヒンジラーメン架構のＤＥ間に等変分布荷重が、ＡＤ間に集中荷重が同時に作用したとき、支点Ａ及びＢに生じる水平反力（H_A、H_B）、鉛直反力（V_A、V_B）の値として、正しいものはどれか。ただし、反力は右向き及び上向きを「＋」、左向き及び下向きを「－」とする。

① $H_A = +15kN$

② $H_B = -60kN$

③ $V_A = +60kN$

④ $V_B = +120kN$

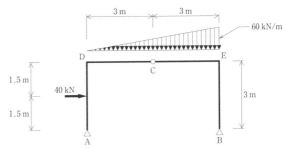

解説 ························· ➡テキスト｜第1編｜**3-3**

　３ヒンジラーメンは、Ｘ、Ｙ、Ｍ（モーメント）のつり合い条件に加えて、中央のヒンジ部分でモーメントが０になる性質を用いて計算する。

　支点反力、H_A、V_A、H_B、V_Bを図のように仮定する。

　上部の三角形等変分布荷重を合力P_1に置き換える。

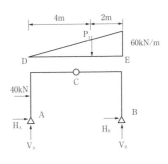

$$P_1 = \frac{1}{2} \times 60 (kN/m) \times 6 (m) = 180 (kN)$$

　P_1の作用点は三角形であるので、ＤＥの長さの１：２の位置になる。

　力のつり合い条件式により、

$\Sigma X = 40 + H_A + H_B = 0$ ⋯⋯⋯**❶**

$\Sigma Y = V_A + V_B - P_1 = 0$

　∴ $V_A + V_B = 180$　⋯⋯⋯**❷**

$\Sigma M_A = 40 (kN) \times 1.5 (m) + P_1 \times 4 (m) - V_B \times 6 (m) = 0$

　∴ $60 + 180 \times 4 - V_B \times 6 (m) = 0$

　∴ $V_B = 130 (kN)$　⋯⋯⋯⋯**❸**

❷に代入すると、$V_A + 130 = 180$

　∴ $V_A = 50 (kN)$

C点の左側の三角形等変分布荷重を合力 P_2 に置き換える。

$$P_2 = \frac{1}{2} \times 30\,(\text{kN}) \times 3\,(\text{m}) = 45\,(\text{kN})$$

C点の左側架構のモーメントが0であるから、

$$M_{C左} = V_A \times 3\,(\text{m}) - H_A \times 3\,(\text{m}) - 40\,(\text{kN})$$
$$\times 1.5\,(\text{m}) - 45\,(\text{kN}) \times 1\,(\text{m}) = 0$$
$$\therefore 50 \times 3 - H_A \times 3 - 60 - 45 = 0$$
$$\therefore H_A = 15\,(\text{kN})$$

❶に代入して、$40 + 15 + H_B = 0$　　$\therefore H_B = -55\,(\text{kN})$（向きは仮定と反対）
したがって、①が正しい。

正解 1

図に示す3ヒンジラーメン架構のAD間に等分布荷重が、CE間に集中荷重が同時に作用したとき、支点A及びBに生じる水平反力（H_A、H_B）、鉛直反力（V_A、V_B）の値として、正しいものはどれか。ただし、反力は右向き及び上向きを「＋」、左向き及び下向きを「－」とする。

① $H_A = -40kN$

② $H_B = +40kN$

③ $V_A = -20kN$

④ $V_B = +20kN$

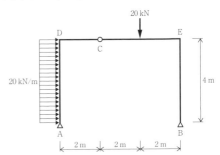

解説 → テキスト | 第1編 | 3-3

　3ヒンジラーメンは、X、Y、M（モーメント）のつり合い条件に加えて、中央のヒンジ部分でモーメントが0になる性質を用いて、まず支点反力を求める。

　支点反力V_A、H_A、V_B、H_Bを図のように仮定する。つり合い条件から

　　$\Sigma X = 80 - H_A - H_B = 0$ ………………………………❶

　　$\Sigma Y = V_A + V_B - 20 = 0$ ………………………………❷

　　$\Sigma M_A = 80(kN) \times 2(m) + 20(kN) \times 4(m) - V_B \times 6(m) = 0$

　　$\therefore 240 - 6V_B = 0$　　　$V_B = 40(kN)$　上向き ……❸

❸を❷に代入

　　$V_A + 40 - 20 = 0$　　　　$V_A = -20(kN)$ 下向き

　値がマイナスであるからV_Aの仮定した向きは逆でA点の鉛直反力は下向きであることがわかる。

　C点の左側のモーメントが0であるから、

　　$H_A \times 4(m) - 20(kN) \times 2(m) - 80(kN)$

　　$\times 2(m) = 0$

　　　$\therefore 4H_A = 200$　$H_A = 50(kN)$　左向き…❹

❹を❶に代入して、

　　$80 - 50 - H_B = 0$

　　　$\therefore H_B = 30$　左向き

　したがって、③ $V_A = -20kN$が正しい。

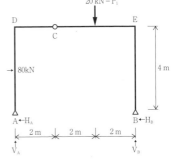

正解 3

MEMO

図に示す3ヒンジラーメン架構のAD間及びDC間に集中荷重が同時に作用するとき、支点Bに生じる水平反力H_B、鉛直反力V_Bの値の大きさの組合せとして、正しいものはどれか。

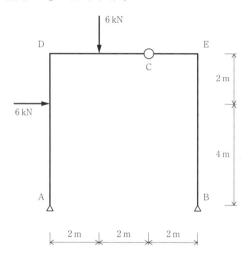

① $H_B = 2\,\mathrm{kN}$、$V_B = 6\,\mathrm{kN}$

② $H_B = 3\,\mathrm{kN}$、$V_B = 9\,\mathrm{kN}$

③ $H_B = 4\,\mathrm{kN}$、$V_B = 12\,\mathrm{kN}$

④ $H_B = 5\,\mathrm{kN}$、$V_B = 15\,\mathrm{kN}$

解説 ………………………………………… ➡テキスト 第1編 **3-3**

　3ヒンジラーメンの問題は、X、Y、M（モーメント）のつり合い条件に加えて、**中央のヒンジ部分でモーメントがゼロになる性質**を用いて支点反力を求める。

　支点反力V_A、H_A、V_B、H_Bを図のように仮定する。この設問の場合、選択肢からH_BとV_Bを求めれば解答できることが分かる。つまり、H_BとV_Bによる式を2つ立てることができれば、連立方程式から解答することができる。

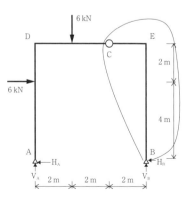

そのために、A点におけるモーメントがゼロである式（$M_A = 0$）とC点の右側架構のモーメントがゼロである式を考える。

$\Sigma M_A = 6\,(\text{kN}) \times 4\,(\text{m}) + 6\,(\text{kN}) \times 2\,(\text{m}) - V_B \times 6\,(\text{m}) = 0$

整理すると$V_B = 6\,(\text{kN})$ …❶

$\Sigma M_C 右 = H_B \times 6\,(\text{m}) - V_B \times 2\,(\text{m}) = 0$

整理すると$H_B = \dfrac{1}{3}V_B$ …❷

❶を❷に代入すると、$H_B = \dfrac{1}{3} \times 6\,(\text{kN}) = 2$ （kN）

以上により、①が正しい。

正解 1

図に示す3ヒンジラーメン架構のDE間に等分布荷重wが作用したとき、支点Aの水平反力H_A及び支点Bの水平反力H_Bの値として、正しいものはどれか。ただし、反力は右向きを「＋」、左向きを「−」とする。

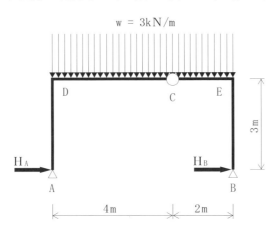

① $H_A = +9\,\text{kN}$

② $H_A = -6\,\text{kN}$

③ $H_B = \quad 0\,\text{kN}$

④ $H_B = -4\,\text{kN}$

解 説 ··

　3ヒンジラーメンの問題は、X、Y、M（モーメント）のつり合い条件に加えて、**ヒンジ部分でモーメントがゼロになる性質**を用いて、反力を求める。

　反力を簡略に求めるために、等分布荷重をP_1とP_2に置き換える。

$$P_1 = 3\,\text{kN/m} \times 4\,\text{m} = 12\,\text{kN}$$

$$P_2 = 3\,\text{kN/m} \times 2\,\text{m} = 6\,\text{kN}$$

　支点反力H_A、V_A、H_B、V_Bを図のように仮定する。

　力のつり合い条件より、

$$\Sigma X = H_A + H_B = 0 \cdots ❶$$

$$\Sigma Y = V_A + V_B - P_1 - P_2 = 0$$

$$\therefore V_A + V_B = 18\,(\text{kN}) \cdots ❷$$

$$\Sigma M_A = 12\,(\text{kN}) \times 2\,(\text{m}) + 6\,(\text{kN}) \times 5\,(\text{m}) - V_B \times 6\,(\text{m}) = 0$$

$$\therefore \quad 24 + 30 - V_B \times 6 = 0$$

$$\therefore \quad V_B = 9\,(\text{kN})$$

　❷式に代入して整理すると、$V_A = 9\,(\text{kN})$

　C点の右側架構（図の点線内）のモーメントがゼロであるため、

$$\Sigma M_{C右} = 6\,(\text{kN}) \times 1\,(\text{m}) - H_B \times 3\,(\text{m}) - 9\,(\text{kN}) \times 2\,(\text{m})$$

$$= 0$$

$$\therefore \quad 6 - H_B \times 3 - 18 = 0$$

$$\therefore \quad H_B = -4\,(\text{kN})$$

❶式に代入すると　$H_A = 4\,(\text{kN})$

　以上により、④が正しい。

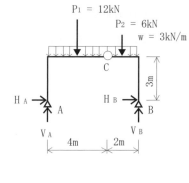

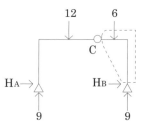

正解 **4**

図に示す長方形断面部材の図心軸（X軸）に対する許容曲げモーメントの値として、正しいものはどれか。ただし、許容曲げ応力度 f $_b$ は9.46N/㎟とする。

① 9.46×10^5 N・mm

② 5.68×10^5 N・mm

③ 4.73×10^5 N・mm

④ 2.84×10^5 N・mm

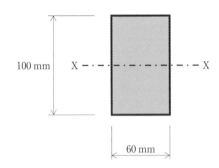

100 mm　X — · — · — · — · — X

60 mm

解説 .... ➡テキスト｜第1編｜3-4

許容曲げモーメントは、断面係数に許容曲げ応力度を掛けて求めることができる。

$$断面係数 Z = \frac{b\,h^2}{6} = 60 \times \frac{100^2}{6} \, N \cdot mm$$

$$許容曲げモーメント M = Z\,f_b = 60 \times \frac{100^2}{6} \times 9.46 = 9.46 \times 10^5 \, N \cdot mm$$

したがって、①が正しい。

正解 1

難易度 **B**　問題 **069**
CHECK □□□

力学（断面二次モーメント）

構造力学
R3-8

問題図に示す断面のX-X軸に対する断面二次モーメントの値として、正しいものはどれか。

① $56a^3$

② $56a^4$

③ $72a^3$

④ $72a^4$

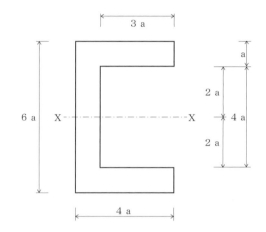

解説　・・　→テキスト　第1編　**3-4**

矩形断面のX軸に関する**断面二次モーメント**は、次の公式から求めることができる。

$$I_X = \frac{b \times h^3}{12}$$

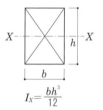

$$I_X = \frac{bh^3}{12}$$

計算に先立ち、断面二次モーメントの単位は、長さの4乗であるため、3乗である①と③は、誤りである。

矩形断面でない断面の断面二次モーメントは、断面を複数の矩形断面に分割し、その**和と差**で求めることができる。

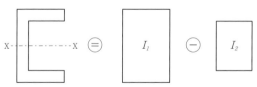

$I_X = I_1 - I_2$

$I_X = \dfrac{4a \times (6a)^3}{12} - \dfrac{3a \times (4a)^3}{12}$

$\therefore I_X = 56a^4$

したがって、②が正しい。

正解 **2**

図に示す柱ＡＢの図心Ｇに鉛直荷重Ｐと水平荷重Ｑが作用したとき、底部における引張縁応力度の値の大きさとして、正しいものはどれか。ただし、柱の自重は考慮しないものとする。

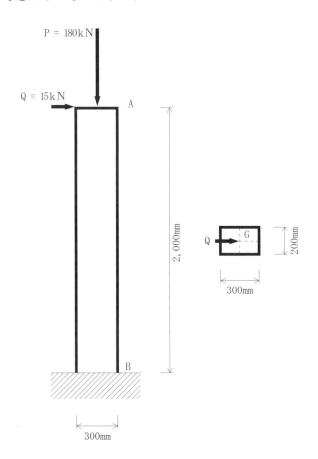

① 3 N／mm²

② 7 N／mm²

③ 10 N／mm²

④ 13 N／mm²

　鉛直荷重Pと水平荷重Qのそれぞれの応力状態を検討し、**重ね合わせて求める**。

　まず、底部面積をAとすると、鉛直荷重Pによって底部には、

$\sigma_c = \dfrac{P}{A}$ の圧縮応力度が生じる。

$P = 180\,\mathrm{k\,N} = 180{,}000\,\mathrm{N}$

$A = 300\,\mathrm{mm} \times 200\,\mathrm{mm} = 60{,}000\,\mathrm{mm^2}$

$\therefore \quad \sigma_c = \dfrac{180{,}000}{60{,}000} = 3\,\mathrm{N/mm^2}$

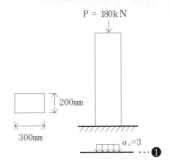

　次に、水平荷重Qによって、底部には曲げモーメントM＝QHが生じる。

$M = QH$

$\quad = 15{,}000\,\mathrm{N} \times 2{,}000\,\mathrm{mm}$

$\quad = 30{,}000{,}000\,\mathrm{N\cdot mm}$

　荷重方向に直角なX軸に関する断面係数をZとすると、

$Z = \dfrac{bh^2}{6} = \dfrac{200 \times (300)^2}{6}$

$\quad = 3{,}000{,}000\,\mathrm{mm^3}$

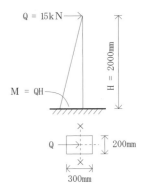

　曲げモーメントによる縁応力度 σ_b は、

$\sigma_b = \dfrac{M}{Z} = \dfrac{30{,}000{,}000}{3{,}000{,}000} = 10\,\mathrm{N/mm^2}$

　❶と❷を重ね合わせると❸となり、引張縁応力度は、10 − 3 ＝ 7 N/mm² となり、②が正しい。

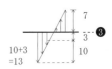

正解 2

コンクリート材料の特性に関する記述として、最も不適当なものはどれか。

① 減水剤は、コンクリートの耐凍害性を向上させることができる。

② 流動化剤は、工事現場で添加することで、レディーミクストコンクリートの流動性を増すことができる。

③ 早強ポルトランドセメントを用いたコンクリートは、普通ポルトランドセメントを用いた場合より硬化初期の水和発熱量が大きく、冬期の工事に適している。

④ 高炉セメントB種を用いたコンクリートは、普通ポルトランドセメントを用いた場合より耐海水性や化学抵抗性が大きく、地下構造物に適している。

解説 ·· →テキスト 第1編 **4-1**

① ✕ **減水剤**は、セメント粒子の分散作用によって、所定の流動性を得るのに必要な単位水量を減らすことができる（JASS 5）。

　　設問はAE剤に関する記述で、**AE剤（空気連行剤）**は、AE剤が微細な空気泡を連行し、コンクリートのワーカビリティ、耐久性及び凍結融解に対する抵抗性（**耐凍害性**）を向上させる。

② 〇 **流動化剤**は、流動化コンクリート用に主に**工事現場で添加**して、流動性の増大を目的として使用される。

③ 〇 **早強ポルトランドセメント**は、早期にコンクリートを硬化させる必要がある際に用いられるセメントで、普通ポルトランドセメントよりセメント粒子の細かさを示す比表面積（ブレーン値）を大きくしたものであり、**水和反応が早く**、早期強度が高くなる。また、水和熱も大きくなることから、低温でも強度発現性が大きくなる。**冬期や寒冷地**での工事に適している。

④ 〇 **高炉セメント**は、溶鉱炉から排出される「高炉スラグ（鉄鉱石の不純物）」を粉砕したものを加えたものであり、**耐海水性、化学的抵抗性**が大きく、**地下構造物**に適している。なお、A種～C種（高炉スラブ質量分率）があり、一般にB種が多く用いられる。

正解 **1**

難易度 B 問題 072 鋼材

鋼材に関する記述として、最も不適当なものはどれか。

① SN490BやSN490Cは、炭素当量などの上限を規定して溶接性を改善した鋼材である。

② TMCP鋼は、熱加工制御により製造された、溶接性は劣るが高じん性の鋼材である。

③ 耐火鋼（FR鋼）は、モリブデン等を添加して耐火性を高めた鋼材である。

④ 低降伏点鋼は、添加元素を極力低減した純鉄に近い鋼で、強度が低く延性が高い鋼材である。

解説　　　　　　　　　　　　　　　　　　➡テキスト 第1編 4-2

① ○ **SN材**（建築構造用圧延鋼材）A・B・C種の**区分**は次のとおりである。
- SN材**A種**：溶接性・塑性変形性能が保証されない。
- SN材**B種**：ケイ素、マンガン、**炭素当量**、降伏点及び降伏比の上限を規定し、溶接性・塑性変形性能が保証される。
- SN材**C種**：B種の規定に加えて、板厚方向に大きな引張を受ける場合でも、**板厚方向のはく離状き裂に対する抵抗力がある**。

② × TMCP鋼は水冷型熱加工制御を施したもので、**炭素当量**（炭素及び炭素以外の元素の影響力を炭素量に換算したもの）や**溶接割れ感受性組成**が**低く**規定され、優れた**溶接性**を有している。一般の鋼材は板厚が厚いほど冷却にむらができやすく、厚さが40mmを超える鋼材の基準強度は低く定められているが、TMCP鋼は、**厚鋼板でも基準強度の低減の必要がない**。

③ ○ **耐火鋼（FR鋼）**は、**クロムやモリブテン**などの合金元素を添加して、600℃における降伏点が常温での降伏点強度の$\frac{2}{3}$以上になるように製造された鋼材である。一般鋼材と比べ、ヤング係数、降伏点、引張強さはほぼ同じだが、**高温強度**を高め、耐火被覆の軽減や無被覆化を目的としている。

④ ○ **低降伏点鋼**は、添加元素を極力低減した純鉄に近い鋼材である。軟鋼と比べ、強度が低く、延性（金属のじん性、変形能力）が極めて高い鋼材である。

正解 2

鋼材に関する記述として、最も不適当なものはどれか。

① TMCP鋼は、熱加工制御により製造された鋼材で、高じん性であり溶接性に優れた鋼材である。

② 低降伏点鋼は、モリブデン等の元素を添加することで、強度を低くし延性を高めた鋼材である。

③ 鋼材の溶接性に関する数値として、炭素当量（Ceq）や溶接割れ感受性組成（Pcm）がある。

④ 鋼材の材質を変化させるための熱処理には、焼入れ、焼戻し、焼ならしなどの方法がある。

解説　　　　　　　　　　　　　　　　　　➡テキスト｜第1編｜4-2

① ○ TMCP鋼は水冷型熱加工制御を施したもので、**炭素当量（Ceq**：炭素及び炭素以外の元素の影響力を炭素量に換算したもの）や**溶接割れ感受性組成**（Pcm）が**低く**規定され、優れた**溶接性**を有している。一般の鋼材は板厚が厚いほど冷却にむらができやすく、厚さが40mmを超える鋼材の基準強度は低く定められているが、TMCP鋼は、**厚鋼板でも基準強度の低減の必要がない**。

② ✕ **低降伏点鋼**は、添加元素を極力低減した純鉄に近い鋼材である。軟鋼と比べ、強度が低く、延性（金属のじん性、変形能力）が極めて高い鋼材である。

③ ○ **炭素当量（Ceq**）は、炭素及び炭素以外の元素の溶接性への影響力を炭素量に換算したもので、数値が大きいほど溶接性が悪い。**溶接割れ感受性組成（Pcm**）は、溶接部の低温割れに対する化学成分の影響を表したもので、数値が大きいほど**低温割れが発生しやすい**。

④ ○ 鋼材の熱処理には、**焼入れ**、**焼戻し**、**焼ならし**などの方法があり、鋼の材質を調整することができる。焼入れとは、鋼を800〜900℃で加熱後、水・油などで急冷することで、強さ・硬さ・耐摩耗性は大きくなるが、伸びは減少しもろくなる。焼き戻しとは、焼き入れによる内部ひずみやもろさを除去するため、200〜600℃で再熱後、空気中で冷却することであり、強度は低下するがじん性は増加する。焼きならし（焼きなまし）は、鋼を800〜900℃で加熱後、炉中で冷却することであり、引張強度は低下するが、残留応力を除去することができ、伸びが増加し柔らかくなる。

正解 2

問題 074 鋼材

鋼材に関する一般的な記述として、最も不適当なものはどれか。

① ある特定の温度以上まで加熱した後、急冷する焼入れ処理により、鋼は硬くなり、強度が増加する。

② 鋼は、炭素量が多くなると、引張強さは増加し、じん性は低下する。

③ SN490BやSN490Cは、炭素当量等の上限を規定して溶接性を改善した鋼材である。

④ 低降伏点鋼は、モリブデン等の元素を添加することで、強度を低くし延性を高めた鋼材である。

解説 →テキスト 第1編 4-2

① ○ 鋼材の熱処理で、その材質を調整することができる。**焼入れ**とは、鋼を800～900℃で加熱後、水・油などで**急冷**することで、強さ・硬さ・耐摩耗性は大きくなるが、伸びは減少しもろくなる。**焼き戻し**とは、焼き入れによる内部ひずみやもろさを除去するため、200～600℃で再熱後、空気中で冷却することであり、強度は低下するがじん性は増加する。**焼きならし（焼きなまし）**は、鋼を800～900℃で加熱後、炉中で冷却することであり、引張強度は低下するが、残留応力を除去することができ、伸びが増加し軟らかくなる。

② ○ 鋼の性質は**炭素量**によって変化し、**引張強さ・降伏点**とも炭素量0.8%程度で最大になり、それ以上になると下降する。逆に**伸びは**炭素の増加とともに減少（じん性が低下）し、加工性や溶接性も低下する。

③ ○ **SN材**（建築構造用圧延鋼材）A・B・C種の区分は次のとおりである。

- ・SN材A種：溶接性・塑性変形性能が保証されない。
- ・SN材B種：炭素当量や降伏点、降伏比の上限を規定するもので、溶接性・塑性変形性能が保証される。
- ・SN材C種：B種の規定に加えて、**板厚方向に大きな引張を受ける場合でも、板厚方向のはく離状き裂に対する抵抗力がある。**

④ ✕ **低降伏点鋼**は、添加元素を極力低減した**純鉄に近い**鋼材である。軟鋼と比べ、強度が低く、**延性**（金属のじん性、変形能力）が極めて高い鋼材である。

正解 4

建築に用いられる金属材料に関する一般的な記述として、最も不適当なものはどれか。

① 鉛は、酸その他の薬液に対する抵抗性やX線遮断効果が大きく、耐アルカリ性にも優れている。

② ステンレス鋼は、ニッケルやクロムを含み、炭素量が少ないものほど軟質で、耐食性に優れている。

③ 銅は、熱や電気の伝導率が大きく、湿気中では緑青を生じ耐食性が増す。

④ 純度の高いアルミニウムは、展延性に富み加工しやすく、空気中では表面に酸化被膜を生じ耐食性が増す。

解 説 ➡テキスト 第1編 **4-3**

① ✕ **鉛**は、密度（比重）が大きく、軟質で加工性がよい。また、酸その他の薬液に対する抵抗性やX線遮断効果は大きいが、**耐アルカリ性は劣り**、水酸化カルシウム、水酸化ナトリウムなどには侵される。

② 〇 **ステンレス鋼**は、鋼にクロムやニッケルを添加した合金で、炭素量が少ないものほど軟質で耐食性が高い。加工性はアルミや銅より硬く、耐食性は鉄やアルミよりも優れる。

③ 〇 **銅**は、**熱及び電気の伝導率が大きい**。また、大気中の炭酸ガスと化合してできる緑青により保護されるので、耐食性は優れるが、アルカリには弱い。

④ 〇 **アルミニウム**は、比重は小さく軽量で、軟らかく**展延性**に富み加工しやすい。大気中では表面に生じる**酸化皮膜**により耐食性はあるが、酸、アルカリ性には弱い。

正解 **1**

難易度 **B** 問題 **076** CHECK □□□ **その他金属**

建築に用いられる金属材料に関する一般的な記述として、最も不適当なものはどれか。

① 黄銅（真ちゅう）は、銅と、亜鉛の合金であり、亜鉛が30～40％のものである。

② ステンレス鋼のSUS304は、SUS430に比べ磁性が弱い。

③ 銅の熱伝導率は、鋼に比べ著しく高い。

④ アルミニウムの線膨張係数は、鋼の約4倍である。

解説 ➡テキスト 第1編 **4-3**

① ○ **黄銅**（おうどう）は、**真鍮**（しんちゅう）とも呼ばれ、銅と**亜鉛**の合金で、亜鉛が20％以上のものをいい、一般に亜鉛が**30～40％**である。適度な硬さと展延性をもち、切削加工が容易なため、微細な切削加工を要求される金属部品の材料として使用される。

② ○ **ステンレス鋼**は、鋼にクロムを11％以上添加した合金である。SUS304は、最もよく用いられ、クロム（18％）＋ニッケル（8％）の18－8ステンレス鋼と呼ばれる。ニッケル含有のため耐食性・耐熱性・強度に優れ、加工性・溶接性もよく、**磁性はない**。SUS430はニッケルを含まず、**磁性をもつ**。

③ ○ **銅**は、**熱・電気**の**伝導率**が著しく高い。また、大気中の炭酸ガスと化合してできる緑青により保護されるため、**耐食性は大**きいが、アンモニア、アルカリ性には弱い。

④ ✕ **アルミニウム**は、軽量、軟質で加工性がよく、比重とヤング係数は鋼材の**約 $\frac{1}{3}$**、**線膨張係数**（熱による長さが誇張する割合）は鋼材の**約2倍**である。

正解 **4**

金属材料に関する一般的な記述として、最も不適当なものはどれか。

① 黄銅（真ちゅう）は、銅と、亜鉛の合金であり、亜鉛が30〜40％のものである。

② 鉛は、鋼材に比べ熱伝導率が低く、線膨張係数は大きい。

③ ステンレス鋼のSUS430は、SUS304に比べ磁性が弱い。

④ アルミニウムは、鋼材に比べ密度及びヤング係数が約$\frac{1}{3}$である。

解 説 ┈┈┈┈┈┈┈┈┈┈┈┈┈┈┈┈┈┈┈ ➡テキスト / 第1編 / **4-3**

① ○ **黄銅**（おうどう）は、**真鍮**（しんちゅう）とも呼ばれ、**銅と亜鉛の合金**で、特に亜鉛が20％以上のものをいい、一般に亜鉛が**30〜40％**である。適度な硬さと展延性をもち、切削加工が容易なため、微細な切削加工を要求される金属部品の材料として使用される。

② ○ **鉛**は、鋼材に比べ**熱伝導率が低く**、**線膨張係数は大きい**。下表は、鋼材と鉛の性質の比較表である。

	鋼 材	鉛
熱伝導率（W/m・K）	54.4	35.2（約$\frac{2}{3}$）
線膨張係数（1/℃）	1.1×10^{-5}	2.9×10^{-5}（約3倍）

③ × **ステンレス鋼**は、鋼にクロムを11％以上添加した合金である。SUS304は、最もよく用いられ、クロム（18％）＋ニッケル（8％）の18−8ステンレス鋼と呼ばれる。ニッケル含有のため耐食性・耐熱性・強度に優れ、加工性・溶接性もよく、**磁性はない**。SUS430はニッケルを含まず、**磁性をもつ**（設問はSUS304とSUS430が逆である）。

④ ○ **アルミニウム**は、軽量、軟質で加工性がよく、比重とヤング係数は鋼材の**約$\frac{1}{3}$**、**線膨張係数**（熱による長さが誇張する割合）は鋼材の**約2倍**である。

正解 **3**

A ✓ □ □

建築に用いられる金属材料に関する記述として、最も不適当なものはどれか。

① ステンレス鋼は、ニッケルやクロムを含み、炭素量が少ないものほど耐食性が良い。

② 銅は、熱や電気の伝導率が高く、湿気中では緑青を生じ耐食性が増す。

③ 鉛は、X線遮断効果が大きく、酸その他の薬液に対する抵抗性や耐アルカリ性にも優れている。

④ チタンは、鋼材に比べ密度が小さく、耐食性に優れている。

解説 ➡ テキスト 第1編 4-3

① ○ **ステンレス鋼**は、鋼にクロムやニッケルを添加した合金で、**炭素量が少ない**ものほど軟質で、**耐食性が高い**。加工性はアルミや銅より硬く、耐食性は鉄やアルミよりも優れる。

② ○ **銅**は、**熱及び電気の伝導率が大きい**。また、大気中の炭酸ガスと化合してできる緑青により保護されるので、**耐食性は優れる**が、アルカリ性には弱い。

③ × **鉛**は、密度（比重）が大きく、軟質で加工性がよい。また、酸その他の薬液に対する抵抗性やX線遮断効果は大きいが、**耐アルカリ性は劣り**、水酸化カルシウム、水酸化ナトリウムなどには侵される。

④ ○ **チタン**は、鋼に比べて密度は小さい（軽量）が、錆びにくく、**耐食性**が高い。

正解 **3**

アスファルト防水材料に関する記述として、最も不適当なものはどれか。

① アスファルトルーフィング1500の数値1500は、1巻当たりのアスファルトの含浸量（g）を表している。

② ストレッチルーフィング1000の数値1000は、製品の抗張積（引張強さと最大荷重時の伸び率との積）を表している。

③ 改質アスファルトシートは、合成ゴム又はプラスチックを添加して性質を改良したアスファルトを原反に含浸・被覆させたシートである。

④ 有機溶剤タイプのアスファルトプライマーは、ブローンアスファルトなどを揮発性溶剤に溶解したものである。

解説 ……………………………………………… ➡テキスト 第1編 4-5

① **✕ アスファルトルーフィング**は、天然繊維のフェルト状シートにアスファルトを浸透させ、表裏面に鉱物質粉末を付着させてロール状またはシート状にした防水材料である。アスファルトルーフィング1500の数値1500は、製品の**単位面積当たり質量（g）**を表す。

② **〇 ストレッチルーフィング**は、多孔質なフェルト状の合成繊維シートにアスファルトを浸透させ、表裏面に鉱物質粉末を付着させた防水材料である。アスファルトルーフィングに比べ**伸び率が大きく破断しにくい**ため、下地の動きが大きいことが予測される場合には効果的で、防水層の耐久性を高める。ストレッチルーフィング1000の数値1000は、製品の**抗張積（引張強さと最大荷重時の伸び率との積)** を表している。

③ **〇 改質アスファルトシート**は、合成ゴム、またはプラスチックを添加してアスファルトの**性能を高めた「改質アスファルト」**を用いたルーフィングシートである。ストレッチルーフィングに比べて、強度・伸び・化学的性質などに優れ、耐久性が非常に高い。

④ **〇 アスファルトプライマー**は、防水下地に最初に塗布する下地処理材である。下地表面に浸透して下地と防水層の接着性を向上させる材料で、有機溶剤タイプとエマルションタイプ（水性）がある。有機溶剤タイプのアスファルトプライマーは、**ブローンアスファルト**などを**揮発性溶剤**に溶解したものである。ブローンアスファルトとは、アスファルトを酸化処理して建設材料用に精製したもので、常温で固まる性質をもつ。

正解 1

アスファルト防水

アスファルト防水材料に関する記述として、最も不適当なものはどれか。

① 改質アスファルトシートは、合成ゴム又はプラスチックを添加して性質を改良した改質アスファルトを原反に含浸、被覆させたシートである。

② ストレッチルーフィング1000の数値1000は、製品の抗張積（引張強さと最大荷重時の伸び率との積）を表している。

③ 防水工事用アスファルトは、フラースぜい化点温度が低いものほど低温特性のよいアスファルトである。

④ アスファルトルーフィング1500の数値1500は、製品の単位面積当たりのアスファルト含浸量を表している。

解説 .... → テキスト　第1編　4-5

① ○ **改質アスファルトシート**は、合成ゴム、またはプラスチックを添加してアスファルトの**性能を高めた**「改質アスファルト」を用いたルーフィングシートである。ストレッチルーフィングに比べて、強度・伸び・化学的性質などに優れ、耐久性が非常に高い。

② ○ **ストレッチルーフィング**は、合成繊維を主とした多孔質なフェルト状のシートにアスファルトを浸透させ、表裏面に鉱物質粉末を付着させた防水材料である。アスファルトルーフィングに比べ伸び率が大きく破断しにくいため、下地の動きが大きいことが予測される場合には効果的で、防水層の耐久性を高める。ストレッチルーフィング1000の数値1000は、製品の**抗張積（引張強さと最大荷重時の伸び率との積）** を表している。

③ ○ **フラースぜい化点**は、アスファルトの低温時のもろさを示すもので、鋼板にアスファルトを薄く塗り、温度を下げながら曲げたとき、最初に亀裂が生じる温度である。フラースぜい化点の低いものほど、低温時にひび割れが生じにくく、**低温特性のよい**アスファルトである。

④ × **アスファルトルーフィング**は、天然の有機質繊維のフェルト状シートにアスファルトを浸透させ、表裏面に鉱物質粉末を付着させてロール状またはシート状にした防水材料である。アスファルトルーフィング1500の数値1500は、製品の単位面積当たり質量（g）を表す。

正解　4

アスファルト防水材料に関する記述として、最も不適当なものはどれか。

① エマルションタイプのアスファルトプライマーは、アスファルトを水中に乳化分散させたものである。

② 砂付ストレッチルーフィング800の数値800は、製品の抗張積の呼びを表している。

③ 防水工事用アスファルトは、フラースぜい化点の温度が低いものほど低温特性のよいアスファルトである。

④ アスファルトルーフィング1500の数値1500は、製品の単位面積当たりのアスファルト含浸量を表している。

解説 ・・・・・・・・・・・・・・・・・・・・・・・・・・・・・・・・・・・・・・・ ➡テキスト 第1編 **4-5**

① ○ **アスファルトプライマー**とは、アスファルト防水において下地と防水層の接着をよくするために塗布される液状の材料をいう。アスファルトを揮発性溶剤に溶かしたタイプと、水中に乳化分散させた**エマルションタイプ**がある。

② ○ **砂付ストレッチルーフィング**は、多孔質なフェルト状の合成繊維シートにアスファルトを浸透させ、表裏面に鉱物質粉末を付着させ、さらに表面に砂粒を付着させた防水材料である。アスファルトルーフィングに比べ伸び率が大きく破断しにくいため、下地の動きが大きいことが予測される場合には効果的で、防水層の耐久性を高める。「砂付ストレッチルーフィング800」の数値800は、製品の**抗張積（引張強さと最大荷重時の伸び率との積）**を表す。

③ ○ **フラースぜい化点**とは、アスファルトの低温時のもろさを示すもので、鋼板にアスファルトを薄く塗り、温度を下げながら曲げたとき、最初に亀裂が生じる温度である。フラースぜい化点の**低いものほど**、低温時にひび割れが生じにくく、低温特性のよいアスファルト**である。

④ ✕ **アスファルトルーフィング**は、天然の有機質繊維のフェルト状シートにアスファルトを浸透させ、表裏面に鉱物質粉末を付着させてロール状またはシート状にした防水材料である。「アスファルトルーフィング1500」の数値1500は、製品の単位面積当たり質量（g）を表す。

正解 **4**

| 難易度 A | 問題 082 | 防水材料 |

日本産業規格（JIS）に規定する防水材料に関する記述として、不適当なものはどれか。

① 2成分形のウレタンゴム系防水材は、施工直前に主剤、硬化剤の2成分に、必要によって硬化促進剤や充填材等を混合して使用する。

② 防水工事用アスファルトは、フラースぜい化点の温度が低いものほど低温特性のよいアスファルトである。

③ ストレッチルーフィング1000の数値1000は、製品の抗張積（引張強さと最大荷重時の伸び率との積）を表している。

④ 改質アスファルトルーフィングシートは、温度特性によりⅠ類とⅡ類に区分され、低温時の耐折り曲げ性がよいものはⅠ類である。

解説 →テキスト 第1編 4-5

① ○ 2成分形ウレタンゴム系塗膜防水材は、主剤と硬化剤の硬化反応により、ゴム弾性のある塗膜を形成する材料である。

② ○ フラースぜい化点とは、アスファルトの低温時のもろさを示すもので、鋼板にアスファルトを薄く塗り、温度を下げながら曲げたとき、最初に亀裂が生じる温度である。フラースぜい化点の低いものほど、低温時にひび割れが生じにくく、低温特性のよいアスファルトである。

③ ○ ストレッチルーフィングは、多孔質なフェルト状の合成繊維シートにアスファルトを浸透させ、表裏面に鉱物質粉末を付着させた防水材料である。アスファルトルーフィングに比べ伸び率が大きく破断しにくいため、下地の動きが大きいことが予測される場合には効果的で、防水層の耐久性を高める。ストレッチルーフィング1000の数値1000は、製品の抗張積（引張強さと最大荷重時の伸び率との積）を表している。

④ × 改質アスファルトルーフィングシートの温度特性による品質区分には、Ⅰ類とⅡ類があり、Ⅱ類の方が低温時の折り曲げ性能が優れている。

正解 4

建築用シーリング材に関する記述として、最も不適当なものはどれか。

① 弾性シーリング材とは、目地のムーブメントによって生じた応力がひずみにほぼ比例するシーリング材である。

② 塑性シーリング材とは、目地のムーブメントによって生じた応力がムーブメントの速度にほぼ比例し、ムーブメントが停止すると素早く緩和するシーリング材である。

③ 1成分形高モジュラス形シリコーン系シーリング材は、耐熱性、耐寒性に優れ、防かび剤を添加したものは、浴槽や洗面化粧台などの水まわりの目地に用いられる。

④ 2成分形ポリウレタン系シーリング材は、耐熱性、耐候性に優れ、金属パネルや金属笠木などの目地に用いられる。

解 説 ……………………………………………… ➡テキスト　第1編　4-5

① ○ **弾性シーリング材**とは、**弾性**的な性質、すなわち、目地のムーブメントによって生じた**応力**が、**ひずみ**にほぼ**比例**するシーリング材である（JIS 5758）。

② ○ **塑性シーリング材**とは、**塑性**的な性質、すなわち、目地のムーブメントによって生じた**応力**が、ムーブメントの**速度**にほぼ比例し、ムーブメントが停止すると素早く**緩和する**シーリング材である（JIS 5758）。

③ ○ **1成分形高モジュラス形シリコーン系シーリング材**は、耐熱性、耐寒性に優れ、**防かびタイプ**は、浴室、浴槽、洗面化粧台、プールなどの**水まわり**の目地に用いられる（建築工事監理指針、建築用シーリング材ハンドブック）。

④ × **2成分形ポリウレタン系シーリング材**は、耐熱性、耐候性に劣るため、金属パネルや金属笠木などには適していない（建築用シーリング材ハンドブック）。

正解 4

シーリング材

建築用シーリング材に関する記述として、最も不適当なものはどれか。

① シリコーン系シーリング材は、表面にほこりが付着しないため、目地周辺に撥水_{はっすい}汚染が生じにくい。

② 2成分形シーリング材は、施工直前に基剤と硬化剤を調合し、練り混ぜて使用する。

③ 弾性シーリング材は、液状ポリマーを主成分としたもので、施工後は硬化し、ゴム状弾性を発現する。

④ シーリング材のクラスは、目地幅に対する拡大率及び縮小率で区分が設定されている。

解説 ························· ➡テキスト／第1編 4-5

① × **シリコーン系シーリング材**は、硬化後にほこりがつきやすく、目地周辺に**撥水汚染**_{はっすい}が生じることがある（建築工事監理指針）。

② ○ **2成分形シーリング材**は、施工直前に**基剤と硬化剤**を調合し、練り混ぜて使用するシーリング材である（建築用シーリング材ハンドブック）。

③ ○ **弾性シーリング材**は、ポリサルファイド、シリコーン、変成シリコーン、ポリウレタン等の**液状ポリマー**を主成分とし、これと鉱物質充填材等をよく練り混ぜて製造したもので、変位の比較的大きい部材や部品等の隙間に充填する不定形シーリング材をいい、施工後は硬化し、**ゴム状弾性**を発現する（建築工事監理指針）。

④ ○ シーリング材の**クラス**は、目地幅に対する**拡大率及び縮小率**によって、区分される。たとえば、クラス25は±25％の拡大縮小率である（JIS A 5758）。

正解 1

建築用シーリング材に関する記述として、最も不適当なものはどれか。

① シーリング材のクラスは、目地幅に対する拡大率及び縮小率で区分が設定されている。

② 1成分形シーリング材の硬化機構には、湿気硬化、乾燥硬化及び非硬化がある。

③ 2面接着とは、シーリング材が相対する2面で被着体と接着している状態をいう。

④ 2成分形シーリング材は、基剤と着色剤の2成分を施工直前に練り混ぜて使用するシーリング材である。

解説 ＞テキスト 第1編 **4-5**

① ○ シーリング材の**クラス**は、目地幅に対する**拡大率**及び**縮小率**によって、区分される。たとえば、クラス25は±25％の拡大縮小率である（JIS A 5758）。

② ○ 1成分形シーリング材の硬化機構には、**湿気硬化**、**乾燥硬化**及び**非硬化**がある。湿気硬化形にはシリコーン系シーリング材などが、乾燥硬化形にはアクリル系シーリング材などが、非硬化形にはシリコーン系マスチックや油性コーキングがある。なお、2成分形の硬化機構は混合反応硬化である（建築用シーリング材ハンドブック）。

③ ○ **2面接着**とは、目地部にシーリング材を充填した場合、目地部を構成する材料の相対する2面で接着し、目地底に接着させないことをいう。**ワーキングジョイント**の場合は、2面接着とする。

④ × **2成分形シーリング材**は、施工直前に**基剤**と**硬化剤**を調合し、練り混ぜて使用するシーリング材であり、混合するのは着色剤ではない（同ハンドブック）。

正解 **4**

左官材料に関する記述として、最も不適当なものはどれか。

① せっこうプラスターは、乾燥が困難な場所や乾湿の繰返しを受ける部位では硬化不良となりやすい。

② セルフレベリング材は、せっこう組成物やセメント組成物に骨材や流動化剤等を添加した材料である。

③ セメントモルタルの混和材として消石灰を用いると、こて伸びがよく、平滑な面が得られる。

④ ドロマイトプラスターは、それ自体に粘りがないためのりを必要とする。

解説 → テキスト 第1編 4-6

① ○ 「**プラスター**」とはある種の粉に水を加えて練り混ぜた左官材料のことをいう。その粉がせっこうの場合が「**せっこうプラスター**」である。せっこうプラスターは水和反応により結晶となり空気中で硬化が進む。その強さは、水分の蒸発につれて発現するので、**地下室、浴室、厨房など乾燥が困難な場所や乾湿の繰り返しを受ける部位では、硬化不良を生じやすい**。

② ○ **セルフレベリング材**は、**せっこう系**又は**セメント系**の結合材に、高流動化剤、硬化遅延剤、骨材などを混合した材料である。**流動性**が高く、流すだけで、平たん・平滑な面をこてなしで仕上げることができる。床の仕上げ調整材として使われる。一方、**ドロマイトプラスター**はドロマイト（白雲母）を成分とした塗壁用材料である。作業性はよいが、収縮性が大きく、ひび割れが広く発生する。そのため、セルフレベリング材には添加しない。

③ ○ セメントモルタルの混和材として**消石灰**、ドロマイトプラスターなどを用いると、**こての作業性が向上**し、平滑な塗り面が得られる。また、保水性が向上して、貧調合とすることができるため、収縮によるひび割れを低減させることができる。

④ × 「**ドロマイト**」とは石灰石に似たカルシウムとマグネシウムを含む鉱物で、ドロマイトプラスターは**粘性**があり、海藻のような「**のり**」を必要としないが、硬化には長時間を要し、接着強度は弱い。保水性はよいので、こて塗りがしやすく作業性がよいが、乾燥に伴い**ひび割れ**が生じやすい欠点がある。

正解 4

左官材料に関する記述として、最も不適当なものはどれか。

① せっこうプラスターは、水硬性であり、多湿で通気不良の場所で使用できる。

② ドロマイトプラスターは、それ自体に粘性があるためのりを必要としない。

③ セメントモルタルの混和材として消石灰を用いると、こて伸びがよく、平滑な面が得られる。

④ しっくい用ののりには、海藻、海藻の加工品、メチルセルロース等がある。

解説 ••••••••••••••••••••••••••••••••••••• →テキスト 第1編 4-6

① ✕ 「**プラスター**」とはある種の粉に水を加えて練り混ぜた左官材料のことをいう。その粉がせっこうの場合が「**せっこうプラスター**」である。せっこうプラスターは水和反応により結晶となり（水硬性）、空気中で硬化が進む。その強さは、水分の蒸発につれて発現するので、**地下室、浴室、厨房など乾燥が困難な場所や乾湿の繰り返しを受ける部位では、硬化不良を生じやすい。**

② ◯ 「**ドロマイト**」とは石灰石に似たカルシウムとマグネシウムを含む鉱物で、**粘性があり、海藻のような「のり」を必要としない**が、硬化には長時間を要し、接着強度は弱い。保水性はよいので、こて塗りがしやすく作業性がよいが、乾燥に伴い**ひび割れが生じやすい**欠点がある。

③ ◯ セメントモルタルの混和材として**消石灰、ドロマイトプラスター**などを用いると、こての作業性が向上し、平滑な塗り面が得られる。また、保水性が向上して、貧調合とすることができるため、収縮によるひび割れを低減させることができる。

④ ◯ **しっくいは、消石灰を主たる結合材料とした気硬性**の左官材料である。のりには、本しっくいの場合は、つのまた又は銀杏草を熟成させたものを煮出した溶液、既調合しっくいの場合は、この他に粉末**海藻及びメチルセルロース等の水溶性樹脂**を使用する。

正解 1

難易度 A	問題 088 CHECK □□□	左官材料	建築材料 R4-12

左官材料に関する記述として、最も不適当なものはどれか。

① しっくいは、消石灰を主たる結合材料とした気硬性を有する材料である。

② せっこうプラスターは、水硬性であり、主に多湿で通気不良の場所の仕上げで使用される。

③ セルフレベリング材は、せっこう組成物やセメント組成物に骨材や流動化剤等を添加した材料である。

④ ドロマイトプラスターは、保水性が良いため、こて塗りがしやすく作業性に優れる。

解説 .... →テキスト 第1編 4-6

① ○ しっくいは消石灰を主たる結合材料とした気硬性の左官材料で、既調合しっくいの場合は、のり剤には、粉末海藻及びメチルセルロース等の水溶性樹脂を用いる。

② × 「プラスター」とはある種の粉に水を加えて練り混ぜた左官材料のことをいう。その粉がせっこうの場合が「せっこうプラスター」である。せっこうプラスターは水和反応により結晶となり(水硬性)空気中で硬化が進む。その強さは、水分の蒸発につれて発現するので、地下室、浴室、厨房など乾燥が困難な場所や乾湿の繰り返しを受ける部位では、硬化不良を生じやすい。

③ ○ セルフレベリング材は、せっこう系又はセメント系の結合材に、高流動化剤、硬化遅延剤、骨材などを混合した水硬性の材料である。

④ ○ 「ドロマイト」とは石灰石に似たカルシウムとマグネシウムを含む鉱物である。ドロマイトプラスターは、粘性があり、海藻のような「のり」を必要としないが、硬化には長時間を要し、接着強度は弱い。保水性はよいので、こて塗りがしやすく作業性がよいが、乾燥に伴いひび割れが生じやすい。

正解 2

石材

石材に関する一般的な記述として、最も不適当なものはどれか。

① 大理石は、ち密で磨くと光沢が出るが、風化しやすく、耐酸性、耐火性に劣る。

② 花こう岩は、耐磨耗性、耐久性に優れるが、耐火性に劣る。

③ 砂岩は、耐火性に優れるが、吸水率の大きなものは耐凍害性に劣る。

④ 凝灰岩は、強度、耐久性に優れるが、光沢がなく、加工性に劣る。

解説 ➡テキスト 第1編 4-7

① ○ **大理石**は、ち密で磨くと光沢が出て、耐磨耗性、耐久性に優れるが、**耐酸性・耐火性に乏しく**、屋外に使用すると半年から1年で表面のつやを失う。主に内装に用いられる装飾石材である。

② ○ **花こう岩**は、いわゆる御影石と呼ばれ、硬く、耐摩耗性、耐久性に優れるが、構成物質の膨張係数が異なるため、**耐火性に劣る**。磨くと光沢があり、建築材として最も多く用いられる。

③ ○ **砂岩**は、耐摩耗性、耐久性に劣り、吸水率の大きなものは**耐凍害性に劣る**。磨いてもつやは出ない。

④ × **凝灰岩**は、火山の噴出物、砂等が水中あるいは地上に堆積して凝固したもので、**軽量・軟質で加工しやすく**、光沢がなく、**耐久性は劣る**。

正解 4

問題 090 石材

難易度 **B** CHECK ☑ □ □

建 築 材 料
R1-12

石材に関する一般的な記述として、最も不適当なものはどれか。

① 花こう岩は、耐摩耗性、耐久性に優れるが、耐火性に劣る。

② 大理石は、ち密であり、磨くと光沢が出るが、耐酸性、耐火性に劣る。

③ 石灰岩は、耐水性に優れるが、柔らかく、曲げ強度は低い。

④ 砂岩は、耐火性に優れるが、吸水率の高いものは耐凍害性に劣る。

解説 ·· ➡テキスト 第1編 4-7

① ○ **花こう岩**は、いわゆる御影石と呼ばれ、地下深部のマグマが冷却固結したもので、硬く、耐摩耗性、耐久性に優れるが、耐火性に劣る。磨くと光沢があり、建築材として最も多く用いられる。

② ○ **大理石**は、ち密で磨くと光沢が出て、耐摩耗性、耐久性に優れるが、耐酸性・耐火性に乏しく、屋外に使用すると半年から1年で表面のつやを失う。主に内装に用いられる装飾石材である。

③ ✕ **石灰岩**は、大部分が炭酸カルシウムからなり、大理石に比べ粗粒だが、独特の風合いを持つ。軟らかく加工しやすいが、耐水性に劣る。

④ ○ **砂岩**は、種々の岩石片が細粒となって堆積し、固まった堆積岩で、耐摩耗性、耐久性に劣り、吸水率の大きなものは耐凍害性に劣る。磨いてもつやは出ない。

正解 3

石材

石材に関する一般的な記述として、最も不適当なものはどれか。

① 花崗岩は、耐摩耗性、耐久性に優れるが、耐火性に劣る。

② 安山岩は、光沢があり美観性に優れるが、耐久性、耐火性に劣る。

③ 砂岩は、耐火性に優れるが、吸水率の高いものは耐凍害性に劣る。

④ 凝灰岩は、加工性に優れるが、強度、耐久性に劣る。

（ 解 説 ）・・→テキスト｜第 1 編｜**4-7**

① ○ **花崗岩**は、いわゆる御影石と呼ばれ、硬く、耐摩耗性、耐久性に優れるが、構成物質の膨張係数が異なるため、耐火性に劣る。磨くと光沢があり、建築材として最も多く用いられる。

② × **安山岩**は、強度・耐久性・耐火性に優れる。なお、磨いてもつやが出ず、大材が得られない。

③ ○ **砂岩**は、耐摩耗性、耐久性に劣り、吸水率の大きなものは**耐凍害性**に劣る。耐火性に優れるが、磨いてもつやは出ない。

④ ○ **凝灰岩**は、火山の噴出物、砂等が水中あるいは地上に堆積して凝固したもので、軽量・軟質で加工しやすいが、強度と耐久性に劣る。

正解 2

難易度 **A** 問題 **092**　**石材**

石材に関する一般的な記述として、最も不適当なものはどれか。

① 花崗岩は、結晶質で硬く耐摩耗性や耐久性に優れ、壁、床、階段等に多く用いられる。

② 大理石は、酸には弱いが、緻密であり磨くと光沢が出るため、主に内装用として用いられる。

③ 粘板岩（スレート）は、吸水率が小さく耐久性に優れ、層状に剥がれる性質があり、屋根材や床材として用いられる。

④ 石灰岩は、柔らかく曲げ強度は低いが、耐水性や耐酸性に優れ、主に外装用として用いられる。

解説 ……………………………………… ➡テキスト｜第1編｜**4-7**

① ○ **花崗岩**は、いわゆる**御影石**と呼ばれ、硬く、耐摩耗性、耐久性に優れるが、構成物質の膨張係数が異なるため、耐火性に劣る。磨くと光沢があり、建築材として最も多く用いられる。

② ○ **大理石**は、ち密で磨くと光沢が出て、耐摩耗性、耐久性に優れるが、**耐酸性・耐火性に乏しく**、屋外に使用すると半年から1年で表面のつやを失う。主に内装に用いられる装飾石材である。

③ ○ **粘板岩（スレート）**は、板状組織をもち、容易に**層状**に割裂できることから、屋根材や床材として用いられる。

④ × **石灰岩**は、大部分が炭酸カルシウムからなり、大理石に比べ粗粒だが、独特の風合いを持つ。軟らかく加工しやすいが、**耐水性に劣る**。したがって、外装には用いられず、主に内装（壁、床）に用いられる。

正解 4

日本産業規格（JIS）のドアセットに規定されている性能項目に関する記述として、不適当なものはどれか。

① スイングドアセットでは、「気密性」が規定されている。

② スイングドアセットでは、「鉛直荷重強さ」が規定されている。

③ スライディングドアセットでは、「ねじり強さ」が規定されている。

④ スライディングドアセットでは、「開閉力」が規定されている。

解説 ➡️テキスト 第1編 **4-8**

　ドアセットとは、あらかじめ枠と戸が製作・調整されていて、現場取付けに際して1つの構成材として扱うことができるもので、**スイング**とは主に枠の面外に戸が移動する開閉形式、**スライディング**とは主に枠の面内を戸が移動する開閉形式をいう。等級は、**耐風圧性**、**気密性**、**水密性**、**遮音性**、**断熱性**、**日射熱取得性**及び**面内変形追随性**※等について、それぞれの性能に応じて区分される。その他、用途に応じて、**ねじり強さ**※、**鉛直荷重強さ**※、**開閉力**、**開閉繰返し**及び**耐衝撃性**※等を選択して適用する。ただし、**※はスライディングには適用しない**。

　したがって、①「気密性」、④「開閉力」はいずれのドアセットにも規定され、②「鉛直荷重強さ」、③「ねじり強さ」はスイングドアセットには規定されているが、スライディングドアセットには規定されていないため、③が不適当である。

正解 3

ドアセット

日本産業規格（JIS）のドアセットに規定されている性能項目に関する記述として、不適当なものはどれか。

① スイングドアセットでは、「気密性」が規定されている。

② スイングドアセットでは、「開閉力」が規定されている。

③ スライディングドアセットでは、「鉛直荷重強さ」が規定されている。

④ スライディングドアセットでは、「遮音性」が規定されている。

解説 ....　→テキスト／第1編　4-8

　ドアセットとは、あらかじめ枠と戸が製作・調整されていて、現場取付けに際して1つの構成材として扱うことができるもので、**スイング**とは主に枠の面外に戸が移動する開閉形式、**スライディング**とは主に枠の面内を戸が移動する開閉形式をいう。等級は、**耐風圧性、気密性、水密性、遮音性、断熱性、日射熱取得性**及び**面内変形追随性**※について、それぞれの性能に応じて区分される。その他、用途に応じて、**ねじり強さ**※、**鉛直荷重強さ**※、**耐衝撃性**※、開閉力、開閉繰返し及び戸先かまち強さ等を選択して適用する。ただし、**※はスライディングには適用しない**。具体的な性能適用は下表を参照のこと。

　したがって、①「気密性」、②「開閉力」、④「遮音性」はいずれのドアセットにも規定され、③「鉛直荷重強さ」はスイングドアセットには規定されているが、スライディングドアセットには規定されていないため、③が不適当である。

	耐風圧性	気密性	水密性	遮音性	断熱性	日射熱取得性	面内変形追随性	ねじり強さ	鉛直荷重強さ	耐衝撃性	戸先かまち強さ	開閉力	開閉繰り返し
スイングドアセット	○	○	○	○	○	○	○	○	○	○	−	○	○
スライディングドアセット	○	○	○	○	○	○	−	−	−	−	−	○	○
スイングサッシ	○	○	○	○	○	○	−	−	−	−	○	○	○
スライディングサッシ	○	○	○	○	○	○	−	−	−	−	○	○	○

正解 **3**

日本産業規格（JIS）のドアセットに規定されている性能項目に関する記述として、不適当なものはどれか。

① スライディングドアセットでは、「鉛直荷重強さ」が規定されている。

② スライディングドアセットでは、「耐風圧性」が規定されている。

③ スイングドアセットでは、「耐衝撃性」が規定されている。

④ スイングドアセットでは、「開閉力」が規定されている。

解説 ....➡テキスト　第1編　4-8

　ドアセットとは、あらかじめ枠と戸が製作・調整されていて、現場取付けに際して1つの構成材として扱うことができるもので、**スイング**とは主に枠の面外に戸が移動する開閉形式、**スライディング**とは主に枠の面内を戸が移動する開閉形式をいう。

　等級は、**耐風圧性、気密性、水密性、遮音性、断熱性、日射熱取得性**及び**面内変形追随性**※等について、それぞれの性能に応じて区分される。その他、用途に応じて、**ねじり強さ**※、**鉛直荷重強さ**※、**開閉力、開閉繰返し**及び**耐衝撃性**※等を選択して適用する。ただし、※は**スライディング**には**適用しない**。

　「耐風圧性」「開閉力」はいずれのドアセットにも規定され、「鉛直荷重強さ」「耐衝撃性」はスイングドアセットには規定されているが、スライディングドアセットには規定されていない。したがって、①が不適当である。

正解　**1**

| 難易度 B | 問題 096 | **サッシ** | 建築材料 R2-13 |

JIS（日本産業規格）のサッシに規定されている性能項目に関する記述として、不適当なものはどれか。

① スライディングサッシでは、「気密性」が規定されている。

② スイングサッシでは、「水密性」が規定されている。

③ スライディングサッシでは、「ねじり強さ」が規定されている。

④ スイングサッシでは、「遮音性」が規定されている。

解説 →テキスト 第1編 4-8

　スイングとは主に枠の面外に戸が移動する開閉形式、**スライディング**とは主に枠の面内を戸が移動する開閉形式をいう。サッシの等級は、**耐風圧性、気密性、水密性、遮音性、断熱性、日射熱取得性**について、それぞれの性能に応じて区分される。その他、用途に応じて、開閉力、開閉繰返し及び戸先かまち強さ等を選択して適用する。具体的な性能適用は下表を参照のこと。

　したがって、①「気密性」、②「水密性」、④「遮音性」はスイング、スライディングのいずれにも規定され、③「ねじり強さ」はスイングサッシ、スライディングサッシのいずれにも規定されていないため、③が不適当である。

	耐風圧性	気密性	水密性	遮音性	断熱性	日射熱取得性	面内変形追随性	ねじり強さ	鉛直荷重強さ	耐衝撃性	戸先かまち強さ	開閉力	開閉繰り返し
スイングドアセット	○	○	○	○	○	○	○	○	○	○	—	○	○
スライディングドアセット	○	○	○	○	○	○	—	—	—	—	—	○	○
スイングサッシ	○	○	○	○	○	○	—	—	—	—	○	○	○
スライディングサッシ	○	○	○	○	○	○	—	—	—	—	○	○	○

正解 3

ガラスに関する記述として、最も不適当なものはどれか。

① 型板ガラスは、ロールアウト方式により、ロールに彫刻された型模様をガラス面に熱間転写して製造された、片面に型模様のある板ガラスである。

② Low-E複層ガラスは、中空層側のガラス面に特殊金属をコーティングしたもので、日射制御機能と高い断熱性を兼ね備えたガラスである。

③ 強化ガラスは、板ガラスを熱処理してガラス表面付近に強い圧縮応力層を形成したもので、耐衝撃強度が高いガラスである。

④ 熱線反射ガラスは、日射熱の遮蔽を主目的とし、ガラスの両面に熱線反射性の薄膜を形成したガラスである。

解 説 ……………………………………… **→テキスト** **第1編** **4-8**

① ○ **型板ガラス**は、**2本の水冷ローラー**の間に、直接溶解したガラスを通して製版する**ロールアウト法**により生産されるガラスで、下部のローラーで型付けされる。

② ○ **複層ガラス**とは2枚の板ガラスをスペーサーで一定の間隔に保ち、その周囲をゴム状の**封着材**で密閉し、内部に**乾燥空気**を満たしたガラスである。中空層側のガラス面に特殊金属を**コーティング**したガラスを用いて、断熱性や日射遮蔽性を高めたガラスを**Low-E複層ガラス**という。

③ ○ **強化ガラス**は、フロート板ガラスを熱処理してガラス表面に強い**圧縮応力層**をつくり、強度を**約3倍**に高めたガラスで、破損時の破片は**細粒状**となり鋭利な破片が生じにくい性質がある。ただし、微細な異物の混入に起因して応力バランスが崩れ、外力が加わっていない状態でも不意に破損することがある（**自然破損**）。

④ × **熱線反射ガラス**は、ガラスの片面に反射率の高い金属の薄膜をコートしたもので、可視光線あるいは日射エネルギーを反射させるほか、そのミラー状の表面は、ビルの外観デザインなどとしても生かされている。設問は「両面」としている点が不適当である。

正解 4

難易度	問題 098	ガラス材	建築材料 R4-13
B	☑□□□		

建築用板ガラスに関する記述として、最も不適当なものはどれか。

① フロート板ガラスは、溶融した金属の上に浮かべて製板する透明、かつ、平滑なガラスである。

② 複層ガラスは、複数枚の板ガラスの間に間隙を設け、大気圧に近い圧力の乾燥気体を満たし、その周辺を密閉したもので、断熱効果のあるガラスである。

③ 熱線吸収板ガラスは、板ガラスの表面に金属皮膜を形成したもので、冷房負荷の軽減の効果が高いガラスである。

④ 倍強度ガラスは、フロート板ガラスを軟化点まで加熱後、両表面から空気を吹き付けて冷却加工するなどにより、強度を約2倍に高めたガラスである。

解説 ....→テキスト 第1編 **4-8**

① ○ **フロート板ガラス**は、極めて平滑、透明な板ガラスで、溶融ガラスを溶融した**金属の上に浮かべるフロートシステム**により製板を行う。板ガラスの主流である。

② ○ **複層ガラス**は、2枚以上のガラスの間に**乾燥空気層等**を設け、周囲を密封したもので、**断熱**・結露防止に効果がある。なお、現在は、より熱伝導率の低いアルゴンガスを注入したものや真空にした製品もある。

③ ✕ **熱線吸収板ガラス**は、ガラス原料に微量の鉄・コバルトなどの**金属を加え着色**した板ガラスである。表面に金属皮膜を形成したものではない。

④ ○ **倍強度ガラス**は、強化ガラスと同様に、**フロート板ガラスに熱処理（加熱後に急冷して表面に強い圧縮応力層を形成）**を施し、耐風圧強度を**2倍**程度に高めたガラスである。破損時の割れ方は、**強化ガラス**とは異なり、通常のガラスと同じような割れ方となる。

正解 **3**

内装材

内装材料に関する記述として、最も不適当なものはどれか。

① コンポジションビニル床タイルは、単層ビニル床タイルよりバインダー量を多くした床タイルである。

② 複層ビニル床タイルは、耐水性、耐薬品性、耐磨耗性に優れているが、熱による伸縮性が大きい。

③ パーティクルボードは、日本産業規格（JIS）で定められたホルムアルデヒド放散量による区分がある。

④ 普通合板は、日本農林規格（JAS）で定められた接着の程度による区分がある。

解説 .... ➡テキスト 第1編 4-9

① ✕ **単層ビニル床タイル**は均一なビニル層からなる床タイルであり、バインダー含有率が30％以上と比較的高い。一方、**コンポジションビニル床タイル**は、炭酸カルシウム等の無機充填材の含有量が多く、バインダー含有率は30％未満と低い。

なお、接着形のビニル床タイルには、単層、複層、コンポジションの3種類があり、複層ビニル床タイルのバインダー含有率は30％以上である。

※ バインダー含有率とは、ビニル樹脂を柔らかくして劣化防止する可塑剤等の含有率をいう。

② ○ **複層ビニル床タイル**は、耐水性、耐油性、耐摩耗性、耐薬品性、耐アルカリ性に優れているが、反面、**熱**による**伸縮性**が大きいため、強力な接着剤で確実に接着する必要がある。

③ ○ **パーティクルボード**及び**MDF**は**ホルムアルデヒド発散材料**であり、指定建築材料として使用に制限を受ける。**ホルムアルデヒド放散等級**にはF☆からF☆☆☆☆の4つの区分があるが、特記がなければ、F☆☆☆☆のものを使用する。

④ ○ **普通合板**は、**接着の程度**による区分で、1類と2類がある。1類は断続的に湿潤状態となる場所において使用可能なもので、外装、台所、浴室において使用される。**2類**は時々湿潤状態となる場所において使用可能なもので、内装、家具等に使用される。

正解 1

内装材

内装材料に関する記述として、最も不適当なものはどれか。

① 構造用せっこうボードは、芯材のせっこうに無機質繊維等を混入したうえ、くぎ側面抵抗を強化したものである。

② ロックウール化粧吸音板は、ロックウールのウールを主材料として、結合材及び混和材を用いて成形し、表面化粧加工したものである。

③ けい酸カルシウム板は、石灰質原料、けい酸質原料、石綿以外の繊維、混和材料を原料として、成形したものである。

④ 強化せっこうボードは、両面のボード用原紙と芯材のせっこうに防水処理を施したものである。

解 説　··· ➡テキスト｜第 1 編｜4-9

① 〇 **構造用せっこうボード**は、心材のせっこうに無機質繊維等を混入した防火性の高い**強化せっこうボード**の性能を保持したうえで、くぎ側面抵抗を強化したもので、耐力壁用の面材などに使用される。

② 〇 **ロックウール化粧吸音板**は、ロックウールを主材料として、結合材及び混和材を用いて成形し、石華石模様等の**表面化粧**をしたもので、天井材などに使用される。

③ 〇 **けい酸カルシウム板**は、石灰質原料、けい酸質原料、繊維及び混和材料を原料として、高温高圧蒸気養生成形したものである。軽量で耐火・断熱性に富み、加工性がよく、温湿度変化による伸縮・反りは小さいが、**吸水性は高い**。内外装、天井などに用いられる（JASS 26）。

④ ✕ **強化せっこうボード**は、心材のせっこうに**無機質繊維**等を混入したもので、**防火性が高い**。防・耐火構造、遮音構造の壁などに用いられる。両面のボード用原紙と芯材のせっこうに**防水処理**を施したものは、シージングせっこうボードで、普通せっこうボードに比べ吸水時の強度低下が生じにくいため、湯沸室、洗面所などの壁、天井下地などに用いられる（建築工事監理指針）。

正解 **4**

内装材料に関する記述として、最も不適当なものはどれか。

① コンポジションビニル床タイルは、単層ビニル床タイルよりバインダー含有率を高くした床タイルである。

② 段通は、製造法による分類では、織りカーペットの手織りに分類される。

③ ロックウール化粧吸音板は、ロックウールのウールを主材料とし、結合材、混和材を用いて成形し、表面化粧をしたものである。

④ 強化せっこうボードは、せっこうボードの芯に無機質繊維等を混入したもので、性能項目として耐衝撃性や耐火炎性等が規定されている。

解説 ……………………………………………………………… →テキスト／第1編／**4-9**

① ✕ 単層ビニル床タイルは均一なビニル層からなる床タイルであり、バインダー含有率が30％以上と比較的高い。一方、**コンポジションビニル床タイル**は、炭酸カルシウム等の無機充填材の含有量が多く、バインダー含有率は**30％未満と低い**。なお、**複層ビニル床タイル**のバインダー含有率は30％以上である（バインダーとは、ビニル樹脂、可塑剤（ビニル樹脂を柔らかくして劣化防止する）及び安定剤からなる）。

② ○ **段通**とは、手織りによるパイルカーペットで高級品である。

③ ○ **ロックウール化粧吸音板**は、ロックウールを主材料として、結合材及び混和材を用いて成形し、石華石模様等の**表面化粧**をしたもので、**天井材**などに使用される。

④ ○ **強化せっこうボード**は、心材のせっこうに無機質繊維等を混入したもので、耐衝撃性や耐火炎性等が規定されている。防・耐火構造、遮音構造の壁などに用いられる（建築工事監理指針、JIS A 6901）。

正解 **1**

難易度 B	問題 102	塗料	建 築 材 料 H29-15

塗料に関する記述として、最も不適当なものはどれか。

① 合成樹脂エマルションペイントは、水と樹脂粒子が融合し、塗膜を形成する。

② アクリル樹脂系非水分散形塗料は、溶剤の蒸発とともに分散された粒子が結合し、塗膜を形成する。

③ 2液形ポリウレタンワニスは、溶剤の蒸発とともに反応が進み、ウレタン結合を有する透明塗膜を形成する。

④ 合成樹脂調合ペイントは、溶剤の蒸発とともに油分の酸化重合が進み、硬化乾燥して塗膜を形成する。

解 説 ┈┈┈┈┈┈┈┈┈┈┈┈┈┈┈┈┈┈┈┈┈┈┈┈ →テキスト 第1編 4-9

① **×** **合成樹脂エマルションペイント**は、水分が蒸発するとともに樹脂粒子が**接近融着**して連続塗膜を形成する。水と樹脂粒子が「融合」するわけではないので、不適当である（建築工事監理指針）。

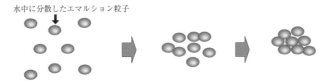

水中に分散したエマルション粒子

② **○** **アクリル樹脂系非水分散形塗料**は、シンナー等の溶解力の弱い**溶剤**に溶解しないアクリル樹脂を**分散**させたもので、溶剤の蒸発・乾燥とともに分散された粒子が**融着結合**し、塗膜を形成する（同指針、JASS 18）。

③ **○** **2液形ポリウレタンワニス**は、常温で硬化乾燥して溶剤が蒸発すると反応が進み、**ウレタン結合**を有する透明塗膜を形成する（同指針）。

④ **○** **合成樹脂調合ペイント**は、空気中の酸素によって乾性油が**酸化重合**によって**硬化乾燥**して塗膜を形成する（同指針）。酸化重合とは、酸化によって高分子化合物に生じる反応のことをいう。

正解 1

塗料に関する記述として、最も不適当なものはどれか。

① 合成樹脂エマルションペイントは、モルタル面に適しているが、金属面には適していない。

② つや有合成樹脂エマルションペイントは、屋内の鉄鋼面に適しているが、モルタル面には適していない。

③ アクリル樹脂系非水分散形塗料は、モルタル面に適しているが、せっこうボード面には適していない。

④ 合成樹脂調合ペイントは、木部に適しているが、モルタル面には適していない。

解説 ....→テキスト / 第1編 / 4-9

① ○ 合成樹脂エマルションペイントは、耐アルカリ性があるためコンクリート面やモルタル面に適しているが、鉄鋼面などの**金属系素地面**には**適さない**。

② × つや有合成樹脂エマルションペイントは、コンクリート面、モルタル面、せっこうボード面等並びに屋内の木部、鉄鋼面及び**亜鉛めっき鋼面**に適している。

③ ○ アクリル樹脂系非水分散形塗料は、屋内のコンクリート面、**モルタル面**に適しているが、せっこうボード面には**適さない**。

④ ○ 合成樹脂調合ペイントは、木部、鉄鋼面及び亜鉛めっき鋼面に適しているが、アルカリ性に弱いため、**セメント系素地面（モルタル・コンクリート面）**には**適さない**。

正解 2

難易度 B　問題 104　塗料

CHECK ☑ □ □ □

塗料に関する記述として、最も不適当なものはどれか。

① つや有合成樹脂エマルションペイントは、水分の蒸発とともに樹脂粒子が
　融着して塗膜を形成する。

② アクリル樹脂系非水分散形塗料は、溶剤の蒸発とともに樹脂粒子が融着し
　て塗膜を形成する。

③ クリヤラッカーは、自然乾燥で長時間かけて塗膜を形成する。

④ 合成樹脂調合ペイントは、溶剤の蒸発とともに油分の酸化重合が進み、乾
　燥硬化して塗膜を形成する。

解 説　　　　　　　　　　　　　　　　　→テキスト 第1編 4-9

① ○ **合成樹脂エマルションペイント**は、水分が蒸発するとともに樹脂粒子が融着
　して塗膜を形成する。**つや**有合成樹脂エマルションペイントは、合成樹脂エマ
　ルションペイントよりも、高い光沢（つや）があり耐水性や耐候性が向上してい
　る。塗膜形成過程は両者とも同じである。

水中に分散したエマルション粒子

② ○ アクリル**樹脂系非水分散形塗料**は、シンナー等の溶解力の弱い溶剤に溶解し
　ないアクリル樹脂を分散させたもので、溶剤の蒸発・乾燥とともに分散された
　粒子が融着結合し、塗膜を形成する（建築工事監理指針、JASS 18）。

③ × **クリヤラッカー**は、透明で、木材によくなじむ塗料である。作業性がよく塗
　りやすく、**乾燥が速い**。ただし、耐候性に劣り屋外に不向きである。

④ ○ **合成樹脂調合ペイント**は、空気中の酸素によって乾性油が酸化重合によって
　硬化乾燥して塗膜を形成する（同指針）。**酸化重合**とは、酸化によって高分子化
　合物に生じる反応のことをいう。

正解 **3**

屋内で使用する塗料に関する記述として、最も不適当なものはどれか。

① アクリル樹脂系非水分散形塗料は、モルタル面に適しているが、せっこうボード面には適していない。

② クリヤラッカーは、木部に適しているが、コンクリート面には適していない。

③ つや有合成樹脂エマルションペイントは、鉄鋼面に適しているが、モルタル面には適していない。

④ 2液形ポリウレタンワニスは、木部に適しているが、ALCパネル面には適していない。

解説 ━━━━━━━━━━━━━━ →テキスト 第1編 4-9

① ○ アクリル樹脂系非水分散形塗料は、屋内のコンクリート面、モルタル面に適しているが、せっこうボード面には適さない。

② ○ クリヤラッカーは、透明で、木材によくなじむ塗料である。作業性がよく塗りやすく、乾燥が速い。ただし、耐候性に劣り屋外に不向きである。

③ × つや有合成樹脂エマルションペイントは、コンクリート面、モルタル面、せっこうボード面等並びに屋内の木部、鉄鋼面及び亜鉛めっき鋼面に適している。

④ ○ 2液形ポリウレタンワニスは、木部及びコンクリート面、セメントモルタル面に適しているが、ALCパネル、スレート板、けい酸カルシウム板等には適さない。

正解 **3**

設備・外構・契約他

給排水設備に関する記述として、最も不適当なものはどれか。

① エアチャンバーは、給水管内に生ずるウォーターハンマーの水撃圧を吸収するためのものである。

② 通気管は、サイホン作用によるトラップの封水切れを防止するためのものである。

③ 排水トラップの封水深は、阻集器を兼ねるものを除き、5〜10cmとする。

④ 給水タンクの内部の保守点検を行うために設ける円形マンホールの最小内法直径は、45cmとする。

解説 ➡テキスト 第2編 1-1

① ○ **エアチャンバー**とは、ウォーターハンマーによる水撃圧を吸収するために設ける「空気だまり」の部分をいう。なお、**ウォーターハンマー**とは、水栓や弁などを急に閉じたときに、水流によって高圧力が生じ、配管や機器から騒音・振動が発生する現象をいう。

エアチャンバー設置例

② ○ 排水管内を水が流れると、管内の気圧が変動する。この変動幅が大きくなると円滑な流れが妨げられ、**サイホン作用**によって、トラップの封水切れ（破封）が生じる。**通気管**は、これを避けるために管内を常に大気圧に保つための設備である。

③ ○ **排水トラップ**とは、下水管からの臭気やガス、虫類が室内へ侵入するのを防ぐために「**封水部**」をもつ装置をいう。この封水の深さ（D）は、**5〜10cm程度**とする。阻集機とは排水から有害・危険な物質を分離回収しうる排水設備で、排水トラップと一体となったものが多い。

Pトラップ

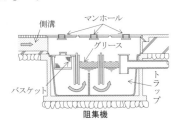

阻集機

④ ✕ 給水タンク（受水槽・高架水槽）の周囲には、清掃・保守点検のため、周囲及び下部には60cm以上、点検用のマンホールのある上部には100cm以上のスペースを確保し（6面点検スペース）、点検用のマンホールは直径60cm以上の円が内接できるものとする。

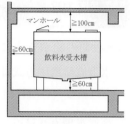

飲料水用受水槽の点検スペース

正解 **4**

給水設備の給水方式に関する記述として、最も不適当なものはどれか。

① 水道直結増圧方式は、水道本管から分岐した水道引込み管に増圧給水装置を直結し、各所に給水する方式である。

② 高置水槽方式は、一度受水槽に貯留した水をポンプで建物高所の高置水槽に揚水し、高置水槽からは重力によって各所に給水する方式である。

③ ポンプ直送方式は、水道本管から分岐した水道引込み管にポンプを直結し、各所に給水する方式である。

④ 圧力水槽方式は、受水槽の水をポンプで圧力水槽に送水し、圧力水槽内の空気を加圧して、その圧力によって各所に給水する方式である。

解 説　・・・・・・・・・・・・・・・・・・・・・・・・・・・・・・・・・・・　→テキスト　第2編　1-1

① ○ **水道直結増圧方式**は、**水道本管の圧力**と増圧給水装置（増圧ポンプ＋逆流防止装置）によって建築物内の必要箇所に給水する方式である。水道本管の負圧時に建築物内の水が逆流して、水道本管への汚染拡大しないように、一般には、増圧ポンプの吸込み側に減圧式の**逆流防止器の設置が必要**である。

② ○ **高置水槽方式**は、水道本管から分岐して給水管を引き込み、水を**受水槽**へ貯水した後に、ポンプにより屋上等に設置した**高置水槽**へ揚水し、そこから**重力を利用**して建築物内の必要箇所に給水する方式である。

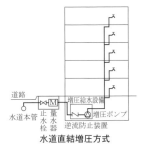

道路
水道本管　止水栓　量水器　増圧給水設備　増圧ポンプ　逆流防止装置
水道直結増圧方式

高置水槽
7m以上
道路
水道本管　止水栓　量水器　受水槽　揚水ポンプ
高置水槽方式

③ ✕ **ポンプ直送方式**は、水道本管からの水を**受水槽**へ貯水した後に、**直送ポンプ**によって建築物内の必要箇所に給水する方式であり、一般に、建築物が**停電**した際は**給水する**ことができない。

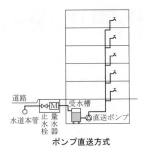

ポンプ直送方式

④ ◯ **圧力水槽方式**は、**受水槽**内の水を**加圧ポンプ**で圧力水槽へ送り、**圧力水槽**内の空気を圧縮・加圧して、その圧力により建築物内の必要箇所に給水する方式である。ただし、ポンプ直送方式が普及した後は、ほとんど採用されていない。

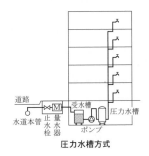

圧力水槽方式

正解 3

給水設備の給水方式に関する記述として、最も不適当なものはどれか。

① 高置水槽方式は、一度受水槽に貯留した水をポンプで建物高所の高置水槽に揚水し、高置水槽からは重力によって各所に給水する方式である。

② 圧力水槽方式は、受水槽の水をポンプで圧力水槽に送水し、圧力水槽内の空気を加圧して、その圧力によって各所に給水する方式である。

③ ポンプ直送方式は、水道本管から分岐した水道引込み管にポンプを直結し、各所に給水する方式である。

④ 水道直結直圧方式は、水道本管から分岐した水道引込み管より直接各所に給水する方式である。

解説 ·· →テキスト｜第2編｜1-1

① ○ 高置**水槽方式**は、水道本管から分岐して給水管を引き込み、水を**受水槽**へ貯水した後に、ポンプにより屋上等に設置した高置水槽へ揚水し、そこから重力を利用して建築物内の必要箇所に給水する方式である。

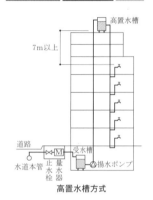

高置水槽方式

② ○ 圧力**水槽方式**は、**受水槽内**の水を**加圧ポンプ**で圧力水槽へ送り、圧力水槽内の空気を圧縮・加圧して、その圧力により建築物内の必要箇所に給水する方式である。ただし、ポンプ直送方式が普及した後は、ほとんど採用されていない。

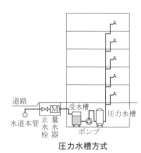

圧力水槽方式

③ × **ポンプ直送方式**は、水道本管からの水を**受水槽**へ貯水した後に、**直送ポンプ**によって建築物内の必要箇所に給水する方式であり、一般に、建築物が**停電**した際は**給水する**ことができない。

④ ○ **水道直結直圧方式**は、水道本管から分岐して給水管を引き込み、水道本管の水圧によって建築物内の必要箇所に給水する方式である。戸建住宅、2階建程度の小規模な建築物に採用される。

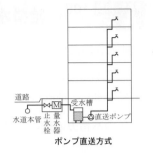

ポンプ直送方式

正解 **3**

1

建築設備

給排水設備に関する記述として、最も不適当なものはどれか。

① 高置水槽方式は、一度受水槽に貯留した水をポンプで建物高所の高置水槽に揚水し、高置水槽からは重力によって各所に給水する方式である。

② 圧力水槽方式は、受水槽の水をポンプで圧力水槽に送水し、圧力水槽内の空気を加圧して、その圧力によって各所に給水する方式である。

③ 屋内の自然流下式横走り排水管の最小勾配は、管径が100mmの場合、$\dfrac{1}{100}$とする。

④ 排水槽の底の勾配は、吸い込みピットに向かって$\dfrac{1}{100}$とする。

解説 ……………………………………………→テキスト　第2編　1-1

① ○ **高置水槽方式**は、水道本管から分岐して給水管を引き込み、水を**受水槽**へ貯水した後に、ポンプにより屋上等に設置した**高置水槽**へ揚水し、そこから重力を利用して建築物内の必要箇所に給水する方式である。

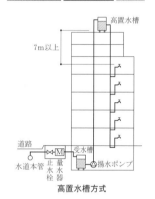

高置水槽方式

② ○ **圧力水槽方式**は、**受水槽**の水を**圧力水槽**へ送り、圧力水槽内の空気を圧縮・加圧して、その圧力により建築物内の必要箇所に給水する方式である。ただし、ポンプ直送方式が普及した後は、ほとんど採用されていない。

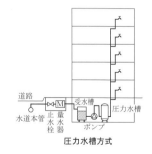

圧力水槽方式

③ ○ 排水横管は、凹凸がなく、かつ適切な勾配で配管するものとし、その勾配は、次表による（SHASE）。

排水横枝管の最小勾配

管　径［mm］	勾　配
65以下	1/50以上
75, 100	1/100以上
125	1/150以上
150以上　　　大	1/200以上　　緩

④ × **排水槽は**、建築物の汚水を排水ポ
ンプにより排出するための施設で、
排水槽の底には吸い込みピットを設
け、排水槽の底の勾配は、吸い込み
ピットに向かって$\frac{1}{15}$以上$\frac{1}{10}$以下と
する。また、ポンプの吸込み部の周
囲及び下部には、200mm以上の間隔を
あける。なお、マンホールは外部荷

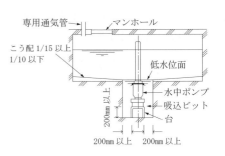

重に耐える防臭密閉式で直径600mm以上とする（給排水衛生設備規準・同解説
SHASE-S206）。

正解 **4**

空気調和設備に関する記述として、最も不適当なものはどれか。

① パッケージユニット方式は、小容量の熱源機器を建物内に多数分散配置する方式であり、セントラルシステムに比較して保守管理に手間を要する方式である。

② ファンコイルユニット方式における4管式は、2管式と比較してゾーンごとの冷暖房同時運転が可能で、室内環境の制御性に優れている方式である。

③ 二重ダクト方式は、2系統のダクトで送風された温風と冷風を、混合ユニットにより熱負荷に応じて混合量を調整して吹き出す方式である。

④ 単一ダクト方式におけるCAV方式は、負荷変動に対して風量を変える方式である。

解説 ・・・ **→テキスト** | **第2編** | **1-2**

① ○ **パッケージユニット方式**は、小容量の熱源機器（冷暖房兼用のヒートポンプなどを熱源とするパッケージユニット）を建物内に**多数分散**配置する方式であり、セントラルシステムに比較して**保守管理に手間**を要する。

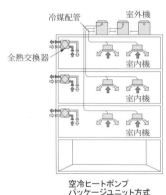

空冷ヒートポンプ
パッケージユニット方式
（マルチユニット型）

② ○ **ファンコイルユニット方式**は、送風機、冷温水コイル、フィルターなどを内蔵したファンコイルユニットに、機械室から冷温水を供給する方式である。ファンコイルユニット方式では、熱媒を放熱機器などへ送る「**往き管（送水管）**」と、ポンプに戻すための「**還り管（還水管）**」とが必要になる。**4管式**は、冷水配管、温水配管の往き管に対してそれぞれ還り管を設ける方式で、**2管式**と比較してゾーンごとの冷暖房同時運転が可能で、室内環境の制御性に優れている。

③ ○ **二重ダクト方式**は、空調機で温風と冷風をつくり、別々のダクトで各室・各ゾーンに送り、吹出口付近に設けた**混合ユニット**（ミキシング・ボックス）内で混合して、適度な温度にしてから室内に吹き出す方式である。

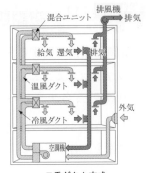

二重ダクト方式

④ × **単一ダクト方式**は、空調機で調整した冷風または温風をダクトで各室に供給する方式であり、定風量方式と変風量方式とがある。

定風量方式（CAV方式）は、吹出し風量を一定とし、代表的な室の負荷変動に応じて**送風温度を変化**させて室温を制御する方式であり、それぞれの負荷変動には対応できない。

変風量方式（VAV方式）は、**送風温度を一定**とし、末端に風量を変化させる変風量ユニットを設けて、部屋やゾーンごとの冷暖房負荷に合わせ、**吹出し風量を変化**させて室温を制御する方式である。

正解 4

空気調和設備に関する記述として、最も不適当なものはどれか。

① ファンコイルユニット方式における２管式は、冷水管及び温水管をそれぞれ設置し、各ユニットや系統ごとに選択、制御して冷暖房を行う方式である。

② パッケージユニット方式は、小容量の熱源機器を内蔵するパッケージ型空調機を、各空調区域や各室に設置して空調を行う方式である。

③ 定風量単一ダクト方式は、還気と外気を空調機内で温度、湿度、清浄度を総合的に調整した後、ダクトにより各室に一定の風量で送風する方式である。

④ 二重ダクト方式は、２系統のダクトで送られた温風と冷風を、混合ユニットにより熱負荷に応じて混合量を調整して吹き出す方式である。

解説 ……………………………………………… ➡テキスト 第2編 1-2

① × **ファンコイルユニット方式**は、送風機、冷温水コイル、フィルターなどを内蔵したファンコイルユニットに、機械室から冷温水を供給する方式である。ファンコイルユニット方式では、熱媒を放熱機器などへ送る「**往き管（送水管）**」と、ポンプに戻すための「**還り管（還水管）**」とが必要になる。**4管式**は、冷水配管、温水配管の往き管に対してそれぞれ還り管を設ける方式で、**2管式**と比較してゾーンごとの冷暖房同時運転が可能で、室内環境の制御性に優れている。

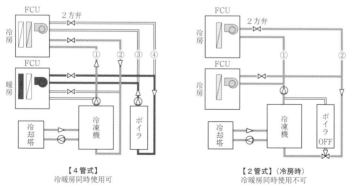

ファンコイルユニット方式

② ○ **パッケージユニット方式**は、小容量の熱源機器（冷凍機・温水、冷暖房兼用のヒートポンプなどを熱源とするパッケージユニット）を建物内に**多数分散配置**する方式であり、セントラルシステムに比較して**保守管理に手間**を要する。

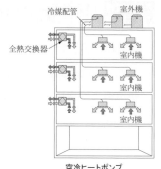

空冷ヒートポンプ
パッケージユニット方式
（マルチユニット型）

③ ○ **単一ダクト方式**は、空調機で調整した冷風または温風をダクトで各室に供給する方式であり、定風量方式と変風量方式とがある。

定風量方式（CAV方式）は、吹出し風量を一定とし、代表的な室の負荷変動に応じて**送風温度を変化**させて室温を制御する方式であり、それぞれの負荷変動には対応できない。

変風量方式（VAV方式）は、**送風温度を一定**とし、末端に風量を変化させる変風量ユニットを設けて、部屋やゾーンごとの冷暖房負荷に合わせ、**吹出し風量を変化**させて室温を制御する方式である。

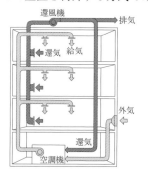

単一ダクトCAV方式

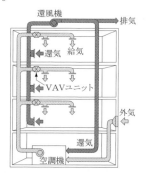

単一ダクトVAV方式

④ ○ **二重ダクト方式**は、空調機で温風と冷風をつくり、別々のダクトで各室・各ゾーンに送り、吹出口付近に設けた混合ユニット（ミキシング・ボックス）内で混合して、適度な温度にしてから室内に吹き出す方式である。

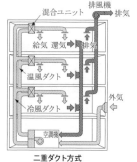

二重ダクト方式

正解 1

空気調和設備に関する記述として、最も不適当なものはどれか。

① 空気調和機は、一般にエアフィルタ、空気冷却器、空気加熱器、加湿器、送風機等で構成される装置である。

② 冷却塔は、温度上昇した冷却水を、空気と直接接触させて気化熱により冷却する装置である。

③ 二重ダクト方式は、2系統のダクトで送られた温風と冷風を、混合ユニットにより熱負荷に応じて混合量を調整して吹き出す方式である。

④ 単一ダクト方式におけるCAV方式は、負荷変動に対して風量を変える方式である。

解説 ·· ➡テキスト / 第2編 / **1-2**

① ○ **空気調和機**は、エアコンディショナーまたはエアハンドリングユニットともいい、**加熱・冷却、加湿・除湿、清浄化**の機能を1台で行う装置であり、**空気加熱器**（加熱コイル）、**空気冷却器**（冷水コイル）、加湿器、エアフィルター、送風機などで構成される。

② ○ **冷却塔**（**クーリングタワー**）の原理は、水と空気を接触させることで、主に冷却水の蒸発潜熱によって冷却することにある。つまり、冷却塔は、温度上昇した冷却水を、空気と直接接触させて**気化熱**により冷却する装置である。

③ ○ **二重ダクト方式**は、空調機で**温風**と**冷風**をつくり、**別々のダクト**で各室・各ゾーンに送り、吹出口付近に設けた**混合ユニット**内で混合して、適度な温度にしてから室内に吹き出す方式である。

④ × **単一ダクト方式**は、空調機で調整した冷風または温風をダクトで各室に供給する方式であり、定風量方式と変風量方式とがある。**定風量方式**（CAV方式）は、**吹出し風量を一定**とし、送風温度を変化させて室温を制御する方式であり、それぞれの室の負荷変動には対応できない。**変風量方式**（VAV方式）は、送風温度を一定とし、部屋やゾーンごとに設けた変風量ユニットで**吹出し風量を変化**させて制御する方式である。

正解 **4**

電気設備に関する記述として、最も不適当なものはどれか。

① 特別高圧受電を行うような大規模なビルや工場などの電気供給方式には、三相4線式400V級が多く用いられる。

② 電圧の種別で低圧とは、直流にあっては600V以下、交流にあっては750V以下のものをいう。

③ 低圧屋内配線のための金属管の厚さは、コンクリートに埋め込む場合、1.2mm未満としてはならない。

④ 低圧屋内配線の使用電圧が300Vを超える場合における金属製の電線接続箱には、接地工事を施す。

解説　　　　　　　　　　　　　　　　　　　　　→テキスト 第2編 1-3

① ○ 三相4線式240/415Vは、**接地線と他の1本の線とを接続すると単相240V、接地線以外の3本の線を接続すると三相415V**が得られる方式である。**大規模なビルや工場**等の電灯・動力共用幹線に用いられ、単相240Vは電灯・コンセント用電源に、三相415Vは大型電動機の**動力用電源**に使用される。

② ✕ 電圧の種別は以下のように区分される。したがって、**低圧とは、直流にあっては750V以下、交流にあっては600V以下**のものをいう。

電圧の区分

区　分	直　　流	交　　流
低　圧	750V以下	600V以下
高　圧	750Vを超え7,000V以下	600Vを超え7,000V以下
特別高圧	7,000Vを超えるもの	

③ ○ 低圧屋内配線のための金属管の厚さは、コンクリートに埋め込む場合は**1.2mm以上**とする（電気設備の技術基準の解釈159条）。

④ ○ 低圧屋内配線の使用電圧が**300Vを超える場合、金属製の電線接続箱等には、C種接地（アース）工事**を施す。

正解 **2**

電気設備に関する記述として、最も不適当なものはどれか。

① ビニル電線（IV）は、地中電線路に用いることができる。

② 低圧屋内配線のための金属管は、規定値未満の厚さのものをコンクリートに埋め込んではならない。

③ 合成樹脂製可とう電線管のうちPF管は、自己消火性があり、屋内隠ぺい配管に用いることができる。

④ 合成樹脂管内、金属管内及び金属製可とう電線管内では、電線に接続点を設けてはならない。

解　説 ・・・ →テキスト 第2編 1-3

① × ビニル絶縁電線（IV）は、軟銅線を塩化ビニル樹脂で絶縁被覆した絶縁電線であり、**屋内**で使用し、屋外の地中電線路に用いることはできない。なお、絶縁電線を外装（シース）によって補強したものを**ケーブル**という。

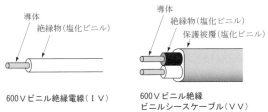

導体
絶縁物(塩化ビニル)

600Vビニル絶縁電線（IＶ）

導体
絶縁物(塩化ビニル)
保護被覆(塩化ビニル)

600Vビニル絶縁
ビニルシースケーブル（ＶＶ）

② ○ 低圧屋内配線のための金属管は、コンクリート内に埋め込むか支持金具で固定し、その内部に電線を通すためのものである（**金属管配線方式**）。低圧屋内配線のための金属管の厚さは、コンクリートに埋め込む場合は**1.2mm以上**とする（電気設備の技術基準の解釈159条）。

③ ○ **PF管**は、**耐燃性（自己消火性）**のある、じゃばら状の可とう電線管で、コンクリート埋設用としてだけでなく、露出、壁内への隠ぺい配管などさまざまなところに使用される。なお、**CD管**は、耐燃性のない、じゃばら状の可とう電線管で、コンクリート中に埋設する隠ぺい配管としてのみ使用する。オレンジ色に着色され、PF管と区別される。

④ ○ 金属管、PF管、CD管、硬質ビニル管、金属製可とう電線管等の内部では、**電線を接続してはならない**。また、金属ダクトの内部では、点検できる接続部分を除き電線を接続してはならない（公共建築工事標準仕様書〈電気〉）。

正解 1

電気設備に関する記述として、最も不適当なものはどれか。

① 電圧の種別における低圧とは、交流の場合600V以下のものをいう。

② 電圧の種別における高圧とは、直流の場合750Vを超え、7,000Vまでのものをいう。

③ 大型の動力機器が多数使用される場合の配電方式には、単相2線式100Vが多く用いられる。

④ 特別高圧受電を行うような大規模なビルなどの配電方式には、三相4線式240V/415Vが多く用いられる。

解説 ➡テキスト 第2編 1-3

①② 〇 電圧の種別は以下のように区分される。したがって、**低圧とは直流にあっては750V以下、交流にあっては600V以下、高圧とは直流にあっては750Vを、交流にあっては600Vを超え、7,000V以下**のものをいう。

電圧の区分

区 分	直 流	交 流
低 圧	750V以下	600V以下
高 圧	750Vを超え7,000V以下	600Vを超え7,000V以下
特別高圧	7,000Vを超えるもの	

※ 低圧・高圧の区切りは600V（交流）と750V（直流）、特別高圧は7,000V超をしっかり覚える。

③ ✕ 大型動力機が多数使用されるビルや工場等の配電方式には、**三相3線式200V**が多く用いられる。**単相2線式100V**は、一般の電灯・電気器具に用いられる方式である。

④ 〇 **三相4線式240/415V**は、接地線と他の1本の線とを接続すると単相240V、接地線以外の3本の線を接続すると三相415Vが得られる方式である。大規模なビルや工場等の電灯・動力共用幹線に用いられ、単相240Vは電灯・コンセント用電源に、三相415Vは大型電動機の動力用電源に使用される。

正解 **3**

電気設備に関する記述として、最も不適当なものはどれか。

① 合成樹脂製可とう電線管のうちPF管は、自己消火性があり、屋内隠ぺい配管に用いることができる。

② 電圧の種別で低圧とは、直流にあっては600V以下、交流にあっては750V以下のものをいう。

③ 低圧屋内配線のための金属管は、規定値未満の厚さのものをコンクリートに埋め込んではならない。

④ 低圧屋内配線の使用電圧が300Vを超える場合における金属製の電線接続箱には、接地工事を施さなければならない。

解説 ・・ ➡テキスト 第2編 1-3

① ○ PF管は、耐燃性（自己消火性）のある、じゃばら状の可とう電線管で、コンクリート埋設用としてだけでなく、露出、壁内への隠ぺい配管などさまざまなところに使用される。なお、CD管は、耐燃性のない、じゃばら状の可とう電線管で、**コンクリート中に埋設**する隠ぺい配管としてのみ使用する。オレンジ色に着色され、PF管と区別される。

② × 電圧の種別は以下のように区分される。したがって、**低圧**とは、**直流**にあっては750V以下、**交流**にあっては600V以下のものをいう。

電圧の区分

区　分	直　　流	交　　流
低　圧	750V以下	600V以下
高　圧	750Vを超え7,000V以下	600Vを超え7,000V以下
特別高圧	7,000Vを超えるもの	

③ ○ 低圧屋内配線のための金属管の厚さは、コンクリートに埋め込む場合は1.2mm以上とする（電気設備の技術基準の解釈159条）。

④ ○ 低圧屋内配線の使用電圧が300Vを超える場合、金属製の電線接続箱等には、**C種接地（アース）**工事を施す。

正解 2

避雷設備に関する記述として、最も不適当なものはどれか。

① 高さが20mを超える建築物には、原則として、有効に避雷設備を設けなければならない。

② 危険物を貯蔵する倉庫には、危険物の貯蔵量や建物の高さにかかわらず、避雷設備を設けなければならない。

③ 受雷部は、保護しようとする建築物の種類、重要度等に対応した段階の保護レベルに応じて配置する。

④ 鉄筋コンクリート造の鉄筋は、構造体利用の引下げ導線の構成部材として利用することができる。

解 説 ➡テキスト 第 2 編 1-3

① ○ 高さ**20mを超える**建築物には、有効に**避雷設備**を設けなければならない。

② × 政令により、**指定数量の10倍以上**の危険物の貯蔵倉庫には、周囲の状況によって安全上支障がない場合を除き、総務省令で定める**避雷設備**を設けなければならない。

③ ○ 避雷設備（雷保護設備）は、受雷部、引下げ導線、接地から構成される。**受雷部**は建築物の種類、重要度等に対応した**4段階の保護レベル**に応じて配置する。

④ ○ 雷保護設備は、受雷部、引下げ導線、接地から構成される。鉄筋コンクリート造の**相互接続した鉄筋**、鉄骨造の**鉄骨**は引下げ導線として利用することができる。また、引下げ導線は、保護レベルに応じた平均間隔以内として、被保護物である建築物の外周に沿ってできるだけ等間隔に、かつ、建築物の突角部の近くになるように配置する。

正解 **2**

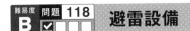
難易度 B 問題 **118** 避雷設備

避雷設備に関する記述として、最も不適当なものはどれか。

① 高さが15mを超える建築物には、原則として、避雷設備を設けなければならない。

② 指定数量の10倍以上の危険物を貯蔵する倉庫には、高さにかかわらず、原則として、避雷設備を設けなければならない。

③ 受雷部システムの配置は、保護しようとする建築物の種類、重要度等に応じた保護レベルの要求事項に適合しなければならない。

④ 鉄骨造の鉄骨躯体は、構造体利用の引下げ導線の構成部材として利用することができる。

解説 ➡テキスト 第2編 1-3

① ✕ 高さ20mを超える建築物には、有効に避雷設備を設けなければならない。

② ◯ 政令により、指定数量の10倍以上の危険物の貯蔵倉庫には、周囲の状況によって安全上支障がない場合を除き、総務省令で定める避雷設備を設けなければならない。

③ ◯ 避雷設備（雷保護設備）は、受雷部、引下げ導線、接地から構成される。受雷部は建築物の種類、重要度等に対応した4段階の保護レベルに応じて配置する。

④ ◯ 避雷設備は、受雷部、引下げ導線、接地から構成される。鉄筋コンクリート造の相互接続した鉄筋、鉄骨造の鉄骨は引下げ導線として利用することができる。また、引下げ導線は、保護レベルに応じた平均間隔以内として、被保護物である建築物の外周に沿ってできるだけ等間隔に、かつ、建築物の突角部の近くになるように配置する。

正解 **1**

避雷設備に関する記述として、最も不適当なものはどれか。

① 受雷部は、保護しようとする建築物の種類、重要度等に対応した4段階の保護レベルに応じて配置する。

② 避雷設備は、建築物の高さが20mを超える部分を雷撃から保護するように設けなければならない。

③ 危険物を貯蔵する倉庫は、危険物の貯蔵量や建築物の高さにかかわらず、避雷設備を設けなければならない。

④ 鉄骨造の鉄骨躯体は、構造体利用の引下げ導線の構成部材として利用することができる。

解 説 ....→テキスト 第2編 **1-3**

① ○ 避雷設備（雷保護設備）は、**受雷部、引下げ導線、接地**から構成される。受雷部は、JISの雷保護システムに規定する4段階の**保護レベル**（保護の効率による分類）から、立地条件・用途・重要度を考慮して、適切なレベルを選択して設置する。

② ○ 高さ20mを超える建築物には、有効に**避雷設備**を設けなければならない。

③ ✕ 政令により、**指定数量の10倍以上の危険物**の貯蔵倉庫には、周囲の状況によって安全上支障がない場合を除き、総務省令で定める**避雷設備**を設けなければならない。

④ ○ 避雷設備は、受雷部、引下げ導線、接地から構成される。鉄筋コンクリート造の**相互接続した鉄筋**、鉄骨造の鉄骨は、避雷設備の**引下げ導線**として利用することができる。なお、引下げ導線は、保護レベルに応じた平均間隔以内として、被保護物である建築物の外周に沿ってできるだけ等間隔に、かつ、建築物の突角部の近くになるように配置する。

正解 3

建築物に設ける昇降設備に関する記述として、最も不適当なものはどれか。ただし、特殊な構造及び使用形態のものを除くものとする。

① 乗用エレベーターの昇降路の出入口の床先とかごの床先との水平距離は、4cm以下とする。

② エスカレーターの踏段の幅は1.1m以下とし、踏段の両側に手すりを設ける。

③ 勾配が8度を超え30度以下のエスカレーターの踏段の定格速度は、50m/分とする。

④ 非常用エレベーターには、かごの戸を開いたままかごを昇降させることができる装置を設ける。

解説 ────────────────────────── →テキスト 第2編 1-4

① ○ 乗用エレベーターの昇降路の出入口の床先とかごの床先との水平距離は、原則4cm以下とし、かごの床先と昇降路壁との水平距離は、12.5cm以下とする。

② ○ エスカレーターは、原則として、勾配を30度以下とし、踏段の幅は1.1m以下とする。なお、踏段の端から当該踏段の端の側にある手すりの上端部の中心までの水平距離は25cm以下とする。

③ × エスカレーターの定格速度は、安全性や乗り心地を考慮して30m/分程度とするのが一般的だが、勾配30度以下の場合の制限は45m/分以下である。

④ ○ エレベーターは、通常、かご及び昇降路の全ての出入口の戸が閉じていなければかごが昇降できない構造になっている。しかし、非常用エレベーターについては、火災や放水による停電でかごの戸が閉じない場合であっても有効に消火活動ができるように、かごの戸を開いたままかごを昇降させる装置を設ける。

正解 3

建築物に設ける昇降設備に関する記述として、最も**不適当な**ものはどれか。ただし、特殊な構造及び使用形態のものを除くものとする。

① 乗用エレベーターの昇降路の出入口の床先とかごの床先との水平距離は、4cm以下とする。

② 群管理方式は、エレベーターを複数台まとめた群としての運転操作方式で、交通需要の変動に応じて効率的な運転管理を行うことができる。

③ 火災時管制運転は、火災発生時にエレベーターを最寄階に停止させる機能である。

④ 乗用エレベーターには、1人当たりの体重を65kgとして計算した最大定員を明示した標識を掲示する。

解説 .... →テキスト／第2編／1-4

① ○ **乗用エレベーター**の**昇降路**の**出入口の床先とかごの床先**との水平距離は、原則**4cm以下**とし、かごの床先と昇降路壁との水平距離は、12.5cm以下とする。

② ○ **群管理方式**は、省エネルギーと、待ち時間の短縮によるサービス性の向上との両立を図るため、エレベーターを**複数台まとめた群**としての運転操作方式で、交通需要の変動に応じて**効率的な運転管理**を行うことができる。大規模な建築物に設置する多数台のエレベーターの管理において、稼働台数制御を組み込んだ群管理方式は、高い省エネ効果を示す。

③ × **火災時管制運転**は、火災発生時の乗客の避難を図るため、エレベーターを避難階に直行させ、乗客を避難させる運転機能である。なお、**地震時管制運転**は、地震発生後、速やかに**最寄り階に停止**させ、乗客の安全確保を図る運転機能である。

④ ○ **乗用エレベーター**及び寝台用エレベーターにあっては、**最大定員**（1人当たりの**体重を65kg**として計算した定員）を明示した標識をかご内の見やすい場所に掲示する（建築基準法施行令129条の6）。

正解 3

建築物に設ける昇降設備に関する記述として、最も不適当なものはどれか。ただし、特殊な構造及び使用形態のものを除くものとする。

① 乗用エレベーターには、1人当たりの体重を65kgとして計算した最大定員を明示した標識を掲示する。

② 乗用エレベーターの昇降路の出入口の床先とかごの床先との水平距離は、4cm以下とする。

③ エスカレーターの踏段と踏段の隙間は、原則として5mm以下とする。

④ エスカレーターの勾配が8°を超え30°以下の踏段の定格速度は、毎分50mとする。

解説 ────────────────────────────── →テキスト / 第2編 / 1-4

① ○ 乗用エレベーター及び寝台用エレベーターにあっては、**最大定員**（1人当たりの体重を65kgとして計算した定員）を明示した標識をかご内の見やすい場所に掲示する（建築基準法施行令129条の6）。

② ○ 乗用エレベーターの昇降路の**出入口の床先**と**かごの床先**との水平距離は、原則4cm以下とし、かごの床先と昇降路壁との水平距離は、12.5cm以下とする。

③ ○ エスカレーターの踏段相互及びスカートガードと階段の隙間は、エスカレーター全長にわって接触することなく、原則として5mm以下とする。

④ × **エスカレーターの定格速度**は、安全性や乗り心地を考慮して30m/分程度とするのが一般的だが、**勾配30°以下**の場合の上限は45m/分以下である。

正解 **4**

建築物に設けるエレベーターに関する記述として、最も不適当なものはどれか。ただし、特殊な構造又は使用形態のものは除くものとする。

① 乗用エレベーターには、停電時に床面で1ルクス以上の照度を確保することができる照明装置を設ける。

② 乗用エレベーターには、1人当たりの体重を65kgとして計算した最大定員を明示した標識を掲示する。

③ 火災時管制運転は、火災発生時にエレベーターを最寄階に停止させる機能である。

④ 群管理方式は、エレベーターを複数台まとめた群としての運転操作方式で、交通需要の変動に応じて効率的な運転管理を行うことができる。

解説 ……………………………………………… ➡️テキスト / 第2編 / **1-4**

① ○ 乗用エレベーターのかご室には、停電時の照明装置（停電灯）を備えなければならず、停電灯はかご床面で1ルクス以上の照度が確保することができ、30分間以上点灯できるものとする（機械設備工事監理指針）。

② ○ 乗用エレベーター及び寝台用エレベーターにあっては、**最大定員**（1人当たりの体重を65kgとして計算した定員）を明示した標識をかご内の見やすい場所に掲示する（建築基準法施行令129条の6）。

③ × **火災時管制運転**は、火災発生時の乗客の避難を図るため、エレベーターを避難階に直行させ、乗客を避難させる運転機能である。なお、**地震時管制運転**は、地震発生後、速やかに最寄り階に停止させ、乗客の安全確保を図る運転機能である。

④ ○ **群管理方式**は、省エネルギーと、待ち時間の短縮によるサービス性の向上との両立を図るため、エレベーターを**複数台まとめた群**としての運転操作方式で、交通需要の変動に応じて効率的な運転管理を行うことができる。大規模な建築物に設置する多数台のエレベーターの管理において、稼働台数制御を組み込んだ群管理方式は、高い省エネ効果を示す。

正解 3

消火設備に関する記述として、最も不適当なものはどれか。

① 不活性ガス消火設備は、二酸化炭素などによる冷却効果、窒息効果により消火するもので、博物館の収蔵庫に適している。

② 粉末消火設備は、粉末消火剤による負触媒効果、窒息効果により消火するもので、自動車車庫に適している。

③ 泡消火設備は、泡状の消火剤による冷却効果、窒息効果により消火するもので、電気室に適している。

④ 水噴霧消火設備は、微細な霧状の水による冷却効果、窒息効果により消火するもので、指定可燃物貯蔵所に適している。

解説 ⇒テキスト 第2編 1-5

① ○ **不活性ガス消火設備**は、酸素濃度を低下させる希釈効果（窒息効果）と、液化した薬剤が蒸発するときの冷却効果により消火を行う消火設備である。消火剤に**液体や粉末を含まない**ため、博物館の収蔵庫、ボイラー室などに適している。また、電気絶縁性が高いことから電気室・通信機器室にも適している。

② ○ **粉末消火設備**は、重炭酸ナトリウムなどの**微細な粉末**を使用して**負触媒効果（燃焼抑制効果）**により消火する消火設備である。消火剤が粉末で凍結しないため、寒冷地に適している。また、引火性液体の表面火災に速効性があることからボイラー室、寒冷地の駐車場、屋上駐車場などに用いられる。

③ × **泡消火設備**は、界面活性剤などの**消火薬剤と水**とを一定の比率で混合した消火剤を用い、フォームヘッドから放出された泡が燃焼物を覆い、**窒息効果と冷却効果**によって消火する消火設備である。液体燃料などの火災に対して有効で、駐車場、航空機の格納庫、指定可燃物の貯蔵所などに用いられる。しかし、消火剤に水を含むため、**電気室**・通信機器室や、水をかけると危険が生じるボイラー室などには**適していない**。

④ ○ **水噴霧消火設備**は、水噴霧ヘッドによって**水を微粒状**に放射し、冷却効果とともに、噴霧水が火炎にふれて発生する水蒸気による**窒息効果**などにより消火する消火設備である。道路部分、駐車場、指定可燃物の貯蔵所などに設置される。ただし、店舗の吹抜け部のような**天井の高い空間**では、水の微粒子が降下中に水滴となってしまい、**本来の機能が望めない**ため適さない。

正解 3

消火設備に関する記述として、最も不適当なものはどれか。

① 屋内消火栓設備は、建物の内部に設置し、人がノズルを手に持ち、火点に向けてノズルより注水を行い、冷却効果により消火するものである。

② 閉鎖型ヘッドのスプリンクラー消火設備は、火災による煙を感知したスプリンクラーヘッドが自動的に開き、散水して消火するものである。

③ 泡消火設備は、特に低引火点の油類による火災の消火に適し、主として泡による窒息作用により消火するものである。

④ 連結散水設備は、散水ヘッドを消火活動が困難な場所に設置し、地上階の連結送水口を通じて消防車から送水して消火するものである。

解 説 ➡テキスト 第2編 1-5

① ○ **屋内消火栓設備**は、普通火災を対象に、**在館者・在住者**などが操作してノズルより**注水**し、冷却効果によって抑制・消火を行う初期消火用の設備である。

② × **スプリンクラー消火設備**は、普通火災の初期消火を主な目的として設けられ、ヘッドの種類により、閉鎖型、開放型、放水型の3種類に分けられ、**閉鎖型**はヘッドの放水口が常時閉じていて、火災時に発生する熱気流によってヘッドの放水口が開放し、流水検知装置が作動して放水し消火する。スプリンクラー消火設備は、煙を感知するのではなく、**熱を感知する**システムであるので不適当である。

③ ○ **泡消火設備**は、界面活性剤などの**消火薬剤と水**とを一定の比率で混合した消火剤を用い、フォームヘッドから放出された泡が燃焼物を覆い、窒息効果と冷却効果によって消火する消火設備である。特に**低引火点の油類**による火災や**液体燃料**などの火災に対して有効で、駐車場、航空機の格納庫、指定可燃物の貯蔵所などに用いられる。しかし、消火剤に**水を含む**ため、電気室・通信機器室や、水をかけると危険が生じるボイラー室などには適していない。

④ ○ **連結散水設備**は、煙が充満するなどして消火活動が困難になる場所に設置し、連結散水ヘッド、連結送水口、配管などから構成される。専ら消防隊の消火活動のために設けられ、ポンプ車から送水口を通じて送水し、消火活動を行う。

正解 2

消火設備に関する記述として、最も不適当なものはどれか。

① 屋内消火栓設備は、建物の内部に設置し、人がノズルを手に持ち、火点に向けてノズルより注水を行い、冷却作用により消火するものである。

② 閉鎖型ヘッドを用いる湿式スプリンクラー消火設備は、火災による煙を感知したスプリンクラーヘッドが自動的に開き、散水して消火するものである。

③ 不活性ガス消火設備は、二酸化炭素等の消火剤を放出することにより、酸素濃度の希釈作用や気化するときの熱吸収による冷却作用により消火するものである。

④ 水噴霧消火設備は、噴霧ヘッドから微細な霧状の水を噴霧することにより、冷却作用と窒息作用により消火するものである。

解説 ··· →テキスト 第2編 1-5

① ○ **屋内消火栓設備**は、普通火災を対象に、**在館者・在住者**などが操作してノズルより注水し、**冷却効果**によって抑制・消火を行う初期消火用の設備である。

② × **スプリンクラー消火設備**は、煙ではなく、**熱**を感知するシステムである。**閉鎖型**はヘッドの放水口が常時閉じていて、火災時に発生する**熱気流**によってヘッドの放水口が開放し、流水検知装置が作動して放水し消火する。

③ ○ **不活性ガス消火設備**は、酸素濃度を低下させる**希釈効果**（窒息効果）と、液化した薬剤が蒸発するときの**冷却効果**により消火を行う消火設備である。消火剤に液体や粉末を含まないため、博物館の収蔵庫、ボイラー室などに適している。また、電気絶縁性が高いことから電気室・通信機器室にも適している。

④ ○ **水噴霧消火設備**は、水噴霧ヘッドによって水を微粒状に放射し、冷却効果とともに、噴霧水が火炎にふれて発生する水蒸気による**窒息効果**などにより消火する消火設備である。道路部分、駐車場、指定可燃物の貯蔵所などに設置される。店舗の吹抜け部のような天井の高い空間では、水の微粒子が降下中に水滴となってしまうため適さない。

正解 **2**

構内アスファルト舗装に関する記述として、最も不適当なものはどれか。

① 盛土をして路床とする場合は、一層の仕上り厚さ300mm程度ごとに締め固めながら、所定の高さに仕上げる。

② 舗装に用いるストレートアスファルトは、積雪寒冷地域では主として針入度が80～100の範囲のものを使用する。

③ アスファルト混合物等の敷均し時の温度は、110℃以上とする。

④ アスファルト舗装終了後の交通開放は、舗装表面の温度が50℃以下になってから行う。

解説 ➡テキスト 第2編 2-1

① ✕ 盛土をして路床とする場合は、一層の仕上り厚さ**200mm**程度ごとに締め固めながら、所定の高さに仕上げる。締固めは、土質及び使用機械に応じ、散水等により締固めに適した含水状態で行う。

② 〇 舗装に用いるストレートアスファルトの硬さを示す**針入度**は、**一般地域**では60～80、**寒冷地域**では80～100の範囲のものを使用する。

③ 〇 アスファルト混合物の施工性（敷均し・締固め・転圧）は、その温度に大きく依存する。**敷均し時の温度**は110℃以上とする。

④ 〇 アスファルト舗装終了後の**交通開放**は、舗装表面の温度が**50℃以下**になってから行う。これは、交通開放時の舗装温度は、初期の**わだち**掘れに大きく影響し、50℃以下にすることにより初期の変形を小さく抑えることができるからである。

正解 1

構内アスファルト舗装に関する記述として、最も不適当なものはどれか。

① 盛土をして路床とする場合は、一層の仕上り厚さ300mm程度ごとに締め固めながら、所定の高さに仕上げる。

② アスファルト混合物の敷均し時の温度は、一般に110℃以上とする。

③ アスファルト混合物の締固め作業は、一般に継目転圧、初転圧、2次転圧、仕上げ転圧の順に行う。

④ アスファルト舗装の継目は、既設舗装の補修、延伸等の場合を除いて、下層の継目の上に上層の継目を重ねない。

解説 →テキスト 第2編 2-1

① ✕ 盛土をして路床とする場合は、一層の仕上り厚さ**200mm**程度ごとに締め固めながら、所定の高さに仕上げる。締固めは、土質及び使用機械に応じ、散水等により締固めに適した含水状態で行う。

② ○ アスファルト混合物の施工性（敷均し・締固め・転圧）は、その温度に大きく依存する。**敷均し時の温度は110℃以上**とする。

③ ○ アスファルト混合物の締固め作業は、一般に**継目転圧、初転圧、2次転圧、仕上げ転圧**の順に行う。なお、継目転圧は既設舗装との継目部分を密着させるために行う。初転圧には、一般に10〜12tのロードローラーを用いる。2次転圧には、8〜20tのタイヤローラーか、6〜10tの振動ローラーを用いる。仕上げ転圧は、不陸の修正やローラーマークの消去のために行うもので、タイヤローラー又はロードローラーを用いる（建築工事監理指針）。

④ ○ アスファルト舗装の継目は、既設舗装の補修、延伸等の場合を除き、構造的な弱点を分散させるため、下層の継目の上に上層の継目を**重ねない**ようにする。

正解 1

構内アスファルト舗装に関する記述として、最も不適当なものはどれか。

① 設計CBRは、路床の支持力を表す指標であり、修正CBRは、路盤材料の品質を表す指標である。

② 盛土をして路床とする場合は、一層の仕上り厚さ300mm程度ごとに締め固めながら、所定の高さに仕上げる。

③ アスファルト混合物の締固め作業は、一般に継目転圧、初転圧、二次転圧、仕上げ転圧の順に行う。

④ 初転圧は、ヘアクラックの生じない限りできるだけ高い温度とし、その転圧温度は、一般に110～140℃の間で行う。

解説 ➡テキスト 第2編 **2-1**

① ○ CBRは、路床・路盤の支持力を表す指標のことで、数値が大きいほど固いことを表す。設計CBRは、路床の支持力を表し、数値が小さいほど舗装の総厚を厚くしなければならない。修正CBRは、路盤材料の強さを表すもので、3層に分けて各層92回突き固めたときの最大乾燥密度に対する所要の締固め度に相当するCBRである。

② × 盛土をして路床とする場合は、一層の仕上り厚さ200mm程度ごとに締め固めながら、所定の高さに仕上げる。締固めは、土質及び使用機械に応じ、散水等により締固めに適した含水状態で行う。

③ ○ アスファルト混合物の締固め作業は、一般に継目転圧、初転圧、2次転圧、仕上げ転圧の順に行う。継目転圧は既設舗装との継目部分を密着させるために行う。初転圧には、一般に10～12tのロードローラーを用いる。2次転圧には、8～20tのタイヤローラーか、6～10tの振動ローラーを用いる。仕上げ転圧は、不陸の修正やローラーマークの消去のために行うもので、タイヤローラー又はロードローラーを用いる（建築工事監理指針）。

④ ○ 一般に、アスファルト混合物の敷きならし温度は120～150℃、初転圧温度はヘアクラックの生じない限りできるだけ高い温度とし、110～140℃とする。なお、2次転圧終了温度は70～90℃、交通解放時の表面温度は50℃以下とする（舗装工学の基礎・舗装施工便覧）。

正解 **2**

植栽に関する記述として、最も不適当なものはどれか。

① 枝張りは、樹木の四方面に伸長した枝の幅をいい、測定方向により長短がある場合は、最短の幅とする。

② 支柱は、風による樹木の倒れや傾きを防止するとともに、根部の活着を助けるために取り付ける。

③ 樹木の移植において、根巻き等で大きく根を減らす場合、吸水量と蒸散量とのバランスをとるために枝抜き剪定を行う。

④ 樹木の植付けは、現場搬入後、仮植えや保護養生してから植え付けるよりも、速やかに行うほうがよい。

解説 →テキスト 第2編 2-2

① ✕ **枝張り**は、樹木の四方向に伸長した**枝（葉）の幅**である。測定方向により長短がある場合は、最長と最短の平均値とする。なお、葉張りとは低木の場合をいう。

② ○ **支柱**は風による樹木の倒れや傾きの防止とともに、振動によって新しい根が切られることのないよう保護のために取り付ける。**根部が正常に活着**するまで（通常3〜4年程度）取り付けておく。

③ ○ 移植は地下（根）部を大きく減少させることから、地下部と地上（枝葉）部のバランスをとる必要がある。そのため、掘取りの前に、樹種の状態に応じて**枝抜きや摘葉**を行い、適切な養生を行うことが重要である。

④ ○ 樹木は、工事現場搬入後、直ちに植え付ける、ただし、やむを得ない場合は、**仮植え**、又は根鉢を保護した上で蒸散抑制や散水を行うなどの保護養生を行う。

正解 **1**

測量に関する記述として、最も不適当なものはどれか。

① 平板測量は、アリダードと箱尺で測量した結果を、平板上で直接作図していく方法である。

② 公共測量における水準測量は、レベルを標尺間の中央に置き、往復観測とする。

③ 距離測量は、巻尺、光波測距儀、GPS受信機などを用いて行う。

④ 公共測量における水準点は、正確な高さの値が必要な工事での測量基準として用いられ、東京湾の平均海面を基準としている。

解説 ………………………………………………… ➡テキスト / 第2編 / 3-1

① **✕ 平板測量**は、三脚の上に平板・図紙を設置し、アリダードと巻尺で距離を測定し、**平板上の図紙に現地で作図する**測量方法である。**箱尺（標尺）**は**水準測量**で用いるもので、平板測量で用いるものではない。

平板測量

② **〇 水準測量**とは、地表面上の標高差や高低差を調べるための測量で、「**標尺**」を既知点Aと未知点Bに立て、中間に据えた「**レベル**」で高低差を求める。また、**公共測量**における水準測量は、**往復観測**する。

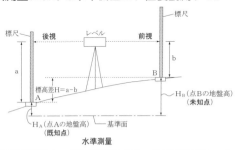

水準測量

標尺（箱尺）

③ **〇 距離測量**は、GPS測量用具、光波測距儀、トータルステーション、巻尺等を用いて行う（図説土木用語事典）。

④ **〇 水準点**とは、水準測量により求められた点をいい、我が国の基本測量による水準点は水準原点（東京湾の平均海面上24.3900m）を基準とする。

正解 1

水準測量に関する記述として、最も不適当なものはどれか。

① 直接水準測量は、レベルと標尺を用いて、既知の基準点から順に次の点への高低を測定して、必要な地点の標高を求める測量である。

② 間接水準測量は、計算によって高低差を求める測量方法であり、鉛直角と水平距離を用いる三角高低測量などがある。

③ 公共測量における直接水準測量では、レベルは視準距離を等しくし、できる限り両標尺を結ぶ直線上に設置して、往復観測とする。

④ 直接水準測量において、標尺は両手で支えて目盛を隠さないように持ち、左右にゆっくり動かして最大の値を読み取る。

解説 .... →テキスト 第2編 3-1

① 〇 **直接水準測量**は、**レベル**（水準儀）と**標尺**（スタッフ）を用いて、既知の基準点から順に次の点への高低を測定して、2地点間の**比高**を測定したり、必要な地点の標高を求める測量である（土木用語大辞典、図解土木用語事典）。

② 〇 **間接水準測量**は、**計算によって高低差を求める測量方法**であり、**鉛直角**と**水平距離**又は斜距離から高低差を求める三角高低測量などがある（あたらしい測量学）。

③ 〇 **公共測量**における直接水準測量では、レベルは視準距離を等しくし、かつ、レベルはできる限り両標尺を結ぶ直線上に設置して、**往復観測**とする（測量法作業規程の準則）。

④ ✕ **直接水準測量**において、標尺は鉛直に立てることが重要である。特に標尺の前後方向の傾きはレベルを覗く観測者にはわからないので注意が必要である。したがって、標尺は両手で支えて目盛を隠さないように持ち、**前後に**（左右ではない）ゆっくり動かして**最小**の値を読み取る（あたらしい測量学）。

正解 **4**

測量に関する記述として、最も不適当なものはどれか。

① 間接水準測量は、傾斜角や斜距離などを読み取り、計算によって高低差を求める方法である。

② GNSS測量は、複数の人工衛星から受信機への電波信号の到達時間差を測定して位置を求める方法である。

③ 平板測量は、アリダード、磁針箱などで測定した結果を、平板上で直接作図していく方法である。

④ スタジア測量は、レベルと標尺によって2点間の距離を正確に測定する方法である。

解 説 ➡テキスト 第2編 **3-1**

① ○ **間接水準測量**は、**計算**によって高低差を求める測量方法であり、鉛直角と水平距離又は斜距離から高低差を求める三角高低測量などがある。

② ○ **GNSS**測量とは、衛星から電波が発信されてから受信機に到達するまでに要した時間を測り、距離に変換する測量である。位置のわかっているGNSS衛星を動く基準点として、4個以上の衛星から観測点までの距離を同時に知ることにより、観測点の位置を決定するものである。**GPS**測量は、GNSS測量の1つである。

③ ○ **平板測量**は、三脚の上に平板・図面を設置し、**アリダード**、磁針箱などを用いて測点の距離、角度、高低差を測定して、**現場において平板上の図紙に直接作図**する測量方法である。

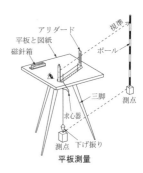

視準
アリダード
平板と図紙
磁針箱
ポール
三脚
測点
求心器
測点
下げ振り
平板測量

④ × **スタジア測量**とは、レベルの望遠鏡内の焦点板にある上下一対のスタジア線ではさまれた標尺の2点間の間隔を読み取り、標尺までの距離を簡易的に求める方法である（あたらしい測量学）。**正確に求めることはできない**ので、**不適当**である。

正解 **4**

積算に関する次の工事費の構成において、に当てはまる語句の組合せとして、「公共建築工事積算基準（国土交通省制定）上、正しいものはどれか。

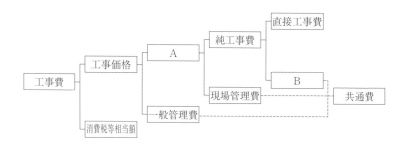

① A．工事原価　　B．共通仮設費

② A．工事原価　　B．直接仮設費

③ A．現場工事費　B．共通仮設費

④ A．現場工事費　B．直接仮設費

解 説 ....➡テキスト｜第2編｜4-1

・**工事費**＝工事価格＋消費税等相当額
・**工事価格**＝工事原価＋一般管理費等
・**工事原価**＝純工事費＋現場管理費（現場経費）
・**純工事費**＝直接工事費＋共通仮設費
・**共通費**＝共通仮設費＋諸経費（現場管理費、一般管理費等）

したがって、①（A．工事原価　B．共通仮設費）が正しい。

正解 1

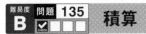

数量積算に関する記述として、「公共建築数量積算基準（国土交通省制定）」上、**誤っているもの**はどれか。

① 鉄骨鉄筋コンクリート造のコンクリートの数量は、コンクリート中の鉄骨と鉄筋の体積分を差し引いたものとする。

② フープ（帯筋）の長さは、柱のコンクリート断面の設計寸法による周長を鉄筋の長さとする。

③ 鉄骨の溶接長さは、種類に区分し、溶接断面形状ごとに長さを求め、すみ肉溶接脚長6㎜に換算した延べ長さとする。

④ 設備器具類による各部分の仕上げの欠除が、1か所当たり0.5㎡以下の場合、その欠除は原則としてないものとする。

解説 ➡テキスト 第2編 4-2

① ✕ コンクリートの数量積算において、鉄筋・鉄骨によるコンクリートの欠除の取扱いは次のとおりであり、鉄骨・鉄筋の体積を単純に差し引いたものではない。

・**鉄骨**は、鉄骨の設計数量7.85 t を1.0㎡として**換算**した体積とする。

・**鉄筋による欠除はない**ものとする。

② 〇 **フープ**、スターラップの長さは、それぞれ柱、基礎梁、梁及び壁梁のコンクリートの**断面の設計寸法による**周長を鉄筋の長さとし、フックはないものとする。

③ 〇 **溶接**は原則として種類に区分し、溶接断面形状ごとに長さを求め、**隅肉溶接脚長6㎜に換算**した延べ長さを数量とする。

④ 〇 衛生器具、電気器具、換気孔、配管、配線等の器具の類による各部分の仕上げの欠除が1カ所当たり**0.5㎡以下**のときは、その欠除は原則としてないものとする。

正解 1

数量積算に関する記述として、「公共建築数量積算基準（国土交通省制定）」上、正しいものはどれか。

① 根切り又は埋戻しの土砂量は、地山数量に掘削による増加、締固めによる減少を見込んで算出する。

② 鉄筋コンクリート造のコンクリート数量は、鉄筋及び小口径管類によるコンクリートの欠除を見込んで算出する。

③ 鉄骨鉄筋コンクリート造のコンクリート数量は、コンクリート中の鉄骨及び鉄筋の体積分を差し引いて算出する。

④ 鉄筋の数量は、ガス圧接継手の加工による鉄筋の長さの変化はないものとして算出する。

解説 ……………………………………………→ テキスト **第2編** **4-2**

① ✕ 土は掘削によって10～30%程度も体積が増加し、逆に埋戻し、盛土の場合は締固めによって体積が減少するが、積算上は**土の体積変化を考慮しないで地山数量**（掘削などで乱されていない自然地盤の数量）とする。

② ✕ コンクリートの数量積算において、**鉄筋**及び**小口径管類**（設備配管など）による欠除はないものとする。

③ ✕ コンクリートの数量積算において、鉄筋・鉄骨によるコンクリートの欠除の取扱いは次のとおりであり、鉄骨・鉄筋の体積を単純に差し引いたものではない。

　・**鉄骨**は、鉄骨の設計数量**7.85 t を1.0㎥として換算**した体積とする。

　・**鉄筋による欠除はないものとする。**

④ 〇 鉄筋の数量積算において、**ガス圧接継手の施工のための鉄筋の長さの変化は**ないものとする。

正解 4

請負契約に関する記述として、「公共工事標準請負契約約款」上、誤っているものはどれか。

① 受注者は、工事の施工に当たり、設計図書に示された施工条件と実際の工事現場が一致しないことを発見したときは、その旨を直ちに監督員に通知し、その確認を請求しなければならない。

② 発注者は、受注者が契約図書に定める主任技術者若しくは監理技術者を設置しなかったときは、契約を解除することができる。

③ 工事の施工に伴い通常避けることができない騒音、振動、地盤沈下、地下水の断絶等の理由により第三者に損害を及ぼしたときは、原則として、発注者がその損害を負担しなければならない。

④ 現場代理人は、契約の履行に関し、工事現場に原則として常駐し、その運営、取締りを行うほか、請負代金額の変更及び契約の解除に係る権限を行使することができる。

解 説 ➡テキスト 第2編 **5**

① ○ 受注者は、工事の施工にあたり、「工事現場の形状、地質、湧水等の状態、施工上の制約等**設計図書に**示された自然的又は人為的な**施工条件**と**実際の工事現場が一致しないこと**」を発見したときは、その旨を直ちに**監督員に通知**し、その**確認を請求**しなければならない（公共工事標準請負契約約款第18条）。

② ○ 発注者は、「受注者が契約図書に定める主任技術者若しくは監理技術者を設置しなかったとき」は、この契約を解除することができる（同47条）。

③ ○ 工事の施工に伴い**通常避けることができない**騒音、振動等の理由により**第三者に損害**を及ぼしたときは、**発注者がその損害を負担**しなければならない。ただし、受注者が善良な管理者の注意義務を怠ったことにより生じた損害については、受注者が負担する（同29条）。

④ ✕ 現場代理人は、「**請負代金額の変更、請負代金の請求及び受領**」「**契約の解除に係る権限**」等を除き、この契約に基づく受注者の一切の権限を行使することができる（同10条）。

正解 **4**

請負契約に関する記述として、「公共工事標準請負契約約款」上、正しいものはどれか。

① 設計図書とは、設計図及び仕様書をいい、現場説明書及び現場説明に対する質問回答書は含まない。

② 検査の結果不合格と決定された工事材料は、受注者が所定の期日以内に工事現場外に搬出しなければならない。

③ 受注者は、発注者が設計図書を変更したために請負代金額が $\frac{1}{3}$ 以上減少したときは、契約を解除することができる。

④ 発注者又は受注者は、工期内で請負契約締結の日から6月を経過した後に、賃金水準又は物価水準の変動により請負代金額が不適当となったと認めたときは、相手方に対して請負代金額の変更を請求することができる。

解説 .... →テキスト 第2編 5

① × 設計図書とは、**図面**、**仕様書**、**現場説明書及び現場説明に対する質問回答書**をいう（公共工事標準請負契約約款第1条）。したがって、現場説明書及び現場説明に対する質問回答書も設計図書に含まれる。

② ○ 受注者は、**検査の結果不合格**と決定された工事材料については、所定の期日以内に**工事現場外に搬出**しなければならない（同13条）。

③ × **受注者**は、発注者が設計図書を変更したため請負代金額が $\frac{2}{3}$ 以上減少したときは、契約を解除することができる（同52条）。

④ × **発注者又は受注者**は、工期内で請負契約締結の日から**12月**を経過した後に日本国内における**賃金水準又は物価水準の変動**により請負代金額が不適当となったと認めたときは、相手方に対して請負代金額の**変更**を請求することができる（同26条）。

正解 **2**

164

請負契約に関する記述として、「公共工事標準請負契約約款」上、誤っているものはどれか。

① 発注者又は受注者は、工期内で請負契約締結の日から12月を経過した後に賃金水準又は物価水準の変動により請負代金額が不適当となったと認めたときは、相手方に対して請負代金額の変更を請求することができる。

② 受注者は、発注者が設計図書を変更したために請負代金額が$\frac{1}{2}$以上減少したときは、契約を解除することができる。

③ 工期の変更については、発注者と受注者が協議して定める。ただし、あらかじめ定めた期間内に協議が整わない場合には、発注者が定め、受注者に通知する。

④ 発注者は、工事の完成を確認するために必要があると認められるときは、その理由を受注者に通知して、工事目的物を最小限度破壊して検査することができる。

解 説　　　　　➡️テキスト 第2編 5

① ◯ 発注者又は受注者は、工期内で請負契約締結の日から12月を経過した後に日本国内における**賃金水準又は物価水準の変動**により請負代金額が不適当となったと認めたときは、相手方に対して**請負代金額の変更**を請求することができる（公共工事標準請負契約約款第26条）。

② ✕ 受注者は、発注者が設計図書を変更したため請負代金額が$\frac{2}{3}$**以上減少**したときは、**契約を解除**することができる（同52条）。

③ ◯ **工期の変更**については、**発注者と受注者**とが**協議**して定めるが、協議開始の日から所定の期間以内に協議が整わない場合には、**発注者が定め、受注者に通知**する（同第24条）。

④ ◯ 発注者は、工事の完成を確認するための検査の際、必要があると認められるときは、その理由を受注者に**通知**して、工事目的物を**最小限度破壊**して検査することができる。（同32条2項）

正解 **2**

請負契約に関する記述として、「公共工事標準請負契約約款」上、誤っているものはどれか。

① 設計図書とは、図面及び仕様書をいい、現場説明書及び現場説明に対する質問回答書は含まない。

② 発注者は、工事の完成を確認するために必要があると認められるときは、その理由を受注者に通知して、工事目的物を最小限度破壊して検査することができる。

③ 工期の変更については、発注者と受注者が協議して定める。ただし、予め定めた期間内に協議が整わない場合には、発注者が定め、受注者に通知する。

④ 工事の施工に伴い通常避けることができない騒音、振動、地盤沈下、地下水の断絶等の理由により第三者に損害を及ぼしたときは、原則として、発注者がその損害を負担しなければならない。

解説 ➔テキスト 第2編 5

① × 設計図書とは、図面、仕様書、現場説明書及び現場説明に対する質問回答書をいう（公共工事標準請負契約約款第1条）。したがって、現場説明書及び現場説明に対する質問回答書も設計図書に含まれる。

② ○ 発注者は、工事の完成を確認するための検査の際、必要があると認められるときは、その理由を受注者に通知して、工事目的物を最小限度破壊して検査することができる（同32条）。

③ ○ 工期の変更については、発注者と受注者とが協議して定めるが、協議開始の日から所定の期間以内に協議が整わない場合には、発注者が定め、受注者に通知する（同24条）。

④ ○ 工事の施工に伴い通常避けることができない騒音、振動等の理由により第三者に損害を及ぼしたときは、発注者がその損害を負担しなければならない。ただし、受注者が善良な管理者の注意義務を怠ったことにより生じた損害については、受注者が負担する（同29条）。

正解 1

わかって合格る

1級建築
施工管理技士
一次検定8年過去問題集

2025年度版

licensed building site manager

TAC出版
TAC PUBLISHING Group

第 **3-1** 編

躯体施工

地盤調査及び土質試験に関する記述として、最も不適当なものはどれか。

① 孔内水平載荷試験により、地盤の強度及び変形特性を求めることができる。

② 一軸圧縮試験により、砂質土の強度と剛性を求めることができる。

③ 原位置での透水試験は、地盤に人工的に水位差を発生させ、水位の回復状況により透水係数を求めるために行う。

④ 圧密試験は、粘性土地盤の沈下特性を把握するために行う。

解説 ──────────────────────── →テキスト 第3-1編 1-1

① ○ ボーリング孔を利用した**孔内水平載荷試験**は、地震時の杭の水平抵抗を評価する場合に必要な水平方向の**地盤変形係数**を得る試験である。

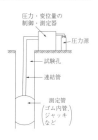

② × **一軸圧縮試験**は、粘性土の強度（一軸圧縮強さ）を調べる試験方法であり、一軸圧縮強さから、**粘性土**の**粘着力、内部摩擦角、変形係数**等の値を推定することができる。対象は砂質土ではなく粘性土である。

③ ○ **透水試験**は、土の透水性を調査する試験であり、室内法と現場法がある。**現場法（原位置での透水試験）**は、地盤に人工的に水位差を発生させ、水位の回復状況により**透水係数**を求める。

一軸圧縮試験

④ ○ **圧密沈下**は、地中の有効応力の増加により、長時間かかって土中の間隙水が絞り出され、間隙が減少するためにおこる。**粘性土層**が載荷される場合の沈下量や沈下速度等を推定するために**圧密試験**が用いられ、段階的に荷重を加えたときの各荷重段階の沈下量と時間経過を測定する。

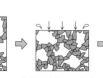

粘性土地盤の圧縮沈下

正解 2

地盤調査及び土質試験に関する記述として、最も不適当なものはどれか。

① 常時微動測定により、地盤の卓越周期を推定することができる。

② 圧密試験により、砂質土の沈下特性を求めることができる。

③ 電気検層（比抵抗検層）により、ボーリング孔近傍の地層の変化を調査することができる。

④ 三軸圧縮試験により、粘性土のせん断強度を求めることができる。

解 説 ⟶テキスト 第3-1編 1-1

① ◯ **常時微動測定**とは、ボーリング孔を利用して、地震時における地盤の振動特性を調べるものである。「**常時微動**」とは、地盤中に伝わる人工的（鉄道、車両の振動など）または自然現象（海の波浪や風に揺れる木々など）によるさまざまな振動源のうち、短周期の微振動をいう。この測定により、地盤の**卓越周期**と増幅特性を推定することができる。

② ✕ **粘性土層**が載荷される場合の**沈下量**や**沈下速度**等を推定するために**圧密試験**が用いられ、圧密沈下は、地中の有効応力の増加により、長時間かかって土中の間隙水が絞り出され、間隙が減少するためにおこる。

粘性土地盤の圧縮沈下

③ ◯ **電気検層**は、ボーリング孔内に電極を下げ、周りの地盤の電気抵抗（比抵抗）を測定する検査で、**地層の構成**や**地盤状況**を知るとともに、**帯水層の位置**と**透水性**を判定する試験である。

④ ◯ **三軸圧縮試験**は、供試体に水圧による拘束圧（側面及び上下面の全周囲面の圧力）を加えた状態で、さらにピストンにより圧縮して、せん断破壊するときの荷重を測定することで、**粘性土のせん断強度**、**粘着力**及び内部摩擦角を求めることができる。

三軸圧縮試験

正解 **2**

土質試験に関する記述として、最も不適当なものはどれか。

① 粒度試験により、細粒分含有率等の粒度特性を求めることができる。

② 液性限界試験及び塑性限界試験により、土の物理的性質の推定や塑性図を用いた土の分類をすることができる。

③ 三軸圧縮試験により、粘性土のせん断強度を求めることができる。

④ 圧密試験により、砂質土の沈下特性を求めることができる。

解 説 .... →テキスト 第3-1編 1-2

① ○ **粒度試験**は、土の粒度組成を数量化し、土を構成する土粒子粒径の分布状態を把握する試験である。細粒分（粘度・シルト）、粗粒分（砂・れき）の割合を求め、均等係数や細粒分含有率など**粒度特性**を表す指標を得ることができる（建築基礎設計のための地盤調査計画指針）。

② ○ 粘土などの細粒土は、**含水比**の状態によって液体状〜塑性状〜半固体状〜固体状に変化し、その境界となる含水比を液性限界、塑性限界という。**液性限界試験・塑性限界試験**では、これらの値を求める。試験結果から**塑性図**を用いて土の分類を行い、**圧縮性・透水性**等の工学的性質の概略を推定できる（同指針）。

③ ○ **三軸圧縮試験**は、供試体に水圧による拘束圧（側面及び上下面の全周囲面の圧力）を加えた状態で、さらにピストンにより圧縮して、せん断破壊するときの荷重を測定することで、**粘性土のせん断強度、粘着力及び内部摩擦角**を求めることができる。

三軸圧縮試験

④ × 粘性土層が載荷される場合の**沈下量や沈下速度**等の沈下特性を推定するために**圧密試験**が用いられ、段階的に荷重を加えたときの各荷重段階の沈下量と時間経過を測定する。**圧密沈下**は、地中の有効応力の増加により、長時間かかって土中の間隙水が絞り出され、間隙が減少するためにおこる。

圧密試験

正解 **4**

乗入れ構台及び荷受け構台の計画に関する記述として、最も不適当なものはどれか。

① 乗入れ構台の支柱の位置は、基礎、柱、梁及び耐力壁を避け、5 m間隔とした。

② 乗入れ構台の高さは、大引下端が床スラブ上端より30cm上になるようにした。

③ 荷受け構台の作業荷重は、自重と積載荷重の合計の5％とした。

④ 荷受け構台への積載荷重の偏りは、構台全スパンの60％にわたって荷重が分布するものとした。

解 説　　→テキスト 第3-1編 2-2

① ○ **乗入れ構台の支柱**は、基礎、柱、梁などの位置と重ならないように配置し、間隔は3〜6m程度とする。

② ○ **乗入れ構台の高さ**は、主として、1階の梁・床の施工性を考慮して決め、躯体コンクリート打設時に、乗入れ構台の大引下の床のならし作業ができるように、**大引下端を床上端より200〜300mm程度上**に設定する。

③ × 荷受け構台の作業荷重は、**自重と積載荷重の合計の10％**とする。

④ ○ 荷受け構台を構成する部材については、積載荷重の偏りを考慮して検討する。通常は、**構台の全スパンの60％**にわたって積載荷重が分布するものと仮定して検討する。

乗入れ構台

正解 **3**

乗入れ構台の計画に関する記述として、最も不適当なものはどれか。

① 構台の支柱の位置は、使用する施工機械、車両の配置によって決めた。

② 道路から構台までの乗込みスロープの勾配は、$\frac{1}{8}$とした。

③ 1階床面と現状地盤面がほぼ同じ高さなので、構台の床面は1階床面より1.2m高くした。

④ 山留めの切りばり支柱と乗入れ構台の支柱は、荷重に対する安全性を確認した上で兼用した。

解説 ➡テキスト 第3-1編 2-2

① ✕ 構台は、作業性を考慮して位置・高さなどを計画し、また、**構台支柱**は、地下躯体の**主要構造部分**に当たらないように配置する。したがって、「**構台の配置**」は、使用する**施工機械、車両の配置**によって決めるが、「構台の支柱の位置」は主要構造部分との位置関係を考慮しなければならない。

② ◯ **乗入れ構台**は、工事用車両の動線や作業スペースを補うために設けるものであるが、乗込み**スロープの勾配**が急になると工事用機械や車両の出入りに支障を生じるおそれがあるため、通常は$\frac{1}{10}$〜$\frac{1}{6}$程度とする。

③ ◯ 乗入れ構台の高さは、主として、1階の梁・床の施工性を考慮して決め、躯体コンクリート打設時に、乗入れ構台の大引下の床の均し作業ができるように、大引下端を床上端より**200〜300mm程度**上に設定する。通常の大引・根太のサイズ（H300〜400程度）、覆工板の厚み（200mm）の場合、構台の床面は**1階床面より1.2m程度高く**設定する。

④ ◯ 山留め支保工において、切りばり支柱と構台支柱をやむを得ず**兼用する場合**は、切りばりから伝達される荷重に、構台上の重機、構台の自重などを加えた**合計荷重に対して、十分安全**であるように計画する。

正解 1

乗入れ構台

乗入れ構台の計画に関する記述として、最も不適当なものはどれか。

① 乗入れ構台の支柱の位置は、基礎、柱、梁及び耐力壁を避け、5 m間隔とした。

② 乗入れ構台の幅は、車の通行を2車線とするため、5 mとした。

③ 垂直ブレース及び水平つなぎの設置は、所定の深さまでの掘削ごとに行うこととした。

④ 垂直ブレースの撤去は、支柱が貫通する部分の床開口部にパッキング材を設けて、支柱を拘束した後に行うこととした。

解 説 ━━━━━━━━━━━━━━━━━━━━ ➡テキスト 第3-1編 2-2

① ○ **乗入れ構台の支柱**は、基礎、柱、梁などの位置と重ならないように配置し、間隔は3〜6 m程度とする。

② ✕ 乗入れ構台の幅員は、乗り入れる車両や工事用機械の大きさ、作業状況、通行頻度などを考慮して決定するが、最小限**1車線で4 m、2車線で6 m**程度必要である。

③ ○ **垂直ブレース、水平つなぎの取付け**は、予定の深さまで掘削が進んだ部分からすみやかに行う。これは、掘削とともに地中の仮想支持点から突出する支柱長さ（座屈長）が長くなり、水平力を受けた際の曲げ応力も大きくなるため、構造安全性が大きく低下した状態となるからである（乗入れ構台設計・施工指針）。

④ ○ **垂直ブレースや水平つなぎの撤去**は、支柱の床スラブ貫通部における強固なパッキン材による拘束（固定）を行った後に行う。これは、座屈長さが長くなり、構台支柱の許容耐力が大きく低下した状態となるからである（同指針）。

正解 2

乗入れ構台の計画に関する記述として、最も不適当なものはどれか。

① 乗入れ構台の支柱と山留めの切りばり支柱は、荷重に対する安全性を確認したうえで兼用した。

② 道路から乗入れ構台までの乗込みスロープは、勾配を$\frac{1}{8}$とした。

③ 幅が6mの乗入れ構台の交差部は、使用する施工機械や車両の通行の安全性を高めるため、隅切りを設置した。

④ 乗入れ構台の支柱は、使用する施工機械や車両の配置によって、位置を決めた。

解説 .... →テキスト / 第3-1編 **2-2**

① ○ 切りばり支柱と構台支柱をやむを得ず**兼用する場合**は、切りばりから伝達される荷重に、構台上の重機、構台の自重などを加えた合計荷重に対して、**十分安全**であるように計画する。

② ○ **乗入れ構台**は、工事用車両の動線や作業スペースを補うために設けるものである。乗込み**スロープの勾配**が急になると工事用機械や車両の出入りに支障を生じるおそれがあるため、通常は$\frac{1}{10}$～$\frac{1}{6}$程度とする。

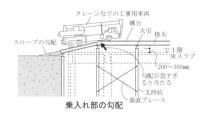

乗入れ部の勾配

③ ○ 構台の幅員は、曲がりがある場合、車両の**回転半径**を検討して幅を決定する。構台の幅が狭いときは、交差部に車両が曲がるための隅切りを設ける。

④ × 構台は、作業性を考慮して位置・高さなどを計画し、また、**構台支柱**は、地下躯体の主要構造部分に当たらないよう

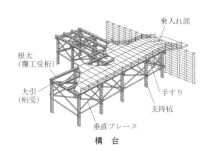

構台

に配置する。したがって、「構台の配置」は、使用する施工機械、車両の配置によって決めるが、「構台の支柱の位置」は主要構造部分との位置関係を考慮しなければならない。

正解 **4**

乗入れ構台及び荷受け構台の計画に関する記述として、最も不適当なものはどれか。

① クラムシェルが作業する乗入れ構台の幅は、ダンプトラック通過時にクラムシェルが旋回して対応する計画とし、8mとした。

② 乗入れ構台の高さは、大引き下端が床スラブ上端より30cm上になるようにした。

③ 荷受け構台への積載荷重の偏よりは、構台全スパンの60%にわたって荷重が分布するものとした。

④ 荷受け構台の作業荷重は、自重と積載荷重の合計5%とした。

解　説　・・・　→テキスト　第3-1編　2-2

① ○ クラムシェルが作業する**乗入れ構台の幅**は、ダンプトラック通過時にクラムシェルが旋回して対応する計画とする場合は、8mで可能である。なお、制限なく通過できるようにするには10m幅が必要である。

② ○ **乗入れ構台の高さ**は、主として、1階の梁・床の施工性を考慮して決め、躯体コンクリート打設時に、乗入れ構台の大引下の床のならし作業ができるように、大引下端を床上端より**200～300㎜程度**上に設定する。

③ ○ **荷受け構台**の強度検討は、積載荷重の偏りを考慮して検討する。通常は、構台の**全スパンの60%**にわたって積載荷重が分布するものと仮定して検討する。

④ × **荷受け構台の作業荷重**は、自重と積載荷重の合計の**10%**とする。

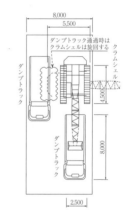

正解　4

乗入れ構台の計画に関する記述として、最も不適当なものはどれか。

① 乗入れ構台の支柱と山留めの切りばり支柱は、荷重に対する安全性を確認した上で兼用した。

② 道路から乗入れ構台までの乗込みスロープは、勾配を$\frac{1}{8}$とした。

③ 乗入れ構台の支柱の位置は、使用する施工機械や車両の配置によって決めた。

④ 乗入れ構台の幅は、車両の通行を2車線とするため、7mとした。

解 説 →テキスト 第3-1編 2-2

① ○ **切りばり支柱**と**構台支柱**をやむを得ず兼用する場合は、切りばりから伝達される荷重に、構台上の重機、構台の自重などを加えた**合計荷重**に対して、**十分安全**であるように計画する。

② ○ **乗入れ構台**は、工事用車両の動線や作業スペースを補うために設けるものである。乗込みスロープの**勾配**が急になると工事用機械や車両の出入りに支障を生じるおそれがあるため、通常は$\frac{1}{10}$〜$\frac{1}{6}$程度とする。

③ × 構台は、作業性を考慮して位置・高さなどを計画し、**構台支柱**は、地下躯体の**主要構造部分に当たらないように**配置する。したがって、「構台の配置」は、使用する**施工機械、車両の配置**によって決めるが、「構台の支柱の位置」は主要構造部分との位置関係を考慮しなければならない。

④ ○ **乗入れ構台の幅**は、乗り入れる車両や工事用機械の大きさ、作業状況、通行頻度などを考慮して決定するが、最小限**1車線で4m、2車線で6m**程度必要である。

正解 3

乗入れ構台及び荷受け構台の計画に関する記述として、最も不適当なものはどれか。

① 乗入れ構台の支柱の位置は、基礎、柱、梁及び耐力壁を避け、5m間隔とした。

② 乗入れ構台の高さは、大引下端が床スラブ上端より10cm上になるようにした。

③ 荷受け構台の作業荷重は、自重と積載荷重の合計の10%とした。

④ 荷受け構台への積載荷重の偏りは、構台の全スパンの60%にわたって荷重が分布するものとした。

解 説 ────────────────── →テキスト **第3-1編** **2-2**

① ○ 乗入れ構台の**支柱**は、基礎、柱、梁などの位置と**重ならない**ように配置し、間隔は3〜6m程度とする。

② × **乗入れ構台の高さ**は、主として、1階の梁・床の施工性を考慮して決め、躯体コンクリート打設時に、乗入れ構台の大引下の床のならし作業ができるように、大引下端を床上端より200〜300mm程度上に設定する。

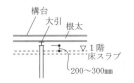

③ ○ 荷受け構台の作業荷重は、自重と積載荷重の合計の10%とする。

④ ○ 荷受け構台の強度検討は、積載荷重の偏りを考慮して検討する。通常は、構台の全スパンの60%にわたって積載荷重が分布するものと仮定して検討する。

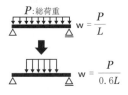

正解 **2**

地下水処理工法に関する記述として、最も不適当なものはどれか。

① 釜場工法は、根切り部への浸透水や雨水を根切り底面に設けた釜場に集め、ポンプで排水する工法である。

② ウェルポイント工法は、透水性の高い粗砂層から低いシルト質細砂層までの地盤に用いられる。

③ ディープウェル工法は、透水性の低い粘性土地盤の地下水位を低下させる場合に用いられる。

④ 止水工法は、山留め壁や薬液注入などにより、掘削場内への地下水の流入を遮断する工法である。

解 説 .... → テキスト 第3-1編 **3-2**

① ○ **釜場工法**は、根切り部へ浸透・流水してきた水を、釜場と称する根切り底面よりやや深い集水場所に集め、ポンプで排水する最も単純で容易な排水工法である。

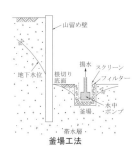

釜場工法

② ○ **ウェルポイント工法**は、小さな集水管（ウェルポイント）を多数設置し、真空吸引して揚排水する工法である。透水性の高い粗砂層から、透水性の低いシルト質の細砂層程度の地盤に適用され、**根切り部全体**の水位を下げるために用いられるが、有効深さは4〜6m程度までである。

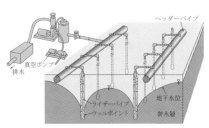

ウェルポイント排水工法

③ × ディープウェル工法におけるディープ
ウェルは、井戸掘削機械により、直径400
～1,000mm程度の孔を掘削し、井戸管を挿
入し、水中ポンプを設置したものである。
砂層などの透水性のよい地盤の水位を低
下させるのに用いられ、透水性の低い粘
性土地盤には不向きである。

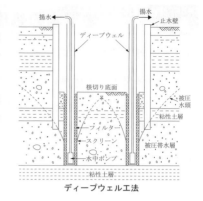

ディープウェル工法

④ ○ **遮水（止水）工法**は、根切り部周囲に遮水性の高い壁体等を構築し根切り部
への地下水の流入を遮断する工法で、地盤固結工法、遮水壁（止水壁）工法及
び圧気工法などがある（建築工事監理指針）。

正解 3

地下水処理工法に関する記述として、最も不適当なものはどれか。

① ディープウェル工法は、初期のほうが安定期よりも地下水の排水量が多い。

② ディープウェル工法は、透水性の低い粘性土地盤の地下水位を低下させる場合に用いられる。

③ ウェルポイント工法は、透水性の高い粗砂層から低いシルト質細砂層までの地盤に用いられる。

④ ウェルポイント工法は、気密保持が重要であり、パイプの接続箇所で漏気が発生しないようにする。

解説 ➡テキスト 第3-1編 3-2

① ○ ディープウェル工法は、直径400～1,000mm程度の孔を掘削後、スクリーン付きのスリット形ストレーナー管を挿入し、ポンプで地下水を排水する工法である。ウェル1本当たりの**揚水量が多い**ので、地下水位を大きく低下させることができる。また、揚水量は初期の方が安定期より多い。

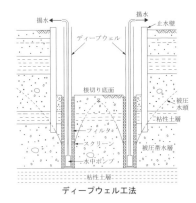

ディープウェル工法

② × ディープウェル工法におけるディープウェルは、井戸掘削機械により、直径400～1,000mm程度の孔を掘削し、井戸管を挿入し、水中ポンプを設置したものである。砂層などの**透水性のよい**地盤の水位を低下させるのに用いられ、透水性の低い粘性土地盤には不向きである。

③ ◯ ウェルポイント工法は、小さな集水管（ウェルポイント）を多数設置し、真空吸引して揚排水する工法である。透水性の高い粗砂層から、透水性の低いシルト質の細砂層程度の地盤に適用され、根切り部全体の水位を下げるために用いられるが、有効深さは4〜6m程度までである。

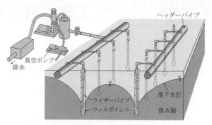

ウェルポイント排水工法

④ ◯ ウェルポイント工法は真空吸引して揚排水する工法であるため、揚水能力は配管の気密性に大きく左右される。したがって、パイプの接続箇所で空気漏れがないようにする。

正解 2

土工事に関する記述として、最も不適当なものはどれか。

① 根切り底面下に被圧帯水層があり、盤ぶくれの発生が予測されたので、ディープウェル工法で地下水位を低下させた。

② ボイリング対策として、周辺井戸の井戸枯れや軟弱層の圧密沈下を検討し、ディープウェル工法で地下水位を低下させた。

③ 床付け地盤が凍結したので、凍結した部分は良質土と置換した。

④ ヒービングの発生が予測されたので、ウェルポイントで掘削場内外の地下水位を低下させた。

解 説 ・・・・・・・・・・・・・・・・・・・・・・・・・・・・・・・・・・・・・ ➡テキスト **第3-1編** **3-4**

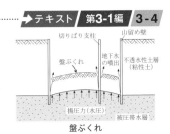

盤ぶくれ

① ◯ **盤ぶくれ**とは、地下水圧により掘削底面が膨れ上がる現象をいう。対応策としては、ディープウェルなどによって**水圧を低下**させたり止水性の**山留め壁を延長**し、被圧帯水層を遮断することで水圧を下げたりする。

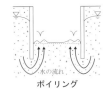

ボイリング

② ◯ **ボイリング**とは、砂と水が混合した液状になり、根切り場内に砂全体が沸騰状に吹き上げる現象で、その防止策には、止水性の**山留め壁の根入れ長さを延長**し、**動水勾配を減らし**たり、掘削場内外の地下水位を、ディープウェル、ウェルポイント工法などを用いて**低下**させたりする。

なお、**動水勾配**とは、**水が流れる方向の単位長さ当たりの水圧の差**をいい、動水勾配が小さいほど水の流れは弱くなる。

③ ◯ 寒冷地の冬期施工時において、床付け地盤が**凍結**した場合には、氷が溶けると体積が減少し沈下現象に結びつくため、乱された土と同様に扱い、**良質土と置換する**などの処置を行う。

④ ✕ **ヒービング**とは軟弱な粘性土地盤において、掘削底面に周囲の地盤が回り込み、膨れ上がる現象をいう。**防止策**としては、**剛性の高い山留め壁を良質な地盤まで根入れ**したり、周囲の**背面地盤をすき取り、背面土圧を軽減**するなどがある。したがって、「掘削場内外の地下水位を低下」させることは、ヒービングの対策ではなく、ボイリング等の対策である。

正解 4

土工事に関する記述として、最も不適当なものはどれか。

① ヒービングとは、軟弱な粘性土地盤を掘削する際に、山留め壁の背面土のまわり込みにより掘削底面の土が盛り上がる現象をいう。

② 盤ぶくれとは、掘削底面付近の砂地盤に上向きの水流が生じ、砂が持ち上げられ、掘削底面が破壊される現象をいう。

③ クイックサンドとは、砂質土のように透水性の大きい地盤で、地下水の上向きの浸透力が砂の水中での有効重量より大きくなり、砂粒子が水中で浮遊する状態をいう。

④ パイピングとは、水位差のある砂質地盤中にパイプ状の水みちができて、砂混じりの水が噴出する現象をいう。

解説 ➡テキスト 第3-1編 3-4

① 〇 **ヒービング**とは**軟弱な粘性土地盤**において、山留め壁背面の地盤の重量によるすべり破壊が生じ、掘削底面に周囲の地盤が**回り込み、ふくれ上がる**現象をいう。

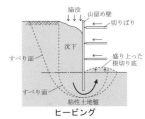

ヒービング

② ✕ **盤ぶくれ**とは、掘削底面やその直下に薄い**難透水層**があり、その下に被圧地下水を有する帯水層がある場合、土被り圧の減少によって、被圧帯水層の地下水圧とのバランスが崩れ、掘削底面がふくれ上がる現象をいう。設問は**ボイリング**である。

③ 〇 **クイックサンド**とは、山留め壁背面側と根切り側の**地下水位の水位差**によって、根切り底面付近に**上向きの水流**が生じ、砂粒子が水中で浮遊する状態（泥水の状態）になることである。

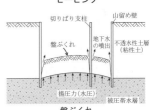

盤ぶくれ

④ 〇 **パイピング**は、山留め壁の下部内側に**クイックサンド**が生じ、山留め壁の近傍や支柱杭の表面、砂地盤中の弱い所などが、地下水流によって**局部的**に浸食されて**パイプ状の水みち**ができる現象である。

正解 **2**

土工事に関する記述として、最も不適当なものはどれか。

① 根切り底面下に被圧帯水層があり、盤ぶくれの発生が予測されたため、ディープウェル工法で地下水位を低下させた。

② 法付けオープンカットの法面保護をモルタル吹付けで行うため、水抜き孔を設けた。

③ 粘性土地盤を法付けオープンカット工法で掘削するため、円弧すべりに対する安定を検討した。

④ ヒービングの発生が予測されたため、ウェルポイントで掘削場内外の地下水位を低下させた。

解説　→テキスト　第3-1編　3-4

① ○ **盤ぶくれ**とは、地下水圧により掘削底面が膨れ上がる現象をいう。対応策としては、ディープウェルなどによって**水圧を低下**させたり、止水性の**山留め壁**を延長して、被圧帯水層を遮断することで水圧を下げたりする。

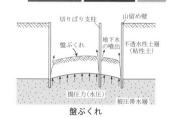

盤ぶくれ

② ○ **法付けオープンカット**の法面保護をモルタル吹付けで行う場合、**背面水圧を低減**するため、水抜き孔を設ける。

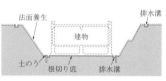

③ ○ 粘性土地盤を**法付けオープンカット工法**で掘削する場合、円弧すべりに対する安定を検討する。

④ × **ヒービング**とは**軟弱な粘性土地盤**において、掘削底面に周囲の地盤が**回り込み、膨れ上がる**現象をいう。防止策としては、剛性の高い山留め壁を良質な地盤まで根入れしたり、周囲の背面地盤をすき取り、**背面土圧を軽減**するなどがある。したがって、「掘削場内外の地下水位を低下」させることは、ヒービングの対策にはならない。

正解 4

ソイルセメント柱列山留め壁に関する記述として、最も不適当なものはどれか。

① 山留め壁の構築部に残っている既存建物の基礎を貫通するためのロックオーガーの径は、ソイルセメント施工径より小さくする。

② ソイルセメントの硬化不良部分は、モルタル充填や背面地盤への薬液注入などの処置を行う。

③ セメント系注入液と混合撹拌（かくはん）する原位置土が粗粒土になるほど、ソイルセメントの一軸圧縮強度が大きくなる。

④ ソイルセメントの中に挿入する心材としては、H形鋼などが用いられる。

解説 ➡テキスト 第3-1編 4-1

ソイルセメント柱列山留め壁は、セメント系注入液を原位置（かくはん）の土と混合・撹拌し、オーバーラップ施工した掘削孔に、H形鋼などの心材（応力材）を適切な間隔で挿入することにより、柱列状に設置した山留め壁である。

❶ 騒音・振動が少ない。
❷ 遮水性が高い。
❸ 泥水処理が不要で、排出泥土も比較的少ない。
❹ 掘削に伴う周辺地盤の緩みが少なく、近接構造物に与える影響が少ない。

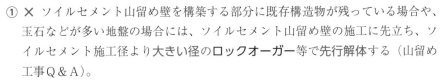

ソイルセメント
H形鋼
柱列

ソイルセメント
柱列山留め壁

① ✕ ソイルセメント山留め壁を構築する部分に既存構造物が残っている場合や、玉石などが多い地盤の場合には、ソイルセメント山留め壁の施工に先立ち、ソイルセメント施工径より**大きい径のロックオーガー**等で先行解体する（山留め工事Q＆A）。

② ◯ 掘削時にソイルセメントの硬化不良部分を発見した場合には、背面の水や土が流出しないように、**モルタル充填**や**薬液注入**、**鉄板溶接**、**背面地盤への薬液注入**などの処置を速やかに行う。

③ ◯ 注入液の調合については、固化強度のばらつきが大きく、一般的に粗粒度になるほど圧縮強さが大きくなる。ただし、粒度分布、コンシステンシー、有機物含有量等により影響されるので、注意が必要である。

④ ◯ 心材としては、H形鋼、Ｉ形鋼、鋼管等が用いられる。

正解 **1**

ソイルセメント柱列山留め壁に関する記述として、最も不適当なものはどれか。

① 多軸のオーガーで施工する場合、大径の玉石や礫が混在する地盤では、先行削孔併用方式を採用する。

② 掘削土が粘性土の場合、砂質土に比べて掘削撹拌(かくはん)速度を速くする。

③ H形鋼や鋼矢板などの応力材は、付着した泥土を落とし、建込み用の定規を使用して建て込む。

④ ソイルセメントの硬化不良部分は、モルタル充填や背面地盤への薬液注入などの処置を行う。

解説 ⋯⋯⋯⋯⋯⋯⋯⋯⋯⋯⋯⋯⋯⋯⋯⋯⋯ →テキスト **第3-1編** 4-1

① ○ 山留め壁を構築する部分に既存構造物が残っている場合や、玉石などが多い地盤の場合には、ソイルセメント山留め壁の施工に先立ち、ソイルセメント施工径より大きい径の**ロックオーガー**等で先行削孔する「**先行削孔併用方式**」を採用する。

② × 掘削対象土が**ローム**(火山灰質粘性土)などの粘りの強い粘性土の場合には撹拌不良になりやすいため、撹拌速度を落として入念に**混合撹拌**を行わなければならない。

③ ○ H形鋼、鋼矢板などの応力材は、付着した泥土やごみを落とし、**建込み定規(じょうぎ)**に差し込み、垂直性を確認しながら、所定の深度まで精度よく挿入する(山留め設計施工指針)。

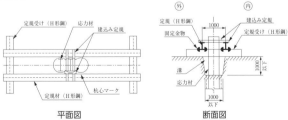

平面図   断面図

④ ○ 掘削時にソイルセメントの**硬化不良部分**を発見した場合には、背面の水や土が流出しないように、**モルタル充填**や**薬液注入、鉄板溶接、背面地盤への薬液注入**などの処置を速やかに行う。

正解 **2**

山留めの管理に関する記述として、最も不適当なものはどれか。

① 油圧式荷重計は、切りばりと火打ばりとの交点付近を避け、切りばりの中央部に設置する。

② 傾斜計を用いて山留め壁の変形を計測する場合には、山留め壁下端の変位量に注意する。

③ 壁面土圧計を用いると、土圧計受圧面に集中荷重が作用して、大きな応力値を示す場合があるので注意する。

④ 山留め壁周辺の地盤の沈下を計測するための基準点は、工事の影響を受けない付近の構造物に設置する。

解説 .... ➡テキスト 第3-1編 **4-3**

① ✕ **油圧式荷重計**は、油圧によるシリンダ方式の荷重計で**盤圧計**とも呼ばれる。火打ちばりがある場合には、**火打ち材の基部**（交点付近）に設置し、構造的な弱点になるのを防ぐため、近くに支柱を配置する。切りばりの中央部に設置することは、直交する切りばり等に荷重が吸収されてしまうため不適当である（建築工事監理指針）。

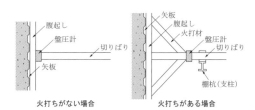

火打ちがない場合　　　　　火打ちがある場合

② ◯ **傾斜計**による計測は、山留め壁下端を**不動点**として仮定することが多く、壁下端が動いた場合には測定値の信頼性が損なわれるので、注意が必要である（山留め設計施工指針）。

③ ◯ 受圧板の見かけの強さ（変形量）が、周辺の土の硬さと一致しないと受圧板に**応力集中**が発生して正しい土圧を示さないため、注意が必要である（地盤調査法）。

④ ◯ 山留め壁周辺の地盤や道路の**沈下**を計測するための**基準点**は、基礎構造が深くまで達していて、**工事の影響を受けない**と判断できる付近の構造物に設置する（山留め設計施工指針）。

正解 **1**

山留め工事の管理に関する記述として、最も不適当なものはどれか。

① 傾斜計を用いて山留め壁の変形を計測する場合には、山留め壁下端の変位量に注意する。

② 山留め壁周辺の地盤の沈下を計測するための基準点は、工事の影響を受けない付近の構造物に設置する。

③ 山留め壁は、変形の管理基準値を定め、その計測値が管理基準値に近づいた場合の具体的な措置をあらかじめ計画する。

④ 盤圧計は、切梁と火打材との交点付近を避け、切梁の中央部に設置する。

解 説 ……………………………………………………………… ➡テキスト **第3-1編** **4-3**

① ○ **傾斜計**による計測は、**山留め壁下端を不動点として仮定する**ことが多く、壁下端が動いた場合には測定値の信頼性が損なわれるので、注意が必要である（山留め設計施工指針）。

② ○ 山留め壁周辺の地盤や道路の**沈下**を計測するための**基準点**は、基礎構造が深くまで達していて、**工事の影響を受けないと判断できる付近の構造物**に設置する（同指針）。

③ ○ 山留めの**計測管理**の目的は、様々な危険を事前に把握して、速やかに対処することである。最も重要なことは、あらかじめ限界となる値（**管理基準値**）を定め、その値に近づいてきたとき、対策又は具体的な措置がとれるよう準備しておくことである（建築工事監理指針）。

④ × **盤圧計**（油圧式荷重計）は、火打ちばりがある場合には、**火打ち材の基部（交点付近）**に設置し、構造的な弱点になるのを防ぐため、**近くに支柱**を配置する。切りばりの中央部に設置することは、直交する切りばり等に荷重が吸収されてしまうため不適当である（同指針）。

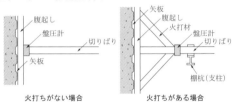

火打ちがない場合　　火打ちがある場合

正解 **4**

既製コンクリート杭の施工に関する記述として、最も不適当なものはどれか。

① 荷降ろしのため杭を吊り上げるときは、安定するよう杭の両端の2点を支持して吊り上げるようにする。

② セメントミルク工法において、アースオーガーを引き上げる際には、負圧によって地盤を緩めないよう行う。

③ 杭に現場継手を設ける際には、原則としてアーク溶接又は機械式継手とする。

④ セメントミルク工法において、アースオーガーは掘削時及び引上げ時とも正回転とする。

解 説 ······································· ➡テキスト **第3-1編** **5-1**

① ✕ 既製コンクリート杭の積込み・荷降ろしは、曲げモーメントが最小となる支持点（杭の両端から**杭長さ$\frac{1}{5}$の点**）付近の2点で支持する。したがって、杭の両端で支持したことは不適当である。

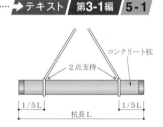

コンクリート杭の積込み・荷降ろし

② ○ **セメントミルク工法**は、掘削中に安定液をオーガー先端より噴出し、所定深度に到達後、根固め液（セメントミルク）に切り替え、所定量を注入後に杭周固定液を注入しながらオーガーを引き上げ、その後に杭を建て込む。このアースオーガーの**引上げ速度が速すぎる**と、吸引現象により負圧が発生して孔壁崩壊の原因となるため、負圧によって地盤を緩めないよう行う。

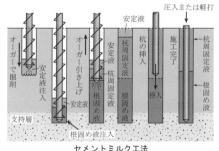

セメントミルク工法

③ ○ 杭に現場継手を設ける際には、原則として、**アーク溶接又は機械式継手**とする。

④ ○ セメントミルク工法において、掘削時や引上げ時にオーガーに逆回転を加えると、オーガーに付着した土砂が孔底に落下するので、**逆回転**を行ってはならない。したがって、掘削時も引上げ時も「**正回転**」とする。

正解 **1**

既製コンクリート杭の施工に関する記述として、最も不適当なものはどれか。

① 中掘り工法では、砂質地盤の場合、先掘り長さを杭径よりも大きくする。

② PHC杭の頭部を切断した場合、切断面から350mm程度まではプレストレスが減少しているため、補強を行う必要がある。

③ セメントミルク工法では、アースオーガーは掘削時及び引上げ時とも正回転とする。

④ 杭の施工精度は、傾斜を$\frac{1}{100}$以内とし、杭心ずれ量は杭径の$\frac{1}{4}$かつ、100mm以下とする。

解説 ➡テキスト 第3-1編 5-1

① ✕ **中掘り工法**は、杭の中空部分にオーガーなどを挿入して、その杭の先端地盤を掘削しながら杭の中空部分から排土し、杭を打設する工法である（建築工事監理指針）。杭先端よりもオーガーを先行させる**先掘り**が過大になると周辺地盤を緩める可能性があるため、原則として杭径の**1.0倍以下**とする。特に**砂質地盤**の場合は、緩みが激しくなるため、**先掘りはできるだけ短くする**。

② 〇 **PHC杭（プレストレストコンクリート杭）工事の杭頭処理**において、ダイヤモンドカッター方式等で杭頭を切断した場合は、**切断面から350mm程度まではプレストレスが減少**しているので、設計図書に従い、中詰めコンクリート補強などの杭頭補強を行う（同指針）。

③ 〇 **セメントミルク工法**は、掘削中に安定液をオーガー先端より噴出し、所定深度に到達後、根固め液（セメントミルク）に切り替え、所定量を注入後に杭周固定液を注入しながらオーガーを引き上げ、その後に杭を建て込む。掘削時や引上げ時にオーガーに逆回転を加えると、オーガーに付着した土砂が孔底に落下するので、**逆回転を行ってはならない**。したがって、掘削時も引き上げ時も「正回転」とする（同指針）。

④ 〇 既製杭における施工精度とは、鉛直精度と杭頭の水平方向のずれをいい、その目安は、**水平方向の心ずれ量が杭径の$\frac{1}{4}$かつ100mm以下、鉛直精度は$\frac{1}{100}$以下とする**ことが望ましい（JASS 4）。

正解 1

既製コンクリート杭の施工に関する記述として、最も不適当なものはどれか。

① 砂質地盤における中掘り工法の場合、先掘り長さを杭径よりも大きくする。

② 現場継手を設ける場合、原則としてアーク溶接又は機械式継手とする。

③ 現場継手を設ける場合、許容できるルート間隔を4mm以下とする。

④ PHC杭の頭部を切断した場合、切断面から350mm程度まではプレストレスが減少しているため、補強を行う必要がある。

解　説 ・・・ →テキスト 第3-1編 5-1

① ✕ **中掘り工法**は、杭の中空部分にオーガーなどを挿入して、その杭の先端地盤を掘削しながら杭の中空部分から排土し、杭を打設する工法である（建築工事監理指針）。杭先端よりもオーガーを先行させる**先掘り**が過大になると周辺地盤を緩める可能性があるため、原則として杭径の1.0倍以下とする。特に**砂質地盤**の場合は、緩みが激しくなるため、**先掘りはできるだけ短く**する。

② ○ 杭に現場継手を設ける際には、アーク溶接又は機械式継手とする。

③ ○ 現場継手の場合、溶接の**ルート間隔は4mm以下**、**目違いは2mm以下**とする。

④ ○ PHC杭（プレストレストコンクリート杭）**工事の杭頭処理**において、ダイヤモンドカッター方式等で杭頭を切断した場合は、**切断面から350mm程度**まではプレストレスが**減少**しているので、設計図書に従い、中詰めコンクリート補強などの**杭頭補強**を行う（建築工事監理指針）。

正解 1

既製コンクリート杭の施工に関する記述として、最も不適当なものはどれか。

① 荷降ろしのため杭を吊り上げる場合、安定するように杭の両端から杭長の$\frac{1}{10}$の点を支持して吊り上げる。

② 杭に現場溶接継手を設ける際には、原則として、アーク溶接とする。

③ 継ぎ杭で、下杭の上に杭を建て込む際には、接合中に下杭が動くことがないように、保持装置に固定する。

④ PHC杭の頭部を切断した場合、切断面から350mm程度まではプレストレスが減少しているため、補強を行う必要がある。

解 説 ・・ →テキスト｜第3-1編｜5-1

① ✕ 既製コンクリート杭の積込み・荷降ろしは、曲げモーメントが最小となる支持点（杭の両端から杭長さ$\frac{1}{5}$の点）付近の2点で支持する。したがって、杭の両端で支持したことは不適当である。

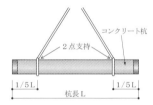
コンクリート杭の積込み・荷降ろし

② ◯ 杭に現場溶接継手を設ける際には、半自動または自動のアーク溶接又は機械式継手とする。

③ ◯ 継ぎ杭で上杭を下杭に建て込む際の衝撃などで、下杭が落下したり、接合中に下杭が動くことのないように、**保持装置にしっかり固定**する。

④ ◯ PHC杭（プレストレストコンクリート杭）工事の杭頭処理において、ダイヤモンドカッター方式等で杭頭を切断した場合は、**切断面から350mm程度まで**はプレストレスが**減少**しているので、設計図書に従い、中詰めコンクリート補強などの杭頭補強を行う（建築工事監理指針）。

正解 **1**

アースドリル工法による場所打ちコンクリート杭地業に関する記述として、最も不適当なものはどれか。

① 掘削終了後、鉄筋かごを建て込む前に1次孔底処理を行い、有害なスライムが残留している場合には、コンクリートの打込み直前に2次孔底処理を行う。

② 安定液は、必要な造壁性があり、できるだけ高粘性、高比重のものを用いる。

③ 掘削深さの確認は、検測器具を用いて孔底の4か所以上で検測する。

④ 地下水がなく孔壁が自立する地盤では、安定液を使用しないことができる。

解説 ……………………………………………… →テキスト 第3-1編 5-2

　アースドリル工法は、アースドリル掘削機により、先端に取り付けたドリリングバケットを回転させ地盤を掘削する工法である。付属設備や機材・仮設物が少なく、迅速に作業ができる工法である。

① ○ アースドリル工法の**スライムの1次孔底処理**は、底ざらいバケット方式又は**安定液置換方式**により行う。1次処理後、鉄筋かご建込みの際の孔壁の欠損によるスライムや、建て込み中に生じたスライムは、鉄筋建て込み後、コンクリート打ち込みの直前に、**2次孔底処理**として**水中ポンプ方式**などにより除去する。

② × アースドリル工法では、孔壁の保護は、地盤表層部はケーシングにより、ケーシング下端以深は安定液により行う。**安定液**は、「**孔壁の崩壊防止**」機能である造壁性に加えて、打込み時に安定液がコンクリート中に混入されることなくコンクリートと良好に置換される「**コンクリートとの置換**」性能を合わせもつ必要があり、その配合は、できるだけ「**低粘性**」「**低比重**」のものとする。したがって、安定液を高粘性・高比重のものとしたことは不適当である。

③ ○ 掘削深さが所定の深度に達し、排出される土により予定の支持層に達したことが確認されたら、1次孔底処理を行ってから**検測**を行う。検測は検測テープにより、孔底の**4カ所以上**で掘削深度を測定する。最も浅い数値を掘削深度とする。

④ ○ アースドリル工法では、掘削された土砂を常に観察し、崩壊しやすい地盤になったら安定液を用いて孔壁を保護するが、地下水がなく孔壁が自立する地盤では、**安定液を使用しないで施工することができる**。

正解 **2**

場所打ちコンクリート杭地業に関する記述として、最も不適当なものはどれか。

① リバース工法における２次孔底処理は、一般にトレミー管とサクションポンプを連結し、スライムを吸い上げて排出する。

② オールケーシング工法における孔底処理は、孔内水がない場合やわずかな場合にはハンマーグラブにより掘りくずを除去する。

③ 杭頭部の余盛り高さは、孔内水がない場合は50cm以上、孔内水がある場合は80～100cm程度とする。

④ アースドリル工法における鉄筋かごのスペーサーは、D10以上の鉄筋を用いる。

解説 ➡ テキスト｜第3-1編｜**5-2**

① ○ **リバース工法**は、掘削孔の中に水を満たしながら掘削し、吸い上げた泥水を分離して水を再び孔内へ循環（逆循環）させる工法である。２次孔底処理（２次スライム処理）として、孔内の沈殿物を、**トレミー管を用いたサクションポンプ**、水中ポンプなどによる吸上げ処理を行う。

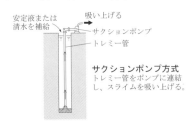

安定液または清水を補給　吸い上げる
サクションポンプ
トレミー管

サクションポンプ方式
トレミー管をポンプに連結し、スライムを吸い上げる。

トレミー管を用いたスライム処理の例

② ○ **オールケーシング工法**の孔底処理（**１次スライム処理**）は、孔内に水がない又は孔内水位が低い場合、スライムの沈殿が少ないので、掘削完了後に**ハンマーグラブ**により静かに孔底さらいを行う。孔内水が高く、スライムの沈殿の多い場合は、ハンマーグラブで孔底処理を行った後に、**スライムバケット**（沈殿バケット）を孔底に降ろし、**スライムの沈殿**を待って引上げ除去する（建築工事監理指針）。

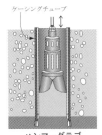

ケーシングチューブ

ハンマーグラブ

③ ◯ 場所打ちコンクリート杭のコンクリート打込み
に際し、打止め時には、余分に打ち上げて「余盛り」
を行う。この余盛りの高さは、**孔内水がない場合**
で**50cm以上**、**孔内水がある場合**では**80〜100cm**
程度必要である。コンクリートの硬化後にその余
盛りは、**はつり取って除去**する（JASS 4）。

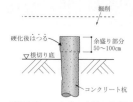

掘削

硬化後はつる

余盛り部分
50〜100cm

根切り底

コンクリート杭

場所打ちコンクリート杭の余盛り

④ ✕ スペーサーは、**3〜5mごと**の同一深さに**4カ所以上**とする。一般にスペー
サーは**帯鋼板**（厚さ4.5mm×幅50mm程度の平鋼）を用いる。ただし、オールケー
シング工法の場合は、ケーシング引抜き時の鉄筋の共上がりが生じにくい**鉄筋
13mm以上**とする。

正解　4

場所打ちコンクリート杭地業に関する記述として、最も不適当なものはどれか。

① コンクリートの打込みにおいて、トレミー管のコンクリート中への挿入長さが長すぎると、コンクリートの流出が悪くなるため、最長でも9m程度とした。

② アースドリル工法における鉄筋かごのスペーサーは、孔壁を損傷させないよう、平鋼を加工したものを用いた。

③ オールケーシング工法における孔底処理は、孔内水がない場合やわずかな場合にはハンマーグラブにより掘りくずを除去した。

④ リバース工法における孔内水位は、地下水位より1m程度高く保った。

解 説 ➜テキスト **第3-1編** **5-2**

① ○ コンクリートの打込みにおいては、**トレミー管**の先端がコンクリート中に常に**2m以上**入っているように管理する。ただし、トレミー管のコンクリート中への挿入長さが長くなると、トレミー管先端からのコンクリート押出し抵抗が大きくなり、コンクリートの流出が悪くなるので、**最長でも9m程度**にとどめておく（建築工事監理指針）。

② ○ **スペーサー**は、**3～5mごと**の同一深さに**4カ所以上**とする。一般にスペーサーは帯鋼板（**厚さ4.5mm×幅50mm程度の平網**）を用いる。ただし、オールケーシング工法の場合は、ケーシング引抜き時の鉄筋の共上がりが生じにくい鉄筋13mm以上とする。

③ ○ **オールケーシング工法の孔底処理**（**1次スライム処理**）は、孔内に水がない又は孔内水位が低い場合、スライムの沈殿が少ないので、掘削完了後に**ハンマーグラブ**により**静かに孔底さらい**を行う。スライムの沈殿が多い場合は，ハンマーグラブで孔底処理を行った後に、**スライムバケット（沈殿バケット）**を孔底に降ろし、**スライムの沈殿**を待って引上げ除去する（同指針）。

④ × **リバース工法**における孔内水位は、孔壁崩壊防止のため、地下水位より**2m以上**高く保つ。

正解 4

MEMO

鉄筋（加工・組立）

鉄筋の加工及び組立てに関する記述として、最も不適当なものはどれか。ただし、dは異形鉄筋の呼び名の数値とする。

① D16の鉄筋相互のあき寸法の最小値は、粗骨材の最大寸法が20㎜のため、25㎜とした。

② 一般スラブに使用するSD295の鉄筋の末端部を90°フックとするので、その余長を6dとした。

③ 同一径のSD295とSD345の鉄筋を135°に折り曲げる際、内法直径の最小値を同じ値とした。

④ 一般スラブに設ける一辺が500㎜程度の開口部補強は、開口によって切断される鉄筋と同量の鉄筋で周囲を補強し、斜め補強筋を配した。

解 説 →テキスト 第3-1編 **6-1**

① ○ 鉄筋相互のあきは、次の3つの値のうち最大の数値以上とする。

❶ 異形鉄筋では、呼び名の数値の1.5倍
（径が異なる場合は平均径とする）

❷ 粗骨材の最大寸法の1.25倍

❸ 25㎜

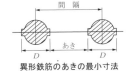

異形鉄筋のあきの最小寸法

設問の場合、❶16×1.5＝24㎜、❷20×1.25＝25㎜であるので、鉄筋相互のあきは、25㎜以上必要となり、設問は適当である。

② × 鉄筋の折曲げ形状・寸法は、以下のとおりである。鉄筋に**90°フック**を設けるために折曲げ加工を行った場合、その余長は「**8d以上**」である。

鉄筋の折曲げ形状・寸法

図	折曲げ角度	鉄筋の種類	鉄筋の径による区分	鉄筋の折曲げ内法直径(D)
90° 余長8d以上 / 135° / 余長6d以上	90° 135° 180°	SR235 SR295 SD295 SD345	φ16以下 D16以下	3d以上
			φ19 D19〜D41	4d以上
180° 余長4d以上	90°	SD390	D41以下	5d以上
		SD490	D25以下	
			D29〜D41	6d以上

余長の規定は、折曲げ角度によって決まり、鉄筋の種類・径に関係ない。

③ ○ 鉄筋を折曲げ加工する場合の内法直径は表のとおりである。したがって、SD295とSD345の内法直径の最小値は同じで、**D16以下の場合3 d、D19以上**の場合は4 dである。

④ ○ 一般スラブに設ける**最大径が700mm以下の開口部**の補強は、開口によって**切断される鉄筋と同量の鉄筋**で周囲を補強し、隅角部に斜め補強筋（2-D13）シングルを上下筋の内側に配筋する。

正解 **2**

第3-1編 躯体施工

6

鉄筋工事

鉄筋の加工及び組立てに関する記述として、不適当なものを2つ選べ。ただし、鉄筋は異形鉄筋とし、ｄは呼び名の数値とする。

① D16の鉄筋相互のあき寸法の最小値は、粗骨材の最大寸法が20㎜のため、25㎜とした。

② D25の鉄筋を90°折曲げ加工する場合の内法直径は、3ｄとした。

③ 梁せいが2ｍの基礎梁を梁断面内でコンクリートの水平打継ぎとするため、上下に分割したあばら筋の継手は、180°フック付きの重ね継手とした。

④ 末端部の折曲げ角度が135°の帯筋のフックの余長は、4ｄとした。

⑤ あばら筋の加工において、一辺の寸法の許容差は、±5㎜とした。

解説 →テキスト **第3-1編** **6-1**

① ○ 鉄筋相互のあきは、次の3つの値のうち**最大**の数値以上とする。

❶ 異形鉄筋では、**呼び名の数値の1.5倍**（径が異なる場合は**平均径**とする）

❷ **粗骨材の最大寸法の1.25倍**

❸ **25㎜**

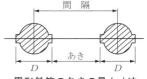

異形鉄筋のあきの最小寸法

設問の場合、❶16×1.5＝24㎜、❷20×1.25＝25㎜であるので、鉄筋相互のあきは、25㎜以上必要となり、設問は適当である。

② × 鉄筋を折曲げ加工する場合の内法直径は、**D16以下**の場合3ｄ、**D19以上**の場合は4ｄである。

③ ○ 基礎梁などで水平打継を設ける場合などにおいて、あばら筋に継手を設けるときは、重ね継手（180°・135°・90°**フック付き**）、溶接継手、又は機械式継手とする（鉄筋コンクリート造配筋指針・同解説）。

④ × 鉄筋の折曲げ形状・寸法は、表のとおりである。鉄筋に**135°フック**を設けるために折曲げ加工を行った場合、その余長は「**6ｄ以上**」である。

鉄筋の折曲げ形状・寸法

図	折曲げ角度	鉄筋の種類	鉄筋の径による区分	鉄筋の折曲げ内法直径(D)
	90° 135° 180°	SR235 SR295 SD295 SD345	φ16以下 D16以下	3d以上
			φ19 D19〜D41	4d以上
		SD390	D41以下	5d以上
	90°	SD490	D25以下	
			D29〜D41	6d以上

⑤ ○ あばら筋の加工精度として、一辺の寸法の許容差は±5mmである。

主筋

あばら筋・帯筋・スパイラル筋

加工後の全長(l)

項 目			加工後の計測箇所	許容差（外側寸法）
各加工寸法	主 筋	径：D 25 以下	a、b	± 15mm
		径：D 29 以上 D 41 以下	a、b	± 20mm
	あばら筋・帯筋・スパイラル筋		a、b	**± 5mm**
加工後の全長			l	**± 20mm**

正解 2、4

異形鉄筋の定着等に関する記述として、最も不適当なものはどれか。ただし、dは異形鉄筋の呼び名の数値とする。

① 大梁主筋にSD345を用いる場合の直線定着の長さは、コンクリート強度が同じならば、同径のSD390を用いる場合と同じである。

② 梁下端筋の柱梁接合部への定着は、原則として、梁下端筋を曲げ上げる形状で定着させる。

③ 梁端の上端筋をカットオフする場合には、梁の端部から当該梁の内法長さの$\frac{1}{4}$となる点を起点とし、15d以上の余長を確保する。

④ 梁の主筋を柱内に折曲げ定着とする場合には、仕口面からの投影定着長さを柱せいの$\frac{3}{4}$倍以上とする。

解説 .... →テキスト **第3-1編** **6-2**

① × 鉄筋の「**定着長さ**」は、「**鉄筋の種類**」「**コンクリートの設計基準強度**」「**フックの有無**」により決まり、所定の数値に鉄筋径dを乗じた値とする。一般的に、鉄筋の強度が大きくなれば、定着長さは長くなる。

異形鉄筋の直線定着の長さ

コンクリートの 設計基準強度（N/m㎡）	SD345	SD390
21	35d（25d）	40d（30d）
24～27	35d（25d）	40d（30d）

※　（ ）内はフック付きの場合

② ○ 梁下端筋の柱梁接合部への定着は、やむを得ない場合で設計者の了解を得た場合を除き、曲げ上げて定着することを原則とする。

③ ○ 一般に、梁端の**上端筋**を**カットオフ**する場合、梁の端部から梁の内法長さの$\frac{1}{4}$となる点を起点とし、15d以上の余長を確保する。なお、梁中央の**下端筋**をカットオフする場合は、同じ起点から、梁端側へ**20d**以上の余長を確保する。

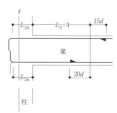

④ ○ 梁の主筋は、柱内に**折曲げ定着**とする部分では、通常は、柱せいの$\frac{3}{4}$以上の投影定着長さを確保して（$\frac{3}{4}$以上のみこませて）、定着長さ（L_2）を確保する。

正解 1

MEMO

鉄筋コンクリート構造の配筋に関する記述として、最も不適当なものはどれか。

① 径の異なる鉄筋を重ね継手とする場合、重ね継手長さは細い方の径により算定する。

② 壁縦筋の配筋間隔が下階と異なる場合、重ね継手は鉄筋を折り曲げずにあき重ね継手とすることができる。

③ 180°フック付き重ね継手とする場合、重ね継手の長さはフックの折曲げ開始点間の距離とする。

④ 梁主筋を柱にフック付き定着とする場合、定着長さは鉄筋末端のフックを含めた長さとする。

解 説 ・・ →テキスト 第3-1編 6-2

① ○ 鉄筋の「**重ね継手の長さ**」は、「**鉄筋の種類**」「**コンクリートの設計基準強度**」「**フックの有無**」により決まり、所定の数値に鉄筋径 d（呼び名の数値）を乗じた値とする。径が異なる鉄筋の重ね継手の長さは、**細い方の鉄筋の径**による（公共建築工事標準仕様書）。

② ○ 壁縦筋の配筋間隔が下階と異なる場合など、隣接する壁の配筋間隔が異なる場合は、**あき重ね継手**を用いてよく、配筋間隔の異なる鉄筋を無理に折り曲げて重ね合わせることは避ける（鉄筋コンクリート造配筋指針）。

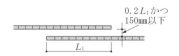

$0.2L_1$ かつ
150mm以下

L_1

③ ○ フックがある場合の鉄筋の「**重ね継手長さ**」は、**フック部分**の長さを含まず、フックの**折曲げ開始点間**の距離とする（公共建築工事標準仕様書）。

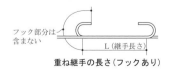

フック部分は
含まない

L（継手長さ）

重ね継手の長さ（フックあり）

④ ✕ 鉄筋の「**定着長さ**」においても、フックがある場合は、**フック部分の長さを含まない**。柱せいの$\frac{3}{4}$以上をのみ込ませてフック付きの定着長さ（L_2h）を確保する。

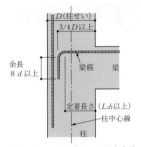

梁筋の柱内への90°フック付き定着

正解 **4**

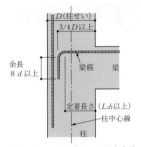（図中ラベル）
D（柱せい）
3/4D以上
余長
8 d以上
梁筋
梁
定着長さ（L_2h以上）
柱中心線
柱

第3-1編 躯体施工

6

鉄筋工事

異形鉄筋の継手及び定着に関する記述として、最も不適当なものはどれか。

① 梁の主筋を柱内に折曲げ定着とする場合、仕口面からの投影定着長さは、柱せいの $\frac{3}{4}$ 倍以上とする。

② D35以上の鉄筋には、原則として、重ね継手を用いない。

③ 大梁主筋にSD390を用いる場合のフック付定着の長さは、同径のSD345を用いる場合と同じである。

④ 腹筋に継手を設ける場合の継手長さは、150mm程度とする。

解説 ....→テキスト / 第3-1編 **6-2**

① ○ 梁の主筋は、柱内に**折曲げ定着**とする部分では、通常は、柱せいの $\frac{3}{4}$ **以上の投影定着長さを確保**して（$\frac{3}{4}$ **以上のみこませて**）、定着長さ（L_2）を確保する。

② ○ **付着割裂強度**（付着割裂破壊に抵抗できる強度）は、付着割裂面に配された鉄筋断面積（径×本数）が大きいほど、強度が低下する。つまり、太径の鉄筋を重ね継手とするほど付着割裂強度は低下するので、**D35以上の異形鉄筋**には、原則として**重ね継手を用いない**。

③ × 鉄筋の「**定着長さ**」は、「**鉄筋の種類**」「**コンクリートの設計基準強度**」「**フックの有無**」により決まり、所定の数値に鉄筋径d（呼び名の数値）を乗じた値とする。一般的に、鉄筋の強度が大きくなれば、定着長さは長くなる。

異形鉄筋の直線定着の長さ

コンクリートの設計基準強度（N/mm²）	SD345	SD390
21	35d（25d）	40d（30d）
24〜27	35d（25d）	40d（30d）

※ （ ）内はフック付きの場合

④ ○ **腹筋**に継手を設ける場合の継手長さは、150mm程度とする（公共建築工事標準仕様書）。

正解 3

MEMO

異形鉄筋の継手及び定着に関する記述として、不適当なものを2つ選べ。ただし、dは、異形鉄筋の呼び名の数値とする。

① 壁縦筋の配筋間隔が上下階で異なるため、重ね継手は鉄筋を折り曲げずにあき重ね継手とした。

② 180°フック付き重ね継手としたため、重ね継手の長さはフックの折曲げ開始点間の距離とした。

③ 梁主筋を柱にフック付き定着としたため、定着長さは鉄筋末端のフックの全長を含めた長さとした。

④ 梁の主筋を重ね継手としたため、隣り合う鉄筋の継手中心位置は、重ね継手長さの1.0倍ずらした。

⑤ 一般階における四辺固定スラブの下端筋を直線定着としたため、直線定着長さは、10d以上、かつ、150mm以上とした。

解説 ・・・・・・・・・・・・・・・・・・・・・・・・・・・・・・・・ ➡テキスト 第3-1編 6-2

① ○ 壁縦筋の配筋間隔が下階と異なる場合など、隣接する壁の配筋間隔が異なる場合は、**あき重ね継手**を用いてよく、配筋間隔の異なる鉄筋を無理に折り曲げて重ね合わせることは避ける（鉄筋コンクリート造配筋指針）。

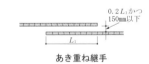

あき重ね継手

② ○ フックがある場合の鉄筋の「**重ね継手長さ**」は、フック部分の長さを含まず、フックの折曲げ開始点間の距離とする（公共建築工事標準仕様書）。

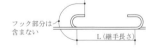

重ね継手長さ（フックあり）

③ ✕ 鉄筋の「**定着長さ**」においても、フックがある場合は、**フック部分の長さを含まない**。柱せいの$\frac{3}{4}$以上をのみ込ませてフック付きの定着長さ（L_{2h}）を確保する。

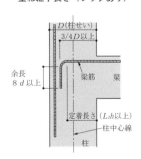

④ ✕ 継手は1カ所に集中して設けると、構造上の弱点となるおそれがあるため、原則として、各継手はその位置をずらして設ける。**重ね継手**は、相互

に継手長さの0.5倍もしくは1.5倍ずらして設ける。1.0倍ずらすことは、下図のように、鉄筋の端部が同一位置になるため避けるべきである。

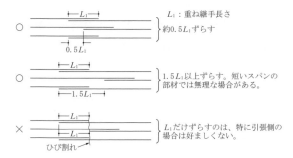

⑤ ○ 四辺固定スラブの下端筋の直線定着長さは、10d以上、かつ、150mm以上とする。なお、片持ちスラブの下端筋の場合は25d以上とする。

正解 3、4

鉄筋の機械式継手に関する記述として、最も不適当なものはどれか。

① ねじ節継手とは、熱間形成されたねじ節鉄筋の端部に鋼管（スリーブ）を
かぶせた後、外側から加圧して鉄筋表面の節にスリーブを食い込ませて接
合する工法である。

② 充填継手とは、内面に凹凸のついた比較的径の大きい鋼管（スリーブ）に
異形鉄筋の端部を挿入した後、スリーブ内に高強度の無収縮モルタル等を
充填して接合する工法である。

③ 端部ねじ継手とは、端部をねじ加工した異形鉄筋、あるいは加工したねじ
部を端部に圧接した異形鉄筋を使用し、雌ねじ加工されたカップラーを用
いて接合する工法である。

④ 併用継手は、2種類の機械式継手を組み合わせることでそれぞれの長所を
取り入れ、施工性を改良したものである。

解 説 ・・・・・・・・・・・・・・・・・・・・・・・・・・・・・・・・ ➡テキスト **第3-1編** **6-2**

① ✕ **ねじ節継手**とは、異形鉄筋の節形状が**ねじ状**になるように圧延された鉄筋を、
雌ねじ加工された**カップラー**を用いて接合する方法である。カップラーと鉄
筋の間の緩みを解消する方法として、ロックナットを締め付ける**トルク方式**、
空隙にモルタル又は樹脂を注入する**グラウト方式**、両者を併用した**ナットグ
ラウト方式**がある。設問は**鋼管圧着継手**の説明である。

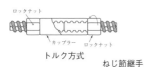

トルク方式 ／ ねじ節継手 ／ グラウト方式 ／ 鋼管圧着継手

② 〇 **充填継手**とは、内面に凹凸のついた比較的径の大
きい**鋳鋼製**の**鋼管**（**スリーブ**）に異形鉄筋の端部を
挿入した後、スリーブ内に無収縮高強度**モルタル**等
を充填して一体化して接合する工法である。

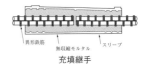

充填継手

③ 〇 **端部ねじ継手**とは、市販の異形鉄筋の端部をねじ
加工した異形鉄筋、又は加工したねじ部を端部に摩
擦圧接した鉄筋を使用し、雌ねじ加工された**カップ**

端部ねじ継手

ラーを用いて接合する工法である。

④ ◯ **併用継手**は、2種類の**機械式継手**を組み合わせることでそれぞれの長所を取り入れ、施工性を改良したものである。圧着ねじ併用継手、充填圧着併用継手などがある。

併用継手

正解 1

鉄筋（機械式継手）

鉄筋の機械式継手に関する記述として、最も不適当なものはどれか。

① ねじ節継手とは、鉄筋表面の節がねじ状に熱間成形されたねじ節鉄筋を使用し、雌ねじ加工されたカップラーを用いて接合する工法である。

② 充填継手とは、異形鉄筋の端部に鋼管（スリーブ）をかぶせた後、外側から加圧して鉄筋表面の節にスリーブを食い込ませて接合する工法である。

③ 端部ねじ継手とは、端部をねじ加工した異形鉄筋、あるいは加工したねじ部を端部に圧接した異形鉄筋を使用し、雌ねじ加工されたカップラーを用いて接合する工法である。

④ 併用継手とは、2種類の機械式継手を組み合わせることでそれぞれの長所を取り入れ、施工性を改良した工法である。

解 説 .... → テキスト 第3-1編 6-2

① 〇 **ねじ節継手**とは、異形鉄筋の節形状がねじ状になるように圧延された鉄筋を、雌ねじ加工された**カップラー**を用いて接合する方法である。カップラーと鉄筋の間の緩みを解消する方法として、ロックナットを締め付ける**トルク方式**、空隙にモルタル又は樹脂を注入する**グラウト方式**、両者を併用した**ナットグラウト方式**がある。

トルク方式　　　　　グラウト方式
ねじ節継手

② ✕ **充填継手**とは、内面に凹凸のついた比較的径の大きい**鋳鋼製の鋼管（スリーブ）**に異形鉄筋の端部を挿入した後、スリーブ内に無収縮高強度モルタル等を充填して一体化して接合する工法である。設問は**鋼管圧着継手**の説明である。

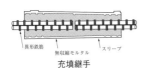

充填継手

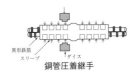

鋼管圧着継手

③ ◯ **端部ねじ継手**とは、市販の異形鉄筋の端部をね じ加工した異形鉄筋、又は加工したねじ部を端部 に摩擦圧接した鉄筋を使用し、雌ねじ加工された **カップラー**を用いて接合する工法である。

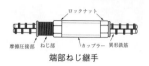

ロックナット

摩擦圧接部　ねじ部　　カップラー　異形鉄筋

端部ねじ継手

④ ◯ **併用継手**は、2種類の**機械式継手**を組み合わせることでそれぞれの長所を取 り入れ、施工性を改良したものである。圧着ねじ併用継手、充填圧着併用継手 などがある。

圧着部　ねじ部　　　　　　　　　　充填部　　圧着部

併用継手

正解 **2**

第3-1編　躯体施工

6

鉄筋工事

鉄筋の機械式継手に関する記述として、最も不適当なものはどれか。

① トルク方式のねじ節継手とは、カップラーを用いて鉄筋を接合する工法で、ロックナットを締め付けることで鉄筋とカップラーとの間の緩みを解消する。

② グラウト方式のねじ節継手とは、カップラーを用いて鉄筋を接合する工法で、鉄筋とカップラーの節との空隙にグラウトを注入することで緩みを解消する。

③ 充填継手とは、異形鉄筋の端部に鋼管（スリーブ）をかぶせた後、外側から加圧して鉄筋表面の節にスリーブを食い込ませて接合する工法である。

④ 端部ねじ継手とは、端部をねじ加工した異形鉄筋、あるいは加工したねじ部を端部に圧接した異形鉄筋を使用し、雌ねじ加工されたカップラーを用いて接合する工法である。

解説 ──────────────────────── ➡テキスト **第3-1編** **6-2**

①② ○ **ねじ節継手**は異形鉄筋の節形状が**ねじ状**になるように圧延された鉄筋（**ねじ節鉄筋**）を、雌ねじ加工された**カップラー**を用いて接合する方法である。カップラーと鉄筋の間の緩みを解消する方法として、ロックナットを締め付ける**トルク方式**、空隙にモルタル又は樹脂を注入する**グラウト方式**、両者を併用した**ナットグラウト方式**がある。

③ ✕ **充填継手**とは、内面に凹凸のついた比較的径の大きい鋳鋼製の**鋼管（スリーブ）**に異形鉄筋の端部を挿入した後、スリーブ内に無収縮高強度モルタル等を充填して一体化して接合する工法である。

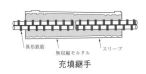

異形鉄筋　無収縮モルタル　スリーブ
充填継手

異形鉄筋　ダイス
スリーブ
鋼管圧着継手

④ ○ **端部ねじ継手**とは、市販の異形鉄筋の端部をねじ加工した異形鉄筋、又は加工したねじ部を端部に摩擦圧接した鉄筋を使用し、雌ねじ加工された**カップラー**を用いて接合する工法である。

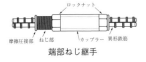

ロックナット
摩擦圧接部　ねじ部　カップラー　異形鉄筋
端部ねじ継手

正解 **3**

鉄筋のガス圧接に関する記述として、最も不適当なものはどれか。

① SD345の鉄筋D29を手動ガス圧接で接合するため、日本産業規格（JIS）に基づく技術検定2種の資格を有する者によって行った。

② 同一径の鉄筋の圧接部における鉄筋中心軸の偏心量は、鉄筋径の$\frac{1}{4}$以下とした。

③ 鉄筋の圧接部の加熱は、圧接端面が密着するまでは還元炎で行い、その後は中性炎で加熱した。

④ 同一径の鉄筋の圧接部のふくらみの長さは、鉄筋径の1.1倍以上とした。

解 説 ➡テキスト 第3-1編 6-2

① ○ ガス圧接は試験に合格している圧接技量資格者によって行わなければならない。圧接技量資格者は1種から4種まであり、**1種でD25以下**、**2種でD32以下**までと作業範囲を規定している。したがって、D29の鉄筋は、**2種資格者以上**であれば圧接することができる。

技量資格種別	作業可能範囲（鉄筋径）
1 種	・φ 25mm以下 ・**D 25 以下**
2 種	・φ 32mm以下 ・D32 以下
3 種	・φ 38mm以下 ・D38 以下
4 種	・φ 50mm以下 ・D51 以下

② × ガス圧接継手において、**鉄筋中心軸の偏心量**は、鉄筋径の$\frac{1}{5}$**以下**とする。なお、鉄筋中心軸の偏心量が規定値を超えた場合は、圧接部を**切り取って再圧接**する。

③ ○ 鉄筋の圧接部の加熱は、**圧接端面が密着するまでは**圧接端面の酸化を防ぐため酸素よりアセチレンガスの量を多くした還元炎で行い、圧接端面同士が**密着した後**は、還元炎より熱効率の高い**中性炎**で加熱する。中性炎は、酸素とアセチレンガスの量を同じに調整したときの炎である。

④ ○ 鉄筋の圧接部の品質において、**ふくらみの長さ**は、鉄筋径の**1.1倍以上**とする。この値に満たない場合、圧接部を**再加熱**し、**圧力**を加えて鉄筋径の1.1倍以上のふくらみとなるようにする。

正解 2

鉄筋のガス圧接に関する記述として、最も不適当なものはどれか。ただし、鉄筋の種類はSD490を除くものとする。

① 同一径の鉄筋の圧接部のふくらみの長さは、鉄筋径の1.1倍以上とする。

② 同一径の鉄筋の圧接部のふくらみの直径は、鉄筋径の1.4倍以上とする。

③ 圧接端面の加工を圧接作業の当日より前に行う場合には、端面保護剤を使用する。

④ 鉄筋の圧接部の加熱は、圧接端面が密着するまでは中性炎で行い、その後は還元炎で行う。

解説 .... ➡ テキスト 第3-1編 6-2

① ○ 鉄筋の圧接部の品質において、**ふくらみの長さ**は、鉄筋径の**1.1倍**以上とする。この値に満たない場合、圧接部を**再加熱**し、**圧力**を加えて鉄筋径の1.1倍以上のふくらみとなるようにする。

② ○ 鉄筋の圧接部の品質において、**ふくらみ直径**は、鉄筋径（径の異なる場合は、細い方の鉄筋径）の**1.4倍**以上とする。この値に満たない場合、圧接部を**再加熱**し、**圧力**を加えて鉄筋径の1.4倍以上のふくらみとなるようにする（公共建築工事標準仕様書）。

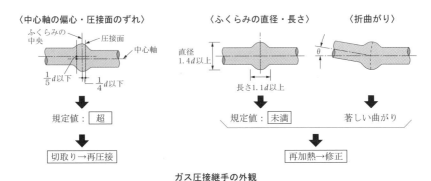

ガス圧接継手の外観

③ ○ **圧接端面**は完全な**金属肌**の状態でなければ良好な接合が得られないので、冷間直角切断機による端面処理やグラインダー研削は圧接作業当日に行い、錆がないことなど、端面の状態を確認する必要がある。圧接作業の前日以前に圧接端面の処理を行う場合には、防錆等のために、**端面保護剤**を使用する（建築工事監理指針）。

④ × 鉄筋の圧接部の加熱は、**圧接端面が密着するまで**は圧接端面の酸化を防ぐため還元炎で行い、圧接端面同士が**密着した後**は、還元炎より熱効率の高い**中性炎**で加熱する。

正解 4

鉄筋のガス圧接に関する記述として、最も不適当なものはどれか。

① SD345のD29を手動ガス圧接で接合するために必要となる資格は、日本産業規格（JIS）に基づく技量資格1種である。

② 径の異なる鉄筋のガス圧接部のふくらみの直径は、細い方の径の1.4倍以上とする。

③ SD490の圧接に用いる加圧器は、上限圧及び下限圧を設定できる機能を有するものとする。

④ 圧接継手において考慮する鉄筋の長さ方向の縮み量は、鉄筋径の1.0〜1.5倍である。

解 説 ··· ➡テキスト / 第3-1編 **6-2**

① ✕ ガス圧接は技量試験（JIS Z 3881）に合格している圧接技量資格者によって行わなければならない。圧接技量資格者は1種から4種まであり、**1種でD25以下**、**2種でD32以下**までと作業範囲を規定している。したがって、D29の鉄筋は、**2種資格者以上**であれば圧接することができる。

技量資格 種別	作業可能範囲 （鉄筋径）
1 種	・φ 25mm以下 ・**D 25 以下**
2 種	・φ 32mm以下 ・D32 以下
3 種	・φ 38mm以下 ・D38 以下
4 種	・φ 50mm以下 ・D51 以下

② ○ 鉄筋の圧接部の品質において、**ふくらみ直径**は、鉄筋径（径の異なる場合は、細い方の鉄筋径）の1.4倍以上とする。この値に満たない場合、圧接部を**再加熱**し、**圧力を加えて**鉄筋径の1.4倍以上のふくらみとなるようにする。

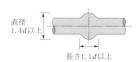

直径1.4d以上
長さ1.1d以上

③ ○ **加圧器**は、鉄筋断面に対して30MPa以上の加圧能力を有するものとする。また、**SD490の鉄筋**を圧接する場合は、鉄筋断面に対して40MPa以上の加圧能力を有し、**上限圧及び下限圧を設定できる機能**を有するものとする。

④ ○ ガス圧接では、1カ所当たり1.0〜1.5d（d：鉄筋の径）の**アプセット（縮み量）**が必要である。

正解 **1**

鉄筋（ガス圧接）

鉄筋のガス圧接に関する記述として、最も不適当なものはどれか。ただし、鉄筋は、SD345のD29とする。

① 隣り合うガス圧接継手の位置は、300mm程度ずらした。

② 圧接部のふくらみの長さは、鉄筋径の1.1倍以上とした。

③ 柱主筋のガス圧接継手位置は、梁上端から500mm以上、1,500mm以下、かつ、柱の内法高さの$\frac{3}{4}$以下とした。

④ 鉄筋の中心軸の偏心量は、5mm以下とした。

解 説 ┄┄┄┄┄┄┄┄┄┄┄┄┄┄┄┄┄┄┄┄ →テキスト 第3-1編 6-2

① ✕ 継手は1カ所に集中して設けると、構造上の弱点となるおそれがある。したがって、原則として、各継手はその位置をずらして設ける。ガス圧接継手における隣り合う継手の位置は、**400mm以上**ずらす（JASS 5）。

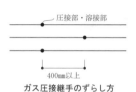

ガス圧接継手のずらし方

② ◯ 鉄筋の圧接部の品質において、**ふくらみの長さは、鉄筋径の1.1倍以上**とする。この値に満たない場合、圧接部を**再加熱**し、**圧力**を加えて鉄筋径の1.1倍以上のふくらみとなるようにする。

③ ◯ 継手は、応力の大きい箇所を避けて設ける。したがって、柱主筋における継手の圧接中心位置は、応力の大きい上下端部以外とし、その位置は、梁上端から500mm以上、1,500mm以下、かつ柱の内法高さの$\frac{3}{4}$以下とする（公共建築工事標準仕様書）。

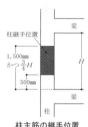

柱主筋の継手位置

④ ◯ ガス圧接継手において、**鉄筋中心軸の偏心量**は、鉄筋径の$\frac{1}{5}$以下とする。よって、D29/ 5 =5.8mmとなるので、5mm以下で管理することは適切である。なお、鉄筋中心軸の偏心量が規定値を超えた場合は、圧接部を**切り取って再圧接**する。

正解 **1**

型枠支保工に関する記述として、最も不適当なものはどれか。

① 支柱として用いるパイプサポートの高さが3.5mを超えたので、高さ２ｍ以内ごとに水平つなぎを２方向に設けた。

② 支柱として用いる鋼材の許容曲げ応力の値は、その鋼材の降伏強さの値又は引張強さの値の$\frac{3}{4}$の値のうち、いずれか小さい値とした。

③ 支柱にパイプサポートを２本継いで使用するので、継手部を４本以上のボルトで固定した。

④ 支柱として用いる組立て鋼柱の高さが４mを超えたので、高さ４ｍ以内ごとに水平つなぎを２方向に設けた。

解 説 .... → テキスト 第3-1編 **7-1**

① ○ **パイプサポート**を型枠の支柱として用いる場合、高さが3.5mを超えるときは、**高さ２ｍ以内ごとに水平つなぎ**を２方向に設け、かつ、水平つなぎの変位を防止する。

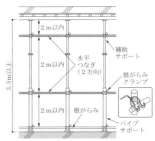

パイプサポートの水平つなぎ

② ✕ 型枠の支保工に用いる鋼材の「許容曲げ応力」及び「許容圧縮応力」の値は、その鋼材の「**降伏強さの値**」又は「**引張強さの値の$\frac{3}{4}$の値**」のうち、「**いずれか小さい値の$\frac{2}{3}$の値以下**」とする。

③ ○ **パイプサポート**を継ぐときは、**４本以上のボルト**又は**専用の金具**を用いる。なお、パイプサポートは、**３本以上継いで用いない**（２本まで）。

④ ○ **組立て鋼柱**は、４本以上の柱で４構面を形成したユニットを組み上げる支保工で、高さが４ｍを超えるときは、**高さ４ｍ以内**ごとに水平つなぎを２方向に設け、かつ、水平つなぎの変位を防止する。

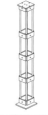

組立て鋼柱式支保工

正解 **2**

型枠の設計に関する記述として、最も不適当なものはどれか。

① 固定荷重の計算に用いる型枠の重量は、0.4kN/㎡とする。

② 合板せき板のたわみは、単純支持で計算した値と両端固定で計算した値の平均値とする。

③ 型枠に作用する荷重及び外力に対し、型枠を構成する各部材それぞれの許容変形量は、2㎜以下を目安とする。

④ 型枠の構造計算において、支保工以外の材料の許容応力度は、長期と短期の許容応力度の平均値とする。

解説 ➡テキスト 第3-1編 7-2

① ○ 固定荷重は鉄筋を含んだ普通コンクリートの荷重（24kN/㎡×部材厚さ(m)）に在来工法の型枠の重量0.4kN/㎡を加えた値とする。

② × 曲げを受ける「合板せき板」は、転用などによる劣化を考慮し、単純梁として扱う。したがって、「単純支持で計算した値と両端固定で計算した値の平均値とする」のは不適当である。

③ ○ 型枠に作用する荷重及び外力に対し、型枠を構成する各部材それぞれの許容変形量は2㎜程度を許容値とすることが望ましい。

④ ○ 型枠の構造計算において、型枠支保工以外に用いる材料の許容応力度は、長期許容応力度と短期許容応力度の平均値とする。

正解 2

型枠支保工に関する記述として、最も不適当なものはどれか。

① 支柱に使用する鋼材の許容曲げ応力の値は、その鋼材の降伏強さの値又は引張強さの値の$\frac{3}{4}$の値のうち、いずれか小さい値とする。

② スラブ型枠の支保工に軽量型支保梁を使用する場合、支保梁の中間部を支柱で支持してはならない。

③ 支柱に鋼管枠を使用する場合、水平つなぎを設ける位置は、最上層及び5層以内ごととする。

④ 支柱に鋼管枠を使用する型枠支保工の構造計算を行う場合、作業荷重を含む鉛直荷重の$\frac{2.5}{100}$に相当する水平荷重が作用するものとする。

解 説 .... ➡テキスト／ 第3-1編 **7-2**

① ✕ 型枠の支保工に用いる鋼材の「許容曲げ応力」及び「許容圧縮応力」の値は、その鋼材の「降伏強さの値」又は「引張強さの値の$\frac{3}{4}$の値」のうち、「いずれか小さい値の$\frac{2}{3}$の値以下」とする。

支保工の鋼材		
許容曲げ応力	降伏強さ	いずれか小さい値の$\frac{2}{3}$以下
許容圧縮応力	引張強さの$\frac{3}{4}$	

② ○ スラブ型枠の支保工に**軽量型支保梁**を使用する場合、支保梁は**両端で支持**し、**所定の支持点以外（中間部など）を支柱で支持してはならない**（型枠の設計・施工指針）。

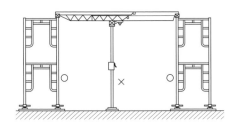

③ ◯ **鋼管枠**を支柱として用いる場合の注意点は以下のとおりである（労働安全衛生規則242条）。

❶ 鋼管枠と鋼管枠との間に５枠以内ごとに**交差筋かい**を設ける。

❷ **最上層及び５層以内**ごとに、型わく支保工の側面並びに枠面の方向及び交差筋かいの方向における**５枠以内**ごとに、**水平つなぎ**を設ける。

❸ **最上層及び５層以内**ごとに、型わく支保工の枠面の方向における両端及び**５枠以内**ごとに、交差筋かいの方向に布枠を設ける。

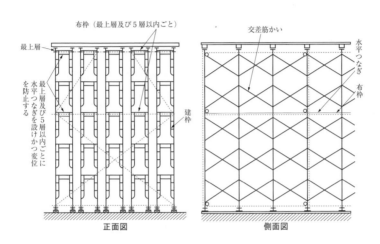

布枠（最上層及び５層以内ごと）
最上層
最上層及び５層以内に水平つなぎを設けかつ変位を防止する
建枠
正面図

交差筋かい
水平つなぎ
布枠
側面図

④ ◯ 型枠を支える支柱に、**枠組支柱などの鋼管枠**を使用する場合は、その型枠支保工の上端に、設計荷重の$\frac{2.5}{100}$に**相当する水平方向の荷重**が作用しても安全な構造とする（労働安全衛生規則240条）。なお、鋼管枠以外のもの（パイプサポート、単管支柱など）を使用する場合は、設計荷重の$\frac{5}{100}$に相当する水平方向の荷重が作用しても安全な構造とする。

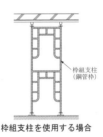

枠組支柱（鋼管枠）

枠組支柱を使用する場合

正解 1

型枠の設計に関する記述として、最も不適当なものはどれか。

① 支保工以外の材料の許容応力度は、長期許容応力度と短期許容応力度の平均値とする。

② コンクリート型枠用合板の曲げヤング係数は、長さ方向スパン用と幅方向スパン用では異なる数値とする。

③ パイプサポートを支保工とするスラブ型枠の場合、打込み時に支保工の上端に作用する水平荷重は、鉛直荷重の5％とする。

④ コンクリート打込み時の側圧に対するせき板の許容たわみ量は、5mmとする。

解 説 ➡️テキスト 第3-1編 7-2

① ○ 型枠の構造計算において、**型枠支保工以外**に用いる材料の許容応力度は、**長期許容応力度と短期許容応力度の平均値**とする。

② ○ コンクリート型枠用合板の曲げヤング係数（変形のしにくさ）は、長さ方向スパン用と幅方向スパン用では異なる数値が規定され、幅方向スパン用の方が小さい（変形しやすい）。なお、湿潤によっても、曲げヤング係数は低下し、通常、乾燥状態の80％近くになる（JASS 5）。

③ ○ 型枠を支える支柱に、鋼管枠以外のもの（**パイプサポート**、単管支柱など）を使用する場合は、その型枠支保工の上端に、設計荷重の$\frac{5}{100}$に相当する水平方向の荷重が作用しても安全な構造とする（労働安全衛生規則240条）。

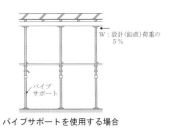
パイプサポートを使用する場合

【型枠支保工に作用する水平荷重】
❶ 鋼管枠支柱（枠組支柱など）→設計荷重の$\frac{2.5}{100}$（2.5％）

❷ 鋼管枠以外（パイプサポートなど）→設計荷重の$\frac{5}{100}$（5％）

④ ✕ 型枠に作用する荷重及び外力に対し、型枠を構成する**各部材**それぞれの**許容変形量**は**2mm程度**を許容値とすることが望ましい。なお、総変形量は**5mm以下**を目安とする（JASS 5）。

正解 4

MEMO

型枠支保工に関する記述として、不適当なものを2つ選べ。

① パイプサポート以外の鋼管を支柱として用いる場合、高さ2.5m以内ごとに水平つなぎを2方向に設けなければならない。

② 支柱として用いる鋼管枠は、最上層及び5層以内ごとに水平つなぎを設けなければならない。

③ パイプサポートを2本継いで支柱として用いる場合、継手部は4本以上のボルト又は専用の金具を用いて固定しなければならない。

④ 支柱として用いる組立て鋼柱の高さが5mを超える場合、高さ5m以内ごとに水平つなぎを2方向に設けなければならない。

⑤ 支柱として用いる鋼材の許容曲げ応力の値は、その鋼材の降伏強さの値又は引張強さの値の$\frac{3}{4}$の値のうち、いずれか小さい値の$\frac{2}{3}$の値以下としなければならない。

解 説 ────────────────────── ➡テキスト 第3-1編 7-2

① × 鋼管（パイプサポートを除く）を型枠支保工の支柱として用いる場合、高さ**2m以内**ごとに、**水平つなぎ**を**2方向**に設け、かつ、水平つなぎの変位を防止する。

② ○ **鋼管枠**を支柱として用いる場合の注意点は以下のとおりである。

❶ 鋼管枠と鋼管枠との間に5枠以内ごとに**交差筋かい**を設ける。

❷ **最上層及び5層以内**ごとに、型枠支保工の側面並びに枠面の方向及び交差筋かいの方向における**5枠以内**ごとに、**水平つなぎ**を設ける。

❸ **最上層及び5層以内**ごとに、型枠支保工の枠面の方向における両端及び**5枠以内**ごとに、交差筋かいの方向に**布枠**を設ける。

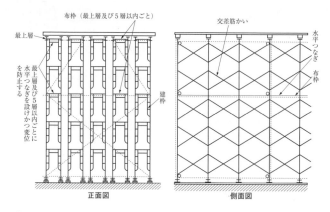

布枠（最上層及び5層以内ごと）
最上層
最上層及び5層以内ごとに水平つなぎを設け、かつ変位を防止する
建枠
正面図

交差筋かい
水平つなぎ
布枠
側面図

③ ○ **パイプサポート**を継ぐときは、**4本以上のボルト**又は**専用の金具**を用いる。なお、パイプサポートは、**3本以上継いで用いない**（2本まで）。

④ × **組立て鋼柱**は、4本以上の柱で4構面を形成したユニットを組み上げる支保工で、**高さが4mを超える**ときは、**高さ4m以内**ごとに水平つなぎを2方向に設け、かつ、水平つなぎの変位を防止する。

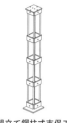

組立て鋼柱式支保工

⑤ ○ 型枠の支保工に用いる鋼材の「許容曲げ応力」および「許容圧縮応力」の値は、その鋼材の「**降伏強さの値**」または「**引張強さの値の** $\dfrac{3}{4}$ **の値**」のうち、「**いずれか小さい値の** $\dfrac{2}{3}$ **の値以下**」とする。

支保工の鋼材		
許容曲げ応力	降伏強さ	いずれか小さい値の $\dfrac{2}{3}$ 以下
許容圧縮応力	引張強さの $\dfrac{3}{4}$	

正解 1、4

型枠工事に関する記述として、不適当なものを2つ選べ。

① 支保工以外の材料の許容応力度は、長期許容応力度と短期許容応力度の平均値とした。

② コンクリート打込み時に型枠に作用する鉛直荷重は、コンクリートと型枠による固定荷重とした。

③ 支柱を立てる場所が沈下するおそれがなかったため、脚部の固定と根がらみの取付けは行わなかった。

④ 型枠の組立ては、下部のコンクリートが有害な影響を受けない材齢に達してから開始した。

⑤ 柱型枠の組立て時に足元を桟木で固定し、型枠の精度を保持した。

解説 ……………………………………………………………→ テキスト **第3-1編** **7-2**

① ○ 型枠の構造計算において、**型枠支保工以外**に用いる材料の許容応力度は、**長期許容応力度**と**短期許容応力度**の平均値とする。

② × 型枠に作用する鉛直荷重は、次の**❶❷**の合計である。
  ❶ **固定荷重**：打込み時の鉄筋・コンクリート・型枠の重量による荷重
    ➡ **鉄筋を含んだコンクリートの荷重**（単位容積重量×部材厚さm）に、在来型枠工法の場合、型枠の重量0.4kN/㎡を加える。
  ❷ **積載荷重**：「打込み時の打設機具、足場、作業員、資材の積上げなどの重量による**作業荷重**」及び「打込みに伴う**衝撃荷重**」
    ➡ 在来の型枠工法で、かつ、通常のポンプ工法による打込みの場合は、積載荷重を1.5kN/㎡とする。

③ × **支柱の脚部の滑動を防止**するために、支柱の**脚部の固定、根がらみの取付け**等の措置を講ずる（労働安全衛生規則）。支柱の沈下を防止するための措置は、敷角の使用等である。

④ ○ 配筋、型枠の組立文はこれらに伴う資材の運搬、集積等は、これらの荷重を受けるコンクリートが**有害な影響を受けない材齢**に達してから開始する（公共建築工事標準仕様書）。

⑤ ◯ 柱型枠の足元は、垂直精度の保持・変形防止およびセメントペーストの漏出防止のための**根巻き**を行う。根巻きの方法としては、**根巻金物**を使用する方法や**桟木（敷桟）**による方法などが用いられる（型枠の設計・施工指針）。

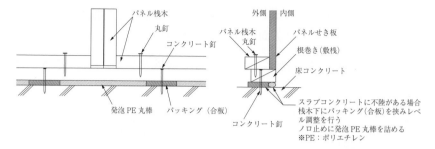

パネル桟木
丸釘
コンクリート釘
発泡 PE 丸棒　　パッキング（合板）

外側　内側
パネル桟木
丸釘
パネルせき板
根巻き（敷桟）
床コンクリート
コンクリート釘
スラブコンクリートに不陸がある場合
桟木下にパッキング（合板）を挟みレベル調整を行う
ノロ止めに発泡 PE 丸棒を詰める
※PE：ポリエチレン

正解 **2、3**

型枠支保工に関する記述として、最も不適当なものはどれか。

① 支柱として用いるパイプサポートの高さが3.5mを超える場合、高さ2.5m以内ごとに水平つなぎを2方向に設けなければならない。

② 支柱として用いる鋼管枠は、最上層及び5層以内ごとに水平つなぎを設けなければならない。

③ 支柱としてパイプサポートを用いる型枠支保工は、上端に作業荷重を含む鉛直荷重の $\dfrac{5}{100}$ に相当する水平荷重が作用しても安全な構造でなければならない。

④ 支柱として鋼管枠を用いる型枠支保工は、上端に作業荷重を含む鉛直荷重の $\dfrac{2.5}{100}$ に相当する水平荷重が作用しても安全な構造でなければならない。

解説 ➡テキスト 第3-1編 7-2

① × パイプサポートを型枠の支柱として用いる場合、高さが3.5mを超えるときは、高さ2m以内ごとに水平つなぎを2方向に設け、かつ、水平つなぎの変位を防止する。

② 〇 鋼管枠を支柱として用いる場合の注意点は以下のとおりである。

❶ 鋼管枠と鋼管枠との間に5枠以内ごとに**交差筋かい**を設ける。

❷ 最上層及び5層以内ごとに、型枠支保工の側面並びに枠面の方向及び交差筋かいの方向における5枠以内ごとに、**水平つなぎ**を設ける。

❸ 最上層及び5層以内ごとに、型枠支保工の枠面の方向における両端及び5枠以内ごとに、交差筋かいの方向に**布枠**を設ける。

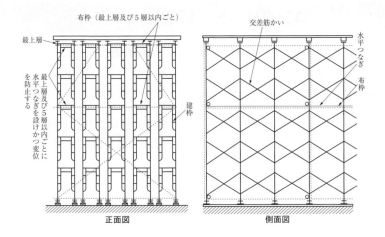

布枠（最上層及び5層以内ごと）

最上層

最上層及び5層以内ごとに水平つなぎを設けかつ変位を防止する

建枠

交差筋かい

水平つなぎ

布枠

正面図

側面図

③ ◯ 型枠を支える支柱に、**鋼管枠以外**のもの（パイプサポート、単管支柱など）を使用する場合は、その型枠支保工の上端に、設計荷重の$\frac{5}{100}$に相当する水平方向の荷重が作用しても安全な構造とする（労働安全衛生規則240条）。

④ ◯ 型枠を支える支柱に、枠組支柱などの**鋼管枠**を使用する場合は、その型枠支保工の上端に、設計荷重の$\frac{2.5}{100}$に相当する水平方向の荷重が作用しても安全な構造とする（労働安全衛生規則240条）。なお、鋼管枠以外のもの（パイプサポート、単管支柱など）を使用する場合は、設計荷重の$\frac{5}{100}$に相当する水平方向の荷重が作用しても安全な構造とする。

正解 **1**

第3-1編 躯体施工

7

型枠工事

コンクリート（調合）

コンクリートの調合に関する記述として、最も不適当なものはどれか。

① 高強度コンクリートにおけるフレッシュコンクリートの流動性は、スランプ又はスランプフローで管理する。

② アルカリシリカ反応性試験で無害でないものと判定された骨材であっても、コンクリート中のアルカリ総量を3.0kg / ㎥以下とすれば使用することができる。

③ 水セメント比を低減すると、コンクリート表面からの塩化物イオンの浸透に対する抵抗性を高めることができる。

④ 一般仕様のコンクリートの単位セメント量の最小値は、250kg / ㎥とする。

解説 .... ➡ テキスト 第3-1編 8-1

① ○ **高強度コンクリート**におけるフレッシュコンクリートの流動性は、**スランプ**又は**スランプフロー**で管理する。スランプフローは、スランプ試験時にスランプコーンを引き上げた後、円状に広がった直径で表す。設計基準強度48超～60N/㎟の高強度コンクリートのスランプフローは**60㎝以下**である。

Φ10cm / 30cm / Φ20cm / スランプ / スランプフロー

② ○ **アルカリシリカ反応性試験**とは、コンクリートに使用されている骨材のアルカリシリカ反応をみるもので、**無害であれば問題ない**が、「無害でない」と判定された骨材でも、コンクリート中の**アルカリ総量を3.0kg / ㎥以下**とするなどの抑制対策を実施すれば、コンクリートに使用することができる。

③ ○ 海水や潮風に含まれる**塩化物イオン**がコンクリート内部に浸透し、鉄筋を腐食させるおそれがある。そのため、かぶり厚さを厚くする、**水セメント比を小**さくして**密実**なコンクリートとするなどの対策が必要になる。

④ ✕ **単位セメント量**は、ひび割れ防止の観点からは、できるだけ小さくすることが望ましいが、過小であるとワーカビリティーが悪くなり、耐久性の低下などさまざまな弊害が出るため、下限として最小値を定めている。**単位セメント量の最小値**は、普通コンクリートの場合は**270kg / ㎥**である。

正解 4

MEMO

コンクリート（調合）

コンクリートの調合に関する記述として、最も不適当なものはどれか。

① 単位水量は、185kg/㎥以下とし、コンクリートの品質が得られる範囲内で、できるだけ小さくする。

② 単位セメント量が過小の場合、ワーカビリティーが悪くなり、水密性や耐久性の低下などを招きやすい。

③ コンクリートの調合管理強度は、品質基準強度に構造体強度補正値を加えたものである。

④ コンクリートの調合強度を定める際に使用するコンクリートの圧縮強度の標準偏差は、コンクリート工場に実績がない場合、1.5N/㎟とする。

解 説 ··········· ➡テキスト **第3-1編** **8-1**

① ◯ **単位水量**は、フレッシュコンクリート1㎥中に含まれる水の質量のことである。単位水量が大きくなると、コンクリートの分離、ブリーディング、打込み後の沈降などが大きくなったり、乾燥収縮ひび割れが生じやすくなって、水密性・耐久性が低下するため、次のように最大値が決められている。

コンクリートの種類	単位水量の最大値
普通・軽量	**185kg/㎥以下**
高流動・高強度	175kg/㎥以下

② ◯ 「単位セメント量」は、乾燥収縮によるひび割れを防止するために、できるだけ小さくすることが望ましい。しかし、**過小**であると、コンクリートの**ワーカビリティーが悪く**なり、型枠内への充填性の**低下**、豆板や巣の発生、打継部の不具合、水密性・耐久性の低下などを招きやすい。

③ ◯ コンクリートの**調合管理強度**（*Fm*）は、コンクリートの**品質基準強度**（*Fq*）と**構造体強度補正値**（*S*）の合計によって算出する。ここで、調合管理強度とは、構造体コンクリートの強度が、**品質基準強度**（*Fq*）を満足するようにコンクリートの調合を定めるにあたり、標準養生された供試体が満足しなければならない圧縮強度のことである。**構造体強度補正値**（*S*）とは、構造体コンクリートと供試体強度との差、および気温によるコンクリート強度の補正を考慮した補正値である（JASS 5）。

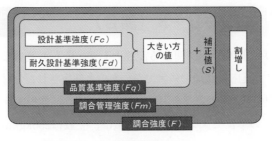

④ ✕ コンクリートの**調合強度**は調合管理強度（F_m）に、強度のばらつきを考慮して定めるが、その際に使用するコンクリートの圧縮強度の**標準偏差**は、コンクリート工場に実績がない場合、2.5N/m㎡または0.1F_mの**大きい方**の値とする。

正解 4

構造体コンクリートの調合に関する記述として、最も不適当なものはどれか。

① アルカリシリカ反応性試験で無害でないものと判定された骨材であっても、コンクリート中のアルカリ総量を3.0kg/㎥以下とすれば使用することができる。

② コンクリートの単位セメント量の最小値は、一般に250kg/㎥とする。

③ 細骨材率が大きくなると、所定のスランプを得るのに必要な単位セメント量及び単位水量は大きくなる。

④ 水セメント比を小さくすると、コンクリート表面からの塩化物イオンの浸透に対する抵抗性を高めることができる。

解説 ➡テキスト **第3-1編** **8-1**

① ○ **アルカリシリカ反応性試験**とは、コンクリートに使用されている骨材のアルカリシリカ反応をみるもので、無害であれば問題ないが、「無害でない」と判定された骨材でも、コンクリート中の**アルカリ総量**を3.0kg/㎥以下とするなどの抑制対策を実施すれば、コンクリートに使用することができる。

② × **単位セメント量**は、ひび割れ防止の観点からは、できるだけ小さくすることが望ましいが、過小であるとワーカビリティーが悪くなり、耐久性の低下などさまざまな弊害が出るため、下限として最小値を定めている。**単位セメント量の最小値**は、普通コンクリートの場合は270kg/㎥である。

③ ○ **細骨材率**とは、骨材量（細骨材＋粗骨材）に対する細骨材量の割合のことで、**絶対容積**の割合で表す。

$$細骨材率＝\frac{細骨材の絶対容積}{細骨材の絶対容積＋粗骨材の絶対容積}×100（\%）$$

細骨材率は**過大**であると、**流動性が悪く**なり、**乾燥収縮**が大きくなる。また、所要のスランプを得るための**単位水量**が大きくなり、単位セメント量も多くなる。そのため、所定の品質が得られる範囲内で、細骨材率はできるだけ**小さく**する。ただし、**過小**だと、粗骨材が**分離**しやすく、バサバサのコンクリートになることに注意する。

④ ○ 海水や潮風に含まれる**塩化物イオン**がコンクリート内部に浸透し、鉄筋を腐食させるおそれがある。そのため、かぶり厚さを厚くする、水セメント比を小さくして**密実**なコンクリートとするなどの対策が必要になる。

正解 2

コンクリート（調合）

コンクリートの調合に関する記述として、最も不適当なものはどれか。

① AE剤、AE減水剤又は高性能AE減水剤を用いる普通コンクリートについては、調合を定める場合の空気量を4.5％とする。

② 構造体強度補正値は、セメントの種類及びコンクリートの打込みから材齢28日までの期間の予想平均気温の範囲に応じて定める。

③ コンクリートの調合管理強度は、品質基準強度に構造体強度補正値を加えたものである。

④ 単位セメント量が過小のコンクリートは、水密性、耐久性が低下するが、ワーカビリティーはよくなる。

解説 ━━━━━━━━━━━━━━ ➡テキスト 第3-1編 8-1

① ○ **空気量**が増えると、コンクリートのワーカビリティーが改善し、耐久性、凍結融解に対する抵抗性は増加するが、空気量が1％増えれば強度が4〜6％低下するため、普通コンクリートで4.5％を標準とする。

② ○ **構造体強度補正値**（S値）は、構造体コンクリートと供試体との強度差、および気温によるコンクリート強度の補正を考慮したコンクリートの**調合管理強度**を決めるにあたっての補正値である。普通コンクリートの場合、次表のように「コンクリートの打込みから材齢28日までの**予想平均気温**」の範囲に応じて決められる。

普通ポルトランドセメント	コンクリートの打込みから材齢28日までの予想平均気温(θ)の範囲	
	$8℃ \leq \theta$	$0℃ \leq \theta < 8℃,\ 25℃ < \theta$
構造体強度補正値（S）	3 N/㎟	6 N/㎟

③ ○ **調合管理強度**は、コンクリートの**品質基準強度**と**構造体強度補正値**（S）の合計によって算出する。調合管理強度とは、構造体コンクリートの強度が、品質基準強度を満足するようにコンクリートの調合を定めるにあたり、**標準養生**された供試体が満足しなければならない圧縮強度のことである。

④ × **単位セメント量**は、水和熱および乾燥収縮によるひび割れを防止するために、できるだけ小さくすることが望ましい。しかし、単位セメント量が**過小**であると、**ワーカビリティー**が悪くなり、型枠内への**充填性の低下**、豆板（じゃんか）や巣、打継部の不具合、水密性・耐久性の**低下**などを招きやすい。

正解 4

コンクリートの調合に関する記述として、最も不適当なものはどれか。

① 普通コンクリートに再生骨材Hを用いる場合の水セメント比の最大値は、60%とする。

② コンクリートの調合強度を定める際に使用するコンクリートの圧縮強度の標準偏差は、コンクリート工場に実績がない場合、1.5N/㎟とする。

③ 単位水量は、185kg/㎥以下とし、コンクリートの品質が得られる範囲内で、できるだけ小さくする。

④ 高強度コンクリートに含まれる塩化物量は、塩化物イオン量として0.30kg/㎥以下とする。

解 説 ··· ➡テキスト／ **第3-1編** **8-1**

① ○ 普通コンクリートに**再生骨材H**を用いる場合、一般の場合と同程度の圧縮強度を得るためには、水セメント比を若干小さくする必要があるため、水セメント比の最大値は60%とする（公共建築工事標準仕様書・建築工事監理指針）。

② × コンクリートの調合強度は**調合管理強度**（F_m）に、強度の**ばらつき**を考慮して定めるが、その際に使用するコンクリートの圧縮強度の**標準偏差**は、コンクリート工場に実績がない場合、**2.5N/㎟**または**0.1 F_m**の大きい方の値とする。

③ ○ **単位水量**が大きくなると、コンクリートの分離、ブリーディング、打込み後の沈降などが大きくなったり、乾燥収縮ひび割れが生じやすくなって、水密性・耐久性が低下するため、次のように最大値が決められている。

コンクリートの種類	単位水量の最大値
普通・軽量	185kg/㎥以下
高流動・高強度	175kg/㎥以下

④ ○ 高強度コンクリートに含まれる**塩化物量**は、一般と同様に、塩化物イオン量として0.30kg/㎥以下とする。

正解 2

MEMO

普通コンクリートの調合に関する記述として、不適当なものを2つ選べ。

① 粗骨材は、偏平なものを用いるほうが、球形に近い骨材を用いるよりもワーカビリティーがよい。

② AE剤、AE減水剤又は高性能AE減水剤を用いる場合、調合を定める際の空気量を4.5%とする。

③ アルカリシリカ反応性試験で無害でないものと判定された骨材であっても、コンクリート中のアルカリ総量を3.0kg/㎥以下とすれば使用することができる。

④ 調合管理強度は、品質基準強度に構造体強度補正値を加えたものである。

⑤ 調合管理強度が21N/㎟のスランプは、一般に21cmとする。

解説 .... →テキスト 第3-1編 8-1

① ✕ 粗骨材の形は、**球形に近いもの**が理想的で、扁平、細長のもの、かど立っているものなどは、コンクリートのワーカビリティーを悪くする（建築工事監理指針）。

② 〇 **空気量**が増えると、コンクリートのワーカビリティーが改善し、耐久性、凍結融解に対する抵抗性は増加するが、空気量が1％増えれば強度が4～6％低下するため、普通コンクリートで4.5％を標準とする。

③ 〇 **アルカリシリカ反応性試験**とは、コンクリートに使用されている骨材のアルカリシリカ反応をみるもので、無害であれば問題ないが、「無害でない」と判定された骨材でも、コンクリート中の**アルカリ総量**を3.0kg/㎥以下とするなどの抑制対策を実施すれば、コンクリートに使用することができる。

④ 〇 コンクリートの**調合管理強度**（Fm）は、コンクリートの品質基準強度（Fq）と構造体強度補正値（S）の合計によって算出する。ここで、調合管理強度とは、**標準養生**された供試体が満足しなければならない圧縮強度のことである。構造体強度補正値（S）とは、構造体コンクリートと供試体強度との差、および気温によるコンクリート強度の補正を考慮した補正値である（JASS 5）。

⑤ ✕ スランプの最大値は、調合管理強度が21N/㎟の普通コンクリートの場合のスランプは、18cm以下であるので、21cmは不適当である。

調合管理強度	スランプ値
33 N /㎟未満	**18cm以下**
33 N /㎟以上	21cm以下

正解 1、5

コンクリートの運搬及び打込みに関する記述として、最も不適当なものはどれか。

① 粗骨材の最大寸法が25㎜の普通コンクリートを圧送する場合の輸送管の呼び寸法は、100A以上とする。

② コンクリートの圧送に先立ち圧送される先送りモルタルは、品質を低下させるおそれがあるので、型枠内には打ち込まない。

③ マスコンクリートの荷卸し時のコンクリート温度は、原則として、40℃以下となるようにする。

④ 高性能AE減水剤を用いた高強度コンクリートの練混ぜから打込み終了までの時間は、外気温にかかわらず、原則として、120分を限度とする。

解説 ....➡ テキスト **第3-1編** **8-2**

① ○ 粗骨材の最大寸法に対する輸送管の呼び寸法は次表による。したがって、**粗骨材の最大寸法が25㎜の場合、輸送管の呼び寸法は100A以上とする。**

粗骨材の最大寸法（mm）	輸送管の呼び寸法（mm）
20	100A以上
25	
40	125A 以上

② ○ 圧送に先立ち、富調合の**先送りモルタル**を圧送して配管内面の潤滑性を付与し、コンクリートの品質変化を防止するが、原則として型枠内に打ち込まず**廃棄**する。

③ ✕ 「**マスコンクリート**」は、荷卸し時のコンクリート温度が高いほど、内部の温度上昇が速く、最高温度も高くなるため、温度ひび割れ、コールドジョイントなどの問題が生じやすい。このため、荷卸し温度は、できるだけ低い方が望ましく、特記のない場合の**温度上限は35℃**とする。

④ ○ 「**高強度コンクリート**」及び「**高流動コンクリート**」の練混ぜから打込み終了までの時間は、高性能AE減水剤による凝結遅延効果により、**一律120分以内**とする。なお、普通コンクリートの場合は、外気温が25℃未満のときは120分、25℃以上のときは90分である。

正解 3

コンクリートの運搬及び打込みに関する記述として、最も不適当なものはどれか。

① 暑中コンクリートの荷卸し時のコンクリート温度は、40℃以下とした。

② コンクリートの圧送負荷の算定に用いるベント管の水平換算長さは、ベント管の実長の3倍とした。

③ コンクリート内部振動機（棒形振動機）による締固めにおいて、加振時間を1箇所当たり10秒程度とした。

④ 外気温が25℃を超えていたため、練混ぜ開始から打込み終了までの時間を90分以内とした。

解説 .... ➡テキスト 第3-1編 8-2

① ✕ **暑中コンクリート**において、荷卸し時のコンクリート温度は**35℃以下**とする。コンクリート温度が高くなると、コールドジョイントが発生しやすく、また、冷却に伴う容積変化が大きくなり、ひび割れが発生しやすくなるので、荷卸し時のコンクリート温度はできるだけ低く抑える。

② 〇 コンクリートポンプに加わる**圧送負荷**の算定に用いる配管長さは、**ベント管**の水平換算長さは実長の3倍、テーパー管・フレキシブルホースは実長の2倍とする（JASS 5）。

③ 〇 **コンクリート内部振動機（棒形振動機）**は、打込み各層ごとに、その下層に振動機の先端が入るように、**挿入間隔は60cm以下**で挿入し、加振時間は5〜15秒程度で、コンクリート表面にセメントペーストが浮くまでとする。

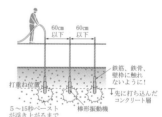

棒形振動機

④ 〇 コンクリートの「**練混ぜから打込み終了まで**」の時間は、外気温が25℃未満のときは120分以内、25℃以上のときは90分以内とする。

気温と各作業の時間の限度

気温 ＼ 作業	練り混ぜから打込み終了までの時間	打重ね時間
25℃未満	120分以内	150分以内
25℃以上	90分以内	120分以内

正解 1

コンクリート（運搬等）

コンクリートの運搬及び打込みに関する記述として、最も不適当なものはどれか。

① 高性能AE減水剤を用いた高強度コンクリートの練混ぜから打込み終了までの時間は、原則として、120分を限度とする。

② 普通コンクリートを圧送する場合、輸送管の呼び寸法は、粗骨材の最大寸法の2倍とする。

③ コンクリート棒形振動機の加振は、セメントペーストが浮き上がるまでとする。

④ 打継ぎ面への打込みは、レイタンスを高圧水洗により取り除き、健全なコンクリートを露出させてから行うものとする。

解説 ➡テキスト 第3-1編 8-2

① ○「高強度コンクリート」及び「高流動コンクリート」の練混ぜから打込み終了までの時間は、**高性能AE減水剤による凝結遅延効果**により、**一律120分以内**とする。なお、普通コンクリートの場合は、外気温が25℃未満のときは120分、25℃以上のときは90分である。

② ✕ 粗骨材の最大寸法に対する輸送管の呼び寸法は次表による。したがって、**粗骨材の最大寸法が25mm以下の場合、輸送管の呼び寸法を100A以上**とする。

粗骨材の最大寸法（mm）	輸送管の呼び寸法（mm）
20	100A以上
25	
40	125A以上

③ ○ **コンクリート棒形振動機**（内部振動機）は、コールドジョイントを防止するため、打込み各層ごとに、先行して打ち込んだ下の層に振動機の先端が入るようにほぼ垂直に挿入する。振動機の**挿入間隔は60cm以下**、振動時間はコンクリートの表面に**セメントペーストが浮き上がるまで**とし、1カ所5～15秒の範囲とする。

④ ○ コンクリートの**打継ぎ面**は、**レイタンス**、ぜい弱なコンクリートなどを高圧水洗やワイヤーブラシがけにより取り除き、**健全なコンクリートを露出**させて、新たに打ち込むコンクリートと一体となるように処置する。また、打継ぎ面は、散水などにより湿潤状態とする。

正解 2

コンクリートの運搬、打込み及び締固めに関する記述として、最も不適当なものはどれか。

① 外気温が25℃を超えていたため、練混ぜ開始から打込み終了までの時間を90分以内とした。

② コンクリートの圧送開始前に圧送するモルタルは、型枠内に打ち込まないが、富調合のものとした。

③ コンクリート内部振動機（棒形振動機）による締固めにおいて、加振時間を1箇所当たり60秒程度とした。

④ 同一区画のコンクリート打込み時における打重ねは、先に打ち込まれたコンクリートの再振動可能時間以内に行った。

解説 .... ➡テキスト **第3-1編** **8-2**

① 〇 外気温が**25℃以上**の場合、コンクリートの**練混ぜから打込み終了**までの時間は90分以内とし、25℃未満の場合は120分以内とする。

② 〇 **先送りモルタル**は、配管の水密性や潤滑性の確保のために、**富調合**のモルタルを圧送する。型枠内には打ち込まず、全て**破棄**する。

③ ✕ **コンクリート内部振動機（棒形振動機）**は、打込み各層ごとに、その下層に振動機の先端が入るように、挿入間隔は**60cm以下**で挿入し、加振時間は**5～15秒**程度で、コンクリート表面にセメントペーストが浮くまでとする。

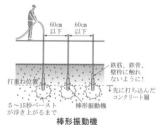

④ 〇 コンクリートの**打重ね**は、先に打ち込まれたコンクリートの再振動可能な時間以内とし、外気温が25℃未満の場合は150分以内、25℃以上の場合は120分以内とする。

気温と各作業の時間の限度

気温＼作業	練り混ぜから打込み終了までの時間	打重ね時間
25℃未満	120分以内	150分以内
25℃以上	90分以内	120分以内

正解 3

コンクリート（運搬等）

コンクリートの運搬、打込み及び締固めに関する記述として、最も不適当なものはどれか。

① コンクリートの圧送開始前に圧送するモルタルは、型枠内に打ち込まないが、富調合のものとした。

② 圧送するコンクリートの粗骨材の最大寸法が20mmのため、呼び寸法100Aの輸送管を使用した。

③ コンクリート棒形振動機の加振は、セメントペーストが浮き上がるまでとした。

④ 外気温が25℃を超えていたため、練混ぜ開始から打込み終了までの時間を120分以内とした。

解説 ┈┈┈┈┈┈┈┈┈┈┈┈┈┈┈┈┈┈┈┈┈┈┈┈ ➡テキスト 第3-1編 8-2

① ○ **先送りモルタル**は、配管の水密性や潤滑性の確保のために、富調合のモルタルを圧送する。型枠内には打ち込まず、全て**破棄**する。

② ○ 粗骨材の最大寸法に対する輸送管の呼び寸法は次表による。したがって、粗骨材の最大寸法が20mmの場合、輸送管の呼び寸法は100A以上とする。

粗骨材の最大寸法（mm）	輸送管の呼び寸法（mm）
20	100A以上
25	
40	125A以上

③ ○ **コンクリート棒形振動機（内部振動機）**は、コールドジョイントを防止するため、打込み各層ごとに、先行して打ち込んだ下の層に振動機の先端が入るようにほぼ垂直に挿入する。振動機の挿入間隔は60cm以下、振動時間は**コンクリートの表面にセメントペーストが浮き上がるまで**とし、1カ所5～15秒の範囲とする。

④ ✗ 外気温が25℃以上の場合、コンクリートの**練混ぜから打込み終了までの時間**は90分以内とし、25℃未満の場合は120分以内とする。

気温と各作業の時間の限度

気温　＼　作業	練り混ぜから打込み終了までの時間	打重ね時間
25℃未満	120分以内	150分以内
25℃以上	90分以内	120分以内

正解 4

コンクリート（養生）

コンクリートの養生に関する記述として、最も不適当なものはどれか。

① 湿潤養生を打ち切ることができる圧縮強度は、早強ポルトランドセメントと普通ポルトランドセメントでは同じである。

② 寒中コンクリートの初期養生の期間は、圧縮強度が5N/㎟に達するまでとする。

③ 暑中コンクリートの湿潤養生の開始時期は、コンクリート上面においてはブリーディング水が消失した時点とする。

④ コンクリート温度が2℃を下らないように養生しなければならない期間は、コンクリート打込み後2日間である。

解説 ➡テキスト / 第3-1編 / 8-2

① ○ コンクリートの圧縮強度による湿潤養生期間は、原則として10N/㎟以上に達したことが確認されるまでである。この数値はセメントの種類による違いはない。

② ○ **寒中コンクリートの初期養生**の期間は、打ち込まれたコンクリートで圧縮強度5N/㎟が得られるまでとし、これに達すると施工中に考えられる数回の凍結融解に耐えるようになり、**初期凍害**を受けるおそれがなくなる。

③ ○ コンクリート打設後は乾燥に注意を払い、湿潤状態を保つこと（**湿潤養生**）が重要である。コンクリート上面は、ブリーディング水が消失すると乾燥の影響を受けるので、この時期から湿潤養生を開始する。

④ × 養生中にコンクリートが**凍結**すると品質が著しく低下するので、外気温の低い寒冷期においてはコンクリートを寒気から保護し、打込み後5日間以上はコンクリートの温度を2℃以上に保つ。なお、早強ポルトランドセメントを用いる場合は、強度発現が早いので3日間以上としてよい。

正解 **4**

MEMO

コンクリート（養生）

コンクリートの養生に関する記述として、最も不適当なものはどれか。ただし、計画供用期間を指定する場合の級は標準とする。

① 連続的に散水を行って水分を供給する方法による湿潤養生は、コンクリートの凝結が終了した後に行う。

② 普通ポルトランドセメントを用いたコンクリートの打込み後5日間は、乾燥、振動等によって凝結及び硬化が妨げられないように養生する。

③ 湿潤養生の期間は、早強ポルトランドセメントを用いたコンクリートの場合は、普通ポルトランドセメントを用いた場合より短くすることができる。

④ 普通ポルトランドセメントを用いた厚さ18cm以上のコンクリート部材においては、コンクリートの圧縮強度が5N/m㎡以上に達したことを確認すれば、以降の湿潤養生を打ち切ることができる。

解説 ・・・・・・・・・・・・・・・・・・・・・・・・・・・・・・・・・・・・・・・ → テキスト 第3-1編 8-2

① ○ コンクリートの**湿潤養生**には、以下の方法がある。

❶ 養生マット、水密シートなどの被覆による「水分維持」

❷ 散水又は噴霧による「水分供給」

❸ 膜養生や浸透性養生剤の塗布による「水分逸散防止」

❶はコンクリート打設時の仕上げ後、❷はコンクリート凝結終了後、❸はコンクリートのブリーディング終了後に行う必要がある。設問は、❷に該当する。

② ○ コンクリートの打込み中及び打込み後5日間は、**乾燥、振動等によって凝結及び硬化が妨げられないように養生**しなければならない（基準法施行令75条）。

③ ○ **湿潤養生**の期間は、次表のように計画供用期間の級に応じる。したがって、早強ポルトランドセメントを用いたコンクリートの場合は、普通ポルトランドセメントを用いた場合より短くすることができる。

湿潤養生の期間

セメントの種類 計画供用期間の級	コンクリート材齢		
	早強	普通	中庸熱・低熱 混合B種
短期・標準	3日	5日	7日
長期・超長期	5日	7日	10日

④ ✕ コンクリート部分の厚さが18cm以上の部材において、ポルトランドセメントを用いる場合は、下表のようにコンクリートの圧縮強度が**10N/㎟以上**に達したことを確認すれば、以降の**湿潤養生**を打ち切ることができる。5N/㎟以上では不足である。

計画共用期間の級 セメントの種類	短期 標準	長期 超長期
ポルトランドセメント （早強、普通、中庸熱）	圧縮強度 10N/㎟以上	圧縮強度 15N/㎟以上

正解 4

コンクリートの養生に関する記述として、不適当なものを2つ選べ。ただし、計画供用期間の級は標準とする。

① 打込み後のコンクリートが透水性の小さいせき板で保護されている場合は、湿潤養生と考えてもよい。

② コンクリートの圧縮強度による場合、柱のせき板の最小存置期間は、圧縮強度が3N/m㎡に達するまでとする。

③ 普通ポルトランドセメントを用いた厚さ18cm以上のコンクリート部材においては、コンクリートの圧縮強度が10N/m㎡以上になれば、以降の湿潤養生を打ち切ることができる。

④ コンクリート温度が2℃を下回らないように養生しなければならない期間は、コンクリート打込み後2日間である。

⑤ 打込み後のコンクリート面が露出している部分に散水や水密シートによる被覆を行うことは、初期養生として有効である。

解説 .... →テキスト 第3-1編 8-2

① ○ 打込み後のコンクリートは、**透水性の小さいせき板**による被覆、養生マットまたは水密シートによる被覆、散水・噴霧、膜養生剤の塗布などにより**湿潤養生**を行う（JASS 5）。つまり、透水性の小さいせき板による被覆は湿潤養生とみなすことができる。

② × 計画供用期間の級が「**短期**」及び「**標準**」の場合、基礎・梁側・柱及び壁のせき板は、平均気温が**10℃以上**であれば存置期間中の平均気温及びセメントの種類によって定まる**日数**、又はコンクリートの圧縮強度が5N/m㎡以上得られた場合のうち、いずれかを満足すればよい（JASS 5）。なお、計画供用期間の級が「長期」及び「超長期」の場合は、コンクリートの圧縮強度が10N/m㎡以上得られなければ取り外すことができない。

③ ○ コンクリート部分の厚さが18cm以上の部材において、ポルトランドセメントを用いる場合は、下表のようにコンクリートの圧縮強度が10N/m㎡以上に達したことを確認すれば、以降の**湿潤養生**を打ち切ることができる。

セメントの種類 計画共用期間の級	短期 標準	長期 超長期
ポルトランドセメント （早強、普通、中庸熱）	圧縮強度 10N/㎟以上	圧縮強度 15N/㎟以上

④ ✕ 養生中にコンクリートが**凍結**すると品質が著しく低下するので、外気温の低い寒冷期においてはコンクリートを寒気から保護し、打込み後**5日**間以上はコンクリートの温度を**2℃以上**に保つ。なお、早強ポルトランドセメントを用いる場合は、強度発現が早いので**3日**間以上としてよい。

⑤ ◯ 打込み後のコンクリートは、透水性の小さいせき板による被覆、養生マット又は**水密シート**による被覆、**散水**又は噴霧、膜養生剤の塗布等により湿潤養生を行う（公共建築工事標準仕様書）。

正解 **2、4**

鉄骨の加工及び組立てに関する記述として、最も不適当なものはどれか。

① 鉄骨鉄筋コンクリート造の最上部柱頭のトッププレートに、コンクリートの充填性を考慮して、空気孔を設けた。

② 高力ボルト接合の摩擦面は、ショットブラストにて処理し、表面あらさは30μmRz以上を確保した。

③ 冷間成形角形鋼管の角部は、大きな冷間塑性加工を受けているので、その部分への組立て溶接を避けた。

④ 半自動溶接を行う箇所の組立て溶接の最小ビード長さは、板厚が12mmだったので、40mmとした。

解説 ……………………………………… ➡テキスト 第3-1編 9-1

① ○ 鉄骨鉄筋コンクリート造の最上部柱頭のトッププレートなどには、コンクリートの充填性を考慮して**空気孔**を設置する。

② ✕ 高力ボルト接合部の摩擦面は、**すべり係数**が**0.45以上**確保できるように**赤錆状態**にするか、**ブラスト処理**（細かな鋼球等を吹き付けて摩擦面をつくる処理。ショットブラストなど）し、**表面の粗さで50μmRz（マイクロメーターアールゼット）以上**を確保する。

③ ○ **冷間成形角形鋼管（BCP）の角部**は、**塑性変形**によって成形されており、加工硬化等の現象により**強度は高くなる**が、**塑性変形能力は低くなる**。このような、大きな冷間塑性加工を受けた箇所への組立て溶接は避けなければならない。

④ ○ 組立て溶接は、部材の形状を保持し、組立て溶接が割れないように、下表に示す**最小ビード長さ以上**で、かつ、**4mm以上の脚長**をもつビードを適切な間隔（400mm程度）で配置しなければならない。

板厚（部材の厚いほうの板厚）	組立て溶接の最小ビード長さ
6mm以下	30mm以上（50mm）
6mm超	40mm以上（70mm）

※ （ ）内はサブマージアーク溶接、エレクトロスラグ溶接の場合

正解 2

鉄骨工事の溶接に関する記述として、最も不適当なものはどれか。

① 完全溶込み溶接の突合せ継手における余盛りの高さが3㎜であったので、グラインダー仕上げを行わなかった。

② 柱梁接合部の梁端部の溶接は、塑性変形能力が低下しないよう、入熱とパス間温度の管理を特に重点的に行った。

③ クレーンガーダーのエンドタブは、溶接後切除してグラインダーで平滑に仕上げた。

④ 溶接作業場所の気温が−5℃を下回っていたので、溶接部より100㎜の範囲の母材部分を加熱して作業を行った。

解説 ・・・ ➡テキスト **第3-1編** **9-2**

① ○ 完全溶込み溶接の突合せ継手の余盛り高さは0㎜以上で、ビード幅に応じて余盛りの上限が定められている。**最も厳しい突合せ継手の余盛りh**が、0＜h≦3㎜であることから、設問の3㎜は許容範囲内である。

② ○ **溶接入熱が大きく**、かつ、**パス間温度**が高すぎると、溶接金属の強度や衝撃値が低下するなど、**構造的な弱点**となるおそれがある。柱梁接合部の梁端の溶接部のように、**塑性変形能力**が期待される部位の溶接を行う場合には、この「入熱」と「パス間温度」の管理が特に重要である。

③ ○ **クレーンガーダー**などのように**高サイクル疲労荷重**が作用する箇所では、突合せ継手の鋼製エンドタブは、溶接後切除して母材表面まで**平滑**に仕上げなければならない（鉄骨工事技術指針・工事現場施工編）。

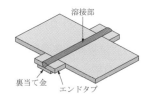
溶接部
裏当て金　エンドタブ

④ × 気温が−5℃を下回る場合には、**溶接を行ってはならない**。気温が−5℃から5℃においては、**接合部より100㎜の範囲**の母材部分を適切に加熱（ウォームアップ）して溶接する。

正解 4

鉄骨工事の溶接に関する記述として、最も不適当なものはどれか。

① 現場溶接において、風速が5 m/sであったため、ガスシールドアーク半自動溶接の防風処置を行わなかった。

② 490N/㎜級の鋼材の組立て溶接を被覆アーク溶接で行うため、低水素系溶接棒を使用した。

③ 溶接部の表面割れは、割れの範囲を確認したうえで、その両端から50㎜以上溶接部をはつり取り、補修溶接した。

④ 完全溶込み溶接の突合せ継手における余盛りの高さが3㎜であったため、グラインダー仕上げを行わなかった。

解 説 ....→テキスト **第3-1編** **9-2**

① × **ガスシールドアーク溶接**は、適切な**防風処置**を講じた場合を除き、風速が2 m/s以上ある場合には、溶接を行ってはならない。したがって、風速が5 m/sの場合、防風処置を行わないでガスシールドアーク半自動溶接を行うことは不適当である。

② ○ 400N/㎜級などの軟鋼で**板厚25㎜以上の鋼材**、及び**490N/㎜級以上**の高張力鋼の組立て溶接を被覆アーク溶接で行う場合には、**低水素系の溶接棒**を使用する。これは、水素量が多い溶接棒を使用すると、溶接金属中の水素量の増加により、溶接割れ（低温割れ）を生じやすいからであり、高張力鋼ほど顕著である（JASS 6）。

③ ○ 溶接部の**表面割れ**は、割れの範囲を確認した上で、その両端から**50㎜以上は**つり取って、舟底型の形状に仕上げてから補修溶接する（同上）。なお、溶込み不良、ブローホール、スラグ巻込みは位置を確認し、欠陥端部より20㎜程度余分に除去し、舟底型の形状に仕上げて再溶接する。

④ ○ 完全溶込み溶接の突合せ継手の余盛り高さは0㎜以上で、ビード幅に応じて余盛りの上限が定められている。**最も厳しい突合せ継手の余盛りhが、0＜h≦3㎜であることから、設問の3㎜は許容範囲内である。

正解 **1**

鉄骨の溶接に関する記述として、最も不適当なものはどれか。

① 溶接部の表面割れは、割れの範囲を確認したうえで、その両端から50mm以上溶接部を斫り取り、補修溶接した。

② 完全溶込み溶接の突合せ継手における余盛りの高さが3mmであったため、グラインダ仕上げを行わなかった。

③ 一般に自動溶接と呼ばれているサブマージアーク溶接を行うに当たり、溶接中の状況判断とその対応はオペレータが行った。

④ 溶接作業場所の気温が－5℃を下回っていたため、溶接部より100mmの範囲の母材部分を加熱して作業を行った。

解　説 ‥‥‥‥‥‥‥‥‥‥‥‥‥‥‥‥‥‥‥‥‥‥‥ →テキスト **第3-1編** **9-2**

① ○ 溶接部の**表面割れ**は、割れの範囲を確認した上で、その両端から50mm以上斫り取って、舟底型の形状に仕上げてから補修溶接する。なお、溶込み不良、ブローホール、スラグ巻込みは位置を確認し、欠陥端部より20mm程度余分に除去し、舟底型の形状に仕上げて再溶接する。

② ○ 完全溶込み溶接の突合せ継手の余盛り高さは0mm以上で、ビード幅に応じて余盛りの上限が定められている。**最も厳しい突合せ継手の余盛りhが、0＜h ≦3mm**であることから、設問の3mmは許容範囲内である。

③ ○ **サブマージアーク溶接**は、自動溶接の1つであるが、溶接状況の監視、微妙な溶接条件の調整や機械の調節は、**オペレータ**による操作が必要である。

④ × 気温が－5℃を下回る場合には、**溶接を行ってはならない。気温が－5～ ＋5℃**においては、**接合部より100mmの範囲**の母材部分を適切に加熱（ウォームアップ）して溶接する。

正解 **4**

鉄骨の溶接に関する記述として、不適当なものを2つ選べ。

① 溶接部の表面割れは、割れの範囲を確認した上で、その両端から50mm以上溶接部を斫り取り、補修溶接した。

② 裏当て金は、母材と同等の鋼種の平鋼を用いた。

③ 溶接接合の突合せ継手の食い違いの許容差は、鋼材の厚みにかかわらず同じ値とした。

④ 490N/m㎡級の鋼材の組立て溶接を被覆アーク溶接で行うため、低水素系溶接棒を使用した。

⑤ 溶接作業場所の気温が−5℃を下回っていたため、溶接部より100mmの範囲の母材部分を加熱して作業を行った。

解説 ➡テキスト 第3-1編 **9-2**

① ○ 溶接部の**表面割れ**は、割れの範囲を確認した上で、その両端から50mm以上斫り取って、舟底型の形状に仕上げてから補修溶接する。なお、溶込み不良、ブローホール、スラグ巻込みは位置を確認し、欠陥端部より20mm程度余分に除去し、舟底型の形状に仕上げて再溶接する。

② ○ **裏当て金**は、490N/m㎡級以下の場合は原則として、母材と同等の鋼種とし、厚み9mmの平鋼を用いる（建築工事監理指針）。

③ × 溶接接合の突合せ継手の**食い違いの許容差**は、次の表のとおりである。したがって、鋼材の厚みにより異なる値となる。

	管理許容差	限界許容差
$t=\min(t_1, t_2)$	$t \leqq 15mm$ 　$\ell \leqq 1mm$ $t > 15mm$ 　$\ell \leqq \dfrac{t}{15}$ かつ $\ell \leqq 2mm$	$t \leqq 15mm$ 　$\ell \leqq 1.5mm$ $t > 15mm$ 　$\ell \leqq \dfrac{t}{10}$ かつ $\ell \leqq 3mm$

④ ○ 400N/m㎡級などの軟鋼で**板厚25mm以上**の鋼材、及び**490N/m㎡級以上の高張力鋼**の組立て溶接を被覆アーク溶接で行う場合には、低水素系の溶接棒を使用する。これは、水素量が多い溶接棒を使用すると、溶接金属中の水素量の増加

により、溶接割れ（低温割れ）を生じやすいからであり、高張力鋼ほど顕著である（JASS 6）。

⑤ ✕ 気温が−5℃を下回る場合には、溶接を行ってはならない。気温が−5〜＋5℃においては、接合部より100mmの範囲の母材部分を適切に**加熱（ウォームアップ）**して溶接する。

正解 **3、5**

大空間鉄骨架構の建方に関する記述として、最も不適当なものはどれか。

① 総足場工法は、必要な高さまで足場を組み立てて、作業用の構台を全域にわたり設置し、架構を構築する工法である。

② スライド工法は、作業構台上で所定の部分の屋根鉄骨を組み立てたのち、そのユニットを所定位置まで順次滑動横引きしていき、最終的に架構全体を構築する工法である。

③ 移動構台工法は、移動構台上で所定の部分の屋根鉄骨を組み立てたのち、構台を移動させ、順次架構を構築していく工法である。

④ リフトアップ工法は、地組みした所定の大きさのブロックをクレーン等で吊り上げて架構を構築する工法である。

解 説 ⋯⋯⋯⋯⋯⋯⋯⋯⋯⋯⋯⋯⋯⋯⋯⋯⋯⋯⋯➡テキスト 第3-1編 9-4

① 〇 総足場工法は、鉄骨建方作業及び鉄骨架構の支持に必要な高さまで**全域にわ**たって**足場（ステージ）**を組み立てて、足場上で鉄骨架構を構築する工法である。

② 〇 スライド工法は、作業構台（組立て用ステージ）上で所定の範囲の屋根鉄骨をユニットとして組み立て、ウィンチ等にて**ユニット**を所定位置まで**水平移動**させたあとに次のユニットを組み立て、ユニット相互を接合して、架構全体を構築する工法である。

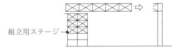

組立用ステージ

③ 〇 移動構台工法は、移動構台上で所定の範囲の**屋根鉄骨**を組み立てたのち、**構台を移動**させて次の範囲の屋根鉄骨を組み立てて、順次架構を構築していく工法である。

④ ✕ リフトアップ工法は、あらかじめ地上で組み立てた大スパン構造の屋根架構を油圧ジャッキ又は吊上げ装置を用いて、所定の高さまで吊り上げ、又は**押し上げ**る方式である（鉄骨工事技術指針）。設問の、「地組みしたブロックをクレーン等で吊り上げて架構を構築する工法」は、**（地組）ブロック工法**である（建築技術 2017.04）。

吊上げ装置

正解 4

<u>MEMO</u>

鉄骨構造（建方）

鉄骨の建方に関する記述として、最も不適当なものはどれか。

① スパン間の計測寸法が正規より小さい場合は、ワイヤによる建入れ直しの前に、梁の接合部のクリアランスへのくさびの打込み等により押し広げてスパンを調整する。

② 柱の溶接継手のエレクションピースに使用する仮ボルトは、普通ボルトを使用して全数締め付ける。

③ 梁のフランジを溶接接合、ウェブを高力ボルト接合とする工事現場での混用接合は、原則として高力ボルトを先に締め付け、その後溶接を行う。

④ 建方時の予期しない外力に備えて、1日の建方終了ごとに所定の補強ワイヤを張る。

解 説 ────────────────────── →テキスト 第3-1編 9-4

① ○ 一般にワイヤによる建入れ直しは、スパンを収縮させる方向に働くので、**その前**に各スパンを正規の寸法に直す**スパン調整作業**を行う。計測寸法が正規より小さい場合は、梁の接合部のクリアランスへの**くさび**の打込み等により**押し広げて**スパンを調整する（鉄骨工事技術指針〈工事現場施工編〉）。

② ✕ 柱同士を溶接継手とする場合、仮接合のために**エレクションピース**などを用いるが、この時に用いる**仮ボルト**は、**高力ボルト**を使用して、全数締め付ける。したがって、普通ボルトを使うのは不適当である。なお、一般的な高力ボルト継手、及び混合接合・併用継手の仮ボルトのポイントを以下の表に示す。

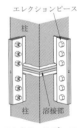

エレクションピース

柱

柱　溶接部

エレクションピース

【仮ボルトの材種・本数】

継手の種類	仮ボルトの材種	本　数
高力ボルト	普通ボルト（中ボルト）	1 / 3・2本以上
混用接合・併用継手		1 / 2・2本以上
エレクションピース	高力ボルト	全数

③ ○ 鉄骨のウェブを高力ボルト接合、フランジを溶
接接合とするなどの「**混用接合（継手）**」は、原
則として、**高力ボルトを先に締め付け、その後溶
接**を行う。先に溶接を行うと、溶接変形により摩
擦面の密着度が下がったり、ウェブの孔がずれて
高力ボルトが通りにくくなるなどの可能性があ
る。

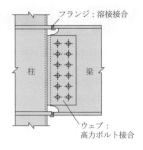

フランジ：溶接接合

柱　　　梁

ウェブ：
高力ボルト接合

④ ○ 風荷重などの建方時の予期しない外力に備えて、補強ワイヤ・筋かいな
どによる**補強作業は必ず建方当日に行い**、翌日に持ち越してはならない。

正解 **2**

大空間鉄骨架構の建方に関する記述として、最も不適当なものはどれか。

① スライド工法は、移動構台上で所定の部分の屋根鉄骨を組み立てた後、構台を移動させ、順次架構を構築する工法である。

② 総足場工法は、必要な高さまで足場を組み立てて、作業用の構台を全域にわたり設置し、架構を構築する工法である。

③ リフトアップ工法は、地上又は構台上で組み立てた屋根架構を、先行して構築した構造体を支えとして、ジャッキ等により引き上げていく工法である。

④ ブロック工法は、地組みした所定の大きさのブロックを、クレーン等で吊り上げて架構を構築する工法である。

解説 ⋯⋯⋯⋯⋯⋯⋯⋯⋯⋯⋯⋯⋯⋯⋯⋯⋯⋯⋯⋯⋯ →テキスト / 第3-1編 / 9-4

① **×** スライド工法は、作業構台（組立て用ステージ）上で所定の範囲の屋根鉄骨をユニットとして組み立て、ウィンチ等で**ユニット**を所定位置まで**水平移動**させたあとに次のユニットを組み立て、ユニット相互を接合して、架構全体を構築する工法である。設問は**移動構台工法**についての説明である。

組立用ステージ→

② **○** 総足場工法は、鉄骨建方作業及び鉄骨架構の支持に必要な高さまで**全域**にわたって**足場（ステージ）**を組み立てて、足場上で鉄骨架構を構築する工法である。

③ **○** リフトアップ工法は、あらかじめ地上で組み立てた大スパン構造の屋根架構などを、先行して構築した構造体を支えとして、**油圧ジャッキ**又は**吊上げ装置**を用いて、所定の高さまで吊り上げ、又は、押し上げる方式である。

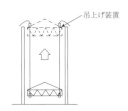

吊上げ装置

④ **○** ブロック工法**(地組ブロック工法)**は、地組みした所定の大きさの**ブロック**を、クレーン等で吊り上げて架構を構築する工法である。

正解 1

鉄骨の建方に関する記述として、最も不適当なものはどれか。

① 架構の倒壊防止用に使用するワイヤーロープは、建入れ直し用に兼用した。

② 建方精度の測定に当たっては、日照による温度の影響を考慮した。

③ 梁のフランジを溶接接合、ウェブを高力ボルト接合とする工事現場での混用接合は、原則として高力ボルトを先に締め付け、その後溶接を行った。

④ 柱の溶接継手のエレクションピースに使用する仮ボルトは、普通ボルトを使用し、全数締め付けた。

解説 ……………………………………………… ➡テキスト 第3-1編 9-4

① 〇 倒壊防止用のワイヤーロープを建入れ直しに兼用してもよい。ただし、**ターンバックル付きの筋交いを有する構造物**は、その筋交いを用いて**建入れ直しを行ってはならない**。

② 〇 工事現場での鉄骨建方の**精度の測定**は、温度による影響を考慮する。日中の**直射日光**が当たる時刻においては、鉄骨が熱膨張するだけでなく、鋼製巻尺、器具などの温度による変動が多くなり、正しい計測ができないため、これらの変動の少なくなる時刻、特に風の少ない曇天時の早朝に計測することが最も望ましい。

③ 〇 鉄骨のウェブを高力ボルト接合、フランジを溶接接合とするなどの「**混用接合（継手）**」は、原則として、**高力ボルトを先に締め付け、その後に溶接**を行う。先に溶接を行うと、溶接変形により摩擦面の密着度が下がったり、ウェブの孔がずれて高力ボルトが通りにくくなるなどの可能性がある。

④ ✕ 柱同士を溶接継手とする場合、仮接合のために**エレクションピース**などを用いるが、このときに用いる**仮ボルト**は、高力ボルトを使用して、**全数締め付ける**。したがって、普通ボルトを使うのは不適当である。

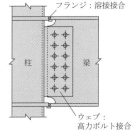

エレクションピース

正解 **4**

大空間鉄骨架構の建方に関する記述として、最も不適当なものはどれか。

① リフトアップ工法は、地組みした所定の大きさのブロックをクレーン等で吊り上げて架構を構築する工法である。

② 総足場工法は、必要な高さまで足場を組み立てて、作業用の構台を全域にわたり設置し、架構を構築する工法である。

③ 移動構台工法は、移動構台上で所定の部分の屋根鉄骨を組み立てた後、構台を移動させ、順次架構を構築する工法である。

④ スライド工法は、作業構台上で所定の部分の屋根鉄骨を組み立てた後、そのユニットを所定位置まで順次滑動横引きしていき、最終的に架構全体を構築する工法である。

解説 →テキスト **第3-1編** **9-4**

① ✕ **リフトアップ工法**は、あらかじめ地上で組み立てた大スパン構造の屋根架構などを、先行して構築した構造体を支えとして、油圧ジャッキ又は吊上げ装置を用いて、所定の高さまで吊り上げ、又は、押し上げる方式である。設問は、ブロック工法についての記述である。

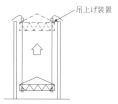
吊上げ装置

② ○ **総足場工法**は、鉄骨建方作業及び鉄骨架構の支持に必要な高さまで全域にわたって足場（ステージ）を組み立てて、足場上で鉄骨架構を構築する工法である。

③ ○ **移動構台工法**は、移動構台上で所定の範囲の屋根鉄骨を組み立てたのち、**構台を移動**させて次の範囲の屋根鉄骨を組み立てて、順次架構を構築していく工法である。

④ ○ **スライド工法**は、作業構台（組立て用ステージ）上で所定の範囲の屋根鉄骨をユニットとして組み立て、ウィンチ等にて所定位置まで**ユニットを**水平移動させたあとに次のユニットを組み立て、ユニット相互を接合して、架構全体を構築する工法である。

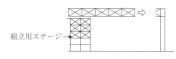
組立用ステージ

正解 **1**

鉄骨構造（建方）

鉄骨の建方に関する記述として、最も不適当なものはどれか。

① 架構の倒壊防止用に使用するワイヤロープは、建入れ直し用に兼用してもよい。

② スパンの寸法誤差が工場寸法検査で計測された各部材の寸法誤差の累積値以内となるよう、建入れ直し前にスパン調整を行う。

③ 建方に先立って施工するベースモルタルは、養生期間を3日間以上とする。

④ 梁のフランジを溶接接合、ウェブをボルトの配列が1列の高力ボルト接合とする混用接合の仮ボルトは、ボルト1群に対して$\frac{1}{3}$程度、かつ、2本以上締め付ける。

解説 ➡テキスト 第3-1編 9-4

① ○ 倒壊防止用のワイヤロープを建入れ直しに兼用してもよい。なお、ターンバックル付きの筋交いを有する構造物は、その筋交いを用いて**建入れ直しを行ってはならない**。

② ○ 一般にワイヤによる建入れ直しは、スパンが短くなる傾向となるため、ボルト接合部のクリアランスに矢を打ち込むか、またはジャッキ等を用いて押し広げて、正規の寸法に直すスパン調整作業を行う。その際には、スパンの寸法誤差が工場寸法検査で計測された**各部材の寸法誤差の累積値以内**となるよう、**建入れ直し前**に調整する（鉄骨工事技術指針工事現場施工編）。

③ ○ **ベースモルタル**は、鉄骨建方までに3日以上の養生期間をとらなければならない。

④ × **混用接合・併用接合**に用いる仮ボルトは中ボルトなどを用い、ボルト1群に対して$\frac{1}{2}$程度、かつ、2本以上をバランスよく配置して締め付ける。

正解 4

高力ボルト接合に関する記述として、最も不適当なものはどれか。

① ねじの呼びがM22のトルシア形高力ボルトの長さは、締付け長さに35mmを加えた値を標準とした。

② ナット回転法による締付け完了後の検査は、1次締付け後の本締めによるナット回転量が120°±45°の範囲にあるものを合格とした。

③ 摩擦接合面は、すべり係数0.45以上を確保するため、グラインダー処理後、自然発生した赤錆状態を確認した。

④ ねじの呼びがM22の高力ボルトの1次締付けトルク値は、約150N·mとした。

解説 .... →テキスト / 第3-1編 / **9-5**

① ○ ねじの呼びが**M22のトルシア形高力ボルト**の長さは、締付け長さに35mmを加えた値を標準とする。なお、この値はねじの呼びが1サイズ変わるごとに±5mm変わる（M20は30mm、M24は40mm）。

② ✕ **ナット回転法**による高力ボルトの締付け後の検査において、本締付け完了後、全てのボルトについて、1次締付け後に付したマークのずれにより「共回りの有無」等を、目視により検査する。ナットの回転量は、**120°±30°**の範囲にあるものを合格とする。120°±45°ではない。

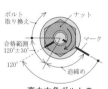

高力六角ボルトの ナットの回転量

③ ○ **高力ボルト接合部の摩擦接合面**は、**すべり係数**が0.45以上確保できるように、**グラインダー処理後**、屋外に自然放置し、表面を**赤錆状態**にする等、十分な表面粗度を得る。

④ ○ 高力ボルトの1次締めトルクは、M16が約100 N·m、M20とM22が約150 N·mとする。なお、この値は溶融亜鉛めっき高力ボルトも同じである。

正解 **2**

高力ボルト接合に関する記述として、最も不適当なものはどれか。

① 締付け後の高力ボルトの余長は、ねじ1山から6山までの範囲であることを確認した。

② ねじの呼びがM22の高力ボルトの1次締付けトルク値は、150N・mとした。

③ ねじの呼びがM20のトルシア形高力ボルトの長さは、締付け長さに20㎜を加えた値を標準とした。

④ 高力ボルトの接合部で肌すきが1㎜を超えたので、フィラープレートを入れた。

解説 ・・・・・・・・・・・・・・・・・・・・・・・・・・・・・・・・・・・・ →テキスト 第3-1編 9-5

① ○ **高力ボルト**の締付け後の検査において、高力ボルトの**余長**は、**ねじ山の出が1～6山**のものを合格とする。これはトルシア形高力ボルトの締付けでも、ナット回転法、トルクコントロール法による高力六角ボルトの締付けでも同様である。

② ○ 高力ボルトの**1次締めトルク**は、M16が約100N・m、M20とM22が約150N・m、M24が約200N・mである。なお、この値は溶融亜鉛めっき高力ボルトも同じである。

ボルトの呼び径	1次締めトルク
M 12	約 50 N・m
M 16	**約 100 N・m**
M 20、M 22	**約 150 N・m**
M 24	約 200 N・m
M 27	約 300 N・m
M 30	約 400 N・m

③ × ねじの呼びがM20の**トルシア形高力ボルト**の長さは、**締付け長さに30㎜**を加えた値を標準とする。なお、この値はねじの呼びが1サイズ変わるごとに±5㎜変わる（M22は35㎜、M24は40㎜）。

④ ○ 高力ボルト接合において、肌すき（鉄骨部材の板厚差等による隙間）が1㎜以下の場合は、フィラープレート（隙間をなくす目的で挿入する鋼板）は不要である。**肌すきが1㎜を超える場合**は、**フィラープレートを挿入**する。なお、その材質は母材の材質にかかわらず、400N/㎜²級の鋼材とする。

肌すき量	処理方法
1㎜以下	処理不要
1㎜を超えるもの	フィラープレート挿入

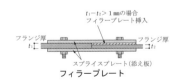

$t_1-t_2 > 1$㎜の場合
フィラープレート挿入
フランジ厚 t_1　フランジ厚 t_2
スプライスプレート（添え板）
フィラープレート

正解 3

高力ボルト接合に関する記述として、最も**不適当**なものはどれか。

① 締付け後の高力ボルトの余長は、ねじ1山から6山までの範囲であることを確認した。

② ねじの呼びがM22のトルシア形高力ボルトの長さは、締付け長さに35mmを加えた値を標準とした。

③ 高力ボルトの接合部で肌すきが1mmを超えたため、フィラープレートを入れた。

④ ナット回転法による締付け完了後の検査は、1次締付け後の本締めによるナット回転量が120°±45°の範囲にあるものを合格とした。

解説 ・・・ ➡テキスト / 第3-1編 9-5

① ◯ 高力ボルトの締付け後の検査において、高力ボルトの**余長**は、**ねじ山の出が**1〜6山のものを合格とする。これはトルシア形高力ボルトの締付けでも、ナット回転法、トルクコントロール法による高力六角ボルトの締付けでも同様である。

② ◯ ねじの呼びが**M22**のトルシア形高力ボルトの長さは、締付け長さに35mmを加えた値を標準とする。なお、この値はねじの呼びが1サイズ変わるごとに±5mm変わる（M20は30mm、M24は40mm）。

③ ◯ 高力ボルト接合において、肌すき（鉄骨部材の板厚差等による隙間）が1mm以下の場合は、フィラープレート（隙間をなくす目的で挿入する鋼板）は不要である。**肌すきが1mmを超える**場合は、**フィラープレート**を挿入する。なお、その材質は母材の材質にかかわらず、400N/mm²級の鋼材とする。

④ ✕ **ナット回転法**による高力ボルトの締付け後の検査において、本締め完了後、全てのボルトについて、1次締付け後に付したマークのずれにより「共回りの有無」等を、目視により検査する。ナットの回転量は、120°±30°の範囲にあるものを合格とする。

正解 4

木造（大断面）

大断面集成材を用いる木造建築物に関する記述として、最も不適当なものはどれか。

① 接合金物のボルトの孔あけ加工の大きさについて、ねじの呼びがM16未満の場合は公称軸径に1㎜を加えたものとし、M16以上の場合は1.5㎜を加えたものとした。

② 大規模な木造架構であったため、全体の建方が完了してからの建入れ修正ができなかったので、建方に並行してブロックごとに建入れ直しを行った。

③ 集成材は、現場搬入から建方まで15日以上要したので、雨がかからないように防水シートで覆いをかけて保管した。

④ 大断面材に設ける標準的なボルト孔の心ずれは、許容誤差を5㎜以内とした。

解 説 .... ➡テキスト **第3-1編** **10-2**

① ○ ボルトの径に応じた**接合金物の孔あけ加工**の大きさは、ボルト等の径が**16㎜未満**の場合はボルトの径に1㎜を加えたものとし、**16㎜以上**の場合は1.5㎜を加えたものとする（木造建築工事標準仕様書）。

② ○ 大規模な木造架構の場合には、建方が全て完了してからでは十分な修正が困難になる場合があるので、建方の進行とともに小区画に区切って**建入れ直し**をしながら建方を進める（大断面木造建築物 設計施工マニュアル）。

③ ○ 集成材を15日以上屋外に保管する場合は、雨がかからないように**防水シート**などで覆いを掛け、湿気がこもらないよう**通風**を確保する（同マニュアル）。

④ × 大断面材に設ける標準的な**ボルト孔の心ずれ**の許容誤差は**2㎜以内**である（同マニュアル）。

正解 **4**

木造建築物に用いる大断面集成材に関する記述として、最も不適当なものはどれか。

① 梁材の曲がりの許容誤差は、長さの$\dfrac{1}{1,000}$とした。

② ボルトの孔の間隔の許容誤差は、±2mmとした。

③ 柱材の長さの許容誤差は、±3mmとした。

④ 集成材にあけるドリフトピンの孔の径の許容誤差は、0mm〜＋2mmとした。

解説 →テキスト 第3-1編 10-2

① ○ 梁の曲がりの許容誤差は、長さの$\dfrac{1}{1,000}$、かつ20mm以下とする（大断面木造建築物 設計施工マニュアル）。

② ○ ボルト孔の間隔のずれの許容誤差は、±2mmとする（同マニュアル）。

③ ○ 柱・梁の長さの許容誤差は、±3mmとする（同マニュアル）。

④ × ドリフトピンは、ドリフトピンと先孔との隙間の存在により構造部に支障をきたす変形を生じさせないことが重要で、**たたき込み**によりピン孔に挿入する。したがって、ドリフトピンと孔径は**同一径**とし、±0mmである（木質構造設計基準、木造建築工事標準仕様書）。

正解 **4**

木造建築物に用いる大断面集成材に関する記述として、最も不適当なものはどれか。

① 材長 4 m の柱材の加工長さは、許容誤差を±3mmとした。

② 集成材にあけるドリフトピンの下孔径は、ドリフトピンの公称軸径に 2 mm を加えたものとした。

③ 集成材にあける標準的なボルト孔の心ずれは、許容誤差を±2mmとした。

④ 接合金物にあけるボルト孔の大きさは、ねじの呼びがM16未満の場合は公称軸径に 1 mm を、M16以上の場合は1.5mmを加えたものとした。

解 説 .... ➡テキスト **第3-1編** **10-2**

① 〇 大断面集成材の**柱・梁の長さ**の許容誤差は±3mmとする。

② ✕ **ドリフトピン**は、ドリフトピンと先孔とのすき間の存在により構造部に支障をきたす変形を生じさせないことが重要で、**たたき込み**によりピン孔に挿入する。したがって、ドリフトピンと孔径は**同一径**、±0mmとする（木質構造設計基準、木造建築工事標準仕様書）。

③ 〇 **ボルト孔の間隔のずれ**（芯ずれ）の許容誤差は±2mmとする。

④ 〇 **接合金物**にあける**ボルトの孔径**は、**径16mm未満**はボルト径＋1mm、**径16mm以上**はボルト径＋1.5mmとする。

正解 **2**

木造（大断面）

大断面集成材を用いた木造建築物に関する記述として、最も不適当なものはどれか。

① 梁材の曲がりの許容誤差は、長さの$\frac{1}{1,000}$とした。

② 集成材にあけるドリフトピンの下孔径は、ドリフトピンの公称軸径に2mmを加えたものとした。

③ 集成材にあける標準的なボルト孔の心ずれは、許容誤差を±2mmとした。

④ 接合金物にあけるボルト孔の大きさは、ねじの呼びがM16未満の場合は公称軸径に1mmを、M16以上の場合は1.5mmを加えたものとした。

解 説 .... →テキスト **第3-1編** **10-2**

① ○ 梁の曲がりの許容誤差は、長さの$\frac{1}{1,000}$、かつ20mm以下とする（大断面木造建築物設計施工マニュアル）。

② × **ドリフトピン**は、ドリフトピンと先孔とのすき間の存在により構造部に支障をきたす変形を生じさせないことが重要で、**たたき込み**によりピン孔に挿入する。したがって、ドリフトピンと孔径は同一径、±0mmとする（木質構造設計基準、木造建築工事標準仕様書）。

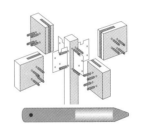

ドリフトピン

③ ○ ボルト孔の**間隔のずれ**（**芯ずれ**）の許容誤差は±2mmとする。

④ ○ **接合金物**にあける**ボルトの孔径**は、径16mm未満はボルト径＋1mm、径16mm以上はボルト径＋1.5mmとする。

正解 **2**

木質軸組構法に関する記述として、最も不適当なものはどれか。

① 1階及び2階の上下同位置に構造用面材の耐力壁を設けるため、胴差し部において、構造用面材相互間に、6㎜のあきを設けた。

② 接合に用いるラグスクリューの締付けは、先孔をあけ、スパナを用いて回しながら行った。

③ 接合金物のボルトの締付けは、座金が木材へ軽くめり込む程度とし、工事中、木材の乾燥収縮により緩んだナットは締め直した。

④ 接合金物のボルトの孔あけは、ねじの呼びにかかわらず公称軸径に1.5㎜を加えたものとした。

解説 ┈┈┈┈┈┈┈┈┈┈┈┈┈┈┈┈┈┈┈┈ →テキスト **第3-1編** **10-2**

① ○ 木造軸組工法における1階と2階の上下同位置に構造用面材による耐力壁を設ける場合には、胴差部において、原則として、**構造用面材相互の隙間を6㎜以上設ける**。これは地震時の挙動に伴い構造用面材が破損することを防ぐためである。

② ○ **ラグスクリューの締付け**は、ドリルによって先孔をあけ、スパナ、インパクトレンチ等を用いて、**必ず回しながら**行う。たたき込みによる挿入は行わない（公共建築木造工事標準仕様書）。

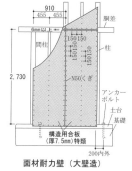

面材耐力壁（大壁造）

③ ○ **ボルトの締付け**は、座金が木材等へ軽くめり込む程度とし、過度に締め付けない。また、1群のボルトの締付けが一様となるように行う。工事中、木材の乾燥収縮等により緩んだナットは、緩みのないように**締め直す**。なお、ボルト長さは、首下長さとし、ナットの外にねじ山が2～3山以上出るように締め付ける（同仕様書）。

④ ✕ ボルトの径に応じた**接合金物の孔あけ**加工の大きさは、ボルト等の径が**16㎜未満**の場合はボルトの径に**1㎜**を加えたものとし、**16㎜以上**の場合は1.5㎜を加えたものとする（同仕様書）。

正解 4

木造（軸組み）

木質軸組構法に関する記述として、最も不適当なものはどれか。

① 1階及び2階の上下同位置に構造用面材の耐力壁を設けるため、胴差部において、構造用面材相互間に、6㎜のあきを設けた。

② 接合に用いるラグスクリューは、先孔にスパナを用いて回しながら締め付けた。

③ 接合金物のボルトの締付けは、座金が木材へ軽くめり込む程度とし、工事中、木材の乾燥収縮により緩んだナットは締め直した。

④ 集成材にあけるボルト孔の間隔は、許容誤差を±5㎜とした。

解説 ➡テキスト 第3-1編 10-2

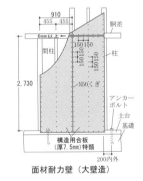

① ○ 木造軸組工法における1階と2階の上下同位置に**構造用面材**による耐力壁を設ける場合には、胴差部において、原則として、構造用面材相互の**隙間を6㎜以上設ける**。これは地震時の挙動に伴い構造用面材が破損することを防ぐためである。

② ○ **ラグスクリュー**の締付けは、ドリルによって先孔をあけ、スパナ、インパクトレンチ等を用いて、必ず**回しながら行う**。たたき込みによる挿入は行わない（公共建築木造工事標準仕様書）。

面材耐力壁（大壁造）

③ ○ **ボルトの締付け**は、座金が木材等へ**軽くめり込む程度**とし、過度に締め付けない。また、1群のボルトの締付けが一様となるように行う。工事中、木材の乾燥収縮等により緩んだナットは、緩みのないように**締め直す**。なお、ボルト長さは、首下長さとし、ナットの外にねじ山が2〜3山以上出るように締め付ける（同仕様書）。

④ × **ボルト孔の間隔**のずれの許容誤差は±2㎜とする（大断面木造建築物 設計施工マニュアル）。

正解 4

鉄筋コンクリート造の耐震改修工事における現場打ち鉄筋コンクリート耐震壁の増設工事に関する記述として、最も不適当なものはどれか。

① 増設壁上部と既存梁下との間に注入するグラウト材の練上り時の温度は、練り混ぜる水の温度を管理し、10〜35℃の範囲とする。

② あと施工アンカー工事において、接着系アンカーを既存梁下端に上向きで施工する場合、くさび等を打ってアンカー筋の脱落防止の処置を行う。

③ コンクリートポンプ等の圧送力を利用するコンクリート圧入工法は、既存梁下との間に隙間が生じやすいため、採用しない。

④ 増設壁との打継ぎ面となる既存柱や既存梁に施す目荒しの面積の合計は、電動ピック等を用いて、打継ぎ面の15〜30％程度となるようにする。

解説 ……………………………………… →テキスト 第3-1編 11-2

① ○ 増設躯体と既存梁下などに注入する**グラウト材**の練混ぜにおいては、水温の管理を十分に行い、練上り時の温度が10〜35℃の範囲のものを注入する（建築改修工事監理指針）。

② ○ **接着系アンカー**を**上向き**で施工する場合、アンカー筋が抜け出してくる場合もあるので、くさび等を打って脱落防止の措置を施して、接着剤が硬化するまではアンカー筋に触れないように養生する（建築改修工事監理指針）。

③ × **圧入工法**とは、型枠に「圧入孔」を設けて、**ポンプ**などで圧力を加えながら、流動性の高いコンクリートを型枠内部に打ち込む工法である。圧入工法は、既存梁と増設壁との接合を、確実に行うことができる。

④ ○ 鉄筋コンクリート造の耐震改修工事における新旧コンクリートの一体性は、**目荒し**の程度に大きく左右される。既存柱や既存梁の目荒しは、電動ピック等を用いて、平均深さで**2〜5mm**（最大で5〜7mm）程度の凹面を、打継ぎ面の15〜30％程度の面積となるようにつける（建築改修工事監理指針）。

正解 **3**

鉄筋コンクリート造の耐震改修工事における、柱への溶接閉鎖フープを用いた巻き立て補強に関する記述として、最も不適当なものはどれか。

① フープ筋のコーナー部の折曲げ内法直径は、フープ筋の呼び名に用いた数値の2倍とした。

② 壁付きの柱は、壁に穴をあけて閉鎖型にフープ筋を配置し補強した。

③ フープ筋の継手は片側フレア溶接とし、溶接長さはフープ筋の呼び名に用いた数値の10倍とした。

④ 柱の外周部は、コンクリートの巻き立て部分の厚さを100mmとした。

解説 ・・・ → テキスト 第3-1編 11-3

① ✕ フープ筋（帯筋）のコーナー部の折曲げ内法直径は、フープ筋の呼び名に用いた数値の**3倍以上**とする。なお、右の曲げ加工の規定は通常の鉄筋工事と同様である。

鉄筋の種類	鉄筋の径による区分	鉄筋の折曲げ内法直径(D)
SR235 SR295	φ16以下 D16以下	**3d**以上
SD295 SD345	φ19 D19〜D41	**4d**以上

② ◯ 壁付きの柱の場合は、**壁に穴をあけて閉鎖型にフープ筋を配置**し、壁穴にはセメントペースト等をグラウトする。

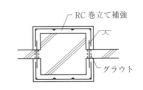

③ ◯ フープ筋の継手は、溶接長さが**片側10d以上のフレア溶接**とする。

④ ◯ 柱への**溶接金網巻き工法**及び**溶接閉鎖フープ巻き工法**による補強は、既存柱の外周部を60〜150mm程度（一般に100mm程度）の厚さの鉄筋コンクリート又は鉄筋補強モルタルで巻き立てて補強する方法である。2つの工法を総称して**RC巻立て補強**という。

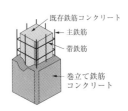

正解 1

鉄筋コンクリート造の耐震改修における柱補強工事に関する記述として不適当なものを2つ選べ。

① RC巻き立て補強の溶接閉鎖フープ巻き工法において、フープ筋の継手はフレア溶接とした。

② RC巻き立て補強の溶接金網巻き工法において、溶接金網相互の接合は重ね継手とした。

③ 連続繊維補強工法において、躯体表面を平滑にするための下地処理を行い、隅角部は直角のままとした。

④ 鋼板巻き工法において、工場で加工した鋼板を現場で突合せ溶接により一体化した。

⑤ 鋼板巻き工法において、鋼板と既存柱の隙間に硬練りモルタルを手作業で充填した。

解説 ────────────────────→テキスト 第3-1編 11-3

① ○ **溶接閉鎖フープ巻き工法**による補強は、既存柱の外周部を60〜150mm程度（一般に100mm程度）の厚さの鉄筋コンクリート又は鉄筋補強モルタルで巻き立てて補強する方法である。このフープ筋の継手は、溶接長さが**片側10d以上**のフレア溶接とする。

② ○ RC巻立て補強の**溶接金網巻き工法**において、溶接金網の相互の接合は重ね継手とし、長さは**1節半以上、かつ、150mm以上**とする。

③ × **連続繊維補強工法**において柱の隅角部は、炭素繊維の損傷防止のため、半径10〜30mm程度の**面取り**を行う（鉄筋の**かぶり厚さ確保**に注意する）。

④ ○ **鋼板巻立て補強**は、既存独立柱の周囲に鋼板を巻き、隙間にモルタルを充填し、柱のせん断補強を行う工法である。鋼板の厚さは**4.5〜9mm**（現場突合せ溶接による場合には**6mm以上**）とする。角形鋼板や円形鋼板を用いる場合は、鋼板を2つ以上に分割して工場製作し、**現場溶接**により**一体化**する。

⑤ × **鋼板巻き工法**において、隙間に圧入するモルタル（グラウト材）は、あらかじめ製造所で調合されたプレミックスタイプの**無収縮モルタル**を用い、**下部から圧入**する。

正解 **3、5**

建設機械に関する記述として、最も不適当なものはどれか。

① ブルドーザーは、盛土、押土、整地の作業に適している。

② ホイールクレーンは、同じ運転室内でクレーンと走行の操作ができ、機動性に優れている。

③ アースドリル掘削機は、一般にリバース掘削機に比べ、より深い掘削能力がある。

④ バックホウは、機械の位置より低い場所の掘削に適し、水中掘削も可能だが、高い山の切取りには適さない。

解説 → テキスト / 第3-1編 / 13-1

① ○ ブルドーザーは、地盤の掘削、整地・押土・運搬などに用いる。

② ○ ホイールクレーン（ラフテレーンクレーン）は、同じ運転室内でクレーン及び走行操作ができ、小回りがきき、機動性に優れる。

③ ✕ アースドリル掘削機の掘削能力は70m程度で、リバース掘削機の掘削能力は70〜100m程度である。一般に、リバース掘削機はアースドリル掘削機より深い掘削能力がある。

④ ○ バックホウは、機械の接地面より下方の掘削、硬い土質の掘削りに適し、水中掘削も可能である。

バックホウ

正解 3

建設機械に関する記述として、最も不適当なものはどれか。

① 建設用リフトの定格速度とは、搬器に積載荷重に相当する荷重の荷をのせて上昇させる場合の最高の速度をいう。

② 油圧式トラッククレーンのつり上げ荷重とは、アウトリガーを最大限に張り出し、ジブ長さを最短にし、ジブの傾斜角を最大にした場合のつり上げることができる最大の荷重で示す。

③ 最大混合容量4.5㎥のトラックアジテータの最大積載時の総質量は、約20tである。

④ ロングスパン工事用エレベーターは、搬器の傾きが1/8の勾配を超えた場合、動力を自動的に遮断する装置を設ける。

解 説 ➡テキスト 第3-1編 13-2

① ○ 工事用エレベーター、建設用リフト、簡易リフトの**定格速度**とは、搬器に**積載荷重**に相当する荷重の荷をのせて上昇させる場合の**最高の速度**をいう。

② ○ 油圧式トラッククレーンの**つり上げ**荷重（つり上げ性能、「45 t クレーン」の45 t 等）は、アウトリガーを**最大限**に張り出して、ジブ長さを**最短**にし、ジブの傾斜角を最大にしたときに負荷させることができる**最大の荷重**である。ただし、**吊り具の重量が含まれている**ことに注意が必要である。

③ ○ トラックアジテーター（生コン車・ミキサー車）の最大混合容量4.5㎥の最大積載時の総質量は約20 t である。

④ × **ロングスパン工事用エレベーター**は、次の安全装置を備えるものでなければならない。ただし、安全上支障がない場合には、❶に掲げる装置を備えないことができる（エレベーター構造規格）。

❶ 搬器の昇降を知らせるための警報装置
❷ 搬器の傾きを容易に**矯正**できる装置
❸ 搬器の**傾きが**$\frac{1}{10}$**の勾配を超えない**うちに**動力を自動的に遮断する装置**
❹ 遮断設備が設けられているものにあっては、遮断設備が閉じていない場合には、搬器を**昇降させることができない装置**

正解 4

揚重運搬機械に関する記述として、最も不適当なものはどれか。

① クレーンのブーム（ジブ）先端が地表から60m以上の高さとなる場合は、原則として航空障害灯を設置する。

② ジブを有しないクレーンの定格荷重とは、つり上げ荷重からフックなどのつり具の重量に相当する荷重を除いた荷重のことである。

③ 建設用リフトの停止階には、荷の積卸口に遮断設備を設ける。

④ ロングスパン工事用エレベーターの搬器の傾きが、$\frac{1}{8}$の勾配を超えた場合に動力を自動的に遮断する装置を設ける。

解 説 .... ➡テキスト **第3-1編** **13-2**

① ○ 地表又は水面から60m以上の高さの物件の設置者は、原則として当該物件に**航空障害灯**を設置しなければならない（航空法）。

② ○ **定格荷重**とは、移動式クレーン以外でジブを有しないものは、**つり上げ荷重**からフック等の吊り具の重量を控除した荷重をいい、ジブを有するもの及び移動式クレーン等は、その**構造等に応じて負荷させることができる最大の荷重**からフック等の吊り具の重量に相当する荷重を控除した荷重をいう（クレーン等安全規則）。

③ ○ 建設用リフトの停止階には、荷の積卸口に遮断設備を設ける（建設用リフト構造規格第15条、第16条、JASS 2）。

④ × **ロングスパン工事用エレベーター**は、次の安全装置を備えるものでなければならない。ただし、安全上支障がない場合には、❶に掲げる装置を備えないことができる（エレベーター構造規格）。

❶ 搬器の昇降を知らせるための**警報装置**

❷ 搬器の**傾きを容易に矯正できる装置**

❸ 搬器の**傾きが**$\frac{1}{10}$**の勾配を超えないうちに動力を自動的に遮断する装置**

❹ **遮断設備**が設けられているものにあっては、遮断設備が閉じていない場合には、搬器を**昇降させることができない装置**

正解 **4**

クレーン・リフト

揚重運搬機械に関する記述として、最も不適当なものはどれか。

① ロングスパン工事用エレベーターの搬器には、周囲に堅固な手すりを設け、手すりには中さん及び幅木を取り付けなければならない。

② ロングスパン工事用エレベーターは、安全上支障がない場合、搬器の昇降を知らせるための警報装置を備えないことができる。

③ 建設用リフトは、土木、建築等の工事の作業に使用され、人及び荷を運搬することを目的とするエレベーターである。

④ 建設用リフトの定格速度とは、搬器に積載荷重に相当する荷重の荷をのせて上昇させる場合の最高の速度をいう。

解説 ────────────────── ➡️テキスト 第3-1編 13-2

① ◯ **ロングスパン工事用エレベーター**の搬器は、周囲（搭乗席の周囲を除く）に、高さ90cm以上の堅固な**手すり**が設けられ、かつ、当該手すりには**中さん及び幅木**が取り付けられていることが必要である（エレベーター構造規格）。

② ◯ **ロングスパン工事用エレベーター**は、所定の安全装置を備えるものでなければならない。ただし、安全上支障がない場合には、「**搬器の昇降を知らせるための警報装置**」を備えないことができる（同規格）。

③ ✕ **建設用リフト**とは「**荷のみ**」を運搬することを目的とするエレベーターで、土木、建築等の工事の作業に使用される（労働安全衛生法施行令）。「**人＋荷**」を運搬することを目的とするエレベーターは「**工事用エレベーター**」である。

④ ◯ エレベーター、建設用リフト、簡易リフトの**定格速度**とは、搬器に**積載荷重**に相当する荷重の荷をのせて上昇させる場合の最高の速度をいう（クレーン等安全規則）。

正解 **3**

揚重運搬機械に関する記述として、最も不適当なものはどれか。

① 工事用エレベーターは、定格速度が0.75m/sを超える場合、次第ぎき非常止め装置を設ける。

② ロングスパン工事用エレベーターは、搬器の傾きが$\frac{1}{8}$の勾配を超えた場合、動力を自動的に遮断する装置を設ける。

③ ジブクレーンの定格荷重は、負荷させることができる最大の荷重から、フック等のつり具の重量に相当する荷重を控除したものである。

④ 傾斜ジブ式タワークレーンは、重量物のつり上げに用いられ、狭い敷地で作業することができる。

（ 解 説 ）...➡テキスト / 第3-1編 / 13-2

① ○ **工事用エレベーター**は、一定の速度を超えた場合には、自動的に制止する装置（非常止め装置）を備えなければならない。この装置は定格速度が**0.75m/sを超える**場合には、「**次第ぎき非常止め装置**」でなければならず、0.75m/s以下の場合には、「**早ぎき非常止め装置**」とすることができる（エレベーター構造規格33条）。

② × **ロングスパン工事用エレベーター**には、搬器の傾きを容易に矯正できる装置等のほか、**搬器の傾きが**$\frac{1}{10}$**の勾配を超えないうちに動力を自動的に遮断する装**置を設けなければならない（同規格）。

③ ○ **定格荷重**とは、クレーンでジブを有しないものは、**つり上げ荷重**からフック等の**吊り具の重量を控除した荷重**をいい、クレーンでジブを有するもの（ジブクレーン）及び移動式クレーン等にあっては、**負荷させることができる最大の荷重から**、それぞれ**フック等の吊り具の重量に相当する荷重を控除した荷重**をいう（クレーン等安全規則）。

④ ○ **傾斜ジブ式タワークレーン**は、大質量の揚重に適し、市街地の狭い場所で、ジブの起伏動作によって**作業半径を自由に変えることができる**（建築工事監理指針）。

傾斜ジブ式
タワークレーン

正解 **2**

クレーン・リフト

揚重運搬機械に関する記述として、最も不適当なものはどれか。

① 建設用リフトは、人及び荷を運搬することを目的とするエレベーターで、土木、建築等の工事の作業で使用される。

② 建設用リフトは、組立て又は解体の作業を行う場合、作業を指揮する者を選任して、その者の指揮のもとで作業を実施する。

③ 移動式クレーンは、10分間の平均風速が10m/s以上の場合、作業を中止する。

④ 移動式クレーンは、旋回範囲内に6,600Vの配電線がある場合、配電線から安全距離を2m以上確保する。

解説 ➡テキスト 第3-1編 13-2

① **✕ 建設用リフト**とは「荷のみ」を運搬することを目的とするエレベーターで、土木、建築等の工事の作業に使用される（労働安全衛生法施行令）。「**人＋荷**」を運搬することを目的とするエレベーターは「**工事用エレベーター**」である。

② **○** 事業者は、建設用リフトの**組立て又は解体**の作業を行うときは、**作業を指揮する者を選任**して、その者の指揮のもとに作業を実施させなければならない（クレーン等安全規則191条）。

③ **○** 移動式クレーンに係る作業の実施について、強風（**10分間の平均風速が10m/s以上の風**）による吊り荷の落下などの危険が予想されるときは、その作業を**中止**しなければならない。さらに、強風でクレーンが転倒するおそれのあるときは、ジブの収納、堅固なものに固定するなどクレーンの転倒防止を図る必要がある（JASS 2）。

④ **○** クレーンの旋回範囲に**送配電線**がある場合は、以下の**離隔距離**をとる。
　　　高圧（600V超7,000V以下）：1.2m以上
　　　特別高圧（7,000V超）　　 ：2.0m以上（66,000Vの場合2.2m）

ただし、上記の離隔距離は最小限の距離であり、誤差や風による揺れ等にも配慮した**安全距離**としては、6,600Vの配電線の場合には2.0m以上とするのが望ましい。

正解 **1**

揚重運搬機械に関する記述として、最も不適当なものはどれか。

① 建設用リフトは、土木、建築等の工事の作業で使用されるエレベーターで、人及び荷を運搬する。

② タワークレーンのブーム等、高さが地表から60m以上となる場合、原則として、航空障害灯を設置する。

③ 移動式クレーンは、旋回範囲内に6,600Vの配電線がある場合、配電線から安全距離を2m以上確保する。

④ ロングスパン工事用エレベーターは、安全上支障がない場合、搬器の昇降を知らせるための警報装置を備えないことができる。

解説 .... →テキスト / 第**3-1**編 / **13-2**

① ✕ **建設用リフト**とは「荷のみ」を運搬することを目的とするエレベーターで、土木、建築等の工事の作業に使用される（労働安全衛生法施行令）。「人＋荷」を運搬することを目的とするエレベーターは「工事用エレベーター」である。

② ○ 地表又は水面から**60m以上**の高さの物件の設置者は、原則として当該物件に**航空障害灯**を設置しなければならない（航空法）。

③ ○ クレーンの旋回範囲に**送配電線**がある場合は、以下の**離隔距離**をとる。

　　高圧（600V超7,000V以下）：1.2m以上
　　特別高圧（7,000V超）　　　：2.0m以上（66,000Vの場合2.2m）

　　ただし、上記の離隔距離は最小限の距離であり、誤差や風による揺れ等にも配慮した**安全距離**としては、6,600Vの配電線の場合には2.0m以上とするのが望ましい。

④ ○ **ロングスパン工事用エレベーター**は、所定の安全装置を備えるものでなければならない。ただし、安全上支障がない場合には、「**搬器の昇降を知らせるための警報装置**」を備えないことができる（エレベーター構造規格）。

正解 **1**

第 **3-2** 編

仕 上 施 工

アスファルト防水の密着工法に関する記述として、最も不適当なものはどれか。

① 低煙・低臭タイプのアスファルトの溶融温度の上限は、300℃とする。

② コンクリートスラブの打継ぎ部は、絶縁用テープを張り付けた後、幅300mm程度のストレッチルーフィングを増張りする。

③ 平場部のルーフィングの張付けに先立ち、入隅は幅300mm程度のストレッチルーフィングを増張りする。

④ 平場部のアスファルトルーフィング類の重ね幅は、縦横とも100mm程度とする。

解 説 .... ➡テキスト **第3-2編** **1-2**

① ✕ アスファルトの溶融温度の上限は製造所指定の温度以下とする。特に、環境対応型**低煙低臭型**では240℃以下とする（建築工事監理指針）。

② 〇 コンクリートの**打継ぎ**箇所等で防水上不具合のある下地は、**幅50mm程度の絶縁用テープ**を張り付け、密着工法の場合には、その上に**幅300mm以上**のストレッチルーフィングを増張りする。

③ 〇 平場部のルーフィングの張付けに先立ち、**出入隅**部は幅300mm程度のストレッチルーフィングで増張りを行う。

④ 〇 平場部のアスファルトルーフィング類の**重ね幅**は、縦横方向とも原則として100mm以上重ね合わせる。また、原則として、水下側のルーフィングが下側になるように張り重ねる。

正解 1

屋根保護アスファルト防水工事に関する記述として、不適当なものを2つ選べ。

① コンクリート下地のアスファルトプライマーの使用量は、0.2kg/㎡とした。

② 出隅及び入隅は、平場部のルーフィング類の張付けに先立ち、幅150㎜のストレッチルーフィングを増張りした。

③ 立上り部のアスファルトルーフィング類を張り付けた後、平場部のルーフィング類を150㎜張り重ねた。

④ 保護コンクリート内の溶接金網は、線径6.0㎜、網目寸法100㎜のものを敷設した。

⑤ 保護コンクリートの伸縮目地は、パラペット周辺などの立上り際より600㎜離した位置から割り付けた。

解説 ─────────────── → テキスト 第3-2編 1-2

① 〇 **アスファルトプライマー**は、防水下地に最初に塗布する下地処理材で、下地表面に浸透して下地と防水層の接着性を向上させる。コンクリート下地の場合、アスファルトプライマーの使用量は、0.2kg/㎡とする。

② ✕ 平場部のルーフィングの張付けに先立ち、出入隅部は幅300㎜程度のストレッチルーフィングで増張りを行う。

③ ✕ 立上りは、原則として平場から**連続して張り上げる**。ただし、高さが300㎜以上の場合は、**平場を張り付けた後**に、平場に150㎜程度張り掛けて、立上りを張り付ける。

④ 〇 保護コンクリート内にひび割れ防止のために敷設する**溶接金網**は、**鉄線径6㎜**、**網目寸法100㎜**のものを敷設する。

⑤ 〇 保護コンクリートの乾燥収縮及び温度・水分による伸縮に伴うひび割れ防止などを目的に、**伸縮目地**を設ける。その割付けは、パラペットなどの立上り部の際から**0.6m程度**とし、中間部は縦横方向とも、**3m程度**の間隔とする。

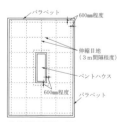

伸縮目地割りの例

正解 **2、3**

難易度 A

問題 233
CHECK

アスファルト防水

防水工事
R5-31

防水工事に関する記述として、最も不適当なものはどれか。

① アスファルト防水密着工法における平場部のルーフィングの張付けに先立ち、入隅は幅300mm程度のストレッチルーフィングを増張りした。

② 改質アスファルトシート防水トーチ工法における平場部の改質アスファルトシートの重ね幅は、縦横とも100mm以上とした。

③ アスファルト防水における立上り部のアスファルトルーフィング類は、平場部のアスファルトルーフィングを張り付けた後、150mm以上張り重ねた。

④ 改質アスファルトシート防水絶縁工法におけるALCパネル目地の短辺接合部は、幅50mm程度のストレッチルーフィングを張り付けた。

解 説 .... ➡テキスト 第3-2編 1-2

① ○ 平場部のルーフィングの張付けに先立ち、出入隅部は幅300mm程度の**ストレッチルーフィング**で増張りを行う。

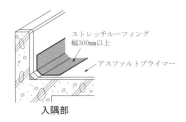

ストレッチルーフィング
幅300mm以上

アスファルトプライマー

入隅部

② ○ 一般平場部の改質アスファルトシート相互の**重ね幅**は、長手方向・幅方向ともに100mm以上とする。

③ ○ 立上りは、原則として平場から連続して張り上げる。ただし、高さが300mm以上の場合は、**平場を張り付けた後に**、平場に150mm程度張り掛けて、**立上り**を張り付ける。

④ ✕ 改質アスファルトシート防水**絶縁工法**では、改質アスファルトシートの張付けに先立ち、ALCパネル下地の短辺接合部を幅50mm程度の絶縁用テープで処理する。

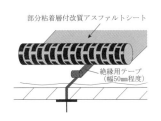

部分粘着層付改質アスファルトシート

絶縁用テープ
（幅50mm程度）

正解 4

改質アスファルトシート防水トーチ工法に関する記述として、最も不適当なものはどれか。

① ALCパネル下地のプライマーは、使用量を0.4kg/㎡とし、2回に分けて塗布した。

② コンクリート下地の入隅に、角度45度の成形キャント材を使用した。

③ 絶縁工法によるALCパネル下地の短辺接合部は、あらかじめ幅50㎜の絶縁用テープを張り付けた。

④ 密着工法による平場部の張付けにおいて、シートの3枚重ね部は、中間の改質アスファルトシート端部を斜めにカットした。

解説　　　　　　　　　　　　　　　　　　　→テキスト 第3-2編 **1-3**

① ○ 改質アスファルトシート防水トーチ工法における**プライマー**の塗布は、はけ、ローラーばけなどを用いて0.2kg/㎡を均一に塗布する。ただし、**ALCパネル**下地の場合は、はけ塗り2回（合計0.4kg/㎡）とする。

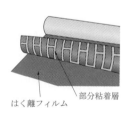

② × 改質アスファルトシート防水における下地は、**出隅は面取り、入隅は直角**とする（建築工事監理指針）。

③ ○ **絶縁工法**による改質アスファルトシート防水トーチ工法では、改質アスファルトシートの張付けに先立ち、**ALCパネル**下地の短辺接合部を**幅50㎜**程度の絶縁用テープで処理する。

④ ○ 改質アスファルトシートの**3枚重ね部**は、水みちになりやすいので、中間の改質アスファルトシート端部を**斜めにカット**するか、焼いた金ごてを用いて平滑にするなどの処理をする。

正解 **2**

合成高分子系ルーフィングシート防水に関する記述として、最も不適当なものはどれか。

① 加硫ゴム系シート防水接着工法において、平場のシート相互の接合幅は100mmとし、水上側のシートが水下側のシートの上になるように張り重ねた。

② 塩化ビニル樹脂系シート防水接着工法において、下地とシートの接着には、エポキシ樹脂系の接着剤を用いた。

③ 塩化ビニル樹脂系シート防水の出隅角の処理は、シートの張付け後に成形役物を張り付けた。

④ 加硫ゴム系シート防水の出隅角の処理は、シートの張付け前に加硫ゴム系シートで増張りを行った。

解説 .... →テキスト 第3-2編 1-4

① ○ **加硫ゴム系シート防水**接着工法において、平場のシート相互の接合幅は100mmとし、**水上側のシートが水下側のシートの上**になるように張り重ねる。なお、シート・ルーフィング類の張付けにおいて、水上側が水下側の上になるように張り重ねるのは他の工法も含めて共通の原則である。

② ○ **塩化ビニル樹脂系シート防水**接着工法において、下地とシートの接着に用いる接着剤は、エポキシ樹脂系、ポリウレタン系、又はニトリルゴム系とする。

③ ○ **塩化ビニル樹脂系シート防水**の出隅・入隅の処理は、シートの**張付け後に成形役物**を張り付ける。

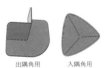

出隅角用　　　入隅角用
成形役物

④ × **加硫ゴム系シート防水**の出隅角の処理は、立上り及び平場のシートの**張付け前**に、**200mm角程度の非加硫ゴム系シート**を増張りする。したがって、「加硫ゴム系シートで増張りを行った」ことは不適当である。

正解 4

合成高分子系ルーフィングシート防水に関する記述として、最も不適当なものはどれか。

① 塩化ビニル樹脂系シート防水において、シート相互の接合にクロロプレンゴム系の接着剤を用いた。

② 塩化ビニル樹脂系シート防水において、接合部のシートの重ね幅は、幅方向、長手方向とも40mm以上とした。

③ 加硫ゴム系シート防水接着工法において、防水層立上り端部の処理は、テープ状シール材を張り付けた後にルーフィングシートを張り付け、末端部は押さえ金物で固定し、不定形シール材を充填した。

④ 加硫ゴム系シート防水接着工法において、平場の接合部のシートの重ね幅は100mm以上とし、立上りと平場との重ね幅は150mm以上とした。

解 説 ·· ➡テキスト 第3-2編 1-4

① × 塩化ビニル樹脂系シート防水において、**シート相互の接合**にはテトラヒドロフラン系の接着剤を用いる。なお、下地とシートの接着には、ニトリルゴム系、エポキシ樹脂系又はポリウレタン系の接着剤を用いる。

② ○ シート防水には、加硫ゴム系、合成樹脂系（塩化ビニル樹脂系等）があり、シートの接合方法が異なる。平場におけるシートの**接合幅**（重ね幅）は、**加硫ゴム系**では100mm以上とし、**塩化ビニル樹脂系**では40mm以上とする。

③ ○ **加硫ゴム系シート防水接着工法**において、防水層立上り端部の処理は、テープ状シール材を張り付けた後、シートを張り付け、末端部は**押さえ金物**で固定し、シール材を充填する。

④ ○ **加硫ゴム系シート防水接着工法**において、**平場の接合部のシートの重ね幅は100mm以上**とし、**立上りと平場との重ね幅は150mm以上**とする。

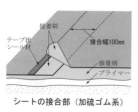
シートの接合部（加硫ゴム系）

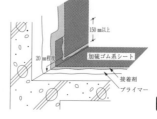

正解 1

合成高分子系ルーフィングシート防水に関する記述として、最も不適当なものはどれか。

① 加硫ゴム系シート防水の接着工法において、平場部の接合部のシートの重ね幅は100mm以上とし、立上り部と平場部との重ね幅は150mm以上とした。

② 加硫ゴム系シート防水の接着工法において、出隅角の処理は、シートの張付け前に加硫ゴム系シートで増張りを行った。

③ 塩化ビニル樹脂系シート防水の接着工法において、下地がALCパネルのため、プライマーを塗布した。

④ エチレン酢酸ビニル樹脂系シート防水の密着工法において、接合部のシートの重ね幅は、幅方向、長手方向とも100mm以上とした。

解説 ➡テキスト 第3-2編 1-4

① ◯ 加硫ゴム系シート防水接着工法において、平場の接合部のシートの重ね幅は100mm以上とし、立上りと平場との重ね幅は150mm以上とする。

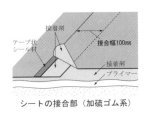

シートの接合部（加硫ゴム系）

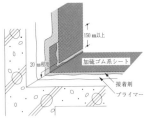

② ✕ 加硫ゴム系シート防水の出隅角の処理は、立上り及び平場のシートの張付け前に、200mm角程度の非加硫ゴム系シートを増張りする。したがって、「加硫ゴム系シートで増張りを行った」ことは不適当である。

③ ◯ 塩化ビニル樹脂系シート防水接着工法におけるプライマーは、はけ・ローラーばけなどを用いて塗布する。ALCパネル下地の場合は、合計0.3kg／㎡以上とする（公共建築工事標準仕様書・JASS 8）。

④ ◯ エチレン酢酸ビニル樹脂系シート防水の密着工法において、接合部のシートの重ね幅は、幅方向、長手方向とも100mm以上とする（公共建築工事標準仕様書）。

正解 2

ウレタンゴム系塗膜防水に関する記述として、最も不適当なものはどれか。

① 防水材の塗継ぎの重ね幅を50㎜、補強布の重ね幅を100㎜とした。

② 絶縁工法において、立上り部の補強布は、平場部の通気緩衝シートの上に100㎜張り掛けて防水材を塗布した。

③ 平場部の防水材の総使用量は、硬化物比重が1.0だったので、3.0kg /㎡とした。

④ 密着工法において、平場部に張り付ける補強布は、防水材を塗りながら張り付けた。

解 説 ··· ➡テキスト 第3-2編 1-5

① **✕** ウレタンゴム系塗膜防水における防水材の塗継ぎの重ね幅は100㎜以上、補強布の重ね幅は50㎜以上とする。

② **〇** ウレタン系塗膜防水において、絶縁工法は通気緩衝シートを張り付けた上に、塗膜を構成するものであるが、立上り面には密着工法を適用する。平場部と立上り部の接合部は、補強布を平場部の通気緩衝シートの上に100㎜張り掛けて防水材を塗布する。

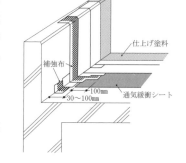

仕上げ塗料
補強布
100㎜
30～100㎜
通気緩衝シート

③ **〇** 平場部の防水材の総使用量は、硬化物比重が1.0の場合には、3.0kg /㎡とする。

④ **〇** 密着工法において、平場部に張り付ける補強布は、防水材を塗りながら張り付ける。

正解 **1**

塗膜防水に関する記述として、最も不適当なものはどれか。

① ゴムアスファルト系防水材の室内平場部の総使用量は、固形分60％のものを使用するため、4.5kg／㎡とした。

② ウレタンゴム系絶縁工法において、通気緩衝シートの相互の重ね幅は、50mmとした。

③ ゴムアスファルト系吹付工法において、防水材の塗継ぎの重ね幅は、100mmとした。

④ ウレタンゴム系防水材の立上り部の総使用量は、硬化物比重1.0のものを使用するため、2.0kg／㎡とした。

解説 ➡テキスト **第3-2編** **1-5**

① ○ ゴムアスファルト系防水の室内平場部の防水材使用量は、固形分60％の場合、**4.5kg／㎡**とする。これは、平均2.7mmの硬化後の防水層の塗膜厚さとするためである。

② ✕ ウレタンゴム系防水の**絶縁工法**においては、下地からの空気・水蒸気を逃がして防水層のふくれを低減するため、**通気緩衝シート**を設ける。通気緩衝シートの継目は**突付け**とする。

③ ○ ゴムアスファルト系防水の**吹付け工法**において、防水材の**塗継ぎの重ね幅**は、**100mm以上**とする。

④ ○ **ウレタンゴム系防水**の防水材使用量は、硬化物比重1.0の場合、**平場部3.0kg／㎡**、**立上り部2.0kg／㎡**とし、所定の塗膜厚さ（平場：平均３mm、立上り：平均２mm）を確保する。

正解 2

ウレタンゴム系塗膜防水に関する記述として、最も不適当なものはどれか。

① 絶縁工法において、立上り部の補強布は、平場部の通気緩衝シートの上に100㎜張り掛けて防水材を塗布した。

② 平場部の防水材の総使用量は、硬化物比重が1.0だったため、3.0kg/㎡とした。

③ コンクリートの打継ぎ箇所は、U字形に斫り、シーリング材を充填した上、幅100㎜の補強布を用いて補強塗りを行った。

④ 絶縁工法において、防水層の下地からの水蒸気を排出するための脱気装置は、200㎡に1箇所の割合で設置した。

解説 .... **→テキスト** 第3-2編 1-5

① ○ ウレタン系塗膜防水において、**絶縁工法**は**通気緩衝**シートを張り付けた上に、塗膜を構成するものであるが、**立上り面**には**密着工法**を適用する。平場部と立上り部の接合部は、**補強布**を平場部の通気緩衝シートの上に100㎜張り掛けて防水材を塗布する。

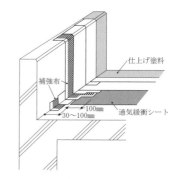

仕上げ塗料
補強布
100㎜
30〜100㎜
通気緩衝シート

② ○ ウレタンゴム系防水材の総使用量は、硬化物比重が1.0の場合、**平場部3.0kg/㎡**、**立上り部2.0kg**/㎡とし所定の塗膜厚さ（平場：平均3㎜、立上り：平均2㎜）を確保する。

③ ○ コンクリートの**打継ぎ箇所**、**著しいひび割れ箇所**は、U字形にはつり、シーリング材を充填した上で、**幅100㎜以上の補強布**を用いて防水材で補強塗りを行う。

④ × **脱気装置**は、防水層のふくれの原因となる下地面の湿気を外部に逃すために設ける装置で、**25〜100㎡に1カ所**設ける。

正解 **4**

シーリング工事に関する記述として、最も不適当なものはどれか。

① ワーキングジョイントに装填する丸形のバックアップ材は、目地幅より20%大きい直径のものとした。

② 先打ちしたポリウレタン系シーリング材に、ポリサルファイド系シーリング材を打ち継いだ。

③ シリコーン系シーリング材を充填する場合のボンドブレーカーは、シリコーンコーティングされたテープとした。

④ ワーキングジョイントの目地幅が20mmだったので、目地深さは、12mmとした。

解説 ………………………………………………… →テキスト 第3-2編 1-7

① 〇 ワーキングジョイントに装填する丸形のバックアップ材は、目地幅より20〜30%大きめのものを選定する。

② 〇 異種シーリング材を打ち継ぐことは好ましくないが、やむを得ず異種シーリング材の打継ぎが発生する場合の採用の目安は、**先打ちポリウレタン系・後打ちポリサル系**、**先打ちポリサル系・後打ち変成シリコーン系**などの組合せは問題ない。

③ ✕ ボンドブレーカーは、**ポリエチレン製テープ**とする。特に、**シリコーンコーティング**されたテープは、シリコーン系シーリング材と同種の材料で接着するからである。

④ 〇 **目地幅20mm**のワーキングジョイント目地の**目地深さは10〜15mm**である。受験対策上は「目地深さ＝幅×50〜75%」と覚えておくとよい。

正解 3

シーリング工事に関する記述として、最も不適当なものはどれか。

① ALCなど表面強度が小さい被着体に、低モジュラスのシーリング材を用いた。

② ボンドブレーカーは、シリコーン系シーリング材を充填するため、シリコーンコーティングされたテープを用いた。

③ 先打ちしたポリサルファイド系シーリング材の硬化後に、変成シリコーン系シーリング材を打ち継いだ。

④ プライマーの塗布及びシーリング材の充填時に、被着体が5℃以下になるおそれが生じたため、作業を中止した。

解 説 ・・ →テキスト **第3-2編** **1-7**

① 〇 **モジュラス**とは、物体にある変形を加えたときに生じる応力のことで、50%の伸びを与えたときの引張応力を50%モジュラスという。**ALC**などの材料引張強度の低い（表面強度が小さい）ものには、**低モジュラス**のシーリング材を用いる。

② ✕ **ボンドブレーカー**は、ポリエチレン製テープとする。特に、**シリコーンコーティング**されたテープは、シリコーン系シーリング材と同種の材料で接着するからである。

③ 〇 異種シーリング材を打ち継ぐことは好ましくないが、やむを得ず異種シーリング材の打継ぎが発生する場合の採用の目安は、**先打ちポリウレタン系・後打ちポリサル系、先打ちポリサル系・後打ち変成シリコーン系**などの組合せは問題ない。

④ 〇 プライマーの塗布及びシーリング材の充填時に、被着体が**5℃**を下回ったり、50℃以上になるおそれがある場合、湿度が高く結露のおそれがある場合（85%以上）には、作業を中止する。

正解 **2**

シーリング工事に関する記述として、最も不適当なものはどれか。

① 外壁ALCパネル張りに取り付けるアルミニウム製建具の周囲の目地シーリングは、3面接着とした。

② 先打ちしたポリウレタン系シーリング材に、ポリサルファイド系シーリング材を打ち継いだ。

③ シーリング材の打継ぎ箇所は、目地の交差部及びコーナー部を避け、そぎ継ぎとした。

④ コンクリートの水平打継ぎ目地のシーリングは、2成分形変成シリコーン系シーリングを用いた。

解説 ‥‥‥‥‥‥‥‥‥‥‥‥‥‥‥‥‥‥‥‥‥‥‥‥ →テキスト 第3-2編 1-7

① ✕ ムーブメントが大きい**ワーキングジョイント**の目地は、2面接着（目地部を構成する材料の相対する2面で接着し、目地底に接着させない）とする。次のような目地が該当する。

- 金属部材の部材間目地（メタルカーテンウォール、金属笠木、金属建具）
- **外壁パネルの部材間目地**（PC、ALC、ECP）
- ガラス回り目地
- 外壁パネルに取り付ける建具周辺の目地

② ○ **異種シーリング材を打ち継ぐ**ことは好ましくないが、やむを得ず異種シーリング材の打継ぎが発生する場合の採用の目安は、**先打ちポリウレタン系・後打ちポリサル系**、先打ちポリサル系・後打ち変成シリコーン系などの組合せは問題ない。

③ ○ シーリング材の打継ぎ箇所は、**目地の交差部及びコーナー部**を避け、そぎ継ぎ（斜めに打ち継ぐ）とする。

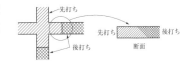

シーリング材の打継ぎ

④ ○ **打継ぎ目地**・ひび割れ誘発目地などは、ムーブメントを生じないか、またはムーブメントが非常に小さい目地であることから、**ノンワーキングジョイント**である。ノンワーキングジョイントの場合は、**3面接着**の目地構造を標準とし、シーリング材としては、2成分形変成シリコーン系や2成分形ポリサルファイド系などを用いる。

正解 **1**

シーリング

応用 防水工事 R5-58

シーリング工事に関する記述として、不適当なものを2つ選べ。

① ボンドブレーカーは、シリコーン系シーリング材を充填するため、シリコーンコーティングされたテープを用いた。

② 異種シーリング材を打ち継ぐ際、先打ちしたポリサルファイド系シーリング材の硬化後に、変成シリコーン系シーリング材を後打ちした。

③ ワーキングジョイントに装填する丸形のバックアップ材は、目地幅より20%大きい直径のものとした。

④ ワーキングジョイントの目地幅が20mmであったため、目地深さは12mmとした。

⑤ シーリング材の充填は、目地の交差部から始め、打継ぎ位置も交差部とした。

解説 ➡テキスト 第3-2編 1-7

① ✕ **ボンドブレーカー**は、ポリエチレン製テープとする。特に、シリコーンコーティングされたテープは、シリコーン系シーリング材と同種の材料で接着するからである。

② ○ 異種シーリング材を打ち継ぐことは好ましくないが、やむを得ず異種シーリング材の打継ぎが発生する場合の採用の目安は、先打ちポリウレタン系・後打ちポリサル系、先打ち**ポリサル系・後打ち変成シリコーン系**などの組合せは問題ない。

③ ○ ワーキングジョイントに装填する丸形の**バックアップ材**は、目地幅より20〜30%大きめのものを選定する。

④ ○ 目地幅20mmの**ワーキングジョイント目地**の目地深さは10〜15mmである。受験対策上は「目地深さ＝幅×50〜75％」と覚えておくとよい。

⑤ ✕ シーリング材の打継ぎ箇所は、**目地の交差部及びコーナー部を避け**、そぎ継ぎ（斜めに打ち継ぐ）とする。

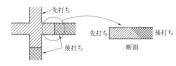

シーリング材の打継ぎ

正解 **1、5**

金属板葺屋根工事に関する記述として、最も不適当なものはどれか。

① 平葺の小はぜ掛けは、上はぜの折返し幅を15mm、下はぜの折返し幅を10mmとした。

② 横葺の葺板の継手位置は、縦に一直線状とならないよう千鳥に配置した。

③ 平葺の吊子は、葺板と同種同厚の材とし、幅30mm、長さ70mmとした。

④ 塗装溶融亜鉛めっき鋼板を用いた金属板葺きのドリルねじ等の留付け用部材には、亜鉛めっき製品を使用した。

解説 .... ➡テキスト 第3-2編 2-2

① ✕ 平葺の小はぜ掛けは、上はぜの折返し幅を15mm程度、下はぜの折返し幅を18mm程度とする（JASS 12）。

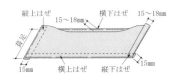

② ○ 横葺の葺板の継手位置は、目違い継ぎ、千鳥、廻し継ぎとし、直線継ぎは施工性及び雨水の排水が悪いので使用しない。

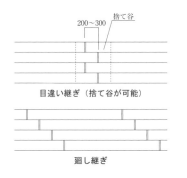
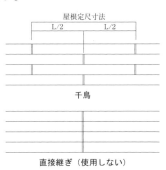

目違い継ぎ（捨て谷が可能）　　　千鳥

廻し継ぎ　　　直接継ぎ（使用しない）

③ ○ 平葺の葺き方は右図のとおりで、吊子は、葺板と同種、同厚の材とし、幅30mm、長さ70mm程度とする。

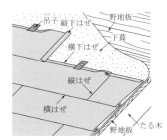

④ ◯ 塗装溶融亜鉛めっき鋼板を用いた金属板葺きの固定ボルト、ドリリングタッピンねじ等の留付け用部材は、亜鉛めっき製品とする。これは異種金属間の電食を防止するためである。

正解 1

金属板葺屋根工事に関する記述として、最も不適当なものはどれか。

① 下葺きのルーフィング材は、上下（流れ方向）の重ね幅を100mm、左右（長手方向）の重ね幅を200mmとした。

② 塗装溶融亜鉛めっき鋼板を用いた金属板葺きの留付け用のドリルねじは、亜鉛めっき製品を使用した。

③ 心木なし瓦棒葺の通し吊子の鉄骨母屋への取付けは、平座金を付けたドリルねじで、下葺、野地板を貫通させ母屋に固定した。

④ 平葺の吊子は、葺板と同種同厚の材とし、幅20mm、長さ50mmとした。

解説 ────────────── ➡テキスト **第3-2編** **2-2**

① ○ 屋根工事において、下葺きに用いる**アスファルトルーフィング**類は、野地板面上に軒先と平行に敷き込み、シートは上下（流れ方向）は**100mm以上**、左右（長手方向）は**200mm以上**重ね合わせ、タッカー釘又はステープルなどで留め付ける。

② ○ **塗装溶融亜鉛めっき鋼板**を用いた金属板葺きの固定ボルト、ドリリングタッピンねじ等の留付け用部材は、**亜鉛めっき製品**とする。これは異種金属間の電食を防止するためである。

③ ○ **心木なし瓦棒葺**の葺板の取付けは、**❶溝板**を所定の位置に並べ、各溝板の間に通し吊子を入れる。**❷通し吊子を母屋に留め付ける。❸キャップ**を溝板にはめ込み、締め付ける（建築工事監理指針）。留付けは、**平座金を付けたドリルねじ**を用い、下葺、野地板を貫通させ母屋に固定する（JASS 12）。

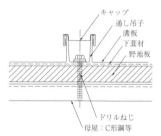

④ ✕ 平葺の葺き方は右図のとおりで、**吊子**は、葺板と**同種、同厚**の材とし、幅**30mm**、長さ**70mm**程度とする。

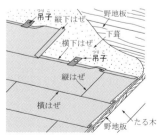

正解 4

心木なし瓦棒葺に関する記述として、最も不適当なものはどれか。

① けらば納めの端部の長さは、瓦棒の働き幅の$\frac{2}{3}$とした。

② 通し吊子の鉄骨母屋への取付けは、平座金を付けたドリルねじで、下葺、野地板を貫通させ母屋に固定した。

③ 棟部の納めに棟包みを用い、棟包みの継手をできるだけ瓦棒に近い位置とした。

④ 水上部分と壁との取合い部に設ける雨押えは、壁際立上がりを150mmとした。

解説 .... →テキスト 第3-2編 2-2

① ✕ けらば納めの端部の長さは、瓦棒の働き幅の$\frac{1}{2}$以下とする。

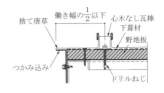

② ○ 通し吊子の鉄骨母屋への取付けは、平座金を付けたドリルねじで、下葺、野地板を貫通させ母屋に固定する。

③ ○ 棟部の納めには棟包みを用い、棟包みの継手の位置は、瓦棒に可能な限り近い位置とする。

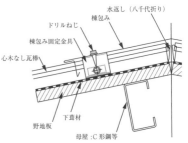

④ ○ 水上部分と壁との取合い部に設ける雨押えは、壁際立上がりを120mm以上として胴縁に留め付ける。

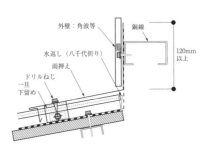

正解 **1**

第3-2編 仕上施工 **2** 屋根工事

305

心木なし瓦棒葺に関する記述として、最も不適当なものはどれか。

① 水上部分と壁との取合い部に設ける雨押えは、壁際立上りを45mmとした。

② 通し吊子の鉄骨母屋への取付けは、平座金を付けたドリルねじで、下葺材、野地板を貫通させ母屋に固定した。

③ 棟部の納めは、溝板の水上端部に八千代折とした水返しを設け、棟包みを取り付けた。

④ けらば部の溝板の幅は、瓦棒の働き幅の $\frac{1}{2}$ 以下とした。

解説 .... → テキスト **第3-2編** **2-2**

① ✕ 水上部分と壁との取合い部に設ける**雨押え**は、**壁際立上がりを120mm以上**として胴縁に留め付ける。

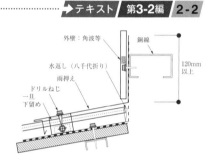

② ○ **通し吊子**の鉄骨母屋への取付けは、**平座金を付けたドリルねじで、下葺、野地板を貫通**させ母屋に固定する。

③ ○ **棟部**の納めは、溝板の水上端部に八千代折りとした水返しを付けた後、棟包みを取り付ける。棟包みの継手の位置は、瓦棒に可能な限り近い位置とする。

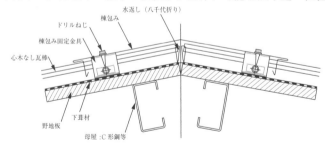

棟の納まりの例

④ ○ **けらば納め**の端部の長さ（溝板の幅）は、瓦棒の働き幅の $\frac{1}{2}$ **以下**とする。

正解 1

MEMO

金属製折板葺屋根工事に関する記述として、最も不適当なものはどれか。

① 重ね形折板の重ね部分の緊結ボルトは、流れ方向の間隔を600mmとした。

② 端部用タイトフレームは、けらば包みの下地として、間隔を1,800mmで取り付けた。

③ けらば包みの継手は、60mm以上重ね合わせ、間に定形シール材を挟み込んで留めた。

④ 軒先の落とし口は、折板の底幅より小さく穿孔し、テーパー付きポンチで押し広げ、5mmの尾垂れを付けた。

解 説 ························· ➡テキスト 第3-2編 2-3

① 〇 **重ね形折板**の施工において、折板は、各山ごとにタイトフレームに固定し、折板の重ね部に使用する**緊結ボルト**の間隔は**600mm程度**とする。

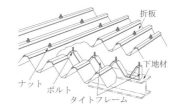

② ✕ 折板のけらば納めは、けらば包みによる方法を原則とし、**けらば包みは1.0m程度の間隔**で下地（端部用タイトフレーム）に取り付ける（公共建築工事標準仕様書）。したがって、タイトフレームを1.8m間隔で取り付けたことは不適当である。

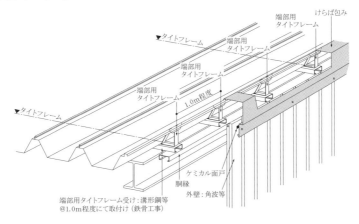

③ ◯ けらば包みの継手は60mm以上重ね合わせ、間に定形シール材又はブチル系などの不定形シール材を挟み込んで留める。

④ ◯ 尾垂れは、折板の裏面に雨水が伝わらないように、軒先に設けるもので、尾垂れ寸法は5～10mm以上が理想的である。落とし口は、軒先や谷樋の位置に設ける雨水排水目的の孔で、折板の底に底幅より尾垂れ寸法を控えた円孔をあける。その後、テーパーの付いたポンチで孔周辺を下方に向けてたたくと、尾垂れも簡単に付けることができる（JASS 12）。

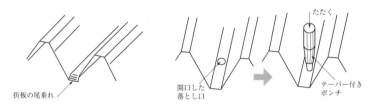

折板の尾垂れ

開口した
落とし口

たたく

テーパー付き
ポンチ

正解 2

金属製折板葺き屋根工事に関する記述として、最も不適当なものはどれか。

① タイトフレームの割付けは、両端部の納まりが同一となるように建物の桁行き方向の中心から行い、墨出しを通りよく行った。

② タイトフレームの受梁が大梁で切れる部分の段差には、タイトフレームの板厚と同厚の部材を添え材として用いた。

③ 水上部分の折板と壁との取合い部に設ける雨押えは、壁際の立上りを150mmとし、雨押えの先端に止水面戸を取り付けた。

④ 軒先の落とし口は、折板の底幅より小さく穿孔し、テーパー付きポンチで押し広げ、10mmの尾垂れを付けた。

解説 → テキスト **第3-2編** **2-3**

① 〇 **タイトフレーム**取付けのための墨出しは、山ピッチを基準に行い、割付けは建物の桁行方向の**中心**から行う。

② 〇 **タイトフレーム**の受梁に継手部分があったり、また、大梁の接合部で切れていたりする場合には、溶接接合ができないため、梁上にタイトフレームと**同厚**の添え材（C形鋼-100×50×20×3.2程度）を取り付ける（JASS 12）。

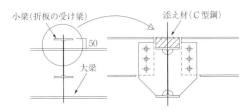

③ ✕ 水上の壁との取合い部に設ける雨押えは、**150mm程度**立ち上げ、雨水を止めるために折板水上端部に**止水面戸**を設け、周囲に**シーリング**を施す。雨押えの先端に取付けるのは**エプロン面戸**である。

④ 〇 **尾垂れ**は、折板の裏面に雨水が伝わらないように、軒先に設けるもので、尾垂れ寸法は **5〜10mm以上**が理想的である。**落とし口**は、軒先や谷樋の位置に設ける雨水排水目的の孔で、折板の底に底幅より尾垂れ寸法を控えた円孔をあける。その後、**テーパーの付いたポンチ**で孔周辺を下方に向けてたたくと、尾垂れも簡単に付けることができる（同上）。

正解 3

MEMO

金属製折板葺屋根工事に関する記述として、最も不適当なものはどれか。

① 端部用タイトフレームは、けらば包みの下地として、間隔を1,800mmで取り付けた。

② 重ね形折板の重ね部分の緊結ボルトは、流れ方向の間隔を600mmとした。

③ 軒先の落とし口は、折板の底幅より小さく穿孔し、テーパー付きポンチで押し広げ、10mmの尾垂れを付けた。

④ 軒先のアール曲げ加工は、曲げ半径を450mmとした。

解 説 .... ➡テキスト／**第3-2編** **2-3**

① ✕ 折板のけらば納めは、**けらば包み**による方法を原則とし、けらば包みは1.0m程度の間隔で下地（端部用タイトフレーム）に取り付ける（公共建築工事標準仕様書）。したがって、タイトフレームを1.8m間隔で取り付けたことは不適当である。

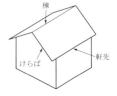

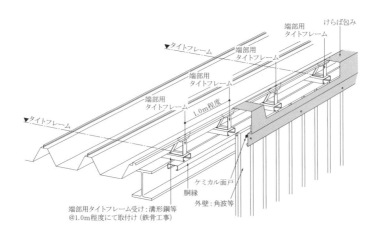

② 〇 重ね形折板の施工において、折板は、各山ごとにタイトフレームに固定し、折板の重ね部に使用する**緊結ボルト**の間隔は600mm程度とする。

③ ○ **尾垂れ**は、折板の裏面に雨水が伝わらない
ように、軒先に設けるもので、尾垂れ寸法は
5〜10mm以上が理想的である。**落とし口**は、
軒先や谷樋の位置に設ける雨水排水目的の孔
で、折板の底に底幅より尾垂れ寸法を控えた
円孔をあける。その後、**テーパーの付いたポ
ンチ**で孔周辺を下方に向けてたたくと、尾垂
れも簡単に付けることができる（JASS12）。

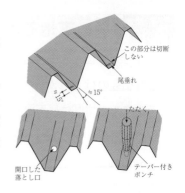

④ ○ **軒先アール曲げ加工**は、屋根材の端部をアール加工して、軒先の外観意匠性
や寒冷地の雪の巻きだれ防止効果を考えた工法である。加工寸法は以下を標準
とする（JASS12）。

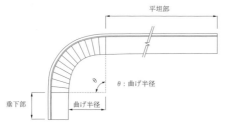

加工寸法	寸法範囲
曲げ半径	450 mm以上
平坦部長さ	1000 mm以上
垂下部長さ	300 mm以上

正解 **1**

内壁コンクリート下地のセメントモルタル塗りに関する記述として、最も不適当なものはどれか。

① モルタルの塗厚は、下塗りから上塗りまでの合計で30mmとした。

② 下塗り用モルタルの調合は、容積比でセメント1対砂2.5とした。

③ 下地処理をポリマーセメントペースト塗りとしたため、乾燥しないうちに下塗りを行った。

④ 吸水調整材を塗布後1時間以上おいた後に、乾燥を確認してから下塗りを行った。

解説 .... → テキスト **第3-2編** **3-3**

① ✕ 内壁コンクリート下地のモルタルの仕上げ厚または**全塗り厚**は、**20mmを標準**とする（**最大25mm以下**、天井・庇下部は12mm以下とする）。

② ◯ 下塗りなどに用いるモルタルの調合は、以下のとおりとする。モルタルの調合は、**下塗りに用いるものは富調合**（付着力が大きいモルタル）とし、容積比で**セメント1対砂2.5**とする。これは、下塗りは付着力を大きく、中・上塗りはひび割れを少なくするためである。

	セメント	砂	調　合	強度・付着力	ひび割れ
下塗り	1	2.5	**富調合** （ふちょうごう）	**大**	多
むら直し・中塗り	1	3	**貧調合** （ひんちょうごう）	小	**少**
上塗り	1	3			

③ ◯ 下地処理を**ポリマーセメントペースト塗り**とする場合、ポリマーセメントペーストが**乾燥しないうち**に、セメントモルタルの**下塗り**を行う（ドライアウトしてはく離しやすくなるため）。

④ ◯ **吸水調整材が乾燥後**、セメントモルタルの下塗りを行う。下塗り時期は、一般に吸水調整材を塗布後1時間**以上**とし、**1日程度経過後**にすることが望ましい。

正解　1

内壁コンクリート下地のセメントモルタル塗りに関する記述として、最も不適当なものはどれか。

① モルタルの塗厚の合計は、20mmを標準とした。

② 下塗りは、吸水調整材の塗布後、乾燥を確認してから行った。

③ 下塗り用モルタルの調合は、容積比でセメント1：砂3とした。

④ 中塗りや上塗りの塗厚を均一にするため、下塗りの後に、むら直しを行った。

解 説 .... →テキスト 第3-2編 3-3

① ○ モルタルの仕上げ厚または**全塗り厚**は、20mmを標準とし、**最大25mm以下**とする（ただし、床の場合を除く。また、天井・庇下部は12mm以下とする）。

② ○ **吸水調整材**が**乾燥後**、セメントモルタルの下塗りを行う。下塗り時期は、一般に吸水調整材を塗布後1時間**以上**とし、**1日程度経過後**にすることが望ましい。

③ × 下塗り、中塗り、上塗りなどに用いるモルタルの調合は、以下のとおりとする。モルタルの調合は、**下塗り**に用いるものは**富調合**（付着力が大きいモルタル）とし、容積比で**セメント1対砂2.5**とする。これは、下塗りは付着力を大きく、中・上塗りはひび割れを少なくするためである。

	セメント	砂	調 合	強度・付着力	ひび割れ
下塗り	1	2.5	**富調合**	**大**	多
むら直し・中塗り	1	3	**貧調合**	小	**少**
上塗り	1	3			

④ ○ **むら直し**とは、表面の不陸を直すためにくぼんだ部分にだけ塗り付けて調整することをいい、通常、下塗りの後に行う。したがって、コンクリート壁面へのモルタル塗りは、**下塗り→むら直し→中塗り→上塗り**の順で行う（JASS 15、公共建築工事標準仕様書）。

正解 **3**

第3-2編 仕上施工 **3** 左官工事

内壁コンクリート下地のセメントモルタル塗りに関する記述として、最も不適当なものはどれか。

① 中塗りや上塗りの塗厚を均一にするため、下塗りの後に、むら直しを行った。

② モルタルの塗厚は、下塗りから上塗りまでの合計で30mmとした。

③ 下地処理をポリマーセメントペースト塗りとしたため、乾燥しないうちに下塗りを行った。

④ 下塗り用モルタルの調合は、容積比でセメント1：砂2.5とした。

解説 ➡テキスト **第3-2編** **3-3**

① ○ **むら直し**とは、表面の不陸（ふりく）を直すためにくぼんだ部分にだけ塗り付けて調整することをいい、通常、下塗りの後に行う。したがって、コンクリート壁面へのモルタル塗りは、**下塗り→むら直し→中塗り→上塗り**の順で行う（JASS 15、公共建築工事標準仕様書）。

② ✕ モルタルの塗厚は、下塗りから上塗りまでの全塗厚は**20mm**を標準とし、最大**25mm以下**とする。また、天井・庇下部は12mm以下とする。

③ ○ 下地処理を**ポリマーセメントペースト塗り**とする場合、ポリマーセメントペーストが**乾燥しないうちに**、セメントモルタルの下塗りを行う（ドライアウトしてはく離しやすくなるため）。

④ ○ 下塗り、中塗り、上塗りなどに用いるモルタルの調合は、以下のとおりとする。モルタルの調合は、**下塗り**に用いるものは**富調合**（付着力が大きいモルタル）とし、容積比で**セメント1対砂2.5**とする。これは、下塗りは大きい付着力が必要で、中・上塗りはひび割れを少なくするためである。

	セメント	砂	調　合	強度・付着力	ひび割れ
下塗り	1	2.5	**富調合**（ふちょうごう）	**大**	多
むら直し・中塗り	1	3	貧調合（ひんちょうごう）	小	**少**
上塗り	1	3			

正解 2

内壁コンクリート下地のセメントモルタル塗りに関する記述として、最も不適当なものはどれか。

① 下塗りは、吸水調整材の塗布後、乾燥を確認してから行った。

② 下塗り用モルタルの調合は、容積比でセメント1：砂3とした。

③ 下塗り後の放置期間は、モルタルの硬化が確認できたため、14日間より短縮した。

④ 中塗りや上塗りの塗厚を均一にするため、下塗りの後に、むら直しを行った。

解説　→テキスト 第3-2編 3-3

① ○ **吸水調整材**を塗布し、吸水調整材が乾燥後、セメントモルタルの下塗りを行う。下塗り時期は、一般に吸水調整材を塗布後1時間以上とし、1日程度経過後にすることが望ましい。

② × 下塗り、中塗り、上塗りなどに用いるモルタルの調合は、以下のとおりとする。モルタルの調合は、**下塗り**に用いるものは**富調合**（付着力が大きいモルタル）とし、容積比でセメント1対砂2.5とする。これは、下塗りは**付着力**を大きく、中・上塗りはひび割れを少なくするためである。

	セメント	砂	調合	強度・付着力	ひび割れ
下塗り	1	2.5	**富調合**	**大**	多
むら直し・中塗り	1	3	**貧調合**	小	**少**
上塗り	1	3			

③ ○ 下塗りは14日以上放置して、**ひび割れ**等を十分発生させてから、次の塗付けを行う。ただし、気象条件等により、モルタルの接着を確保できる場合には、放置期間を短縮することができる。

④ ○ **むら直し**とは、表面の不陸を直すためにくぼんだ部分にだけ塗り付けて調整することをいい、通常、下塗りの後に行う。したがって、コンクリート壁面へのモルタル塗りは、**下塗り➡むら直し➡中塗り➡上塗り**の順で行う（JASS 15、公共建築工事標準仕様書）。

正解 2

防水形合成樹脂エマルション系複層仕上塗材（防水形複層塗材E）に関する記述として、最も不適当なものはどれか。

① 下塗材は、所要量を0.2kg／㎡とし、専用うすめ液で均一に薄めた。

② 主材の基層塗りは、所要量を1.7kg／㎡とし、2回塗りとした。

③ 増塗りは、主材塗りの後に行い、出隅、入隅、目地部、開口部まわり等に、ローラーにより行った。

④ 凸部処理は、見本と同様の模様で均一に仕上がるように、ローラーにより行った。

解説 ┈┈┈┈┈┈┈┈┈┈┈┈┈┈┈┈┈┈┈┈┈┈┈┈ ➡テキスト／第3-2編／3-5

防水形合成樹脂エマルション系複層仕上塗材（防水形複層塗材E）は、**下塗り→増塗り→主材塗り→凸部処理→上塗り**の工程で施工するが、本問はその各工程のポイントに関する問題である。防水形の場合には、**塗厚**の確保が**防水性能**に直接影響するため、所要量の確認が特に重要である。

① 〇 **下塗り**材の練混ぜは、所要量は0.1kg／㎡以上、専用薄め液で均一になるように行う。

② 〇 **主材塗り**は基層塗り及び模様塗りを行い、主材の**基層塗り**は、所要量を1.7kg／㎡以上とし、2**回**塗りとする。

③ ✕ **増塗り**は、**主材塗りの前**に行い、出隅、入隅、目地部、開口部まわり等に、**はけ**又は**ローラー**により、端部に段差のないように行う。

④ 〇 主材塗りにおける**凸部処理**は、見本塗板と同様の模様になるように、**こて**又は**ローラー**により押さえる。

正解 3

左官（防水形複層塗材E）

防水形合成樹脂エマルション系複層仕上塗材（防水形複層塗材E）仕上げに関する記述として、最も不適当なものはどれか。

① 下塗材は、0.2kg/㎡を1回塗りで、均一に塗り付けた。

② 主材の基層塗りは、1.2kg/㎡を1回塗りで、下地を覆うように塗り付けた。

③ 主材の模様塗りは、1.0kg/㎡を1回塗りで、見本と同様の模様になるように塗り付けた。

④ 上塗材は、0.3kg/㎡を2回塗りで、色むらが生じないように塗り付けた。

解説 ⟶テキスト 第3-2編 3-5

　防水形合成樹脂エマルション系複層仕上塗材（防水形複層塗材E）は、**下塗り**→**増塗り**→**主材塗り**→**凸部処理**→**上塗り**の工程で施工するが、本問はその各工程のポイントに関する問題である。防水形の場合には、**塗厚の確保**が**防水性能**に直接影響するため、所要量の確認が特に重要である。

① ○ **下塗り**は、所要量を0.1kg/㎡以上1回塗りとし、練混ぜは専用薄め液で均一になるように行う。

② ✕ **主材塗り**は基層塗り及び模様塗りを行い、主材の**基層塗り**は、所要量を1.7kg/㎡以上を2回塗りで、だれ、ピンホール、塗り残しのないように均一に塗りつける。

③ ○ 主材の**模様塗り**は、0.9kg/㎡以上を1回塗りで、見本と同様の模様になるように塗り付ける（公共建築工事標準仕様書）。

④ ○ **上塗り**は、0.25kg/㎡以上を2回塗りで、色むら、だれ、光沢むらが発生しないように均一に塗り付ける（同上）。

正解 2

防水形合成樹脂エマルション系複層仕上塗材（防水形複層塗材E）仕上げに関する記述として、最も不適当なものはどれか。

① 上塗材は、0.3kg/㎡を2回塗りとした。

② 主材の基層塗りは、1.7kg/㎡を2回塗りとした。

③ 出隅、入隅、目地部、開口部まわり等に行う増塗りは、主材塗りの後に行った。

④ 主材の凹凸状の模様塗りは、見本と同様になるように、吹付け工法により行った。

解 説 ➡ **テキスト** 第3-2編 **3-5**

　防水形合成樹脂エマルション系複層仕上塗材（防水形複層塗材E）は、下塗り→増塗り→主材塗り→凸部処理→上塗りの工程で施工するが、本問はその各工程のポイントに関する問題である。防水形の場合には、塗厚の確保が防水性能に直接影響するため、所要量の確認が特に重要である。

① ○ **上塗り**は、**0.25kg/㎡以上を2回塗り**で、色むら、だれ、光沢むらが発生しないように均一に塗り付ける（公共建築工事標準仕様書）。

② ○ 主材塗りは基層塗り及び模様塗りを行い、主材の**基層塗り**は、所要量を**1.7kg/㎡以上を2回塗り**で、だれ、ピンホール、塗り残しのないように均一に塗りつける。

③ × **増塗り**は、主材塗りの前に行い、出隅、入隅、目地部、開口部まわり等に、**はけ又はローラー**により、端部に段差のないように行う。

④ ○ 主材の**模様塗り**は、ゆず肌状又はさざ波状の場合はローラーを用い、**凹凸状**や砂壁状の場合は**吹付け**により0.9kg/㎡以上を1回塗りで、**見本と同様**の模様になるように塗り付ける（公共建築工事共通仕様書）。

正解 3

セメントモルタルによる壁タイル後張り工法に関する記述として、最も不適当なものはどれか。

① 外壁タイル張り面の伸縮調整目地の位置は、縦目地を3m内外に割り付け、横目地を各階ごとの打継ぎ目地に合わせた。

② マスク張りでは、張付けモルタルを塗り付けたタイルは、塗り付けてから20分を限度に張り付けた。

③ 改良圧着張りの目地詰めは、タイル張付け後24時間経過したのちとした。

④ モザイクタイル張りの張付けモルタルは2層に分けて塗り付けるものとし、1層目はこて圧をかけて塗り付けた。

解 説 .... ➡テキスト 第3-2編 **4-1**

① ○ 鉄筋コンクリート造の建築物の外壁面にタイル張りを行うにあたり、「**伸縮調整目地**」及び「**ひび割れ誘発目地**」の位置は、特記がなければ、鉛直方向は3～4m程度、水平方向は各階ごとの打継ぎ目地の位置とし、「伸縮調整目地」及び「ひび割れ誘発目地」の位置は一致するように設ける。

② × タイルの**マスク張り工法**においては、タイルに張付けモルタルを塗り付けたのち、**直ちに（5分以内）**タイルを壁面に張り付ける。

マスク板

張付けモルタル
（タイル裏面）

マスク張り

③ ○ 外壁のタイルの**目地詰め**作業は、タイル張り付け後、**24時間以上経過**したのち、張付けモルタルの硬化を見はからって行う。なお、タイル目地が深いとタイルが剥離しやすいため、目地深さがタイル厚の$\frac{1}{2}$以下になるまで目地モルタルを充填し、目地押えを行う。

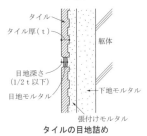

タイル
タイル厚（t）
躯体
目地深さ
（1/2t以下）
下地モルタル
目地モルタル
張付けモルタル

タイルの目地詰め

④ ○ **モザイクタイル張り**とする場合、内壁・外壁とも下地面に対する張付け用モルタルの塗付けは、いかに薄くても、**2度塗り**とし、1層目は**こて圧**をかけて塗り付ける。

正解 **2**

第3-2編 仕上施工 **4** タイル工事

セメントモルタルによる壁タイル後張り工法に関する記述として、最も不適当なものはどれか。

① モザイクタイル張りの張付けモルタルは、2度塗りとし、総塗厚を3mm程度とした。

② マスク張りの張付けモルタルは、ユニットタイル裏面に厚さ4mmのマスク板をあて、金ごてで塗り付けた。

③ 改良積上げ張りの張付けモルタルは、下地モルタル面に塗厚4mm程度で塗り付けた。

④ 密着張りの目地詰めは、タイル張付け後、24時間以上経過したのち、張付けモルタルの硬化を見計らって行った。

解説 .... →テキスト 第3-2編 4-1

① ○ **モザイクタイル張り**とする場合、内壁・外壁とも下地面に対する張付け用モルタルの塗付けは、いかに薄くても、2度塗りとし、1層目はこて圧をかけて塗り付け、総塗厚を3〜5mmとする。

② ○ **マスク張り**の張付けモルタルは、ユニットタイル裏面に厚さ4mmの**マスク板**をあて、金ごてで塗り付け、マスク板を外した後、**直ちに（5分以内）**ユニットタイルを壁面に張り付け、たたき押さえる。

マスク張り

③ × **改良積上げ張り**は、タイル裏面に張付けモルタルをならし、1枚ずつ押し付けるようにたたき締めを行い、1段ごとに下部から上部へと張り上げていく工法である。張付けモルタルは、タイル裏面に平らに塗り付け、塗厚は外装タイルの場合7〜10mmとする。改良積上げ張りは下地側ではなく、

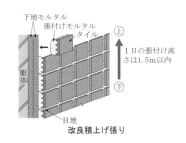

改良積上げ張り

タイル裏面に張付けモルタルを塗る工法であるので、設問は不適当である。

④ ○ 外壁のタイルの**目地詰め**作業は、タイル張り付け後、**24時間以上経過**したのち、張付けモルタルの硬化を見はからって行う。なお、タイル目地が深いとタイルが剥離しやすいため、目地深さがタイル厚の$\frac{1}{2}$**以下**になるまで目地モルタルを充填し、目地押えを行う。

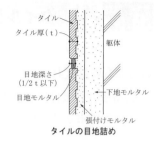

タイルの目地詰め

正解 3

セメントモルタルによる壁タイル後張り工法に関する記述として、最も不適当なものはどれか。

① 密着張りの張付けモルタルは2度塗りとし、タイルは、上から下に1段置きに数段張り付けた後、それらの間のタイルを張った。

② モザイクタイル張りの張付けモルタルは2度塗りとし、1層目はこて圧をかけて塗り付けた。

③ 改良積上げ張りの張付けモルタルは、下地モルタル面に塗り厚4mmで塗り付けた。

④ 改良圧着張りの下地面への張付けモルタルは2度塗りとし、その合計の塗り厚を5mmとした。

解説 →テキスト 第3-2編 **4-1**

① ○ 密着張りの張付けモルタルの下地面に対する塗付けは、**2度塗り**とし、その塗厚は**5～8mm**とする。タイル張付けは、**上部から下部へ**、まず1段おきに水糸に合わせて数段張付けた後、それらの間を埋めるようにして張る。1段おきにせずに連続して張ると、張付け振動の影響で他のタイルにズレが起きやすく目地通りが悪くなるからである。

② ○ **モザイクタイル張り**とする場合、下地面に対する張付け用モルタルの塗付けは**2度塗り**とし、1層目は**こて圧**をかけて塗り付ける。

③ × **改良積上げ張り**は、張付けモルタルを**タイル裏面**に平らに塗り付ける。塗厚は外装タイルの場合**7～10mm**とする。改良積上げ張りは下地側ではなく、**タイル裏面**に張付けモルタルを塗る工法であるので、設問は不適当である。

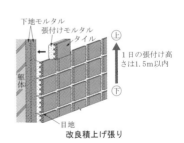

改良積上げ張り

④ ○ 改良圧着張りは、中塗りまで施工した下地モルタル面側及びタイル裏面の両面に張付けモルタルを塗り、たたき押さえて張り付ける方法である。下地面へは2度塗りとし合計塗り厚は4〜6mm、タイル裏面には厚さ1〜3mm程度に張付けモルタルを塗る。

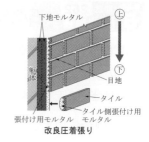

下地モルタル
上
下
目地
躯体
タイル
タイル側張付け用モルタル
張付け用モルタル
改良圧着張り

正解 3

乾式工法による外壁張り石工事に関する記述として、最も不適当なものはどれか。

① 石材は、最大寸法を幅1,000mm、高さ800mmとし、重量を70kg以下とした。

② 厚さ30mm、大きさ500mm角の石材のだぼ孔の端あき寸法は、120mmとした。

③ 厚さが30mmの石材のだぼ孔は、石材の裏面から15mmの位置とし、孔径を4mmとした。

④ 下地のコンクリート面の寸法精度は、±10mm以内となるようにした。

解　説 ➡テキスト 第3-2編 5-2

① ○ **外壁乾式工法**における石材の寸法は幅及び高さ1,200mm以下、かつ、面積0.8㎡以下、重量70kg以下とする。また、石材の厚さは、特記がない場合、厚さを30mm以上、70mm以下とする。

② ○ 石材の**だぼ孔**は、端あき寸法は石材の厚みの**3倍以上**とする。したがって、石材が厚さ30mmの場合、端あき寸法は90mm以上必要で、120mmとすることは適当である（JASS 9）。

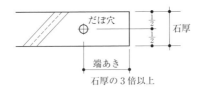

石厚の3倍以上

③ × 外壁乾式工法における**だぼ**は一般にφ4〜5mm×50mm程度、だぼ孔の径はだぼ寸法より1〜3mm大きくし、縁あきは、石材の**厚さ方向の中心**に精度よく穿孔し、均等に確保する（同上）。したがって、孔径を4mmとしたことは径が小さすぎて不適当である。

④ ○ 外壁乾式工法における下地のコンクリート面の寸法精度は、±10mm以内とする。

正解 3

外壁張り石工事に関する記述として、最も不適当なものはどれか。

① 湿式工法において、石厚40mmの花こう岩の取付け用引金物は、径4.0mmのものを使用した。

② 乾式工法のロッキング方式において、ファスナーの通しだぼは、径4.0mmのものを使用した。

③ 湿式工法において、流し筋工法の埋込みアンカーは、設置位置を450mmの間隔とし、縦筋を通り良く設置した。

④ 乾式工法において、コンクリート躯体の表面の精度を±10mmとし、石材の裏面から躯体の表面までの取付け代は、40mmとした。

解 説 .... ➡テキスト **第3-2編** **5-2**

① 〇 外壁**湿式工法**において、**石厚40mm以上**の花こう岩の取付け用**引金物**は、ステンレス製、**径4.0mm**のものを使用する。なお、石厚30mm未満の場合は径3.2mmのものを使用する（建築工事監理指針）。

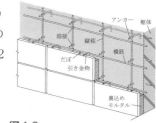

② 〇 外壁**乾式工法**の**ロッキング方式**における**だぼ**は、**径4.0mm、埋込み長さ20mm**のものを使用する。なお、**スライド方式**の場合は、**径5.0mm、埋込み長さ20mm**のものを使用する。

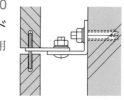

③ 〇 **流し筋工法**の埋込みアンカーは、鉛直方向に通りよく、**間隔450mm**程度で配置する。縦筋は引金物の位置から縦筋が100mm程度になるように、450mm程度の間隔で配置する。横筋は石材の割付けに基づき、水平方向の通りが出るように配置する。

④ ✕ 外壁**乾式工法**は、ファスナーを用いて躯体に取り付け、裏込めモルタルを用いない工法で、**石裏と躯体コンクリート面の間隔**（取付け代）は、ファスナーの寸法を考慮して、**70mm**を標準とする。なお、外壁湿式工法の場合は、40mmを標準とする。

正解 **4**

乾式工法による外壁の張り石工事に関する記述として、最も不適当なものはどれか。

① 石材の形状は正方形に近い矩形とし、その大きさは石材1枚の面積が0.8㎡以下とした。

② 下地のコンクリート面の寸法精度は、±10㎜以内となるようにした。

③ 厚さ30㎜、大きさ500㎜角の石材のだぼ孔の端あき寸法は、60㎜とした。

④ 石材間の目地は、幅を10㎜としてシーリング材を充填した。

解説 .... ➡テキスト 第3-2編 **5-2**

① ○ 外壁乾式工法に用いる石材の最大寸法は、施工性、安全性等を考慮して、**幅、高さとも1,200㎜以下**、かつ、**面積は0.8㎡以下**とし、**重量は70kg以下**とする。また、石材の厚さは、特記がない場合、厚さを30㎜以上、70㎜以下とする。

② ○ 下地コンクリートの寸法精度の許容差は**±10㎜**とする。一般に躯体位置の許容差は±20㎜であるが、外壁乾式工法においては、ファスナーの面外調整機構は±10㎜程度であるためである。

③ × 石材の**だぼ孔**の端あき寸法は石材の厚みの**3倍以上**とする。したがって、石材が厚さ30㎜の場合、端あき寸法は90㎜以上必要である。

④ ○ 外壁乾式工法にて外壁に石材を取り付けるにあたり、石材間の目地幅は**8〜10㎜程度**とし、壁面の防水のために**シーリング材**を充填する（建築工事監理指針）。

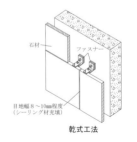

石材　ファスナー

目地幅8〜10㎜程度
（シーリング材充填）

乾式工法

正解 **3**

乾式工法による外壁の張り石工事に関する記述として、最も不適当なものはどれか。

① 厚さ30mm、大きさ500mm角の石材のだぼ孔の端あき寸法は、60mmとした。

② ロッキング方式において、ファスナーの通しだぼは、径4mmのものを使用した。

③ 下地のコンクリート面の精度を考慮し、調整範囲が±10mmのファスナーを使用した。

④ 石材間の目地は、幅を10mmとしてシーリング材を充填した。

解 説 ⋯⋯⋯⋯⋯⋯⋯⋯⋯⋯⋯⋯⋯⋯⋯⋯⋯⋯ ➡テキスト 第3-2編 5-2

① ✕ 石材の**だぼ孔**の端あき寸法は石材の厚みの３倍以上とする。したがって、石材が厚さ30mmの場合、端あき寸法は90mm以上必要である。

② ○ 外壁乾式工法の**ロッキング方式**における**だぼ**は、径4.0mm、埋込み長さ20mmのものを使用する。なお、**スライド方式**の場合は、径5.0mm、埋込み長さ20mmのものを使用する。

③ ○ 外壁乾式工法においては、ファスナーの面外調整機構は±10mm程度である。そのため、一般に躯体位置の許容差は±20mmであるが、外壁乾式工法による石張りの下地コンクリートの寸法精度の許容差は±10mmとする。

④ ○ 外壁乾式工法にて外壁に石材を取り付けるにあたり、石材間の目地幅は8〜10mm程度とし、壁面の防水のために**シーリング材**を充填する（建築工事監理指針）。

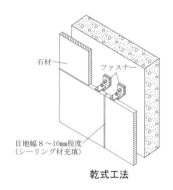

石材

ファスナー

目地幅8〜10mm程度
（シーリング材充填）

乾式工法

正解 1

軽量鉄骨壁下地に関する記述として、最も不適当なものはどれか。

① 鉄骨梁に取り付く上部ランナは、耐火被覆工事の後、あらかじめ鉄骨梁に取り付けられた先付け金物に溶接で固定した。

② コンクリート壁に添え付くスタッドは、上下ランナに差し込み、コンクリート壁に打込みピンで固定した。

③ 区分記号65形のスタッド材を使用したそで壁端部は、垂直方向の補強材の長さが4.0mを超えるので、スタッド材を2本抱き合わせて溶接したもので補強した。

④ 振れ止めは、床ランナの下端から間隔約1,200mmごとに取り付け、上部ランナの上端から400mm以内に位置するものは取付けを省略した。

解説 ・・ →テキスト **第3-2編** **6-1**

① ○ **上部ランナ**が鉄骨梁に取り付く場合、耐火被覆等の終了後、あらかじめ鉄骨梁に取り付けられた**先付け金物**にスタッドボルト、タッピンねじの類又は溶接で上部ランナを固定する。

② ○ **スタッド**がコンクリート壁等に添え付く場合は、上下ランナに**差し込み**、スペーサで振れ止め上部を押さえ、振れ止め上部のスタッドは必要に応じて**打込みピン等で固定**する。

③ × 区分記号**65形**のスタッド材を使用したそで壁端部や開口部における垂直方向の補強材の長さが4.0mを超える場合は、同材の**補強材を2本抱き合わせ**、上下端部及び間隔**600mm**程度に**溶接**したものを用いる。したがって、スタッドではなく開口補強材を2本抱き合わせなければならない。

④ ○ **振れ止め**は、床ランナの下端から間隔約1.2mごとに設け、上部ランナの上端から**400mm以内**に位置するものは**省略することができる**。

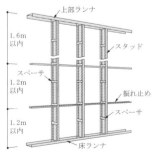

壁下地材及び付属金物の名称

正解 **3**

軽量鉄骨壁下地に関する記述として、最も不適当なものはどれか。

① ランナは、両端部は端部から50㎜内側で固定し、中間部は900㎜間隔で固定した。

② 振れ止めは、床ランナから1,200㎜間隔で、スタッドに引き通し、固定した。

③ スタッドの建込み間隔の精度は、±5㎜とした。

④ スペーサは、各スタッドの端部を押さえ、900㎜間隔に留め付けた。

解 説 ➡テキスト **第3-2編 6-1**

① ○ **ランナ**両端部の固定位置は、端部から50㎜内側、継手は**突付け**継ぎとし、間隔約900㎜程度で打込みピン等で固定する。

② ○ **振れ止め**は、床ランナから間隔約1.2mごとに、スタッドに引き通し、振れ止めに浮きが生じないようにスペーサで固定することを原則とする。

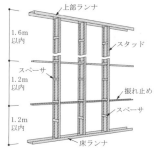

壁下地材及び付属金物の名称

③ ○ **スタッド**の建込み**間隔**の精度は、通常の天井高では±5㎜以下、垂直の精度は、約±2㎜とする。

④ × **スペーサ**は、上下ランナの近くで各スタッドの端部を押さえるとともに、振れ止め上部を固定し、**間隔は600㎜**程度とする。

正解 4

軽量鉄骨壁下地に関する記述として、最も不適当なものはどれか。

① 鉄骨梁に取り付く上部ランナは、耐火被覆工事の後、あらかじめ鉄骨梁に取り付けられた先付け金物に溶接で固定した。

② コンクリート壁に添え付くスタッドは、上下のランナに差し込み、コンクリート壁に打込みピンで固定した。

③ スタッドは、上部ランナの上端とスタッド天端との隙間が15mmとなるように切断した。

④ 上下のランナの間隔が３mの軽量鉄骨壁下地に取り付ける振れ止めの段数は、２段とした。

解説 ・・・ ➡️ **テキスト** **第3-2編** **6-1**

① ○ **上部ランナ**が鉄骨梁に取り付く場合、耐火被覆等の終了後、あらかじめ鉄骨梁に取り付けられた**先付け金物**にスタッドボルト、タッピンねじの類又は溶接で上部ランナを固定する。

② ○ **スタッド**がコンクリート壁等に添え付く場合は、上下ランナに**差し込み**、スペーサで振れ止め上部を押さえ、振れ止め上部のスタッドは必要に応じて**打込みピン等でコンクリート壁等に固定**する。

③ × スタッドは、上部ランナの高さに合わせて切断する。上部ランナ上端とスタッド天端の隙間は**10mm以下**となるように切断する。

④ ○ **振れ止め**は、床ランナの下端から間隔約**1.2m**ごとに設ける。上部ランナの上端から**400mm以内**に位置するものは**省略**することができる。上下ランナの間隔が３mの軽量鉄骨壁下地に２段目を取り付けた場合は、２段目は上部ランナから600mmとなるので省略できず、２段とすることは適当である。

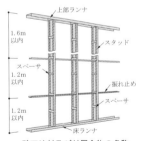

壁下地材及び付属金物の名称

正解 3

軽量鉄骨（壁下地）

軽量鉄骨壁下地に関する記述として、不適当なものを2つ選べ。

① スタッドは、上部ランナの上端とスタッド天端との隙間が15mmとなるように切断した。

② ランナは、両端部を端部から50mm内側で固定し、中間部を900mm間隔で固定した。

③ 振れ止めは、床ランナから1,200mm間隔で、スタッドに引き通し、固定した。

④ スペーサは、スタッドの端部を押さえ、間隔600mm程度に留め付けた。

⑤ 区分記号65形のスタッド材を使用した袖壁端部の補強材は、垂直方向の長さが4.0mを超えたため、スタッド材を2本抱き合わせて溶接したものを用いた。

解説 ━━━━━━━━━━━━━━━━━━━━ →テキスト 第3-2編 6-1

① × スタッドは、上部ランナの高さに合わせて切断する。**上部ランナ上端とスタッド天端の隙間は10mm以下**となるように切断する。

② ○ ランナ両端部の固定位置は、端部から50mm**内側**、継手は**突付け継ぎ**とし、間隔約900mm程度で打込みピン等で固定する。

③ ○ **振れ止め**は、床ランナから間隔約1.2mごとに、スタッドに引き通し、振れ止めに浮きが生じないように**スペーサ**で固定することを原則とする。

④ ○ **スペーサ**は、上下ランナの近くで各**スタッドの端部**を押さえるとともに、振れ止め上部を固定し、間隔は600mm程度とする。

⑤ × 65形のスタッド材を使用したそで**壁端部**や**開口部**における垂直方向の補強材の長さが**4.0mを超える場合**は、同材の補強材を2本抱き合わせ、上下端部及び間隔600mm程度に**溶接**したものを用いる。したがって、スタッドではなく開口補強材を2本抱き合わせなければならない。

正解 **1、5**

軽量鉄骨（天井下地）

特定天井に該当しない軽量鉄骨天井下地工事に関する記述として、最も不適当なものはどれか。

① 下地張りがなく、野縁が壁に突付けとなる場所に天井目地を設けるため、厚さ0.5mmのコ形の、亜鉛めっき鋼板を野縁端部の小口に差し込んだ。

② 屋内の天井のふところが1,500mm以上あるつりボルトは、縦横方向に間隔3.6mで施工用補強材を配置して水平補強した。

③ つりボルトの間隔が900mmを超えたため、そのつりボルトの間に水平つなぎ材を架構し、中間からつりボルトを下げる2段づりとした。

④ 下地張りのある天井仕上げの野縁は、ダブル野縁を1,800mm程度の間隔とし、その間に4本のシングル野縁を間隔を揃えて配置した。

解 説 .... →テキスト 第3-2編 6-1

① ◯ 下地張りがなく野縁が壁等に突き付く場所に天井目地を設ける場合、厚さ0.5mmのコ形の金物を野縁端部の小口に差し込む。天井目地の目地底にするとともに、野縁のとおりをよくするためのものである。

② ✕ 軽量鉄骨天井下地の天井ふところが**1,500mm以上**ある場合には、つりボルトの振れ止めとして、**水平補強の縦横間隔を1,800mm程度**とし、**斜め補強**は、相対する斜め材を1組とし、**縦横間隔を3,600mm程度**とする。

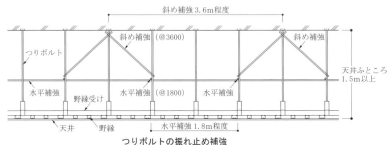

つりボルトの振れ止め補強

③ ◯ ダクト等によってつりボルトの間隔が900mmを超える場合、その間に水平つなぎ材を架構し、中間からつりボルトを下げる**2段づり**とする。

④ ◯ 下地張りのある天井仕上げの野縁は、**ダブル野縁を1,800mm程度**の間隔とし、その間に**4本のシングル野縁を間隔360mm程度**で配置する。なお、**下地張りの**

ない場合は、ダブル野縁を900㎜程度の間隔とし、その間に2本のシングル野縁を間隔300㎜程度で配置する。

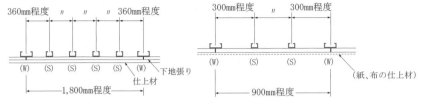

（注）S：シングル野縁　W：ダブル野縁

下地張りのある場合　　　　　　　下地張りのない場合

正解　2

特定天井に該当しない軽量鉄骨天井下地工事に関する記述として、最も不適当なものはどれか。

① 天井のふところが1,500mm以上あったため、つりボルトの振れ止めとなる水平方向の補強は、縦横間隔を1,800mm程度とした。

② 下り壁による天井の段違い部分は、2,700mm程度の間隔で斜め補強を行った。

③ 下地張りのある天井仕上げの野縁は、ダブル野縁を1,800mm程度の間隔とし、その間に4本のシングル野縁を間隔を揃えて配置した。

④ 野縁は、野縁受にクリップ留めし、野縁が壁と突付けとなる箇所は、野縁受からのはね出しを200mmとした。

解説 .... →テキスト 第3-2編 6-1

① ○ 軽量鉄骨天井下地の天井ふところが1,500mm以上ある場合には、つりボルトの振れ止めとして、**水平補強**の縦横間隔を1,800mm程度とし、**斜め補強**は、相対する斜め材を1組とし、縦横間隔を3,600mm程度とする。

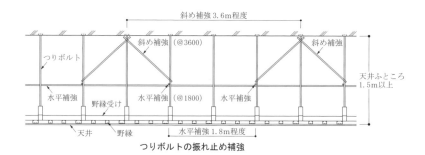

つりボルトの振れ止め補強

② ○ 軽量鉄骨天井下地工事において、下がり壁、間仕切り壁等を境として、天井に**段違い**がある場合には、野縁受けと同材又はL-30×30×3（mm）程度で、間隔2.7m程度に斜め補強を行う（公共建築工事標準仕様書）。

天井段違い箇所の振れ止め補強
（間仕切壁による場合）

③ ◯ 下地張りのある天井仕上げの野縁は、ダブル野縁を1,800mm程度の間隔とし、その間に4本のシングル野縁を間隔360mm程度で配置する。なお、下地張りのない場合は、ダブル野縁を900mm程度の間隔とし、その間に2本のシングル野縁を間隔300mm程度で配置する。

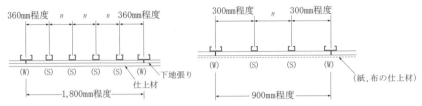

（注）S：シングル野縁　W：ダブル野縁

下地張りのある場合　　　**下地張りのない場合**

④ ✕ 野縁は、野縁受けから150mm以上はね出してはならない（公共建築工事標準仕様書）。

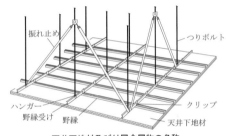

天井下地材及び付属金属物の名称

正解 4

特定天井に関する記述として、最も不適当なものはどれか。ただし、特定天井の構造方法は仕様ルートによるものとする。

① 野縁受けの接合は、相互にジョイントを差し込んだうえでねじ留めとし、ジョイント部を1m以上の間隔で千鳥状に配置した。

② 吊り材は、天井面の面積1㎡当たり1本以上とし、釣合いよく配置した。

③ 勾配屋根における吊り材は、勾配をもつ屋根面に対して垂直に設置した。

④ 地震時に有害な応力集中を生じさせないため、天井面の段差部分にクリアランスを設けた。

解説 ➡テキスト 第3-2編 6-2

① ◯ 天井材は、ボルト接合、ねじ接合その他これらに類する接合方法により相互に**緊結**することが必要である。野縁や野縁受けは、相互にジョイントを差し込んだ上で**ねじ留め**し、隣り合うジョイントの位置は、互いに**1m以上**離し、**千鳥状**に配置しなければならない（国土交通省告示771号第3〈建築物における天井脱落対策に係る技術基準の解説〉）。

② ◯ **吊り材**は、天井面の面積が1㎡当たりの平均本数を**1本**（隙間あり仕様の場合：天井面構成部材等の単位面積質量が**6kg以下**のものにあっては0.5本）以上とし、つり合いよく配置しなければならない（国土交通省告示771号第3）。

③ ✕ **吊り材**は、天井面構成部材を**鉛直方向**に支持しなければならない（同告示）。したがって、勾配をもつ屋根面に対して垂直に設置することは不適当である。

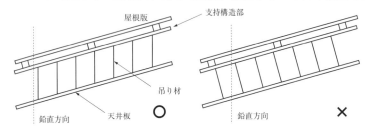

④ ◯ 天井面構成部材に天井面の**段差**その他の地震時に**有害な応力集中**が生ずるおそれのある部分を設けないこと。ただし、段差がある場合でも、鉛直方向に1cm以上の**クリアランス**を設けて完全に縁が切れていればよい（国土交通省告示771号第3〈建築物における天井脱落対策に係る技術基準の解説〉）。

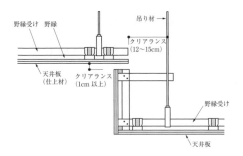

正解 **3**

アルミニウム製建具に関する記述として、最も不適当なものはどれか。

① 建具の組立てにおいて、隅部の突付け部分はシート状の止水材を使用した。

② 見え隠れ部分で使用する補強材に、亜鉛めっき処理した鋼材を使用した。

③ 水切り、ぜん板は、アルミニウム板を折曲げ加工するので、厚さを1.2mmとした。

④ 建具枠のアンカーは、両端から逃げた位置から、間隔を500mm以下で取り付けた。

解説 ……………………………………………→テキスト 第3-2編 7-1

① ○ 建具の組立てにおいて、隅部の突付け部分は、漏水防止のためシーリング材又はシート状の止水材を使用し、小ねじ留めとする。

② ○ 見え隠れ部分で使用する補強材に、鋼材を使用する場合には接触腐食を起こすおそれがあるため、亜鉛めっき処理、塗装等により防食処理をして絶縁する。

③ × 枠、かまち、水切り、ぜん板、額縁は、アルミニウム板を折曲げ加工する場合は、厚さを1.5mm以上とする。

④ ○ 建具枠、くつずり、水切り板等のアンカーは、両端から逃げた位置から、間隔500mm以下で取り付ける。

正解 **3**

アルミニウム製建具工事に関する記述として、最も不適当なものはどれか。

① 表面処理が着色陽極酸化皮膜のアルミニウム製部材は、モルタルに接する箇所の耐アルカリ性塗料塗りを省略した。

② 外部建具周囲の充填モルタルは、NaCl換算0.04％（質量比）まで除塩した海砂を使用した。

③ 建具枠のアンカーは、両端から逃げた位置から、間隔を500mm以下で取り付けた。

④ 水切りと下枠との取合いは、建具枠まわりと同一のシーリング材を使用した。

解説 →テキスト 第3-2編 7-1

① × 表面処理が**着色陽極酸化皮膜**のアルミニウム製部材は、**絶縁処理**（アルミニウム材と充填モルタルとの絶縁及びアルミニウム材と鋼材等との接触腐食を避けるための絶縁）が必要で、モルタルに接する箇所の**耐アルカリ性塗料塗り**を**省略できない**。なお、陽極酸化塗装複合皮膜は、絶縁処理も兼ねているため、耐アルカリ性塗料塗りは省略できる。

② ○ 塩化物によるアルミニウムの腐食は、保護塗装でも防げない場合が多いので、外部建具の周囲に充填するモルタルに使用する砂の**塩分含有量**は、**NaCl換算0.04％（質量比）以下**とし、海砂等は除塩したものを使用する。

③ ○ 建具枠、くつずり、水切り板等の**アンカー**は、両端から逃げた位置から、**間隔500mm以下**で取り付ける。

④ ○ 水切りと下枠との取合いには、建具枠まわりと同一のシーリング材を使用する（公共建築工事標準仕様書）。これは建具枠まわりシーリングと、水切り・下枠取合部シーリングは連続する部分があり、その部分での異種シーリングの打継ぎを避けるためである。

正解 1

アルミニウム製建具に関する記述として、最も不適当なものはどれか。

① 連窓の取付けは、ピアノ線を張って基準とし、取付け精度を2mm以内とした。

② 建具枠に付くアンカーは、両端から逃げた位置にあるアンカーから、間隔を500mm以下で取り付けた。

③ 外部建具周囲の充填モルタルは、NaCl換算0.04％（質量比）以下まで除塩した海砂を使用した。

④ 水切り及び膳板は、アルミニウム板を折曲げ加工するため、厚さを1.2mmとした。

解 説 ・・ ➡テキスト 第3-2編 7-1

① ○ アルミニウム製建具の取付けは、心墨、陸墨、逃げ墨などを基準墨とし、**倒れ精度**の許容差は±2mmとする（建築工事監理指針）。

② ○ 建具枠、くつずり、水切り板等の**アンカー**は、両端から逃げた位置から、**間隔500mm以下**で取り付ける。

③ ○ 塩化物によるアルミニウムの腐食は、保護塗装でも防げない場合が多いので、外部建具の周囲に充填するモルタルに使用する砂の**塩分含有量**は、**NaCl換算0.04％（質量比）以下**とし、海砂等は除塩したものを使用する。

④ × 枠、かまち、水切り、ぜん板、額縁は、アルミニウム板を**折曲げ加工**する場合は、厚さを**1.5mm以上**とする。

正解 4

金属製建具工事に関する記述として、最も不適当なものはどれか。

① 鋼製軽量建具に使用する戸の表面板は、厚さ0.6mmとした。

② 外部鋼製建具枠の組立てにおいて、厚さ2.3mmの裏板補強のうえ、小ねじ留めとした。

③ 排煙窓の手動開放装置の操作部分を壁に取り付ける高さは、床面から90cmとした。

④ 鋼製軽量建具に使用する戸の力骨は、厚さ1.6mmとした。

解 説　→テキスト　第3-2編　7-2

① ○ 鋼製軽量建具に使用する戸の表面板は、厚さ0.6mm以上とする。

② × 鋼製建具枠の組立ては、外部（水がかりを含む）に面するものは溶接とする。屋内（水がかりを除く）に使用する場合には、溶接に代えて小ねじ留め（裏板厚さ2.3mm以上）によることができる。

③ ○ 排煙窓の手動開放装置の操作部分は、壁に取り付ける場合においては、床面から80cm以上1.5m以下の高さに、天井からつり下げて設ける場合においては、床面から概ね1.8m以下の高さに設ける。

④ ○ 鋼製軽量建具に使用する戸の力骨、中骨は、厚さ1.6mmとする。

鋼製軽量建具に使用する鋼板類の厚さ（単位：mm）

区 分	使 用 箇 所		厚 さ
枠 類	一般部分		1.6
	くつずり		1.5
戸	表面板		0.6 以上
	力骨、中骨		1.6
	召合せ 縦小口包み板 押縁	鋼板	0.6 以上
		ステンレス鋼板	0.6 以上
		アルミニウム押出形材	—
その他	額縁、添え枠		1.6
補強板の類			2.3 以上

正解 2

鋼製建具に関する記述として、最も不適当なものはどれか。

① ステンレス鋼板製のくつずりは、表面仕上げをヘアラインとし、厚さを1.5mmとした。

② 丁番やピポットヒンジなどにより、大きな力が加わる建具枠の補強板は、厚さを2.3mmとした。

③ 外部に面する両面フラッシュ戸の見込み部は、下部を除いた三方を表面板で包んだ。

④ 外部に面する両面フラッシュ戸の表面板は、鋼板製のものを用い、厚さを0.6mmとした。

解説 ➡テキスト 第3-2編 **7-2**

① ○ 鋼製建具（出入口）のくつずりは**ステンレス製**とし、板厚は**1.5mm**、表面仕上げをHL（ヘアライン）とする（公共建築工事標準仕様書）。

② ○ 建具枠の**補強板**は、厚さ**2.3mm以上**とする（同仕様書）。

③ ○ **外部**に面する両面フラッシュ戸の見込み部は、下部を除き三方の見込み部を**表面板**で包む三方曲げとする（建築工事監理指針）。

④ ✕ 鋼製建具の戸の**表面板**は、厚さ1.6mmの鋼板を標準とする（公共建築工事標準仕様書）。表面板0.6mmは**鋼製軽量建具**の標準である。

正解 **4**

MEMO

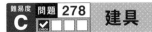

鋼製建具工事に関する記述として、不適当なものを2つ選べ。

① 内部建具の両面フラッシュ戸の見込み部は、上下部を除いた2方を表面板で包んだ。

② 外部建具の両面フラッシュ戸の表面板は、厚さを0.6mmとした。

③ 両面フラッシュ戸の組立てにおいて、中骨は厚さを1.6mmとし、間隔を300mmとした。

④ ステンレス鋼板製のくつずりは、表面仕上げをヘアラインとし、厚さを1.5mmとした。

⑤ 枠及び戸の取付け精度は、ねじれ、反り、はらみともそれぞれ許容差を、4mm以内とした。

解 説 .... → テキスト | 第3-2編 | 7-2

① ○ **外部**に面する両面フラッシュ戸の見込み部は、下部を除き**3方**の見込み部を表面板で包む（**3方曲げ**）必要があるが、雨仕舞の必要がない内部建具では2方曲げでよい。

② × 鋼製建具の戸の**表面板**は、**厚さ1.6mm**の鋼板を標準とする（公共建築工事標準仕様書）。表面板0.6mmは鋼製軽量建具の標準である。

③ ○ **鋼製建具**に使用する戸の力骨は厚さ2.3mm、**中骨**は**厚さ1.6mm間隔300mm以下**とする。

鋼製建具に使用する鋼板類の厚さ（単位：mm）

区 分		使用箇所	厚さ
窓	枠類	枠、方立、無目、ぜん板、額縁、水切り板	1.6
出入口	枠類	一般部分	1.6
		くつずり	1.5
	戸	かまち、鏡板、表面板	1.6
		力骨	2.3
		中骨	1.6
	その他	額縁、添え枠	1.6
補強板の類			2.3以上

④ ◯ 鋼製建具（出入口）の**くつずり**は**ステンレス製**とし、板厚は1.5mm、表面仕上げをHL（ヘアライン）とする（同仕様書）。

⑤ ✕ **枠および戸**の取付け精度は、ねじれ、反り、はらみ、それぞれの許容差を2mm以内とする。

正解 2、5

鋼製建具に関する記述として、最も不適当なものはどれか。ただし、1枚の戸の有効開口は、幅950㎜、高さ2,400㎜とする。

① 外部に面する両面フラッシュ戸の表面板は鋼板製とし、厚さを1.6㎜とした。

② 外部に面する両面フラッシュ戸の見込み部は、上下部を除いた左右2方を表面板で包んだ。

③ たて枠は鋼板製とし、厚さを1.6㎜とした。

④ 丁番やピボットヒンジ等により、大きな力が加わる建具枠の補強板は、厚さを2.3㎜とした。

解説 ··· →テキスト 第3-2編 7-2

① ○ 鋼製建具の戸の**表面板**は、厚さ1.6㎜の鋼板を標準とする（公共建築工事標準仕様書）。

② ✕ **外部**に面する両面フラッシュ戸の見込み部は、下部を除き3方の見込み部を表面板で包む**3方曲げ**とする（建築工事監理指針）。

③ ○ 鋼製建具に使用する戸の**枠類**は厚さ1.6㎜とする。

鋼製建具に使用する鋼板類の厚さ（単位：㎜）

区 分		使用箇所	厚さ
窓	枠類	枠、方立、無目、ぜん板、額縁、水切り板	1.6
出入口	枠類	一般部分	1.6
		くつずり	1.5
	戸	かまち、鏡板、表面板	1.6
		力骨	2.3
		中骨	1.6
	その他	額縁、添え枠	1.6
補強板の類			2.3以上

④ ○ 建具枠の**補強板**は、厚さ2.3㎜以上とする（公共建築工事標準仕様書）。

正解 2

壁のせっこうボード張りに関する記述として、最も不適当なものはどれか。

① 軽量鉄骨壁下地にボードを直接張り付ける場合、ドリリングタッピンねじの留付け間隔は、中間部300mm程度、周辺部200mm程度とする。

② せっこう系接着材による直張り工法において、ポリスチレンフォーム断熱材が下地の場合は、プライマー処理をして、ボードを張り付ける。

③ せっこう系接着材による直張り工法において、ボード中央部の接着材を塗り付ける間隔は、床上1,200mm以下の部分より床上1,200mmを超える部分を小さくする。

④ テーパーボードの継目処理において、グラスメッシュのジョイントテープを用いる場合は、ジョイントコンパウンドの下塗りを省略できる。

解 説 ······························· ➡テキスト **第3-2編** **9-1**

① ○ ボード類を下地に直接張り付ける場合の留付け用**小ねじ類**の間隔は、軽量鉄骨下地及び木造下地とも**壁中央部で300mm程度、壁周辺部は200mm程度**とする。

② ○ **せっこう系接着材による直張り工法**において、断熱材下地(断熱材打込み工法・現場発泡工法)の場合は、プライマー処理後に、接着材を下地にこて圧をかけて下こすりをして、直ちに直張り用接着材を塗り付ける。

③ **✕ せっこう系接着材による直張り工法**の接着材の塗付け間隔は、床上1,200mmを超える部分より床上1,200mm以下の部分を小さくする。

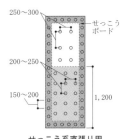

250〜300
せっこうボード
200〜250
150〜200
1,200

せっこう系直張り用
接着材の間隔(mm)

④ ○ **テーパーボード**の**継目処理**において、継目部分の溝には、ジョイントコンパウンドを塗り付けた上に、直ちにジョイントテープを張ることを原則とするが、**グラスメッシュのジョイントテープ**を用いる場合は、ジョイントコンパウンドの**下塗りを省略できる**。

正解 3

壁のせっこうボード張りに関する記述として、最も不適当なものはどれか

① ボードの下端部は、床面からの水分の吸上げを防ぐため、床面から10mm程度浮かして張り付けた。

② テーパーエッジボードの突付けジョイント部の目地処理における上塗りは、ジョイントコンパウンドを幅200〜250mm程度に塗り広げて平滑にした。

③ 軽量鉄骨壁下地にボードを直接張り付ける際、ボード周辺部を固定するドリリングタッピンねじの位置は、ボードの端部から5mm程度内側とした。

④ 木製壁下地にボードを直接張り付ける際、ボード厚の3倍程度の長さの釘を用いて、釘頭が平らに沈むまで打ち込んだ。

解説 .... ➡テキスト **第3-2編** **9-1**

① ◯ ボードの下端部は、ボード小口における床面からの吸水を防ぐため、床面から10mm程度上げて張り付ける（建築工事監理指針）。

② ◯ テーパーエッジボードの突付けジョイント部の目地処理における上塗りは、ジョイントコンパウンドを幅200〜250mm程度に塗り広げて平滑にする（同指針）。

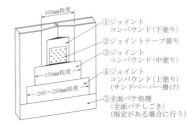

テーパー付きせっこうボードの継目処理工法

③ ✕ 軽量鉄骨壁下地にボードを直接張り付ける際、ボード周辺部を固定するドリリングタッピンねじは、ボード端部から10mm程度内側の位置で留め付ける（JASS 26）。

④ ◯ 木製壁下地にせっこうボードを釘打ちして直接張り付ける場合、ボード厚の3倍程度の長さの釘を用い、釘頭が平らに沈むまで十分打ち込む。

正解 3

壁のせっこうボード張りに関する記述として、最も不適当なものはどれか。

① テーパーエッジボードの突付けジョイント部の目地処理における上塗りは、ジョイントコンパウンドを幅200〜250mm程度に塗り広げて平滑にした。

② せっこう系接着材による直張り工法において、ボード中央部の接着材を塗り付ける間隔は、床上1,200mm以下の部分より、床上1,200mmを超える部分を小さくした。

③ せっこう系接着材による直張り工法において、躯体から仕上がり面までの寸法は、厚さ9.5mmのボードで20mm程度、厚さ12.5mmのボードで25mm程度とした。

④ ボードの下端部は、床面からの水分の吸上げを防ぐため、床面から10mm程度浮かして張り付けた。

解 説 .... ➡テキスト **第3-2編** **9-1**

① ○ **テーパーエッジボード**の突付けジョイント部の目地処理における上塗りは、ジョイントコンパウンドを幅200〜250mm**程度**に塗り広げて平滑にする（建築工事監理指針）。

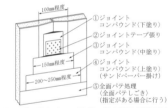

テーパー付きせっこうボードの継目処理工法

② ✕ せっこう系接着材による**直張り工法**の接着材の塗付け間隔は、床上1,200mmを超える部分より床上1,200mm以下の部分を小さくする。

③ ○ **せっこう系接着材による直張り工法**は、コンクリート下地の凹凸を考慮して仕上がり寸法(a)を決める。標準的には9.5mmボードで20mm、12.5mmボードで25mmとする。

せっこうボードの直張り工法

④ ○ ボードの下端部は、ボード小口における床面からの吸水を防ぐため、床面から10mm**程度**上げて張り付ける（同指針）。

正解 **2**

ビニル床シート及びビニル床タイル張りに関する記述として、最も不適当なものはどれか。

① 床シートの張付けは、圧着棒を用いて空気を押し出すように行い、その後45kgローラーで圧着する。

② 熱溶接工法において、溶接部の床シートの溝部分と溶接棒は、250～300℃の熱風で加熱溶融させ、圧着溶接する。

③ 床タイルの張付けは、下地に接着剤を塗布した後、オープンタイムをとってから張り付ける。

④ 冬期低温時における床タイルの張付けは、バーナー等で床タイルを温めてから圧着する。

解説 .... **→テキスト 第3-2編 9-2**

① ○ **床シート**の張付けは、目通りよく、目違い、空気だまりが生じないように、圧着棒を用いて**空気を押し出す**ように行い、その後**45kgローラー**で圧着する。

② × 床シートの接合を**熱溶接工法**で行う場合、床シートの溝部分と溶接棒を180～200℃の熱風で加熱溶融させ、溶接棒を押さえつけるようにして圧着溶接する。

③ ○ ビニル床タイルの張付けは、下地面に接着剤を均一に塗布した後、**所定のオープンタイム**が経過した後、張付け可能時間内に張り付ける。オープンタイムをとらないと初期粘着力が出なかったり、床材の軟化やふくれの原因となる。

④ ○ **冬期低温時**はビニル床タイルが硬くなり下地になじみにくくなっているので、トーチランプやバーナー等で**軽く加熱**しながら圧着する。

正解 2

MEMO

ビニル床シート張りに関する記述として、最も不適当なものはどれか。

① 防湿層のない土間コンクリートへの床シートの張付けには、ゴム系溶剤形の接着剤を使用した。

② 熱溶接工法において、溶接作業は、床シートを張付け後12時間以上経過してから行った。

③ 床シートを立ち上げて幅木としたため、幅木天端は、シリコーンシーリング材で処理した。

④ 寒冷期の施工で、張付け時の室温が5℃以下になることが予想されたため、採暖を行い、室温を10℃以上に保った。

解 説 ··· ➡テキスト 第3-2編 **9-2**

① **×** 防湿層のない土間コンクリートへの**ビニル床シート**の張付けには、施工後の水分・湿気の防止のため、下地となるスラブの裏面（スラブ下）に、ポリエチレンフィルムなどの**防湿層**を設ける等の措置を講じる。また、接着剤は、耐水性を有する**エポキシ樹脂**系又は**ウレタン樹脂**系を用いる（JASS 26）。

② **○** ビニル床シート張りにおける、**熱溶接による接合**は、床シート張り付け後、**12時間以上放置**し、**接着剤が硬化**した後に行う。溶剤・水の急激な蒸発による接着不良を防止するためである（同上）。

③ **○** ビニル床シートは、水等が壁際から床下地へまわるのを防ぐ目的で、床面から壁に向かって立ち上げて張り付け、幅木と床を一体に仕上げる場合がある。その場合、❶**シリコーンシーリング材**等でシールする方法、❷キャップをかぶせる方法、❸入り幅木とする方法がある（建築工事監理指針）。

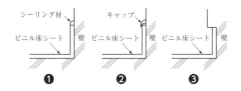

④ ◯ ビニル床シート張りに接着剤を利用する場合で、施工中の室温が5℃以下になることが予想される場合、ジェットヒーターなどで採暖を行い10℃以上に保ち、床材、接着剤ともに施工前後の12時間は極端な温度変化が生じないようにする。5℃以下の場合、接着剤が硬化せず、所要の接着強度が得られないためである（同指針、JASS 26）。

正解　1

ビニル床シート張りに関する記述として、最も不適当なものはどれか。

① 床シートの張付けは、気泡が残らないよう空気を押し出し、その後45kgローラーで圧着した。

② 床シートの張付けは、下地に接着剤を塗布した後、オープンタイムをとってから張り付けた。

③ 防湿層のない土間コンクリートへの床シートの張付けには、ゴム系溶剤形の接着剤を使用した。

④ 熱溶接工法において、溶接作業は、床シートを張り付けた後、12時間以上経過してから行った。

解説 .... → テキスト **第3-2編** **9-2**

① 〇 床シートの張付けは、目どおりよく、目違い、空気だまりが生じないように、**圧着棒**を用いて**空気を押し出す**ように行い、その後45kgローラーで圧着する。

② 〇 ビニル床シートの張付けは、下地面に接着剤を均一に塗布した後、**所定のオープンタイム**が経過した後、張付け可能時間内に張り付ける。所定の**オープンタイム**をとらずに張り付けると、初期粘着力が出なかったり、溶剤が床材で密封され、床材を軟化させたり、ふくれの原因となる。

③ ✕ ビニル床シート張りにおいては、施工後に水分や湿気が上昇すると、接着剤が再乳化・軟化してはがれの原因となるため、下地となるスラブの裏面（スラブ下）に、ポリエチレンフィルムなどの**防湿層**を設けるなど適切な措置を講じる。また、接着剤は、耐水性を有する**エポキシ樹脂系**又は**ウレタン樹脂系**を用いる（JASS 26）。

④ 〇 ビニル床シート張りにおける、**熱溶接による接合**は、床シート張り付け後、12時間以上放置し、**接着剤が硬化した後に行う**。接着剤中の溶剤又は水分が残留された段階で熱溶接を行うと、溶剤又は水が急激に蒸発するため、継目部分がふくれたり接着不良を発生するためである（同上）。

正解 3

内装ビニル床シート張りに関する記述として、不適当なものを2つ選べ。

① 寒冷期の施工で、張付け時の室温が5℃以下になることが予想されたため、採暖を行い、室温を10℃以上に保った。

② 床シートは、張付けに先立ち裁断して仮敷きし、巻きぐせをとるために8時間放置した。

③ 床シートは、張付けに際し、気泡が残らないよう空気を押し出した後、45kgローラーで圧着した。

④ 熱溶接工法における溶接部の溝切りの深さは、床シート厚の$\frac{1}{3}$とした。

⑤ 熱溶接工法における溶接部は、床シートの溝部分と溶接棒を180～200℃の熱風で同時に加熱溶融した。

解説 →テキスト 第3-2編 9-2

① ○ ビニル床シート張りに接着剤を利用する場合で、施工中の室温が5℃以下になることが予想される場合、ジェットヒーターなどで採暖を行い10℃以上に保ち、床材、接着剤ともに施工前後の12時間は極端な温度変化が生じないようにする。5℃以下の場合、接着剤が硬化せず、所要の接着強度が得られないためである（建築工事監理指針、JASS26）。

② × シート類は、長手方向に縮み、幅方向に伸びる性質があるので、仕上げ寸法より**長め**に切断して仮敷きし、24時間以上放置してなじませる（建築工事監理指針）。

③ ○ 床シートの張付けは、目どおりよく、目違い、空気だまりが生じないように、**圧着棒を用いて空気を押し出すように**行い、その後**45kgローラーで圧着**する。

④ × 床シートの接合を熱溶接工法によって行う場合、張り付け後12時間以上放置し、接着剤が硬化後、継手部分に溝切りを行って溶接する。溝切りはV字型またはU字型とし、深さをシート厚の$\frac{2}{3}$程度とする。

⑤ ○ 床シートの接合を**熱溶接工法**で行う場合、床シートの溝部分と溶接棒を180～200℃の熱風で加熱溶融させ、溶接棒を押さえつけるようにして圧着溶接する。

正解 2、4

合成樹脂塗床に関する記述として、最も不適当なものはどれか。

① 樹脂パテや樹脂モルタルでの下地調整は、プライマーの塗布後に行った。

② 薬品を使用する実験室の塗床は、平滑な仕上げとするため、流しのべ工法とした。

③ 下地調整に用いる樹脂パテは、塗床材と同質の樹脂とセメントなどを混合したものとした。

④ エポキシ樹脂のコーティング工法のベースコートは、金ごてで塗り付けた。

解 説 .... → テキスト 第3-2編 9-6

① ○ 合成樹脂塗床の下地調整は、プライマーの塗布・乾燥後、樹脂パテや樹脂モルタルなど製造所の指定する材料を用いて、下地のくぼみ、隙間、目違い部分を補修して平らにする。

② ○ 流しのべ工法は、塗床材を平滑に仕上げるセルフレベリング工法である。

③ ○ 下地調整の樹脂パテは、塗床材と同質の樹脂に、無機質系充填材、セメントなどを混合してパテ状としたものを用いる。

④ × コーティング工法（薄膜型塗床）は、エポキシ樹脂などに添加剤を配合した低粘度の液体を、ローラーばけ又はスプレーにより塗り付ける工法で、美装等を主目的とした床に使用される。

正解 **4**

合成樹脂塗床に関する記述として、最も不適当なものはどれか。

① エポキシ樹脂系モルタル塗床の防滑仕上げは、トップコート1層目の塗布と同時に骨材を散布した。

② エポキシ樹脂系コーティング工法のベースコートは、コーティング材を木ごてで塗り付けた。

③ プライマーは、下地の吸込みが激しい部分に、硬化後、再塗布した。

④ 弾性ウレタン樹脂系塗床材塗りは、塗床材を床面に流し、金ごてで平滑に塗り付けた。

解説 ➡テキスト **第3-2編 9-6**

① ○ **エポキシ樹脂モルタル塗床**で防滑仕上げに使用する**骨材**は、**上塗り（トップコート）1回目が硬化する前**にむらがないように均一に散布する。1回目の上塗りが適度に硬化した後、最終工程である2回目の上塗りを行う。

② ✕ **コーティング工法（薄膜型塗床）**は、エポキシ樹脂などに添加剤を配合した低粘度の液体を、**ローラーばけ又はスプレーにより塗り付ける**工法で、美装、防じんを主目的として床に使用される。こてを用いて塗り付けるのは厚膜型の場合なので、不適当である。

③ ○ **プライマー**は、下地の吸込みが激しく塗膜を形成しない場合、先に塗ったプライマー全体が**硬化**した後、吸込みが止まるまで**繰り返し塗布する**。

④ ○ **弾性ウレタン樹脂系塗床材塗り**は、塗床材を床面に流し、**金ごて**、ローラーばけ、はけ等で**平滑に塗り付ける**。その後、防滑仕上げの場合は表面仕上げとして、塗床材に弾性骨材を混合した材料を均一に塗り付け、その上にトップコートを塗り付ける（公共建築工事標準仕様書）。

正解 **2**

合成樹脂塗床に関する記述として、最も不適当なものはどれか。

① 薬品を使用する実験室の塗床は、平滑な仕上げとするため、流し展べ工法とした。

② 合成樹脂を配合したパテ材や樹脂モルタルでの下地調整は、プライマーの乾燥後に行った。

③ エポキシ樹脂系コーティング工法のベースコートは、コーティング材を木ごてで塗り付けた。

④ エポキシ樹脂系モルタル塗床の防滑仕上げは、トップコート1層目の塗布と同時に骨材を散布した。

解説 .... →テキスト **第3-2編** **9-6**

① 〇 **流しのべ工法**は、塗床材を**平滑**に仕上げるセルフレベリング工法である。

② 〇 **合成樹脂塗床**における**下地調整**は、**プライマーの塗布・乾燥後**、樹脂パテや樹脂モルタルなど製造所の指定する材料を用いて、下地のくぼみ、隙間、目違い部分を補修して平らにする。

③ × **コーティング工法**（薄膜型塗床）は、エポキシ樹脂などに添加剤を配合した低粘度の液体を、**ローラーばけ又はスプレー**により塗り付ける工法で、美装、防じんを主目的として床に使用される。**こて**を用いて塗り付けるのは厚膜型の場合なので、不適当である。

④ 〇 **エポキシ樹脂モルタル塗床**で防滑仕上げに使用する骨材は、**上塗り1回目が硬化する前**にむらがないように均一に散布する。1回目の上塗りが適度に硬化した後、最終工程である2回目の上塗りを行う。上塗りの工程は次のとおりである。**上塗り1回目→骨材（砂）→上塗り2回目**。

正解 **3**

鉄筋コンクリート造の断熱工事に関する記述として、最も不適当なものはどれか。

① 押出法ポリスチレンフォーム打込み工法において、断熱材の継目にコンクリートがはみ出している箇所は、Ｖカットした後に断熱材現場発泡工法により補修した。

② 押出法ポリスチレンフォーム張付け工法において、躯体面とのすき間ができないようにしてから、断熱材を全面接着で張り付けた。

③ 硬質ウレタンフォーム吹付け工法において、吹き付けるコンクリート面の温度が5℃以上であることを確認して吹き付けた。

④ 硬質ウレタンフォーム吹付け工法において、断熱材の吹付け厚さが50mmの箇所は、下吹きをした後、1回で吹き付けた。

解 説 ＞テキスト 第3-2編 **9-7**

① ○ 断熱材打込み**工法**とは、ボード状断熱材をあらかじめ型枠内面に仮留めしておいてコンクリートを打ち込む工法をいう。この場合、断熱材の継目にコンクリートが**はみ出**している箇所は、そのまま補修するが、継目の隙間が大きい場合には**Ｖカット**した後に断熱材現場発泡工法により補修する。

② ○ 鉄筋コンクリート造の建築物に、ボード**状断熱材**を張り付けるにあたり**内断熱工法**とする場合は、断熱材とコンクリートの境界面で結露しやすいため、隙間ができないように下地面を**平滑**にならし、清掃した上で、断熱材の全面に接着剤などを塗布して**全面**接着する。

③ ○ **硬質ウレタンフォーム吹付け工法**において、吹き付けるコンクリート面の温度・乾燥度は、発泡性・付着性に大きな影響を及ぼすため、適切な条件で施工する（**吹付け面の温度は5℃以上**）。

④ × 吹付け硬質ウレタンフォームによる断熱材の現場施工においては、施工面に**約5mm以下**の厚さになるように**下吹き**した後、総厚さが**30mm以上**の場合には**多層吹き**とする。

正解 **4**

鉄筋コンクリート造建築物の内部の断熱工事に関する記述として、最も不適当なものはどれか。

① 硬質ウレタンフォーム吹付け工法において、厚さ5㎜の下吹きの後、多層吹きの各層の厚さは各々30㎜以下とした。

② 硬質ウレタンフォーム吹付け工法において、冷蔵倉庫で断熱層が特に厚かったため、1日の最大吹付け厚さを100㎜とした。

③ 押出法ポリスチレンフォーム打込み工法において、断熱材の継目は突付けとし、テープ張りをしてコンクリートの流出を防止した。

④ 押出法ポリスチレンフォーム張付け工法において、躯体面とのすき間が生じないように断熱材を全面接着とし、密着させて張り付けた。

解説　……………………………………… →テキスト 第3-2編 9-7

① ○ **吹付け硬質ウレタンフォーム**による断熱材の現場施工においては、施工面に**約5㎜以下**の厚さになるように**下吹き**した後、総厚さが30㎜以上の場合には**多層吹き**とし、各層の厚さは各々30㎜以下とする。

② × 吹付け硬質ウレタンフォームによる断熱材の現場施工において、多層吹きとする場合、**1日の総吹付け厚さは80㎜以下**とする。

③ ○ 押出法ポリスチレンフォーム打込み**工法**において、断熱材の継目は突付けとし、コンクリートの流出を防止するため、**テープ張り**等の処置を講じる。

④ ○ 鉄筋コンクリート造の建築物に、**ボード状断熱材**を張付け工法にて張り付けるにあたり、**内断熱工法**とする場合は、断熱材とコンクリートの境界面で結露しやすいため、隙間ができないように下地面を**平滑**にならし、清掃した上で、断熱材の全面に接着剤を塗布して**全面接着**する。

正解 2

鉄筋コンクリート造の断熱工事に関する記述として、最も不適当なものはどれか。

① 硬質ウレタンフォーム吹付け工法において、ウレタンフォームが厚く付きすぎて表面仕上げ上支障となるところは、カッターナイフで除去した。

② 硬質ウレタンフォーム吹付け工法において、ウレタンフォームは自己接着性に乏しいため、吹き付ける前にコンクリート面に接着剤を塗布した。

③ 押出法ポリスチレンフォーム張付け工法において、セメント系下地調整塗材を用いて隙間ができないようにしてから、断熱材を全面接着で張り付けた。

④ 押出法ポリスチレンフォーム打込み工法において、窓枠回りの施工が困難な部分には、現場発泡の硬質ウレタンフォームを吹き付けた。

解 説 ・・・・・・・・・・・・・・・・・・・・・・・・・・・・・・・・・・・・・・ → テキスト **第3-2編** **9-7**

① 〇 **硬質ウレタンフォーム**の「**断熱材現場発泡工法**」において、断熱層の吹付け厚さは不均一になりやすいので、吹付け作業中にワイヤゲージなどを用いて随時、厚みを測定しながら作業する。所定の厚みに達していない箇所は、補修吹きを行い、逆に厚すぎて、表面仕上げ上支障となる箇所は、**カッターナイフなどで表層をカット**して除去する（建築工事監理指針）。

② ✕ ウレタンフォーム（現場発泡断熱材）は自己**接着性**があるため、接着剤は不要である。

③ 〇 鉄筋コンクリート造の建築物に、**ボード状断熱材を張付け工法**にて張り付けるにあたり、**内断熱工法**とする場合は、断熱材とコンクリートの境界面で結露しやすいため、隙間ができないように下地面を平滑に均し、清掃した上で、断熱材の**全面**に接着剤などを塗布して**全面接着**する。

④ 〇 開口部の枠まわりは、形状が複雑で断熱材打込み工法による施工が困難な場合が多い。そのような箇所は、**断熱材現場発泡工法**等により施工する（同指針）。

正解 2

押出成形セメント板工事に関する記述として、最も不適当なものはどれか。

① 横張り工法において、パネル積上げ枚数2～3枚ごとに自重受け金物を取り付けた。

② パネルの割付けにおいて、使用するパネルの最小幅は350mmとした。

③ 幅600mmのパネルへの欠込みは、欠込み幅を300mm以下とした。

④ 縦張り工法のパネルは、層間変形に対してロッキングにより追従するため、縦目地を15mm、横目地を10mmとした。

解説 ━━━━━━━━━━━━━━━━━━━━━ ➡テキスト / **第3-2編** / **10-1**

① ○ **押出成形セメント板**のパネルの取付け方法には、パネルの縦使い（縦張り工法）と、横使い（**横張り工法**）の2つがある。横張り工法では、パネルは**積上げ枚数3枚以下**ごとに、躯体に固定した**自重受け金物**で受ける。

② ○ **パネル幅の最小限度**は、原則として**300mm**とする。

③ ○ パネルには、原則として**欠込みは行わない**。やむを得ず孔あけ及び欠込みを行う場合は、強度計算を行って安全を確認するとともに、孔あけ・欠込みの大きさは**パネル幅の$\frac{1}{2}$以下**、かつ300mm以下、切断後のパネルの**残り部分の幅は300mm以上**（孔あけの場合は150mm以上）とする。

④ × 押出成形セメント板のパネル相互の目地幅は、特記がなければ、**長辺の目地幅は10mm以上**、**短辺の目地幅は15mm以上**とする（縦張り・横張り共通）。したがって、縦張り工法において短辺である横目地は15mm、縦目地は10mmとなる。

正解 4

外壁の押出成形セメント板張りに関する記述として、最も不適当なものはどれか。

① パネルの割付けにおいて、使用するパネルの最小幅は300mmとした。

② パネル取付け金物（Zクリップ）は、下地鋼材に30mmのかかりしろを確保して取り付けた。

③ 横張り工法のパネルは、積上げ枚数5枚ごとに構造体に固定した自重受け金物で受けた。

④ 縦張り工法のパネルは、層間変形に対してロッキングにより追従するため、縦目地を10mm、横目地を15mmとした。

解 説 ➡ テキスト 第3-2編 10-1

① ○ **パネル幅**の最小限度は、原則として**300mm**とする。

② ○ パネル**取付け金物（Zクリップ）**は、下地鋼材への**かかり代30mm以上**を確保し、パネルが層間変形に追従できるように取り付ける（JASS 27）。

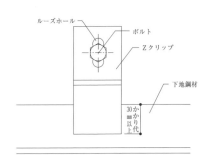

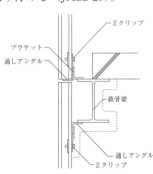

③ ✕ **押出成形セメント板**のパネルの取付け方法には、パネルの縦使い（縦張り工法）と、横使い（**横張り工法**）の2つがある。横張り工法では、パネルは**積上げ枚数3枚以下**ごとに、躯体に固定した**自重受け金物**で受ける。

④ ○ 押出成形セメント板のパネル相互の目地幅は、特記がなければ、**長辺**の目地幅は10mm以上、**短辺**の目地幅は15mm以上とする（縦張り・横張り共通）。

正解 **3**

外壁の押出成形セメント板（ECP）張りに関する記述として、最も不適当なものはどれか。

① 縦張り工法のパネルは、層間変形に対してロッキングにより追従するため、縦目地を15mm、横目地を10mmとした。

② 二次的な漏水対策として、室内側にはガスケット、パネル張り最下部には水抜きパイプを設置した。

③ 幅600mmのパネルへの欠込みは、欠込み幅を300mm以下とした。

④ 横張り工法のパネル取付け金物（Zクリップ）は、パネルがスライドできるようにし、パネル左右の下地鋼材に堅固に取り付けた。

解説 ⋯⋯⋯⋯⋯⋯⋯⋯⋯⋯⋯⋯⋯⋯⋯⋯⋯⋯⋯⋯⋯ ➡テキスト 第3-2編 10-1

① **✕** 押出成形セメント板のパネル相互の目地幅は、特記がなければ、**長辺**の目地幅は10mm以上、**短辺**の目地幅は15mm以上とする（縦張り・横張り共通）。設問は縦張りなので、縦目地10mm以上、横目地15mm以上となり、設問は不適当である。

② **○** 漏水に対する対策が特に必要な場合は、シーリングによる止水のみではなく、**2次的な漏水対策**として、室内側に**ガスケット**を、パネル張り最下部に**水抜きパイプ**を設置する。

③ **○** パネルには、原則として欠込みは行わない。やむを得ず孔あけ及び欠込みを行う場合は、強度計算を行って安全を確認するとともに、孔あけ・欠込みの大きさはパネル幅の$\frac{1}{2}$以下、かつ300mm以下、切断後のパネルの残り部分の幅は300mm以上（孔あけの場合は150mm以上）とする。

④ **○** パネル取付け金物（Zクリップ）は下地鋼材へのかかり代30mm以上を確保し、層間変位に追従できるように（スライドできるように）正確かつ堅固に取り付ける（JASS 27）。

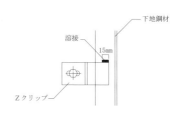

正解 **1**

ALCパネル（間仕切り）

ALC間仕切壁パネルの縦壁フットプレート構法に関する記述として、最も不適当なものはどれか。

① 間仕切壁パネルの上部は、面内方向に可動となるように取り付けた。

② 間仕切壁パネルを一体化するため、パネル長辺側面相互の接合にアクリル樹脂系接着材を用いた。

③ 間仕切壁パネルの上部は、間仕切チャンネルへのかかり代を確保して取り付けた。

④ 外壁パネルと間仕切壁パネルの取合い部は、パネル同士のすき間が生じないように突付けとした。

解説 .... ➡テキスト **第3-2編** **10-2**

① ○ 間仕切壁の**フットプレート構法**において、パネル上部の取付けは、**面内方向に可動（スライド）**するようにして、躯体変形や地震時の動きを吸収するため、**20mm程度のクリアランス**を設ける（JASS 21）。

フットプレート
あと施工アンカー又は打込みピン

② ○ 間仕切壁のフットプレート構法で、パネルの一体化及び目地部の遮音性の向上などの目的に、**パネル長辺側面相互**の接合に接着材を用いる場合がある。接着材はパネル製造業者の指定するものとするが、シリカ系接着材、セメント系接着材、**アクリル樹脂系接着材**がある。

③ ○ 間仕切壁パネルは、パネル面外方向の荷重に対してパネルを支持するために、**かかり代を20mm程度**確保する（JASS 21）。

④ ✕ 間仕切パネルの**出隅・入隅**の縦目地及び**外壁**や柱との間には、**20mm程度の伸縮目地**を設ける（JASS 21）。「突付け」にすると、それぞれの違った挙動により、パネルや支持部等に破損の危険性が生じる。

かかり代
間仕切チャンネル

正解 4

ALCパネル工事に関する記述として、最も不適当なものはどれか。

① パネルの取扱い時に欠けが生じたが、構造耐力上は支障がなかったため、製造業者が指定する補修モルタルで補修して使用した。

② 外壁パネルと間仕切パネルの取合い部には、幅が10〜20㎜の伸縮目地を設けた。

③ 外壁の縦壁ロッキング構法の横目地は伸縮目地とし、目地幅は15㎜とした。

④ 耐火性能が要求される伸縮目地には、モルタルを充填した。

解説 ┈┈┈┈┈┈┈┈┈┈┈┈┈┈┈┈┈┈┈┈┈ →テキスト 第3-2編 10-2

① ○ ALCパネルは、**使用上支障のない程度の欠け**があるパネルは、製造業者が指定する補修モルタルで**補修して使用**する。パネルの幅、長さ方向全体にひび割れがあるもの、補強筋が大きく露出しているものなど、パネル強度上支障のあるパネルは使用してはならない。

② ○ 出隅・入隅のパネル接合部並びにパネルと他部材との取合い部の目地は**伸縮目地**とし、特記がなければ目地幅は**10〜20㎜**とする。外壁パネルと間仕切パネルの取合い部の目地もこの規定に含まれる。

③ ○ **縦壁ロッキング構法**の横目地は伸縮目地とし、特記がなければ目地幅は10〜20㎜とする。

④ × 耐火又は防火上必要な場合、伸縮目地を構成するパネル相互の接合部には所定の**耐火目地材**を挿入する（建築工事監理指針）。

正解 **4**

MEMO

ALCパネル工事に関する記述として、最も不適当なものはどれか。

① 床版敷設筋構法において、床パネルへの設備配管等の孔あけ加工は1枚当たり1か所とし、主筋の位置を避け、直径100mmの大きさとした。

② 横壁アンカー構法において、地震時等における躯体の変形に追従できるよう、ALCパネル積上げ段数3段ごとに自重受け金物を設けた。

③ 縦壁フットプレート構法において、ALC取付け用間仕切チャンネルをデッキプレート下面の溝方向に取り付ける場合、下地として平鋼をデッキプレート下面にアンカーを用いて取り付けた。

④ 床版敷設筋構法において、建物周辺部、隅角部等で目地鉄筋により床パネルの固定ができない箇所は、ボルトと角座金を用いて取り付けた。

解説  ➡テキスト **第3-2編** **10-2**

① **✕** ALCパネルの**床版敷設筋構法**は、パネル間の長辺目地上面に設けられた溝部に、短辺目地に固定したスラブプレートを介して鉄筋を敷設し、溝部に**目地モルタル**を充填して取り付ける構法である。床パネルへの設備配管等の孔あけ加工は、**主筋**の位置を避け、直径50mm以下で、1枚当たり1カ所とする（JASS 21）。

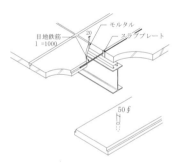

目地鉄筋 1＝1000 モルタル スラブプレート 20 50φ

② **○** 外壁の**横壁アンカー構法**では、パネル重量をパネル下部の両端に位置する自重受け金物により、積上げ段数5段以下ごとに支持する。

③ **○** **縦壁フットプレート構法**において、ALC取付け用間仕切チャンネルをデッキプレート下面の溝方向に取り付ける場合、チャンネルの取付けに先立ち、下地として平鋼などをデッキプレート下面にアンカーなどにより取り付けておく（JASS 21）。

デッキプレート 平鋼 @1200 間仕切りチャンネル⑦2.3

370

④ ○ **床版敷設筋構法**において、屋根および
床の周辺部や階段室まわりなどで、目地
鉄筋によりパネルの固定ができない箇所
は、**ボルトと座金**（丸座金または角座金）
を用いてパネルを取り付ける（JASS 21）。

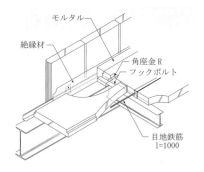

正解 **1**

屋上露出防水層の上に植栽を行う屋上緑化システムに関する記述として、最も不適当なものはどれか。

① 排水のためのルーフドレンは、1排水面積当たり2か所以上設置し、その口径は目詰まりを考慮して余裕のあるものとする。

② 施工に当たっては耐根層を損傷することのないように注意するとともに、耐根層を保護する耐根層保護層（衝撃緩衝層）を敷設してから植栽を行う。

③ 壁面等立上り部に直接土壌が接する場合、敷設する耐根層は、接する土壌仕上面より5cm下がった位置まで立ち上げる。

④ 植栽地の見切り材（土留め材）に設ける排水孔には、目詰まり防止、土壌流出防止のための処理を行う。

解説 ➡テキスト　**第3-2編**　**10-4**

① ○ 屋上緑化を行う場合、ルーフドレンは、排水面に最低2カ所以上設置し、その口径は目詰まりを考慮して余裕のある管径にする。

② ○ 露出防水層は、機械的衝撃に弱く、施工中や維持管理作業中のわずかな傷からも漏水しやすい。防水層、耐根層を保護するため、耐根層保護層（衝撃緩衝層）を敷設してから植栽を行う。

③ ✕ 壁面等立上り部に直接土壌が接する場合、土壌面は防水立上り上端より150mm以上低く、耐根層は土壌面より高く立ち上げて敷設する。

④ ○ 植栽地の見切り材（土留め材）に設ける排水孔は、集水面積、勾配等を考慮して形状等を決め、目詰まり防止、土壌流出防止等の処理を行う。

正解 3

コンクリート素地面の塗装工事に関する記述として、最も不適当なものはどれか。

① アクリル樹脂系非水分散形塗料塗りにおいて、中塗りを行う前に研磨紙P220を用いて研磨した。

② 2液形ポリウレタンエナメル塗りにおいて、中塗り後、上塗りまでの工程間隔時間を3時間とした。

③ 常温乾燥形ふっ素樹脂エナメル塗りの下塗りにおいて、塗料を素地に浸透させるため、ローラーブラシ塗りとした。

④ 合成樹脂エマルションペイント塗りにおいて、流動性を上げるため、水で希釈して使用した。

解説 ……………………………………………… ➡テキスト **第3-2編 11-3**

① 〇 **アクリル樹脂系非水分散形塗料塗り**においては、種別A種の場合には下塗り後中塗りを行う前に研磨紙P220〜240を用いて**研磨**する。これは素地調整の工程で平滑化できなかった凹凸部を平滑化する工程である（JASS 18・建築工事監理指針）。

② ✕ **2液形ポリウレタンエナメル塗り**において、下塗り後、及び中塗り後の次工程までの工程間隔時間は**16時間以上7日以内**である（JASS 18）。受験対策上は工程間隔が**3〜5時間以上**などと短いのは、主に**エマルション系**であることを押さえておくとよい。

③ 〇 **常温乾燥形ふっ素樹脂エナメル塗り**の塗装方法は、はけ塗り、ローラーブラシ塗り、吹付け塗りとする。ただし、**下塗り**においては、素地によく浸透させる目的で、はけ**塗り**、ローラーブラシ**塗り**も用いるが、中塗りや上塗りは原則として吹付け塗りとする（同上）。

④ 〇 **合成樹脂エマルション**は、樹脂を水中で乳化重合して得られた乳白色の樹脂状物質で、**水で希釈することができる**塗料である（同上）。

正解 **2**

塗装工事に関する記述として、最も不適当なものはどれか。

① 亜鉛めっき鋼面の常温乾燥形ふっ素樹脂エナメル塗りにおいて、下塗りに変性エポキシ樹脂プライマーを使用した。

② モルタル面のアクリル樹脂系非水分散形塗料塗りにおいて、下塗り、中塗り及び上塗りの塗付け量をそれぞれ同量とした。

③ コンクリート面のアクリルシリコン樹脂エナメル塗りにおいて、下塗りに反応形合成樹脂シーラーを使用した。

④ 屋外の木質系素地面の木材保護塗料塗りにおいて、原液を水で希釈し、よく撹拌して使用した。

解説 →テキスト **第3-2編** **11-3**

① ○ 亜鉛めっき鋼面の常温乾燥形ふっ素樹脂エナメル塗り（耐候性塗料塗り）の下塗りには、変性エポキシ樹脂プライマー又は一液形変成エポキシ樹脂さび止めペイントを使用する。

② ○ コンクリート、モルタル面のアクリル樹脂系非水分散形塗料塗り（NAD）の下塗り、中塗り、上塗りの材料は同一で、塗付け量も同量の0.10kg／㎡とする。

③ ○ コンクリート面のアクリルシリコン樹脂エナメル塗りの下塗りには、反応形合成樹脂シーラー又は弱溶剤系反応形合成樹脂シーラーを使用する。

④ ✕ 屋外の木質系素地面の木材保護塗料は、原液で使用することを基本とし、希釈はしない。

正解 4

コンクリート素地面の塗装工事に関する記述として、最も不適当なものはどれか。

① 合成樹脂エマルションペイント塗りにおいて、塗料に流動性をもたせるため、水で希釈して使用した。

② 2液形ポリウレタンエナメル塗りにおいて、気温が20℃であったため、下塗り及び中塗りの工程間隔時間を3時間とした。

③ アクリル樹脂系非水分散形塗料塗りにおいて、下塗り、中塗り、上塗りともに同一材料を使用し、塗付け量はそれぞれ0.10kg/㎡とした。

④ つや有合成樹脂エマルションペイント塗りにおいて、気温が20℃であったため、中塗りの工程間隔時間を5時間とした。

解説 ────────────────────── →テキスト 第3-2編 11-3

① ○ **合成樹脂エマルション**は、樹脂を水中で乳化重合して得られた乳白色の樹脂状物質で、**水で希釈する**ことができる塗料である（JASS 18）。

② × **2液形ポリウレタンエナメル塗り**において、下塗り後、及び中塗り後の次工程までの工程間隔時間は**16時間以上7日以内**である（同上）。受験対策上は工程間隔が**3～5時間以上**などと短いのは、主に**エマルション系**であることを押さえておくとよい。なお、工程間隔時間は気温20℃における値である。

③ ○ コンクリート、モルタル面の**アクリル樹脂系非水分散形塗料塗り**（NAD）において、下塗り、中塗り、上塗りの材料は**同一**で、塗付け量も同量の**0.10kg/㎡**とする。

④ ○ **つや有合成樹脂エマルションペイント塗り**の工程間隔時間は、**下塗り後3時間以上、中塗り後5時間以上**である。

正解 **2**

コンクリート素地面の塗装工事に関する記述として、最も不適当なものはどれか。

① 常温乾燥形ふっ素樹脂エナメル塗りにおいて、塗料を素地に浸透させるため、下塗りはローラーブラシ塗りとした。

② 合成樹脂エマルションペイント塗りにおいて、屋内の水がかり部分は、塗料の種類を1種とした。

③ アクリル樹脂系非水分散形塗料塗りにおいて、中塗りを行う前に研磨紙P80を用いて研磨した。

④ つや有合成樹脂エマルションペイント塗りにおいて、最終養生時間を48時間とした。

解説　　　　　　　　　　　　　　　　　　　　　　→テキスト **第3-2編** **11-3**

① ○ **常温乾燥形ふっ素樹脂エナメル塗り**の塗装方法は、はけ塗り、ローラーブラシ塗り、吹付け塗りとする。ただし、**下塗り**においては、素地によく浸透させる目的で、**はけ塗り、ローラーブラシ塗り**とするが、中塗りや上塗りは原則として吹付け塗りとする（JASS 18）。

② ○ **合成樹脂エマルションペイント**は、JIS K 5663に規定され、1種と2種がある。**1種**は主として建築物外部や水がかり部分に用い、**2種**は主として内部に用いる（同上）。

③ × **アクリル樹脂系非水分散形塗料塗り**において、種別**A種**の場合には下塗り後中塗りを行う前に研磨紙**P220～240**を用いて**研磨**する。これは素地調整の工程で平滑化できなかった凹凸部を平滑化する工程である（JASS 18、建築工事監理指針）。

④ ○ **つや有合成樹脂エマルションペイント**塗りにおいては、セメント系下地の場合、下塗り、パテかい等の工程間隔時間は3時間以上、中塗りは5時間以上、**最終養生時間は48時間以上**とする（JASS 18）。

正解 3

塗装工事に関する記述として、最も不適当なものはどれか。

① 屋外の木質系素地面の木材保護塗料塗りにおいて、原液を水で希釈し、よく撹拌して使用した。

② 亜鉛めっき鋼面の常温乾燥形ふっ素樹脂エナメル塗りにおいて、下塗りに変性エポキシ樹脂プライマーを使用した。

③ コンクリート面のアクリル樹脂系非水分散形塗料塗りにおいて、下塗り、中塗り、上塗ともに同一材料を使用し、塗付け量はそれぞれ0.10kg/㎡とした。

④ せっこうボード面の合成樹脂エマルションペイント塗りにおいて、気温が20℃であったため、中塗り後３時間経過してから、次の工程に入った。

解説 ➡️テキスト **第3-2編** **11-3**

① ✕ **木材保護塗料**りは、天然木材の外壁材、軒天やウッドデッキ等の屋外で使用される木質系素地に対して使われる。木材保護材料は、**希釈せず原液のまま**使用する。

② 〇 亜鉛めっき鋼面の**常温乾燥形ふっ素樹脂エナメル塗り**（耐候性塗料塗り）の下塗りには、**変性エポキシ樹脂プライマー**又は一液形変成エポキシ樹脂さび止めペイントを使用する。

③ 〇 コンクリート、モルタル面の**アクリル樹脂系非水分散形塗料塗り**（NAD）において、下塗り、中塗り、上塗りの**材料は同一**で、塗付け量も**同量**の0.10kg/㎡とする。

④ 〇 せっこうボード素地やセメント系素地面への**合成樹脂エマルションペイント**塗りにおける、下塗り、中塗りの**工程間隔時間**（次工程の塗装を行うために必要な最低限度の時間間隔）は**３時間以上**（気温20℃）とする。

正解 1

コンクリート素地面の塗装工事に関する記述として、不適当なものを2つ選べ。

① アクリル樹脂系非水分散形塗料塗りにおいて、気温が20℃であったため、中塗りの工程間隔時間を2時間とした。

② 常温乾燥形ふっ素樹脂エナメル塗りにおいて、塗料を素地に浸透させるため、下塗りはローラーブラシ塗りとした。

③ 2液形ポリウレタンエナメル塗りにおいて、塗料は所定の可使時間内に使い終える量を調合して使用した。

④ 合成樹脂エマルションペイント塗りにおいて、流動性を上げるため、有機溶剤で希釈して使用した。

⑤ つや有り合成樹脂エマルションペイント塗りにおいて、塗装場所の気温が5℃以下となるおそれがあったため、施工を中止した。

解説 ··· ➡テキスト / 第3-2編 11-3

① ✕ **アクリル樹脂系非水分散形塗料塗り**において、工程間隔時間（気温20℃）は下塗り**3時間以上**とする（建築工事監理指針）。

② ○ **常温乾燥形ふっ素樹脂エナメル塗り**の塗装方法は、はけ塗り、ローラーブラシ塗り、吹付け塗りとする。ただし、**下塗り**においては、素地によく浸透させる目的で、**はけ塗り又はローラーブラシ塗り**とするが、中塗りや上塗りは原則として吹付け塗りとする（JASS 18）。

③ ○ **2液形ポリウレタンエナメル**などの**2液形塗料**の混合は所定の比率を正確に守り、十分均一に攪拌して**可使時間内**に使用する。可使時間を過ぎた2液形塗料は、乾燥後の塗膜性能が低下するので、絶対に使用してはならない（同上）。

④ ✕ **合成樹脂エマルション**は、樹脂を水中で乳化重合して得られた乳白色の樹脂状物質で、水で希釈することができる塗料である（同上）。

⑤ ○ 気温5℃以下、湿度85%以上、結露等で塗料の乾燥に不適当な場合は、塗装を行わない。ただし、採暖、換気等を適切に行う場合は、この限りでない（公共建築工事標準仕様書）。

正解 **1、4**

塗装工事に関する記述として、最も不適当なものはどれか。

① アクリル樹脂系非水分散形塗料塗りにおいて、中塗りを行う前に研磨紙P220を用いて研磨した。

② せっこうボード面の合成樹脂エマルションペイント塗りにおいて、気温が20℃であったため、中塗り後3時間経過してから、次の工程に入った。

③ 屋外の木質系素地面の木材保護塗料塗りにおいて、原液を水で希釈し、よく攪拌して使用した。

④ 亜鉛めっき鋼面の常温乾燥形ふっ素樹脂エナメル塗りにおいて、下塗りに変性エポキシ樹脂プライマーを使用した。

解説 ┈┈┈┈┈┈┈┈┈┈┈┈┈┈┈┈┈┈┈┈┈┈┈┈┈┈┈┈┈ ➡テキスト **第3-2編** **11-3**

① ○ **アクリル樹脂系非水分散形塗料塗り**において、種別A種の場合には下塗り後中塗りを行う前に研磨紙P220〜240を用いて**研磨**する。これは素地調整の工程で平滑化できなかった凹凸部を平滑化する工程である（JASS 18、建築工事監理指針）。

② ○ せっこうボード素地やセメント系素地面への**合成樹脂エマルションペイント塗り**における、下塗り、中塗りの**工程間隔時間**（次工程の塗装を行うために必要な最低限度の時間間隔）は3時間以上（気温20℃）とする。

③ × **木材保護塗料塗り**は、天然木材の外壁材、軒天やウッドデッキ等の屋外で使用される木質系素地に対して使われる。木材保護材料は、**希釈せず原液のまま**使用する。

④ ○ 亜鉛めっき鋼面の**常温乾燥形ふっ素樹脂エナメル塗り**（耐候性塗料塗り）の下塗りには、**変性エポキシ樹脂プライマー**又は一液形変成エポキシ樹脂さび止めペイントを使用する。

正解 3

鉄筋コンクリート造の外壁改修工事に関する記述として、最も不適当なものはどれか。

① コンクリート打放し仕上げにおいて、コンクリートに生じた幅が0.5mmの挙動のおそれのあるひび割れ部分は、軟質形エポキシ樹脂を用いた樹脂注入工法で改修した。

② コンクリート打放し仕上げにおいて、コンクリートのはく落が比較的大きく深い欠損部分は、ポリマーセメントモルタル充填工法で改修した。

③ 小口タイル張り仕上げにおいて、1箇所当たりの下地モルタルと下地コンクリートとの浮き面積が0.2㎡の部分は、アンカーピンニング部分エポキシ樹脂注入工法で改修した。

④ 小口タイル張り仕上げにおいて、タイル陶片のみの浮きの部分は、浮いているタイルを無振動ドリルで穿孔して、注入口付アンカーピンニングエポキシ樹脂注入タイル固定工法で改修した。

解説 .... ➡️テキスト **第3-2編** **12-1**

① ○ ひびわれ幅が0.2mm以上で挙動のおそれのあるひび割れは、「**Uカットシール材充填工法**」又は**軟質形**エポキシ樹脂を用いた「**樹脂注入工法**」で改修する。

② × ポリマーセメントモルタル充填工法は、はく落が比較的浅い、軽微な欠損部（深さ30mm程度以下）の改修に適用される。比較的深く大きな欠損部（深さ30mm超）の改修には、**エポキシ樹脂モルタル充填工法**が適用される。

③ ○ アンカーピンニング部分エポキシ樹脂注入工法は、タイル陶片の**浮きがなく**目地モルタルが健全で、**構造体コンクリートと下地モルタル間**で、**浮き面積が0.25㎡未満**の場合に用いられる。

④ ○ 注入口付アンカーピンニングエポキシ樹脂注入タイル**固定工法**は、構造体コンクリートと下地モルタル間に浮きがなく、**タイル陶片のみに浮き**が発生している場合に用いられる。また、タイル自体に穿孔するため、**小口平タイル以上の大きなタイル**に適した唯一の工法である。

注入口付アンカーピンニング
エポキシ樹脂注入
タイル固定工法

正解 2

鉄筋コンクリート造建築物の小口タイル張り壁面の浮きの調査方法と改修工法に関する記述として、最も不適当なものはどれか。

① 打診法は、打診用ハンマーなどを用いてタイル張り壁面を打撃して、反発音の違いから浮きの有無を調査する方法である。

② 赤外線装置法は、タイル張り壁面の内部温度を赤外線装置で測定し、浮き部と接着部における熱伝導の違いにより浮きの有無を調査する方法で、天候や時刻の影響を受けない。

③ アンカーピンニング部分エポキシ樹脂注入工法は、タイル陶片の浮きがなく目地モルタルが健全で、構造体コンクリートと下地モルタル間に浮きが発生している場合に用いる工法である。

④ 注入口付アンカーピンニングエポキシ樹脂注入タイル固定工法は、構造体コンクリートと下地モルタル間に浮きがなく、タイル陶片のみに浮きが発生している場合に用いる工法である。

解説 ……………………………………………… ➡テキスト **第3-2編** **12-2**

① ○ **打診法**とは、モルタルの硬化後に、**打診用ハンマー**を用いてタイル壁面をたたき、その**反発音**によってタイルの浮きを検査する方法。高く、硬い音なら浮きがなく、響くような低く大きな音であれば浮きがあると判断する。

② ✗ **赤外線装置法**は、タイル張り壁面の**表面温度**を赤外線装置で測定し、浮き部と接着部における熱伝導の違いにより浮きの有無を調査する方法で、タイル表面の温度を測定するため、**日射、気温、時刻**の影響を受けやすい。

③ ○ **アンカーピンニング部分エポキシ樹脂注入工法**は、全ねじ切りアンカーピンとエポキシ樹脂で構造体のコンクリートに固定する工法である。タイル陶片の浮きがなく目地モルタルが健全で、構造体コンクリートと下地モルタル間に浮きが発生している場合に用いられる。

④ ○ **注入口付アンカーピンニングエポキシ樹脂注入タイル固定工法**は、**タイル陶片のみに浮き**が発生している場合に用いられる。また、タイル自体にドリルで穿孔するため、**小口平タイル以上の大きなタイル**に適した唯一の工法である。

正解 **2**

鉄筋コンクリート造建築物の小口タイル張り外壁面の調査方法と改修工法に関する記述として、**不適当なものを2つ**選べ。

① 打診法は、打診用ハンマー等を用いてタイル張り壁面を打撃して、反発音の違いから浮きの有無を調査する方法である。

② 赤外線装置法は、タイル張り壁面の内部温度を赤外線装置で測定し、浮き部と接着部における熱伝導の違いにより浮きの有無を調査する方法で、天候や時刻の影響を受けない。

③ タイル陶片のひび割れ幅が0.2mm以上であったが、外壁に漏水や浮きが見られなかったため、当該タイルを斫って除去し、外装タイル張り用有機系接着剤によるタイル部分張替え工法で改修した。

④ 外壁に漏水や浮きが見られなかったが、目地部に生じたひび割れ幅が0.2mm以上で一部目地の欠損が見られたため、不良目地部を斫って除去し、既製調合目地材による目地ひび割れ改修工法で改修した。

⑤ 構造体コンクリートとモルタル間の浮き面積が1箇所当たり0.2m²程度、浮き代が1.0mm未満であったため、アンカーピンニング全面セメントスラリー注入工法で改修した。

解説 .... ➡テキスト **第3-2編** **12-2**

① ○ **打診法**とは、モルタルの硬化後に、打診用ハンマーを用いてタイル壁面をたたき、その**反発音**によってタイルの浮きを検査する方法である。高く、硬い音なら浮きがなく、響くような低く大きな音であれば浮きがあると判断する。

② ✕ **赤外線装置法**は、タイル張り壁面の**表面温度**を赤外線装置で測定し、浮き部と接着部における熱伝導の違いにより浮きの有無を調査する方法である。タイル表面の温度を測定するため、**日射、気温、時刻の影響を受けやすい**。

③ ○ タイル陶片のみにひび割れがある場合、幅が0.2mm以上ある場合でも、面積が0.25m²程度以下の場合には、下地モルタルを撤去せず当該タイルを斫って除去し**タイル部分張替え工法**を用いることは適当である。ただし、ひび割れ部での漏水や錆び汁が認められる場合やひび割れ部周辺に浮きが共存する場合には、監理者と協議が必要である。また、タイル張りは**ポリマーセメントモルタル**又

は**外装タイル張り用有機系接着剤**を用いる（公共建築改修工事標準仕様書・建築改修工事監理指針）。

改修工法	適用欠損部
❶ タイル部分張替え工法	1カ所の張替え面積が小さい場合（0.25㎡以下）
❷ タイル張替え工法	1カ所の張替え面積が大きい場合

④ ○ **目地自体のひび割れ**（**幅0.2mm以上**）や部分的なはく落や欠けなどの比較的軽微な損傷の場合には、不良目地部を斫って除去し、**既製調合目地材**による**目地ひび割れ改修工法**で改修する（公共建築改修工事標準仕様書・建築改修工事監理指針）。

⑤ ✕ タイル陶片の浮きがなく目地モルタルが健全で、浮きが発生している位置が構造体コンクリートと下地モルタル間で、1箇所の浮き面積が0.25㎡未満の場合には、**アンカーピンニング部分エポキシ樹脂注入工法**又は**注入口付アンカーピンニング部分エポキシ樹脂注入工法**を用いる（建築改修工事監理指針）。アンカーピンニング全面セメントスラリー注入工法は、浮きが0.25㎡以上で、浮き代が1.0mmを超える場合に適用する工法である。

正解 **2、5**

第3-2編 仕上施工

12

内外装改修工事

床改修工事

合成樹脂塗床材による床改修工事における、既存床仕上げ材の撤去及び下地処理に関する記述として、最も不適当なものはどれか。

① 既存合成樹脂塗床面の上に同じ塗床材を塗り重ねるので、接着性を高めるため、既存仕上げ材の表面を目荒しした。

② モルタル塗り下地面の既存合成樹脂塗床材の撤去は、下地モルタルを残し、電動はつり器具を用いて下地モルタルの表面から塗床材のみを削り取った。

③ 既存床材撤去後の下地コンクリート面において、プライマーの吸込みが激しかったため、プライマーを再塗布した。

④ 既存床材撤去後の下地コンクリート面において、凹凸部の補修はエポキシ樹脂モルタルで行った。

解説 ➡️ テキスト 第3-2編 12-6

① ○ 既存床材が新規塗材と同質材で、摩耗、損傷等が少なく、下地に十分接着している場合は、**塗重ね**が可能である。ただし、表面の**目荒し、研削処理**を必要とする。

② ✕ 合成樹脂塗床材による床改修工事における既存塗床材除去等は、下地が**コンクリート**の場合は表面から**3mm**程度、下地が**モルタル**の場合には**下地とも全面撤去する**。モルタルが浮いたり、はく離することが多いためである（建築工事監理指針）。

③ ○ 塗床のプライマー塗りは、下地にすり込むようにして塗布する。下地への吸込みが激しい場合は、時間をおいて**数回**に分け塗布する。

④ ○ 下地コンクリート表面の凹凸、段差部分等は**エポキシ樹脂モルタル**により補修する。

正解 **2**

内装改修工事における既存床仕上げ材の撤去に関する記述として、最も不適当なものはどれか。

① ビニル床シートは、ダイヤモンドカッターで切断し、スクレーパーを用いて撤去した。

② モルタル塗り下地の合成樹脂塗床材は、ケレン棒と電動はつり器具を用いて下地モルタルと共に撤去した。

③ 乾式工法のフローリング張り床材は、丸のこで適切な寸法に切断し、ケレン棒を用いて撤去した。

④ セラミック床タイルは、目地をダイヤモンドカッターで縁切りし、電動はつり器具を用いて撤去した。

解 説 ➡テキスト **第3-2編** **12-6**

① ✕ 既存の**ビニル床シート**の除去は、**カッター**等で切断し、**スクレーパー**等により他の仕上材に損傷を与えないよう行う。ダイヤモンド**カッター**はモルタルやコンクリート等に切り込み等を入れるのに用いる機器である。

② 〇 既存の**合成樹脂塗床材**の除去は、下地がコンクリートの場合は表面から3㎜程度、下地がモルタルの場合には**モルタル下地とともに**全面撤去する。これは、下地がモルタルの場合には、モルタルが浮いたり、はく離することが多いためである（建築工事監理指針）。

③ 〇 既存の**乾式工法によるフローリング**の撤去は、丸のこ等で適切な寸法に切断し、**ケレン棒**等ではがし取る。撤去しない部分は、必要に応じて、釘の打直しを行う。

④ 〇 既存の**セラミック床タイル**の撤去は、張替え部をダイヤモンド**カッター**等で縁切りをし、タイル片を**電動ケレン棒**、**電動はつり器具**等により、周囲を損傷しないように撤去する。

正解 **1**

内装改修工事における既存床仕上げ材の撤去及び下地処理に関する記述として、不適当なものを2つ選べ。ただし、除去する資材は、アスベストを含まないものとする。

① ビニル床シートは、ダイヤモンドカッターで切断し、スクレーパーを用いて撤去した。

② セラミック床タイルは、目地をダイヤモンドカッターで縁切りし、電動斫り器具を用いて撤去した。

③ モルタル塗り下地面の既存合成樹脂塗床材の撤去は、下地モルタルを残し、電動斫り器具を用いて下地モルタルの表面から塗床材のみを削り取った。

④ 既存合成樹脂塗床面の上に同じ塗床材を塗り重ねるため、接着性を高めるよう、既存仕上げ材の表面を目荒しした。

⑤ 新規仕上げが合成樹脂塗床のため、既存床材撤去後の下地コンクリート面の凹凸部は、エポキシ樹脂モルタルで補修した。

解 説 ────────────────────── →テキスト 第3-2編 12-6

① ✕ 既存の**ビニル床シート**の除去は、カッター等で切断し、**スクレーパー**等により他の仕上材に損傷を与えないよう行う。**ダイヤモンドカッター**はモルタルやコンクリート等に切り込み等を入れることに用いる機器である。

② ○ 既存の**セラミックタイル**の撤去は、張替え部を**ダイヤモンドカッター**等で縁切りをし、タイル片を**電動ケレン棒**、**電動はつり器具**等により、周囲を損傷しないように撤去する。

③ ✕ **合成樹脂塗床材**による床改修工事における既存塗床材除去等は、下地がコンクリートの場合は表面から3mm程度、**下地がモルタルの場合は下地とも全面撤去**する。モルタルが浮いたり、はく離することが多いためである。

④ ○ 既存床材が新規塗材と同質材で、摩耗、損傷等が少なく、下地に十分接着している場合は、**塗重ね**が可能である。ただし、接着性を高めるため、表面の目荒し、**研削処理**が必要である。

⑤ ○ 下地コンクリート表面の凹凸、段差部分等は**エポキシ樹脂モルタル**により補修する。

正解 **1、3**

内装改修工事

内装改修工事に関する記述として、最も不適当なものはどれか。ただし、既存部分は、アスベストを含まないものとする。

① ビニル床シートの撤去後に既存下地モルタルの浮き部分を撤去する際、健全部分と縁を切るために用いるダイヤモンドカッターの刃の出は、モルタル厚さ以下とした。

② 既存合成樹脂塗床面の上に同じ塗床材を塗り重ねる際、接着性を高めるよう、既存仕上げ材の表面を目荒しした。

③ 防火認定の壁紙の張替えは、既存壁紙の裏打紙を残した上に防火認定の壁紙を張り付けた。

④ 既存下地面に残ったビニル床タイルの接着剤は、ディスクサンダーを用いて除去した。

解 説 .... ➡テキスト **第3-2編** **12-6**

① ○ 浮き、欠損部等による下地モルタルの撤去は、ダイヤモンドカッター等により、健全な部分と縁を切った後、撤去する。また、カッターの刃の出は、**モルタルの厚さ以下**とする（公共建築改修工事標準仕様書）。

② ○ 既存床材が新規塗材と同質材で、摩耗、損傷等が少なく、下地に十分接着している場合は、**塗重ね**が可能である。ただし、接着性を高めるため、表面の**目荒し**、研削処理が必要である。

③ ✕ **防火認定**が必要な壁紙の張替えは、既存の壁紙を残さず撤去し、下地基材面を露出させてから新規の壁紙を張り付けなければ防火材料に認定されない。既存の残った裏打ち紙は、水を塗布して裏打ち紙を張り付けている糊を溶解させてはがす（建築改修工事監理指針）。

④ ○ ビニル床シート、ビニル床タイル、ゴム床タイル等の接着剤は、**ディスクサンダー**等により、新規仕上げの施工に支障のないよう除去する（公共建築改修工事標準仕様書）。

正解 3

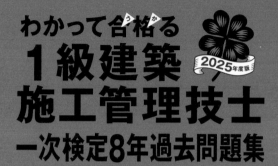

わかって合格る

1級建築
施工管理技士

2025年度版

一次検定8年過去問題集

第3分冊

第4編　**施工管理**

第5編　**法　規**

licensed building site manager

TAC出版
TAC PUBLISHING Group

第 **4** 編

施 工 管 理

仮設計画に関する記述として、最も不適当なものはどれか。

① 塗料や溶剤等の保管場所は、管理をしやすくするため、資材倉庫の一画を不燃材料で間仕切り、設ける計画とした。

② ガスボンベ類の貯蔵小屋は、壁の1面を開口とし、他の3面は上部に開口部を設ける計画とした。

③ 工事で発生した残材を、やむを得ず高所から投下するので、ダストシュートを設ける計画とした。

④ 仮囲いは、工事現場の周辺や工事の状況により危害防止上支障がないので、設けない計画とした。

解 説 .... → テキスト 第4編 1-1

① ✕ 可燃性である塗料や溶剤の保管は、原則として不燃材料でつくった独立した平屋建ての貯蔵倉庫内とし、周囲の建物から規定された間隔を離す必要がある。

② 〇 ボンベ類は、通風がよく火気が近づくおそれのない位置を選び、貯蔵小屋を設置して保管する。小屋は通気をよくするため、1面は開口とし、他の3面は上部に開口部を設ける。

ボンベ類貯蔵所の例

③ 〇 高さ3m以上の高所から物体を投下するときは、シュートなどの適当な投下設備を設け、監視人を置くなどして労働者の危険を防止する。

④ 〇 仮囲いは工事現場と外部とを区画する仮設構築物で、所定の規模の工事を行う場合は、原則として設置しなければならない。ただし、高さ1.8m以上の板塀等と同等以上の囲いがある場合や、工事現場の周辺や工事の状況により危害防止上支障がないなどの場合には、設けなくてもよい。

正解 1

仮設計画

仮設計画に関する記述として、最も不適当なものはどれか。

① 塗料や溶剤等の保管場所は、管理をしやすくするため、資材倉庫の一画を不燃材料で間仕切り、設ける計画とした。

② ガスボンベ類の貯蔵小屋は、通気を良くするため、壁の1面を開口とし、他の3面は上部に開口部を設ける計画とした。

③ 工事で発生した残材を高さ3mの箇所から投下するため、ダストシュートを設けるとともに、監視人を置く計画とした。

④ 前面道路に設置する仮囲いは、道路面を傷めないようにするため、ベースをH形鋼とする計画とした。

解説 ……………………………………………………➡テキスト 第4編 1-1

① **×** **可燃性の塗料や溶剤の保管**は、原則として**不燃材料**でつくった独立した**平屋建て**の貯蔵倉庫内とし、周囲の建物から規定された間隔を離す必要がある。

② **〇** **ボンベ類**は、通風がよく火気が近づくおそれのない位置を選び、貯蔵小屋を設置して保管する。小屋は通気をよくするため、**1面は開口**とし、他の**3面は上部に開口部**を設ける。

ボンベ類貯蔵所の例

③ **〇** 高さ**3m以上**の高所から物体を投下するときは、**シュート**などの適当な**投下設備**を設け、**監視人**を置くなどして労働者の危険を防止する。

④ **〇** 前面道路に設置する仮囲いは、控え杭打ちや掘削などで、道路面を傷めることがないように、**H形鋼**などの鋼材をベースとして敷き、それに固定する方法がある。ただし、強風時の転倒に対する検討等を、慎重に行う必要がある。

正解 **1**

仮設計画に関する記述として、最も不適当なものはどれか。

① 仮設の照明設備において、常時就業させる場所の作業面の照度は、普通の作業の場合、100ルクス以上とする計画とした。

② 傾斜地に設置する仮囲いの下端の隙間を塞ぐため、土台コンクリートを設ける計画とした。

③ 前面道路に設置する仮囲いは、道路面を傷めないようにするため、ベースをH形鋼とする計画とした。

④ 同時に就業する女性労働者が25人見込まれたため、女性用便房を2個設置する計画とした。

解説 .... →テキスト 第4編 1-1

① × 仮設の照明設備において、労働者を常時就業させる場所の**作業面の照度**は、普通の作業の場合は**150ルクス以上**とする（JASS 2）。

② ○ 仮囲い下部の隙間は、背面に**幅木**を取り付けたり、**土台コンクリート**を打設して塞ぐ。道路に傾斜がある場合は、土台コンクリートを階段状に打設して、隙間が生じないようにする（建築施工計画実践テキストⅠ）。

③ ○ 前面道路に設置する仮囲いは、控え杭打ちや掘削などで、道路面を傷めることがないように、**H形鋼**などの鋼材をベースとして敷き、それに固定する方法がある。ただし、強風時の転倒に対する検討等を、慎重に行う必要がある。

④ ○ 事務所・作業員詰所などに設置する**仮設便所**において、**女性用**の仮設便房数は20人以内ごとに1個以上、**男性用**は60人以内ごとに1個以上とする（労働安全衛生規則、JASS 2）。よって設問は25人女性労働者が見込まれているので、便房数は2個となる。なお、**男性用小便所**は、30人以内ごとに1個以上とする。

正解 1

問題 317 仮設設備
難易度 B CHECK

仮設設備の計画に関する記述として、最も不適当なものはどれか。

① 作業員の仮設男性用小便所数は、同時に就業する男性作業員30人以内ごとに1個を設置する計画とした。

② 工事用使用電力量の算出において、照明器具の需要率及び負荷率を加味した同時使用係数は、0.6として計画した。

③ アースドリル工法による掘削に使用する水量は、1台当たり10㎥/時として計画した。

④ 工事用電気設備の建物内幹線の立上げは、上下交通の中心で最終工程まで支障の少ない階段室に計画した。

解説 →テキスト 第4編 1-1

① ○ 事務所・作業員詰所などに設置する仮設便所において、**男性用小便所数**は、30人以内ごとに1個以上とする（労働安全衛生規則、JASS 2）。なお、男性用大便所の便器の数は60人以内ごとに1個以上、女子用は20人以内ごとに1個以上とする。

② × **工事用使用電力量（kWh）は、設備電力（kW）×需要率×負荷率×使用時間で表される**。需要率及び負荷率は、使用状況や機器の種類などにより異なるが、需要率及び負荷率を加味した係数（**同時使用係数**）の概略値は、**電動工具や照明器具**などの場合は0.7〜1.00である（JASS 2）。なお、タワークレーン、リフト、水中ポンプなどの汎用機械の場合は0.5〜0.7である。

③ ○ **アースドリル工法**による掘削に使用する水量の目安は、1台当たり10㎥/時である（同上）。

④ ○ 工事用電気設備の建物内での**幹線立上り場所**は、エレーベータシャフト、OAシャフト、階段室など**最終工程まで支障のない位置**を選択する。また、タワークレーンなどの機械専用の動力配線は、機械と受変電設備の距離をできるだけ短くする（同上）。

正解 2

仮設設備の計画に関する記述として、最も不適当なものはどれか。

① 工事用の動力負荷は、工程表に基づいた電力量山積みの60%を実負荷とする計画とした。

② 溶接用ケーブル以外の屋外に使用する移動電線で、使用電圧が300V以下のものは、1種キャブタイヤケーブルを使用する計画とした。

③ 仮設の給水設備において、工事事務所の使用水量は、50リットル/人・日を見込む計画とした。

④ 仮設の照明設備において、普通の作業を行う作業面の照度は、150ルクス以上とする計画とした。

解説 …………………………………………………………→テキスト 第4編 1-1

① ○ 工事用の**動力負荷（動力電気設備容量）**は、工程表に基づいた電力量山積み**（動力負荷設備容量）**の60%を実負荷とする。なお、電灯電気設備容量の場合は80%とする（JASS 2）。

② × 低圧の**移動電線**に**1種キャブタイヤケーブル**を使用する場合は、300V以下で、かつ**屋内**に施設する場合のみである（溶接用ケーブルを使用する場合を除く）。なお、キャブタイヤケーブルの1～4種はケーブルの頑丈さを示すグレードで、**4種**が最も耐衝撃性・耐摩耗性が上である。

電線の種類		区分		
		使用電圧が300V以下のもの		使用電圧が300V を超えるもの
		屋内に施設する場合	屋側又は屋外に施設する場合	
1種	キャブタイヤケーブル	○		
2種		○	○	○
3種				
4種				

③ ○ 仮設の給水設備において、**工事事務所の使用水量**（飲料水・雑用水）の目安は、40～50 *l* /人日である（同上）。

④ ○ 仮設の照明設備において、労働者を常時就業させる場所の**作業面の照度**は、**普通の作業**の場合は150ルクス以上とする（同上）。

正解 **2**

仮設設備

仮設設備の計画に関する記述として、最も不適当なものはどれか。

① 女性作業員用の仮設便房数は、同時に就業する女性作業員20人以内ごとに1個を設置する計画とした。

② 工事用使用電力量の算出に用いる、コンセントから使用する電動工具の同時使用係数は、1.0として計画した。

③ 工事用使用電力が60kW必要となったため、低圧受電で契約する計画とした。

④ アースドリル工法による掘削に使用する水量は、1台当たり10㎥/hとして計画した。

解説 ➡テキスト 第4編 **1-1**

① ○ 事務所・作業員詰所などに設置する仮設便所において、**女子用の仮設便房数**は20人以内ごとに1個以上、男性は60人以内ごとに1個以上とする（労働安全衛生規則、JASS 2）。なお、男性用**小便所**は、30人以内ごとに1個以上とする。

② ○ 工事用使用電力量は次式で表される。

工事用使用電力量(kWh)＝設備電力(kW)×需要率×負荷率×使用時間

需要率及び負荷率は、使用状況や機器の種類などにより異なるが、需要率及び負荷率を加味した係数（**同時使用係数**）の概略値は、**電動工具や照明器具など**の場合は0.7～1.00である（JASS 2）。なお、タワークレーン、リフト、水中ポンプなどの汎用機械の場合は0.5～0.7である。

③ × **低圧受電**で契約するのは、工事用使用電力が**50kW未満**の場合である（同上）。工事用使用電力が60kWの場合は、高圧受電で契約する。

④ ○ **アースドリル工法**による掘削に使用する水量の目安は、1台当たり**10㎥/h**である（同上）。

正解 3

仮設設備の計画に関する記述として、最も不適当なものはどれか。

① 工事用の給水設備において、水道本管からの供給水量の増減に対する調整のため、2時間分の使用水量を確保できる貯水槽を設置する計画とした。

② 工事用の溶接用ケーブル以外の屋外に使用する移動電線で、使用電圧が300Vのものは、1種キャブタイヤケーブルを使用する計画とした。

③ 作業員の仮設便所において、男性用大便所の便房の数は、同時に就業する男性作業員が60人ごとに、1個設置する計画とした。

④ 工事用の照明設備において、普通の作業を行う作業面の照度は、150ルクスとする計画とした。

解 説 ・・・ →テキスト 第4編 1-1

① ○ 水道本管からの供給水量の増減に対する調整（安定した給水）とポンプの負荷の低減のためには、**受水タンク（貯水槽）** を設けた方がよい。タンク容量は**1〜2時間分**の使用水量を確保できるものを準備する（JASS 2）。

② × 低圧の**移動電線**にキャブタイヤケーブルを使用する場合は、以下の区分に従う。ただし、**1種キャブタイヤケーブル**を使用する場合は、原則として**300V以下**で、かつ**屋内**に施設する場合である。なお、1〜4種の区分は頑丈さを示すグレードで、**4種**が最も耐衝撃性・耐摩耗性が上である。

電線の種類	区分		
	使用電圧が300V以下のもの		使用電圧が300Vを超えるもの
	屋内に施設する場合	屋側又は屋外に施設する場合	
1種 キャブタイヤケーブル	○		
2種	○	○	○
3種			
4種			

③ ○ 事務所・作業員詰所などに設置する仮設便所において、**男性用大便所の便房の数**は60人以内ごとに1個以上、女子用は20人以内ごとに1個以上とする（労働安全衛生規則、JASS 2）。

④ ○ 仮設の照明設備において、労働者を常時就業させる場所の**作業面の照度**は、**普通の作業**の場合は**150ルクス以上**とする（JASS 2）。

正解 2

| 難易度 B | 問題 321 | 仮設設備 | 施工計画 R3-41 |

仮設設備の計画に関する記述として、最も不適当なものはどれか。

① 必要な工事用使用電力が60kWのため、低圧受電で契約する計画とした。

② 工事用使用電力量の算出において、コンセントから使用する電動工具の同時使用係数は、1.0として計画した。

③ 作業員の洗面所の数は、作業員45名当たり3連槽式洗面台1台として計画した。

④ 仮設の給水設備において、工事事務所の使用水量は、1人1日当たり50L を見込む計画とした。

解説 ··· ➡ テキスト 第4編 1-1

① **×** **低圧受電**で契約するのは、工事用使用電力が**50kW未満**の場合である（JASS 2）。工事用使用電力が60kWの場合は、高圧受電で契約する。

② ○ 工事用使用電力量は次式で表される。

工事用使用電力量(kWh)＝設備電力(kW)×需要率×負荷率×使用時間

需要率及び負荷率は、使用状況や機器の種類などにより異なるが、需要率及び負荷率を加味した係数（**同時使用係数**）の概略値は、**電動工具や照明器具**など場合は0.7〜1.00である（JASS 2）。なお、タワークレーン、リフト、水中ポンプなどの汎用機械の場合は0.5〜0.7である。

③ ○ 作業員の**洗面所**の数は、**作業員45名**に当たり3連槽式洗面台1台程度を目安に設置する。

④ ○ 仮設の給水設備において、**工事事務所の使用水量**（飲料水・雑用水）の目安は、40〜50ℓ/**人日**で計画する。

正解 **1**

仮設設備の計画に関する記述として、最も不適当なものはどれか。

① 工事用の動力負荷は、工程表に基づいた電力量山積みの50％を実負荷とする計画とした。

② 工事用の給水設備において、水道本管からの供給水量の増減に対する調整のため、2時間分の使用水量を確保できる貯水槽を設置する計画とした。

③ アースドリル工法による掘削に使用する水量は、1台当たり10㎥／hとして計画した。

④ 工事用電気設備のケーブルを直接埋設するため、その深さを、車両その他の重量物の圧力を受けるおそれがある場所を除き60cm以上とし、埋設表示する計画とした。

解 説 .... **→テキスト / 第4編 / 1-1**

① ✕ 工事用の**動力負荷**（**動力電気設備容量**）は、工程表に基づいた**電力量山積み**（動力負荷設備容量）の**60％**を実負荷とする。なお、**電灯電気設備容量**の場合は**80％**とする（JASS 2）。

② ○ 水道本管からの供給水量の増減に対する調整（安定した給水）とポンプの負荷の低減のためには、**受水タンク**（**貯水槽**）を設けた方がよい。タンク容量は**1〜2時間分**の使用水量を確保できるものを準備する（同上）。

③ ○ **アースドリル工法**による掘削に使用する水量の目安は、1台当たり**10㎥/h**である（同上）。

④ ○ 工事用電気設備の**ケーブル**を現場内に埋設する場合、重量物が通過する道路下は**1.2m以上**、その他は**0.6m以上**の深さに埋設し、近傍にその埋設表示を行う。

正解 1

難易度 A 問題 **323**　仮設設備

仮設設備の計画に関する記述として、最も不適当なものはどれか。

① 作業員の仮設男性用小便所数は、同時に就業する男性作業員40人以内ごとに1個を設置する計画とした。

② 工事用電気設備の建物内幹線の立上げは、上下交通の中心で最終工程まで支障の少ない階段室に計画した。

③ 仮設電力契約は、工事完了まで変更しない計画とし、短期的に電力需要が増加した場合は、臨時電力契約を併用した。

④ 仮設の給水設備において、工事事務所の使用水量は、1人1日当たり50Lを見込む計画とした。

解 説　　　　　　　　　　　　　　　　　　　→テキスト 第4編 **1-1**

① ✕ 事務所・作業員詰所などに設置する仮設便所において、**男性用小便所数**は、30人以内ごとに1個以上とする（労働安全衛生規則、JASS 2）。なお、**男性用大便所**の便器の数は60人以内ごとに1個以上、**女子用**は20人以内ごとに1個以上とする。

② ○ 工事用電気設備の建物内での幹線立上り場所は、エレーベータシャフト、OAシャフト、階段室など最終工程まで支障のない位置を選択する。また、タワークレーンなどの機械専用の動力配線は、機械と受変電設備の距離をできるだけ短くする（JASS 2）。

③ ○ 仮設電力契約は、一般には、工事完了まで変更しない計画手法が採用される。鉄骨工事における現場溶接作業など、短期的な電力需要の増加には、**エンジン付き発電機**の使用や「**臨時電力契約**」を併用するなどして対応することが多い（建築仮設工事テキスト）。

④ ○ 仮設の給水設備において、工事事務所の**使用水量**（飲料水・雑用水）の目安は、40〜50*l*/人日で計画する（JASS 2）。

正解 1

事前調査や準備工事に関する記述として、最も適当なものはどれか。

① 掘削深さや地盤条件に応じた山留めを設けることとしたため、隣接建物の基礎の調査を省略した。

② 建物の位置と高さの基準となるベンチマークは、複数設置すると誤差を生じるおそれがあるため、設置は1箇所とした。

③ 鉄骨工事計画に当たり、周辺道路の交通規制や埋設物、架空電線、電波障害について調査した。

④ セメントによって地盤改良された土の掘削に当たって、沈砂槽を設置して湧水を場外へ排水することとしたため、水質調査を省略した。

解説 .... →テキスト **第4編** **1-2**

① ✕ 杭工事、根切り工事等近隣に影響を与える可能性のある工事を行う場合には、関係者に立会いを求め、**近隣建物等を事前調査**し、できるだけ写真、測量等により現状を記録しておくことが重要である（建築工事監理指針）。

② ✕ **ベンチマーク**は、建築物等の高低及び位置の基準であり、正確に設置し、移動のないように周囲を養生する。また、ベンチマークは**2カ所以上**設けて、**相互チェック**できるようにする。

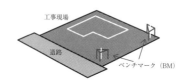

③ 〇 鉄骨工事計画にあたっては、**周辺道路の交通規制**や電気・ガスなどの道路埋設物、**道路幅員**、**架空電線**、**電波障害**の可能性などについて事前調査を行って、鉄骨部材の搬入や建方に問題がないか確認する。

④ ✕ 1日当たりの平均的な排出水の量が50㎥以上を、海域以外の公共用水域に排出する場合の**水素イオン濃度（pH）**の許容限度は、5.8以上8.6以下である。**セメント**によって**地盤改良**された土の掘削工事における排水は、高いpHになる危険性があるため**排水の水質調査**を行う必要がある。

正解 **3**

建築工事における事前調査に関する記述として、最も不適当なものはどれか。

① 鉄骨工事の計画に当たり、周辺道路の交通規制や架空電線について調査した。

② セメントによって地盤改良された土の掘削に当たり、沈砂槽を設置して湧水を場外へ排水することとしたため、水質調査を省略した。

③ 解体工事の計画に当たり、近隣建物の所有者の立会いを得て、近隣建物の現状について調査した。

④ 工事車両出入口、仮囲い及び足場の設置に伴う道路占用の計画に当たり、歩道の有無と道路幅員について調査した。

解説 ➡テキスト 第4編 1-2

① ◯ 鉄骨工事計画にあたっては、周辺道路の**交通規制**や電気・ガスなどの**道路埋設物**、**道路幅員**、**架空電線**、**電波障害**の可能性などについて事前調査を行って、鉄骨部材の搬入や建方に問題がないか確認する。

② ✕ 1日当たりの平均的な排出水の量が50㎥以上を、海域以外の公共用水域に排出する場合の**水素イオン濃度（pH）**の許容限度は、5.8以上8.6以下である。**セメントによって地盤改良**された土の掘削工事における排水は、高いpHになる危険性があるため**排水の水質調査**を行う必要がある。

③ ◯ 近隣建物へ影響を与えるおそれがある工事を行う場合は、近隣建物等にひび割れ、はく落、沈下等の事故が生じた場合の現状確認の資料とするため、**関係者の立会い**を求め、できるだけ**写真、測量等により現状を記録**しておく（建築工事監理指針）。

④ ◯ 工事車両**出入口**、仮囲い・足場・歩道構台・朝顔などの設置に伴う**道路占用**を計画するにあたり、歩道・車道、私道・公道などの区別、**幅員**、交通量を調査し確認する（施工計画ガイドブックⅠ）。

正解 2

建築工事における事前調査や準備作業に関する記述として、最も不適当なものはどれか。

① 山留め計画に当たり、設計による地盤調査は行われていたが、追加のボーリング調査を行った。

② 地下水の排水計画に当たり、公共下水道の排水方式の調査を行った。

③ コンクリート工事計画に当たり、コンクリートポンプ車を前面道路に設置するため、道路使用許可申請書を道路管理者に提出した。

④ 鉄骨工事計画に当たり、タワークレーンによる電波障害が予想されるため、近隣に対する説明を行って了解を得た。

解説 .... →テキスト 第4編 1-2

① ○ 山留め架構の設計や地下水処理方法の想定などを行うために必要な地盤情報は、建築物の基礎の設計のために必要な情報と重複しているものが多く、**重複した調査項目は省略**することができる。ただし、山留め架構の設計と基礎構造の設計では、必要な地盤情報の深さが異なるため、十分な地盤情報が得られない場合は**追加**の調査を実施する（建築基礎設計のための地盤調査計画指針、JASS 3）。

② ○ 地下水を公共下水道に排出する場合は、事前に公共下水道の**排水方式**（合流式・分流式）、排水水質基準等を**調査**し、下水道局への届け出が必要である。

③ ✕ 工事に際してポンプ車、クレーン、車両、作業等で道路を**一時的に使用**する場合には使用開始前に「**道路使用許可申請書**」を「**警察署長**」に提出する（道路交通法77条）。なお、足場や仮囲いなどを設けて、道路を**継続的に長期間使用**する場合には道路占用許可申請書を道路管理者に提出する（道路法32条）。

④ ○ クレーンの設置や鉄骨の建方により、**電波障害**が発生する場合があるため、事前調査を行い、必要な対策を実施するとともに、障害が予想される場合には、作業に先立ち、**近隣住民等**へ作業内容を説明して、作業途中でトラブルのないように留意する。

正解 **3**

難易度 A	問題 327 ☑☐☐☐	事前調査・準備	施工計画 R5-40

事前調査や準備作業に関する記述として、最も不適当なものはどれか。

① 地下水の排水計画に当たり、公共下水道の排水方式の調査を行った。

② タワークレーン設置による電波障害が予想されたため、近隣に対する説明を行って了解を得た。

③ ベンチマークは、移動のおそれのない箇所に、相互にチェックできるよう複数か所設けた。

④ コンクリートポンプ車を前面道路に設置するため、道路使用許可申請書を道路管理者に提出した。

解説 →テキスト 第4編 1-2

① ○ 地下水を公共下水道に排出する場合は、事前に公共下水道の排水方式（合流式・分流式）、排水水質基準等を調査し、下水道局への届け出が必要である。

② ○ クレーンの設置や鉄骨の建方により、**電波障害**が発生する場合があるので、事前調査を行い、必要な対策を実施するとともに、障害が予想される場合には、作業に先立ち、近隣住民等へ作業内容を説明して、作業途中でトラブルのないように留意する。

③ ○ **ベンチマーク**は、建築物等の高低及び位置の基準であり、正確に設置し、移動のないように周囲を養生する。また、ベンチマークは2カ所以上設けて、**相互チェック**できるようにする。

④ ✕ 工事に際してポンプ車、クレーン、車両、作業等で道路を**一時的に使用**する場合には使用開始前に「**道路使用許可申請書**」を「**警察署長**」に提出する（道路交通法77条）。なお、足場や仮囲いなどを設けて、道路を継続的に長期間使用する場合には道路占用許可申請書を道路管理者に提出する（道路法32条）。

正解 4

施工計画に関する記述として、最も不適当なものはどれか。

① 既製杭工事のプレボーリング埋込み工法において、支持層への到達の確認方法として、掘削抵抗電流値と掘削時間を積算した積分電流値を用いる計画とした。

② 市街地での大規模な地下のある建築工事において、1階の床・梁を先行施工し、これを資機材の搬入用の作業構台とすることができる逆打ち工法とする計画とした。

③ プレキャストコンクリート部材の現場接合は、狭い空間に鉄筋やシヤーコッターがあり締固め作業が困難なため、高流動コンクリートを使用する計画とした。

④ 鉄骨工事の耐火被覆は、施工中の粉塵の飛散がなく、被覆厚さの管理も容易なロックウール吹付け工法で実施する計画とした。

解 説 ⋯⋯⋯⋯⋯⋯⋯⋯⋯⋯⋯⋯⋯⋯⋯⋯⋯⋯⋯ →テキスト 第4編 1-3

① ○ 既製杭工事の**セメントミルク工法**などのプレボーリング埋込み**工法**では、施工時の支持層深度の確認は以下による。

❶ **オーガー駆動電流値・積分電流値**（掘削抵抗電流値と掘削時間を積算したもの）**の変化**と柱状図・N値の変化の対比

❷ オーガーヘッド先端に**付着した掘削土**の土質標本等との対比

なお、電流値・積分電流値で行う場合には、想定深度に近づいたら掘削速度を一定に保ち、値の変化を読み取って支持層への到達を確認する。

② ○ 「逆打ち工法（さかう）」は、山留め壁、仮支柱を設けた後、**先行して1階床**を築造し、地下各階床、梁を支保工にして順次掘り下げていきながら、同時に地上部の施工も進めていく工法である。先行施工した1階の床・梁を資機材の搬入用の作業構台とすることができ、地下・地上の同時施工が可能で全体**工期の短縮**が可能である。

③ ○ プレキャストコンクリート部材の現場接合部は、狭い空間に鉄筋やシヤーコッターがあり、バイブレーターによる振動・締固め作業が困難な場合が多い。**高流動コンクリート**は、非常に高い流動性と優れた施工性をもち、振動・締固めなしに**充填**することができるため、プレキャストコンクリート部材の現場接

合部などに適している。

④ ✕ 鉄骨工事の耐火被覆における**吹付けロックウール工法**は、施工中の**粉じんの飛散が多く**、吹付けにあたり、十分な**飛散防止養生**を行わなければならない。

正解 **4**

躯体工事の施工計画に関する記述として、最も不適当なものはどれか。

① 杭工事において、リバース工法による場所打ちコンクリート杭における2次スライム処理は、サクションポンプにより行うこととした。

② 鉄骨工事において、高力ボルト用の孔あけ加工は、板厚が13mmの部材については、せん断孔あけとすることとした。

③ 型枠工事において、独立柱の型枠の組立てはセパレーターを使用せず、コラムクランプを用いてせき板を締め付けることとした。

④ 地業工事において、捨てコンクリートの打設を行うときの外気温が25℃を超えるため、練混ぜから打込み終了までの時間を90分とすることとした。

解 説 .... ➡テキスト **第4編** **1-3**

① ○ **リバース工法**は、掘削孔の中に水を満たしながら掘削し、吸い上げた泥水を分離して水を再び孔内へ循環（逆循環）させる工法である。孔内の沈殿物（**2次スライム**）は、トレミー管を用いたサクションポンプ、水中ポンプなどによる吸上げ処理を行う。

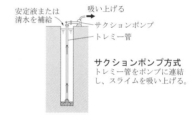

サクションポンプ方式
トレミー管をポンプに連結し、スライムを吸い上げる。

トレミー管を用いたスライム処理の例

② × 鉄骨の「**高力ボルト用の孔あけ加工**」は、**板厚にかかわらずドリルあけ**を原則とする。せん断孔あけ加工の場合、孔の周りに「ばり」が生ずる。「ばり」が残っていると鋼材が密着できないため、高力ボルト摩擦接合には適さない。したがって、高力ボルト用の孔あけ加工をせん断孔あけとしたことは、たとえ板厚が13mm以下であったとしても不適当である。なお、**ボルト**、アンカーボルト、鉄筋貫通孔もドリルあけを原則とするが、板厚が13mm以下の薄い場合は、**せん断孔あけ**とすることができる。

③ ○ **コラムクランプ**は、柱型枠を四方から水平に締め
付けるための柱型枠の締付金具である。スリット状
の孔に、くさび（ピン）を差し込み、柱型枠幅に合
わせて微細な寸法調整をして締め付ける。したがっ
て、独立柱の型枠の締付けに、コラムクランプを用
いることは適当である。

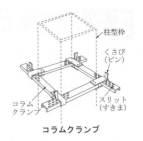

コラムクランプ

④ ○ コンクリートの「**練混ぜから打込み終了まで**」の
時間は、外気温が25℃未満のときは120分以内、25℃以上のときは90分以内
とする。

作業 気温	練混ぜから打込み 終了までの時間	打重ね時間
25℃未満	120分以内	150分以内
25℃以上	90分以内	120分以内

正解 **2**

施工計画に関する記述として、最も不適当なものはどれか。

① 鉄骨工事において、建方精度を確保するため、建方の進行とともに、小区画に区切って建入れ直しを行う計画とした。

② 大規模、大深度の工事において、工期短縮のため、地下躯体工事と並行して上部躯体を施工する逆打ち工法とする計画とした。

③ 鉄筋工事において、工期短縮のため、柱や梁の鉄筋を先組み工法とし、継手は機械式継手とする計画とした。

④ 鉄骨工事において、施工中の粉塵の飛散をなくし、被覆厚さの管理を容易にするため、耐火被覆はロックウール吹付け工法とする計画とした。

解説 .... ➡テキスト **第4編** **1-3**

① ○ **建入れ直し**とは、鉄骨の建方の途中または最後に柱や梁の鉛直度・水平度などを測定し、修正する作業のことである。建入れ直し及び建入れ検査は、建方完了後にまとめて行おうとすると困難になることが多いため、**建方の進行とともに、できるだけ小区画に区切って行う。**

② ○ 「**逆打ち工法**」は、山留め壁、仮支柱を設けた後、**先行して1階床を築造し、**地下各階の梁・床を支保工として順次掘り下げていきながら、**同時に**地上部の躯体施工も進めていく工法である。剛性が非常に高く、山留め壁の変形が少ないため、軟弱地盤での工事、**地階が深く広い建築物**に有効である。また、地下・地上の同時施工が可能で**全体工期の短縮**が可能である。

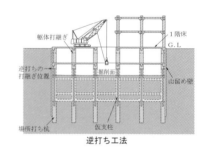

躯体打継ぎ
逆打ちの
打継ぎ位置
場所打ち杭
掘削面
仮支柱
1階床
G.L
山留め壁

逆打ち工法

③ ○ 鉄筋工事において、工期短縮などのために、柱や梁の鉄筋を地組み（工場や現場でかご状に**先組み**すること）とする場合、継手には一般に**機械式継手**が用いられる（JASS 5）。

④ ✕ 鉄骨工事の耐火被覆における**吹付けロックウール**工法は、施工中の**粉塵の飛散が多く、**吹付けにあたり、十分な飛散防止養生を行わなければならない。粉じんの飛散がなく、被覆厚さの管理が容易な工法は耐火材**巻付け工法**である。

正解 **4**

難易度 B	問題 331	施工計画（躯体）	施工計画 R2-49

躯体工事の施工計画に関する記述として、最も不適当なものはどれか。

① 場所打ちコンクリート杭工事において、安定液を使用したアースドリル工法の1次孔底処理は、底ざらいバケットにより行うこととした。

② 鉄骨工事において、板厚が13mmの部材の高力ボルト用の孔あけ加工は、せん断孔あけとすることとした。

③ ガス圧接継手において、鉄筋冷間直角切断機を用いて圧接当日に切断した鉄筋の圧接端面は、グラインダー研削を行わないこととした。

④ 土工事において、透水性の悪い山砂を用いた埋戻しは、埋戻し厚さ300mmごとにランマーで締め固めながら行うこととした。

解 説 ・・ →テキスト 第4編 1-3

① ○ アースドリル工法の**スライム**の**1次孔底処理**は、底ざらい**バケット**又は安定液置換により行う。1次処理後、鉄筋かご建込みの際の孔壁の欠損によるスライムや、建て込み中に生じたスライムは、鉄筋建込み後、コンクリート打込みの直前に、**2次孔底処理**として**水中ポンプ**などにより除去する。

② × 鉄骨の「**高力ボルト用の孔あけ加工**」は、**板厚にかかわらずドリルあけ**を原則とする。せん断孔あけ加工の場合、孔のまわりに「ばり」が生ずる。「ばり」が残っていると鋼材が密着できないため、高力ボルト摩擦接合には適さない。したがって、高力ボルト用の孔あけ加工をせん断孔あけとしたことは、たとえ板厚が13mm以下であったとしても不適当である。

③ ○ ガス圧接を行う鉄筋の端面には、平滑さ、直角度が要求されるため、シャーカッターによる切断の後、**グラインダーでの端面処理**を行うか、「**冷間直角切断機**」を用いる。また、端面は完全な金属肌の状態にする必要があるため、**グラインダー研削**や**冷間直角切断機による切断**は、**圧接作業当日**に行う。

鉄筋
冷間直角切断機

④ ○ **透水性の悪い山砂**、粘性土の場合は、埋戻し厚さ（**巻出し厚**）30cm程度ごとに**ローラー**、**ランマー**などで締め固めながら埋め戻す。なお、透水性のよい山砂などは、巻出し厚30cm程度ごとに水締めする。

正解 2

施工計画に関する記述として、最も不適当なものはどれか。

① コンクリート躯体工事において、現場作業の削減と能率向上により工期短縮が図れるプレキャストコンクリート部材を使用する計画とした。

② 大規模、大深度の工事において、工期短縮のため、地下躯体工事と並行して上部躯体を施工する逆打ち工法とする計画とした。

③ 鉄骨工事において、施工中の粉塵の飛散をなくし、被覆厚さの管理を容易にするため、耐火被覆をロックウール吹付け工法とする計画とした。

④ 既製杭工事のプレボーリング埋込み工法において、支持層への到達の確認方法として、掘削抵抗電流値と掘削時間を積算した積分電流値を用いる計画とした。

解説 ‥‥‥‥‥‥‥‥‥‥‥‥‥‥‥‥‥‥‥‥‥‥ →テキスト / 第4編 / 1-3

① ○ プレキャストコンクリート部材を使用するプレキャスト工法は、躯体を構成する構造部材を工場等で先行製造する。そのため工事現場における作業は省力化され、一般的には工期は短縮される（JASS 10）。

② ○ **逆打ち工法**は、山留め壁、仮支柱を設けた後、**先行して1階床**を築造し、地下各階の梁・床を支保工として順次掘り下げていきながら、**同時に地上部の躯体施工**も進めていく工法である。剛性が非常に高く、山留め壁の変形が少ないため、軟弱地盤での工事や地階が深く広い建築物に有効である。また、**地下・地上の同時施工**が可能で**全体工期の短縮**が可能である。

③ × 鉄骨工事の耐火被覆における**吹付けロックウール工法**は、施工中の**粉じんの飛散が多く**、吹付けにあたり、十分な飛散防止養生を行わなければならない。

④ ○ 既製杭工事のセメントミルク工法などの**プレボーリング埋込み工法**では、施工時の**支持層**深度の確認は以下による。
  ❶ オーガー駆動電流値・積分電流値（掘削抵抗電流値と掘削時間を積算したもの）の変化と柱状図・N値の変化の対比
  ❷ オーガーヘッド先端に付着した掘削土の**土質標本等との対比**（試験杭）
  なお、電流値・積分電流値で行う場合には、想定深度に近づいたら掘削速度を一定に保ち、値の変化を読み取って支持層への到達を確認する。

正解 3

難易度 B	問題 333 CHECK	施工計画（改修）	施 工 計 画 H30-49

鉄筋コンクリート造の躯体改修工事の施工計画に関する記述として、最も不適当なものはどれか。

① 柱のコンクリートが鉄筋位置まで中性化していたため、浸透性アルカリ性付与材を塗布することとした。

② コンクリートのひび割れ幅が1.0mmを超えていたが、挙動しないひび割れであったためシール工法を用いることとした。

③ コンクリート表面の欠損深さが30mm以下であったため、ポリマーセメントモルタルによる充填工法を用いることとした。

④ コンクリートの欠損部から露出している鉄筋は、周囲のコンクリートをはつり取り、錆を除去した後に防錆剤を塗布することとした。

解説 ➡️テキスト 第4編 1-3

① 〇 コンクリートの**中性化**とは、空気中の**炭酸ガス**の作用によって、コンクリートがしだいに**アルカリ性**を失って**中性**に近づく現象である。コンクリートの中性化が鉄筋位置まで進行している場合には、**浸透性アルカリ性付与材**を塗布して、中性化した部分に含浸させる。

② ✕ コンクリート外壁のひび割れ部の改修工法の、「**シール工法**」は、ひび割れ幅が0.2mm未満の場合に用いる。幅が1.0mmを超えているひび割れ、あるいは、0.2mm以上1.0mm以下で挙動するひび割れは、主に「Uカットシール材充填工法」を用いる。

③ 〇 コンクリート打放し仕上げ外壁の欠損部の改修における、**ポリマーセメントモルタル充填工法**は、コンクリート表面のはがれ、はく落が比較的浅い、**軽微な欠損部**（深さ30mm程度以下）の改修に適用される。

④ 〇 コンクリートの欠損部から**露出している鉄筋**は、健全な部分が露出するまで周囲のコンクリートをはつり取り、浮き錆を除去した後に**鉄筋防錆剤**を塗布して防錆処理を行う。

正解 **2**

鉄筋コンクリート造建築物の耐震補強にかかる躯体改修工事の施工計画に関する記述として、最も不適当なものはどれか。ただし、dは異形鉄筋の呼び名の数値とする。

① 壁上部と既存梁下との間に注入するグラウト材の練混ぜにおいて、練上り時の温度が10〜35℃となるように、練り混ぜる水の温度を管理することとした。

② 既存壁に増打ち壁を設ける工事において、シアコネクタを型枠固定用のセパレータとして兼用することとした。

③ 柱の溶接閉鎖フープ巻き工法に用いるフープ筋の継手は、溶接長さが4dの両側フレア溶接とすることとした。

④ 柱の連続繊維補強工法に用いる炭素繊維シートの水平方向の重ね継手は、柱の各面に分散して配置することとした。

解説 ……………………………………………………… →テキスト 第4編 1-3

① ○ 増設躯体と既存梁下などに注入する**グラウト材**の練混ぜにおいては、水温の管理を十分に行い、**練上り時の温度が10〜35℃**の範囲のものを注入する（建築改修工事監理指針）。

② ○ 既存壁に増打ち壁を設ける工事において、増打ち壁と既存壁との一体性を増す目的の**シアコネクタ**を型枠固定用のセパレータとして**兼用**する場合がある（同指針）。

③ × **溶接閉鎖フープ巻き工法**による補強は、既存柱の外周部を60〜150mm程度（一般に100mm程度）の厚さの鉄筋コンクリート又は鉄筋補強モルタルで巻き立てて補強する方法である。このフープ筋の継手は、溶接長さが**片側10d以上の**フレア溶接とする。

④ ○ **連続繊維補強**において、炭素繊維シートの繊維（水平）方向の重ね位置（ラップ位置）を同一箇所、同一面に集中させることは構造的な弱点となるため、柱の**各面に分散**させることが原則である。なお、シートの重ね長さは、母材破断を確保できる長さとして、200mm以上とする（耐震改修設計指針）。

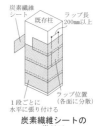

炭素繊維シートの巻付け

正解 **3**

難易度	問題 335	施工計画（仕上げ）	施工計画
B	CHECK □□□		H29-50

仕上工事の施工計画に関する記述として、最も不適当なものはどれか。

① 張り石工事において、外壁乾式石張り工法の石材の裏面と躯体コンクリート面の間隔は、70㎜を標準とした。

② タイル工事において、改良圧着張り工法の張付けモルタルの1回の塗付け面積は、タイル工1人当たり4㎡以内とし、下地面の張付けモルタルの塗厚さは5㎜を標準とした。

③ メタルカーテンウォール工事において、躯体付け金物は、鉄骨躯体の製作に合わせてあらかじめ鉄骨製作工場で取り付けることとした。

④ 塗装工事において、亜鉛めっき鋼面の化成皮膜処理による素地ごしらえは、りん酸塩処理とすることとした。

解説 ……………………………… →テキスト／第4編／1-3

① ○ 張り石工事の**外壁乾式工法**は、ファスナー（ステンレス製）を用いて石材1枚ずつ荷重を受ける方法により躯体に取り付ける工法で、**石裏と躯体コンクリート面の間隔**（取付け代）は、ファスナーの寸法を考慮して、70㎜（湿式工法は40㎜）を標準とする。

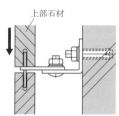
上部石材

② × **改良圧着張り**は、張付けモルタルを下地側とタイル裏面の両方に塗って、タイルを張り付ける工法である。下地側には張付けモルタルを**4〜6㎜程度**塗り付ける。1回の塗付け面積の限度は、**2㎡/人**以内とする。

③ ○ カーテンウォールの部材を取り付けるための**躯体付け金物**は、あらかじめ鉄骨躯体に溶接したり、コンクリート躯体に埋め込んだりして取り付ける。

④ ○ **亜鉛めっき鋼面**への塗装においては、防錆性と付着性を高めるために、素地ごしらえとして、**化成皮膜処理**（リン酸塩化成皮膜処理又は**クロメートフリー化成皮膜処理**）を行う。

汚れ・付着物の除去
⇩
油類の除去
⇩
化成皮膜処理
⇩
下塗り（錆止め塗装）

正解 2

鉄筋コンクリート造建築物の仕上げ改修工事の施工計画に関する記述として、最も不適当なものはどれか。

① 既存アスファルト防水層を存置する防水改修工事において、ルーフドレン周囲の既存防水層は、ルーフドレン端部から150mmまでの範囲を四角形に撤去することとした。

② モザイクタイル張り外壁の改修工事において、タイルの浮きやはく落が見られたため、繊維ネット及びアンカーピンを併用した外壁複合改修工法を用いることとした。

③ 塗り仕上げの外壁改修工事において、広範囲の既存塗膜と素地の脆弱部を除去する必要があるため、高圧水洗工法を用いることとした。

④ かぶせ工法によるアルミニウム製建具の改修工事において、既存鋼製建具の枠の厚さが1.2mmであったため、既存枠を補強することとした。

解説 ··· ➜ テキスト 第4編 1-3

① ✕ 既存の保護層、アスファルト防水層を存置する防水改修工事において、既存防水層を撤去する範囲は原則として、**既存ルーフドレン端部から300mm程度とする。**

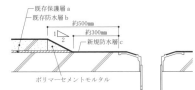

② ○ 繊維ネット及びアンカーピンを併用した外壁複合改修工法（ピンネット工法）は、アンカーピンによる仕上げ層のはく落防止と、繊維ネットによる既存仕上げ層との一体化により、安全性を確保する工法であり、タイル張り仕上げ外壁等の改修に用いられる。

③ ○ 既存の塗り仕上げ外壁の改修工事における**高圧水洗工法**は、高圧水（吐出圧力は約30MPa以上）で物理的な力を加えて塗膜などを除去する工法で、**劣化の著しい塗膜**の除去や**素地の脆弱部分**の除去に適している。特に塗膜を**全体的に**除去する場合は効率がよい。

④ ○ 既存建具の改修工事において、**かぶせ工法**は、既存建具の外周枠を残し、その上から新規金属製建具を取り付ける工法である。既存建具が鋼製建具の場合は、**枠の厚さが1.3mm以上**残っていることが必要であり、1.3mm未満の場合には鋼板、アルミ板等で補強する。

正解 **1**

MEMO

鉄筋コンクリート造建築物の仕上改修工事の施工計画に関する記述として、最も不適当なものはどれか。

① 外壁コンクリートに生じた幅が1.0mmを超える挙動しないひび割れは、可とう性エポキシ樹脂を用いたUカットシール材充填工法を用いることとした。

② タイル張り仕上げ外壁の改修工事において、1箇所の張替え面積が0.2㎡であったため、タイル部分張替え工法を用いることとした。

③ 既存合成樹脂塗床面の上に同じ塗床材を塗り重ねるため、接着性を高めるよう、既存仕上げ材の表面を目荒しすることとした。

④ 防火認定の壁紙の張替えは、既存壁紙の裏打紙の薄層の上に防火認定の壁紙を張り付けることとした。

解 説 ……………………………………………… →テキスト / 第4編 / 1-3

① ○ コンクリート外壁のひび割れ部の改修工法は、ひび割れ幅、ひび割れの挙動の有無などから、「シール工法」「樹脂注入工法」「Uカットシール材充填工法」から選択する。ひび割れ幅が1.0mmを超えている場合、挙動しないひび割れであっても「Uカットシール材充填工法」を用いる。

改修工法	幅	挙動	使用材料
エポキシ樹脂注入工法	0.2mm以上 1.0mm以下	無	硬質形エポキシ樹脂
		有	軟質形エポキシ樹脂
			可とう性エポキシ樹脂
Uカットシール材充填工法	1.0mm超	無	可とう性エポキシ樹脂
		有	シーリング材

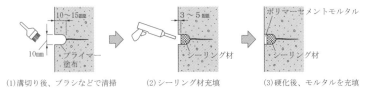

(1)溝切り後、ブラシなどで清掃　(2)シーリング材充填　(3)硬化後、モルタルを充填

Uカットシール材充填工法例

② ○ タイルの欠損部の改修工法は、以下の2工法から選択する。したがって、0.2㎡の場合、タイル部分張替え工法を用いることは適当である。

改修工法	適用欠損部
❶タイル部分張替え工法	1カ所の張替え面積が小さい場合（0.25㎡以下）
❷タイル張替え工法	1カ所の張替え面積が大きい場合

③ ○ 既存床材が、新規塗材と同質材の硬質無機床仕上げで、摩耗、損傷等が少なく、下地に十分接着している場合は、**塗り重ね可能**である。ただし、表面の**目荒し**、**研削処理**を行う。

④ × **防火認定**が必要な壁紙の張替えは、**既存の壁紙を**残さず撤去し、下地基材面を露出させてから新規の壁紙を張り付けなければ防火材料に認定されない。既存の残った裏打ち紙は、水を塗布して裏打ち紙を張り付けている糊を溶解させてはがす（建築改修工事監理指針）。

正解 **4**

仕上工事の施工計画に関する記述として、最も不適当なものはどれか。

① 改質アスファルトシート防水トーチ工法において、露出防水用改質アスファルトシートの重ね部は、砂面をあぶって砂を沈め、100mm重ね合わせることとした。

② メタルカーテンウォール工事において、躯体付け金物は、鉄骨躯体の製作に合わせてあらかじめ鉄骨製作工場で取り付けることとした。

③ タイル工事において、改良圧着張り工法の張付けモルタルの1回の塗付け面積は、タイル工1人当たり4㎡とすることとした。

④ 塗装工事において、亜鉛めっき鋼面の化成皮膜処理による素地ごしらえは、りん酸塩処理とすることとした。

解説 ・・・・・・・・・・・・・・・・・・・・・・・・・・・・・・・・・・・・ →テキスト／第4編／1-3

① ○ ガスバーナーによる**トーチ工法**で、シートの**重ね幅**は100mm以上とし、先に張り付けたシートの表面と張り合わせるシートの裏面をあぶり、**改質アスファルトがはみ出す程度**まで十分溶融させ、密着させる。シートの砂面に重ね合わせる場合は、重ね部の砂面を**あぶって砂を沈める**か、砂をかき取った上に行う（JASS 8）。その後、はみ出した溶融アスファルトで、水密性の目視チェックを行う。

② ○ カーテンウォールの部材を取り付けるための**躯体付け金物**は、あらかじめ鉄骨躯体に溶接したり、コンクリート躯体に埋め込んだりして取り付ける。

③ ✕ **改良圧着張り**は、張付けモルタルを下地側とタイル裏面の両方に塗って、タイルを張り付ける工法である。下地側には張付けモルタルを**4〜6mm**程度塗り付ける。1回の塗付け面積の限度は、**2㎡/人**以内とする。

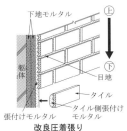

改良圧着張り

④ ○ 亜鉛めっき**鋼面**への塗装は、防錆性と付着性を高めるために、素地ごしらえとして、化成皮膜処理（リン酸塩化成皮膜処理又はクロメートフリー化成皮膜処理）を行う。

汚れ・付着物の除去
⇩
油類の除去
⇩
化成皮膜処理
⇩
下塗り（錆止め塗装）

正解 **3**

問題 339　施工計画（解体）

難易度 B

5階建鉄筋コンクリート造建築物の解体工事の施工計画に関する記述として、最も不適当なものはどれか。

① 搬出するアスファルト・コンクリート塊及び建設発生木材の重量の合計が200tであったため、再生資源利用促進計画を作成しないこととした。

② 検討用作業荷重は、振動、衝撃を考慮して、解体重機とコンクリート塊の荷重を1.3倍程度に割り増すこととした。

③ 転倒による解体工法の場合は、倒す壁の大きさや重量に応じて、解体する部材の大きさを検討し、倒壊時の振動を規制値以内に収めることとした。

④ 解体重機やコンクリート塊を同一の床上に長期間置くので、検討用作業荷重と固定荷重による各部の応力度は、長期許容応力度以下に収めることとした。

解 説　→テキスト 第4編 1-3

① ✕ 「500㎡以上の建設発生土」又は「合計200t以上のコンクリート塊、アスファルト・コンクリート塊または建設発生木材」を工事現場から搬出する場合は、あらかじめ、再生資源利用促進計画を作成し、その計画及び実施状況の記録を当該建設工事完成後、5年間保存しなければならない。

② ◯ 検討用作業荷重は、解体重機やコンクリート塊による振動・衝撃を考慮して、解体重機とコンクリート塊の荷重を1.3倍程度に割り増す（建築物解体工事共通仕様書・同解説）。

③ ◯ 転倒解体とは、柱、壁等の転倒方向を定めて脚部の一部を破壊し、所定の方向に転倒させ解体する解体工法である。この場合、転倒させる壁の大きさや重量によって発生する振動が大きくなるため、解体、転倒させる部材の大きさを検討し、倒壊時の振動を規制値以内に収めるように計画する。

④ ◯ 解体重機やコンクリート塊をやむを得ず、同一床上に長期間置く場合、検討用作業荷重と固定荷重による各部の応力度が、長期許容応力度以下であることを確認する。なお、短期間である場合には、短期許容応力度以下であることを確認すればよい（同上）。

正解 1

鉄筋コンクリート造建築物の躯体解体工事の施工計画に関する記述として、最も不適当なものはどれか。

① 階上作業による解体では、外壁を残しながら中央部分を先行して解体することとした。

② 階上作業による解体では、解体重機の移動にコンクリート塊を集積したスロープを利用するため、解体重機と合わせた最大荷重に対して補強することとした。

③ 地上作業による解体では、作業開始面の外壁から1スパンを上階から下階に向かって全階解体し、解体重機のオペレーターの視界を確保することとした。

④ 地上外周部の転倒解体工法では、1回の転倒解体を高さ2層分とし、柱3本を含む2スパンとした。

解 説 .... →テキスト 第4編 1-3

① ○ 階上作業による解体では、基本的に外壁を残しながら中央部分を先行して解体する。こうすることにより、外周への飛散物の減少や騒音拡散の低減を図ることができる（鉄筋コンクリート造建築物等の解体工事施工指針（案）・解説）。

② ○ 階上作業による解体では、1階分の解体が完了した時点で、コンクリート塊等でスロープを作成し、解体重機を下の階に降ろす。この部分には、コンクリート塊と解体重機が同時に載荷されるため、構造的な安全性を確認し、必要に応じて仮設支柱で補強する（同上）。

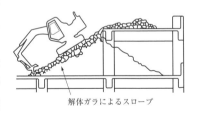

解体ガラによるスロープ

③ ○ 圧砕機の地上作業による解体では、作業開始面の外壁及び1スパンを上階から下階に向かって全階解体し、圧砕機オペレーターの視界を確保する（同上）。

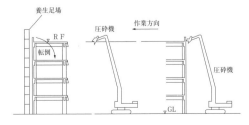

④ × **転倒解体**の幅は**1〜2スパン**程度とし、また転倒時のねじれを防ぐため**柱2本以上**を含むようにする。また、安全上、高さは**1層分以下**とする（建築物解体工事共通仕様書・同解説）。

正解　**4**

工事現場における材料の保管に関する記述として、最も不適当なものはどれか。

① プレキャストコンクリートの床部材は平置きとし、上下の台木が鉛直線上に同位置になるように積み重ねて保管した。

② 高力ボルトは、工事現場受入れ時に包装を開封し、全数を確認してから乾燥した場所に、等級別、サイズ別に整理して保管した。

③ 板ガラスは、車輪付き裸台で搬入し、できるだけ乾燥した場所に裸台に乗せたまま保管した。

④ 断熱用の硬質ウレタンフォーム保温板は、反りぐせを防止するため、平坦な敷台の上に平積みで保管した。

解 説 ➡テキスト 第4編 1-4

① ○ **プレキャストコンクリート部材**は、以下のように保管する。

❶ 部材を平置きする場合、大きさにかかわらず、有害なひび割れ、破損等が生じないように**台木（まくら木）**を2本敷く。

❷ 積重ねは、床部材は**6段**まで、柱梁部材は安定性を考慮して**2段**まで。

❸ 部材の曲げやせん断を防ぐため、上下の台木は**同一鉛直線上**に配置する。

② × **高力ボルト**の取扱いには以下の点に留意する。

❶ 梱包の完全なものを未開封状態のまま**工事現場へ搬入**する。

❷ 受入れ時に、荷姿・種類・等級等、発注時の条件を満足していることを確認する。

❸ 保管は乾燥した場所とし、**梱包は施工直前に解いて使用**する。

したがって、「工事現場受入れ時に包装を開封し、…整理して保管した」ことは不適当である。未開封状態で保管しなければならない。

③ ○ 木箱、パレットあるいは**車輪付き裸台**で運搬してきた**ガラス**は、湿気を避け乾燥した場所で、そのまま**保管**する。

④ ○ 硬質ウレタンフォーム保温板などの**断熱材（ボード状断熱材）**は、長時間日射を受けると劣化するので、原則として、**屋内に保管**する。また、反りぐせがつかないように、平たんな敷台などの上に**積み重ねて保管**する。

正解 **2**

工事現場における材料の保管に関する記述として、最も不適当なものはどれか。

① ALCパネルは、平積みとし、1段の積上げ高さは1.5m以下とし2段までとする。

② 砂付ストレッチルーフィングは、屋内の乾燥した場所に、砂の付いていない部分を上にして縦置きとする。

③ ロール状に巻いたカーペットは、屋内の乾燥した平坦な場所に、2段程度の俵積みとする。

④ 木製建具は、取付け工事直前に搬入するものとし、障子や襖は縦置き、フラッシュ戸は平積みとする。

解説 → テキスト 第4編 **1-4**

① ✕ ALCパネルは、台木を用いて積み上げ、1段の高さを1m以下とし、総高さを2m以下（2段まで）で仮置きする。

② ○ アスファルトルーフィング類は、屋内の乾燥した場所に、縦置きにする。また、砂付ストレッチルーフィング等は、ラップ部分（張付け時の重ね部分で、表面の片側100mmの砂が付いていない部分）を上に向けて縦置きにする。なお、ラップ部分の保護のため2段積みにしてはならない。

③ ○ ロールカーペットには幅が2.7m、3.6mのものがあり、保管については、縦置きとせず、2〜3段までの俵積みとする。縦置きにすると転倒した場合に危険である。なお、巻物で横置きとするのはロールカーペットのみで、アスファルトルーフィングやビニル床シート等は縦置きとする。

④ ○ 木製建具は取付け工事直前に搬入し、障子・襖類は変形防止のため立てかけて保管し、フラッシュ戸は平積みとする。いずれも、湿気の少ない、かつ直射日光の当たらない場所に保管する。

正解 **1**

工事現場における材料の保管に関する記述として、最も不適当なものはどれか。

① 既製コンクリート杭は、やむを得ず2段に積む場合、同径のものを並べ、まくら材を同一鉛直面上にして仮置きする。

② 高力ボルトは、工事現場受入れ時に包装を開封し、乾燥した場所に、使用する順序に従って整理して保管する。

③ フローリング類は、屋内のコンクリートの上に置く場合、シートを敷き、角材を並べた上に保管する。

④ 防水用の袋入りアスファルトは、積重ねを10段以下にし、荷崩れに注意して保管する。

━━ **解説** ━━━━━━━━━━━━━━━━━━━━ → テキスト | 第4編 | 1-4

① ○ 杭の仮置きは地盤を水平に均し、杭の支持位置にまくら材を置き1段に並べることが望ましい。**やむを得ず2段以上**に積む場合には有害な応力が生じないように、**同径のものを並べ**、**まくら材を同一鉛直面上**にして、また、荷崩れしないよう適切な処置をとる。

② ✕ **高力ボルト**の取扱いには以下の点に留意する。

  ❶ 梱包の完全なものを未開封状態のまま工事現場へ搬入する。

  ❷ 受入れ時に、荷姿・種類・等級・径・長さ・ロット番号、メーカーの規格品証明書（社内検査成績書）に合致し、発注時の条件を満足しているものであることを確認する。

  ❸ 保管は乾燥した場所とし、**梱包は施工直前に解いて使用**する。

  したがって、「工事現場受入れ時に包装を開封し、…整理して保管した」ことは不適当である。未開封状態で保管しなければならない。

③ ○ **フローリング類**は、木質材のため湿気を含むと変形するため保管には十分注意し、やむを得ずコンクリートの上に置く場合は、**シート**を敷き、**角材**を置き、その上に保管する。

④ ○ **袋入りアスファルト**を積み重ねるときは、**10段以下**として荷崩れに注意する。なお、屋外に保管する場合は、雨露にあたらないように、また、土砂で汚染されないように、シートを掛けるなどの処置をする。

正解 2

材料の保管

工事現場における材料の保管に関する記述として、最も不適当なものはどれか。

① 押出成形セメント板は、平坦で乾燥した場所に平積みとし、積上げ高さを1mまでとして保管した。

② 板ガラスは、車輪付き裸台で搬入し、できるだけ乾燥した場所にそのまま保管した。

③ 長尺のビニル床シートは、屋内の乾燥した場所に直射日光を避けて縦置きにして保管した。

④ ロール状に巻いたカーペットは、屋内の平坦で乾燥した場所に、4段までの俵積みにして保管した。

解説 ━━━━━━━━━━━━━━━━━━━ →テキスト 第4編 1-4

① ○ **押出成形セメント板**は、セメントなどを混練りし、中空を有するパネル状に押出成形したパネルで、外壁材や間仕切り壁（耐火壁）などとして用いられる。水濡れを防止し、ねじれ、反りなどが生じないように平坦で乾燥した場所に保管し、パネルの**積置き高さは1m以下**とする（JASS 27）。

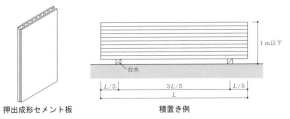

押出成形セメント板　　　　　積置き例

② ○ 木箱、パレットあるいは**車輪付き裸台**で運搬してきた**ガラス**は、湿気を避け乾燥した場所で、そのまま**保管**する。

③ ○ ビニル床シートは、乾燥した室内に直射日光を避けて、「**縦置き**」とする。横積みにすると重量で変形することがあり、好ましくない。なお、転倒防止のため、ロープなどで柱などに固定しておくとよい（JASS 26）。

④ × **ロールカーペット**は幅が2.7m、3.6mのものがあり、転倒の危険を避けるため、**2～3段までの俵積み**とする。なお、巻物で横置きするのはロールカーペットのみで、アスファルトルーフィングやビニル床シートは縦置きする。

正解 4

工事現場における材料の取扱いに関する記述として、最も不適当なものはどれか。

① 既製コンクリート杭は、やむを得ず2段に積む場合、同径のものを並べ、まくら材を同一鉛直面上にして仮置きする。

② 被覆アーク溶接棒は、吸湿しているおそれがある場合、乾燥器で乾燥してから使用する。

③ 砂付ストレッチルーフィングは、ラップ部（張付け時の重ね部分）を下に向けて縦置きにする。

④ プレキャストコンクリートの床部材を平積みで保管する場合、台木を2箇所とし、積み重ね段数は6段以下とする。

解説 ・・・　→テキスト　第4編　1-4

① ○ 杭の仮置きは地盤を水平にならし、杭の支持位置にまくら材を置き1段に並べることが望ましい。**やむを得ず2段以上に積む場合**には有害な応力が生じないように、**同径のものを並べ、まくら材を同一鉛直面上**にし、荷崩れしないよう適切な処置をとる。

② ○ 吸湿の疑いのある**被覆アーク溶接棒**は、乾燥機で**乾燥**させてから使用しなければならない。吸湿または錆の発生した溶接棒を使用すると、アークが不安定となり、健全な溶着金属を得ることができないからである。

③ × アスファルトルーフィング類は、屋内の**乾燥**した場所に、**縦置き**にする。また、**砂付ストレッチルーフィング**等は、**ラップ部分**（張付け時の重ね部分で、表面の片側100mmの砂が付いていない部分）を上に向けて**縦置き**にする。なお、ラップ部分の保護のため2段積みにしてはならない。

④ ○ **プレキャストコンクリート部材**は、以下のように保管する。

❶ 部材を平置きする場合、部材の大きさにかかわらず、有害なひび割れ、破損、変形などが生じないように**台木（まくら木）を2本**敷く。

❷ 積み重ねは、床部材は**6段**まで、柱梁部材は安定性を考慮して**2段**まで。

❸ 上下の台木に位置ずれがあると、部材に垂直荷重の他に曲げ応力やせん断力がかかるので、**上下同一鉛直線上**に配置する。

正解　**3**

工事現場における材料の保管に関する記述として、不適当なものを2つ選べ。

① 車輪付き裸台で運搬してきた板ガラスは、屋内の床に、ゴム板を敷いて平置きで保管した。

② ロール状に巻いたカーペットは、屋内の乾燥した平坦な場所に、2段の俵積みで保管した。

③ 高力ボルトは、工事現場受入れ時に包装を開封し、乾燥した場所に、使用する順序に従って整理して保管した。

④ 防水用の袋入りアスファルトは、積重ねを10段以下にし、荷崩れに注意して保管した。

⑤ プレキャストコンクリートの床部材は平置きとし、上下の台木が鉛直線上に同位置になるように積み重ねて保管した。

解説 ······················· →テキスト 第4編 1-4

① ✕ 木箱、パレットあるいは**車輪付き裸台**で運搬してきた**ガラス**は、湿気を避け乾燥した場所で、**そのままの状態**（立てかけた状態）で保管する。

車輪付き裸台

② 〇 **ロールカーペット**は幅が2.7m、3.6mのものがあり、転倒の危険を避けるため、**2〜3段**までの**俵積み**とする。なお、巻物で横置きするのはロールカーペットのみで、アスファルトルーフィングやビニル床シートは縦置きする。

③ ✕ **高力ボルト**の取扱いには以下の点に留意する。

❶ 梱包の完全なものを**未開封状態のまま工事現場へ搬入**する。

❷ 受入れ時に、荷姿・種類・等級・径・長さ・ロット番号、メーカーの規格品証明書（社内検査成績書）等に合致し、発注時の条件を満足しているものであることを確認する。

❸ 保管は乾燥した場所とし、**梱包は施工直前に解いて**使用する。
したがって、未開封状態で保管しなければならない。

④ ○ **袋入りアスファルト**を積み重ねるときは、10段以下として荷崩れに注意する。なお、屋外に保管する場合は、雨露にあたらないように、また、土砂で汚染されないように、シートを掛けるなどの処置をする。

⑤ ○ **プレキャストコンクリート部材**は、以下のように保管する。

❶ 部材を平置きする場合、大きさにかかわらず、**台木（まくら木）を2本**敷く。

❷ 積重ねは、**床部材**は6段まで、**柱梁部材**は安定性を考慮して2段まで。

❸ 部材の曲げやせん断を防ぐため、上下の台木は**同一鉛直線上**に配置する。

正解 **1、3**

工事現場における材料の保管に関する記述として、最も不適当なものはどれか。

① 長尺のビニル床シートは、屋内の乾燥した場所に直射日光を避けて縦置きにして保管した。

② 砂付ストレッチルーフィングは、ラップ部（張付け時の重ね部分）を下に向けて縦置きにして保管した。

③ フローリング類は、屋内のコンクリートの床にシートを敷き、角材を並べた上に保管した。

④ 木製建具は、取付け工事直前に搬入し、障子や襖は縦置き、フラッシュ戸は平積みにして保管した。

解 説 ┈┈┈┈┈┈┈┈┈┈┈┈┈┈┈┈┈┈┈ →テキスト 第4編 1-4

① ○ **ビニル床シート**は、乾燥した室内に直射日光を避けて、「**縦置き**」とする。横積みにすると重量で変形することがあり、好ましくない。なお、転倒防止のため、ロープなどで柱などに固定しておくとよい（JASS26）。

② ✕ **アスファルトルーフィング類**は、屋内の**乾燥**した場所に、**縦置き**にする。また、**砂付ストレッチルーフィング**等は、**ラップ部分**（張付け時の重ね部分で、表面の片側100mmの砂が付いていない部分）を上に向けて**縦置き**にする。なお、ラップ部分の保護のため2段積みにしてはならない。

③ ○ **フローリング**類は、木質材のため湿気を含むと変形するため保管には十分注意し、やむを得ずコンクリートの上に置く場合は、**シート**を敷き、**角材**を置き、その上に保管する。

④ ○ 木製建具は取付け工事直前に搬入し、**障子・襖類**は変形防止のため立てかけて保管し、**フラッシュ戸**は平積みとする。いずれも、湿気の少ない、かつ直射日光の当たらない場所に保管する。

正解 2

問題 348 労基署長への計画の届出

難易度 **B** CHECK ☑ □ □ □

施工計画
R1-52

労働基準監督署長への計画の届出に関する記述として、「労働安全衛生法」上、誤っているものはどれか。

① 積載荷重が0.25 t 以上でガイドレールの高さが18m以上の建設用リフトを設置する場合は、当該工事の開始の日の30日前までに、届け出なければならない。

② つり上げ荷重が3 t 以上のクレーンを設置する場合は、当該工事の開始の日の30日前までに、届け出なければならない。

③ 高さが30mの建築物を解体する場合は、当該仕事の開始の日の30日前までに、届け出なければならない。

④ ゴンドラを設置する場合は、当該工事の開始の日の30日前までに、届け出なければならない。

解説 →テキスト 第4編 1-5

① ○ ガイドレールの高さが18m以上で、積載荷重0.25 t 以上の建設用リフトを設置する場合は、工事開始日の30日前までに、建設用リフト設置届を労働基準監督署長に届け出なければならない。

② ○ つり上げ荷重が3 t 以上のクレーンを設置する場合は、当該工事開始日の30日前までに、クレーン設置届を労働基準監督署長に届け出なければならない。

③ × 事業者は、以下の工事を行うときは、「建設工事計画届」を当該工事の開始の日の14日前までに、労働基準監督署長に届け出なければならない（労働安全衛生法88条3項、同規則90条）。したがって、「高さが30mの建築物を解体する場合」においては、当該届は不要である。

・高さ31mを超える建築物又は工作物の建築、解体など
・深さ10m以上の地山の掘削
・吹付石綿、石綿を含む保温材・耐火被覆材の除去・封じ込め・囲い込み作業

④ ○ ゴンドラを設置する場合は、当該工事の開始の日の30日前までに、ゴンドラ設置届を労働基準監督署長に提出しなければならない。

正解 **3**

労働基準監督署長への計画の届出に関する記述として、「労働安全衛生法」上、誤っているものはどれか。

① 高さが10m以上の枠組足場を設置するに当たり、組立てから解体までの期間が60日以上の場合、当該工事の開始の日の30日前までに、届け出なければならない。

② 耐火建築物に吹き付けられた石綿を除去する場合、当該仕事の開始の日の14日前までに、届け出なければならない。

③ 掘削の深さが10m以上の地山の掘削の作業を労働者が立ち入って行う場合、当該仕事の開始の日の30日前までに、届け出なければならない。

④ 高さが31mを超える建築物を解体する場合、当該仕事の開始の日の14日前までに、届け出なければならない。

解説 →テキスト 第4編 1-5

① ○ つり足場、張出し足場及び高さ10m以上の足場で、かつ、60日以上設置する場合は、当該工事開始日の30日前までに、**機械等設置届**を労働基準監督署長に届け出なければならない。

② ○ 設問のとおりである。

③ × 事業者は、以下の工事を行うときは、「**建設工事計画届**」を当該工事の開始の日の14日前までに、**労働基準監督署長**に届け出なければならない（労働安全衛生法88条4項、労働安全衛生規則90条）。したがって、「深さ10m以上の地山の掘削」する場合においては、14日前までに届け出なければならないので、③は不適当である。

・高さ31mを超える建築物又は工作物の**建築**、**解体**など
・深さ10m以上の地山の掘削
・吹付石綿、石綿を含む保温材・耐火被覆材の除去・封じ込め・囲い込み作業

④ ○ 設問のとおりである。

正解 **3**

労基署長への計画の届出

建築工事に係る届出に関する記述として、「労働安全衛生法」上、誤っているものはどれか。

① 高さが31mを超える建築物を建設する場合、その計画を当該仕事の開始の日の14日前までに、労働基準監督署長に届け出なければならない。

② 共同連帯として請け負う際の共同企業体代表者届を提出する場合、当該届出に係る仕事の開始の日の14日前までに、労働基準監督署長を経由して都道府県労働局長に届け出なければならない。

③ つり上げ荷重が3t以上であるクレーンの設置届を提出する場合、その計画を当該工事の開始の日の14日前までに、労働基準監督署長に届け出なければならない。

④ 耐火建築物に吹き付けられた石綿を除去する場合、その計画を当該仕事の開始の日の14日前までに、労働基準監督署長に届け出なければならない。

解説 .... → テキスト 第4編 1-5

① ○ 事業者は、以下の工事を行うときは、「建設工事計画届」を当該工事の開始の日の14日前までに、**労働基準監督署長**に届け出なければならない（労働安全衛生法88条4項、労働安全衛生規則90条）。

- 高さ31mを超える建築物又は工作物の建築、解体など
- 深さ10m以上の地山の掘削
- 吹付石綿、石綿を含む保温材・耐火被覆材の除去・封じ込め・囲い込み作業

② ○ 複数の建設業者が一つの工事を共同連帯して請け負う場合、その共同企業体を構成する事業者は、その工事開始日の14日前までに「**共同企業体代表者届**」を都道府県労働局長に届け出なければならない（労働安全衛生法5条1項）。

③ × つり上げ荷重が3t以上の**クレーン**を設置する場合は、当該工事開始日の30日前までに、クレーン設置届を**労働基準監督署長**に届け出なければならない。

④ ○ 吹き付けられた**石綿**等の除却の作業を行う場合は、当該仕事開始日の14日前までに、建設工事計画届を**労働基準監督署長**に届け出なければならない。

正解 **3**

建設業者が作成する建設工事の記録等に関する記述として、最も不適当なものはどれか。

① 承認あるいは協議を行わなければならない事項については、それらの経過内容の記録を作成し、元請の建設業者と工事監理者が双方で確認したものを工事監理者に提出する。

② 試験及び検査については、設計図書に示す条件に対する適合性を証明するに足る資料を添えて記録を作成する。

③ 建設工事の施工において必要に応じて作成した工事内容に関する発注者との打合せ記録は、元請の建設業者がその交付の日から10年間保存する。

④ 建設工事の施工において必要に応じて作成した完成図は、元請の建設業者が建設工事の目的物の引渡しの日から10年間保存する。

解 説 ·· **→テキスト** 第 4 編 **1-6**

① ○ 建設工事の記録等に関し、**承認**あるいは**協議**を行わなければならない事項については、それらの経過内容の**記録**を作成し、施工者と監理者が**双方で確認**し、監理者に提出する（JASS 1）。

② ○ **試験・検査**については、設計図書に示す条件に対する**適合性を証明**するに足る資料を添えて記録を作成し、整備する。監理者の指示がある場合は、この記録またはその写しを速やかに提出する（同上）。

③ × 元請けの建設業者は、**完成図、打合せ記録、施工体系図**については目的物の引渡し時から**10年間**保管する（建築工事監理指針）。「交付の日から10年間」ではない。

④ ○ 建設工事の施工において必要に応じて作成した**完成図**は、元請の建設業者が、建設工事の目的物の引渡しの日から**10年間**保存する。

正解 **3**

工事の記録

建設業者が作成する建設工事の記録等に関する記述として、最も不適当なものはどれか。

① 監理者の立会いのうえ施工するものと設計図書で指定された工事において、監理者の指示により立会いなく施工する場合は、工事写真などの記録を整備して監理者に提出することとした。

② 工事施工により近隣建物への影響が予想される場合は、近隣住民など利害関係者立会いのもと、現状の建物の写真記録をとることとした。

③ 設計図書に定められた品質が証明されていない材料は、現場内への搬入後に試験を行い、記録を整備することとした。

④ 既製コンクリート杭工事の施工サイクルタイム記録、電流計や根固め液の記録等は、発注者から直接建設工事を請け負った建設業者が保存する期間を定め、当該期間保存することとした。

解説 ……………………………… ➡テキスト 第4編 1-6

① ○ **監理者**の**立会い**の上施工するものと設計図書で指定された工事において、監理者の都合や指示により立会いが**できない場合**は、工事写真などの施工を適切に行ったことを証明する記録を整備し、**監理者に提出**する。

② ○ 近隣建物へ影響を与えるおそれがある工事を行う場合は、近隣建物等にひび割れ、はく落、沈下等の事故が生じた場合の現状確認の資料とするため、関係者の**立会い**を求め、できるだけ**写真、測量等により現状**を記録しておく（建築工事監理指針）。

③ ✕ 材料・部材・部品を受け入れるにあたっては、設計図書に定められた条件に適合することを、書面等の記録により確認しなければならない。**設計図書に適合しないものはもちろん、たとえ適合していてもそれを証明するものがない**ような場合は、**工事現場に搬入することはできない**（JASS 1）。

④ ○ **元請建設業者**は、既成コンクリート杭工事の、オーガ掘削時に地中から受ける抵抗に係る電流値等の施工記録の適正性を確認し、それらの**施工記録**については、あらかじめ**保存期間**を定めて保存しなければならない（基礎ぐい工事の適正な施工を確保するために講ずべき措置《告示》）。

正解 **3**

建設業者が作成する建設工事の記録等に関する記述として、最も不適当なものはどれか。

① 発注者から直接工事を請け負った建設業者が作成した発注者との打合せ記録のうち、発注者と相互に交付したものではないものは、保存しないこととした。

② 承認あるいは協議を行わなければならない事項について、建設業者はそれらの経過内容の記録を作成し、監理者と双方で確認したものを監理者に提出することとした。

③ 設計図書に定められた品質が証明されていない材料について、建設業者は現場内への搬入後に試験を行い、記録を整備することとした。

④ 既製コンクリート杭工事の施工サイクルタイム記録、電流計や根固め液の記録等は、発注者から直接工事を請け負った建設業者が保存する期間を定め、当該期間保存することとした。

解説 ....➡テキスト / 第4編 / **1-6**

① ○ 元請建設業者は、以下の「**営業に関する図書**」を目的物の引渡し時から**10年**間保管しなければならない（建設業法40条の3、同規則26条5項）。

❶ **完成図**（工事目的物の完成時の状況を表した図）

❷ **発注者との打合せ記録**（工事内容で、当事者間で**交付されたものに限る**）

❸ **施工体系図**

② ○ **承認**あるいは**協議**を行わなければならない事項については、それらの経過内容の記録を**作成**し、施工者と監理者が**双方で確認**し、監理者に提出する（JASS 1）。

③ × 材料・部材・部品を受け入れるにあたっては、設計図書に定められた条件に適合することを、書面等の記録により確認しなければならない。設計図書に適合しないものはもちろん、たとえ適合していてもそれを**証明するものがない**ような場合は、**工事現場に搬入することはできない**（同上）。

④ ○ **元請建設業者**は、既成コンクリート杭工事の、オーガ掘削時に地中から受ける抵抗に係る電流値等の施工記録の適正性を確認し、それらの**施工記録**については、あらかじめ**保存期間**を定めて保存しなければならない（基礎ぐい工事の適正な施工を確保するために講ずべき措置《告示》）。

正解 3

工事の記録

建設業者が作成する建設工事の記録に関する記述として、最も不適当なものはどれか。

① 過去の不具合事例等を調べ、あとに問題を残しそうな施工や材料については、集中的に記録を残すこととした。

② デジタルカメラによる工事写真は、黒板の文字や撮影対象が確認できる範囲で有効画素数を設定して記録することとした。

③ 既製コンクリート杭工事の施工サイクルタイム記録、電流計や根固め液等の記録は、発注者から直接工事を請け負った建設業者が保存する期間を定め、当該期間保存することとした。

④ 設計図書に示された品質が証明されていない材料については、現場内への搬入後に行った試験の記録を保存することとした。

解説 ━━━━━━━━━━━━━ →テキスト 第4編 1-6

① ○ 工事現場における記録において、設計図書に定められた品質証明や試験結果、施工記録はその都度整理しておく。特に、今までの事故例等を調べ、**後に問題を残しそうな施工や材料については、集中的に記録を残す**（建築工事監理指針）。

② ○ デジタルカメラによる工事写真の有効画素数は、**黒板の文字及び撮影対象が確認できる**ことを指標（100～300万画素程度）として設定する（デジタル写真管理情報基準）。

③ ○ **元請建設業者**は、既成コンクリート杭工事の、オーガー掘削時に地中から受ける抵抗に係る電流値等の施工記録の適正性を確認し、それらの**施工記録**については、あらかじめ**保存期間を定めて保存**しなければならない（基礎ぐい工事の適正な施工を確保するために講ずべき措置《告示》）。

④ × 材料・部材・部品を受け入れるにあたっては、設計図書に定められた条件に適合することを、書面等の記録により確認しなければならない。**設計図書に適合しないものはもちろん、たとえ適合していてもそれを証明するものがない**ような場合は、工事現場に搬入することはできない（JASS 1）。

正解 **4**

工程計画に関する記述として、最も不適当なものはどれか。

① 使用可能な前面道路の幅員及び交通規制に応じて、使用重機及び搬入車両の能力を考慮した工程計画を立てる。

② 工事用機械が連続して作業を実施し得るように作業手順を定め、工事用機械の不稼働をできるだけ少なくする。

③ 工期が指定され、工事内容が比較的容易で、また施工実績や経験が多い工事の場合は、積上方式（順行型）を用いて工程表を作成する。

④ 工程短縮を図るために行う工区の分割は、各工区の作業数量が同等になるように計画する。

解 説 .... ➡テキスト 第4編 **2-1**

① ○ 使用可能な**前面道路**の種別（国道、市道等）、舗装、**幅員**、**交通規制**、埋設物を調査し、使用重機や搬入車両の能力、搬入資機材の最大寸法、重量等を考慮して工程計画を立てる（建築工事における工程の計画と管理指針・同解説）。

② ○ 作業に従事する作業者や工事用機械が、できるだけ連続して作業を実施し得るように手順を定め、**作業者の不連続な就業や工事用機械の不稼働をできるだけ小さくする**（同上）。

③ × **工期が指定**され、工事内容が比較的容易で、**実績や経験が多い工事・工種**の場合は、**割付方式（逆行型）**が多く用いられる。割付方式は、主要工事（地業、地下躯体、地上躯体、仕上げ）の各工程に必要日数を割り当て、その工程で完成する工事方法を検討した上で、さらに詳細な部分に割り当てていく方式である。**積上方式（順行型）**は、各部分で採用する工事方法を検討し、実現可能な所要日数を算定し、全体の工期を積み上げる方式で、工事内容が複雑で、**実績や経験が少ない工事・工種**において用いられる。割付方式と積上方式は、それぞれ利点・欠点があるため、工程計画においては両者を**使い分け**ながら行う（同上）。

④ ○ 工程短縮を図るために行う**工区の分割**などは、工程の短縮・調整により生じる負荷が特定の専門工事業者等に集中せず、**負荷ができるだけ均等になるように**調整する（同上）。

正解 3

工程計画

工程計画に関する記述として、最も不適当なものはどれか。

① 工事計画は、まず各作業の手順計画を立て、次に日程計画を決定する。

② 全体工期に制約がある場合は、積上方式（順行型）を用いて工程表を作成する。

③ 工程短縮を図るために行う工区の分割は、各工区の作業数量がほぼ均等になるように計画する。

④ 工程表は、休日や天候を考慮した実質的な作業可能日数を暦日換算した日数を用いて作成する。

解説 .... →テキスト 第4編 2-1

① ○ 工程計画では、手順計画と日程計画が大きな柱であり、一般的に**手順計画→日程計画**の順序で進める（施工計画ガイドブック〈工事編Ⅰ〉）。

② × **工期が指定**、**制約**され、工事内容が比較的容易で、**実績や経験が多い**工事・工種の場合は、**割付方式**が多く用いられる。割付方式は、主要工事（地業、地下躯体、地上躯体、仕上げ）の各工程に必要日数を割り当て、その工程で完成する工事方法を検討した上で、さらに詳細な部分に割り当てていく方式である。なお、**積上方式**（順行型）は、各部分で採用する工事方法を検討し、実現可能な所要日数を算定し、全体の工期を積み上げる方式で、工事内容が複雑で、**実績や経験が少ない**工事・工種において用いられる。割付方式と積上方式は、それぞれ利点・欠点があるため、工程計画においては両者を**使い分け**ながら検討する（建築工事における工程の計画と管理指針・同解説）。

③ ○ 工程短縮を図るために行う**工区分割**などは、工程の短縮・調整により生じる負荷が特定の専門工事業者等に集中せず、**負荷ができるだけ均等**になるように調整する（同上）。

④ ○ 休日および天候による工事の実質的な**作業可能日数**を算出し、**暦日換算**した日数を用いて、工事工程表を作成する（同上）。

正解 **2**

工程計画に関する記述として、最も不適当なものはどれか。

① マイルストーンは、工事の進捗を表す主要な日程上の区切りを示す指標で、掘削完了日、鉄骨建方開始日、外部足場解体日等が用いられる。

② 工程短縮を図るために行う工区の分割は、各工区の作業数量がほぼ均等になるように計画する。

③ 全体工期に制約がある場合、積上方式（順行型）を用いて工程表を作成する。

④ 工程計画では、各作業の手順計画を立て、次に日程計画を決定する。

解説 ┈┈┈┈┈┈┈┈┈┈┈┈┈┈┈┈┈┈┈┈┈┈┈┈┈┈┈┈┈ →テキスト 第4編 2-1

① ○ **マイルストーン**は、工事の進捗を表す主要な日程上の区切りを示す指標であり、掘削開始日・完了日、地下躯体完了日、鉄骨建方開始日、外部足場解体日、最上階コンクリート打設日、屋上防水完了日などが用いられる。

② ○ 工程短縮を図るために行う**工区の分割**などは、工程の短縮・調整により生じる負荷が特定の専門工事業者等に集中せず、**負荷ができるだけ均等**になるように調整する。

③ ✕ 工期が**指定、制約**され、工事内容が比較的容易で、**実績や経験が多い**工事・工種の場合は、**割付方式（逆行型）**が多く用いられる。割付方式は、主要工事（地業、地下躯体、地上躯体、仕上げ）の各工程に必要日数を割り当て、その工程で完成する工事方法を検討した上で、さらに詳細な部分に割り当てていく方式である。

　なお、**積上方式（順行型）**は、各部分で採用する工事方法を検討し、実現可能な所要日数を算定し、全体の工期を積み上げる方式で、工事内容が複雑で、**実績や経験が少ない**工事・工種において用いられる。割付方式と積上方式は、それぞれ利点・欠点があるため、工程計画においては両者を**使い分け**ながら検討する。

④ ○ 工程計画では、手順計画と日程計画からなり、一般に**手順計画→日程計画**の順序で進める。

正解 **3**

工程計画

工程計画及び工程表に関する記述として、最も不適当なものはどれか。

① 工程計画には、大別して積上方式と割付方式とがあり、工期が制約されている場合は、割付方式で検討することが多い。

② 工程計画において、山均しは、作業員、施工機械、資機材等の投入量の均等化を図る場合に用いる。

③ 工程表は、休日や天候を考慮した実質的な作業可能日数を暦日換算した日数を用いて作成する。

④ 基本工程表は、工事の特定の部分や職種を取り出し、それにかかわる作業、順序関係、日程等を示したものである。

解 説 ・・・ →テキスト 第4編 2-1

① 〇 **割付方式**は、主要工事の各工程に必要日数を割り当て、完成する工事方法を検討した上で、さらに詳細な部分に割り当てていく方式であり、**工期が指定**され、工事内容が**比較的容易**で、**実績や経験が多い工事**に多く用いられる。逆に**積上方式**は、工事内容が複雑で、**実績や経験が少ない工事**において用いられる（建築工事における工程の計画と管理指針・同解説）。

② 〇 工事に投入する作業員、施工機械、資機材等の資源供給量が一定量を超えないように調整すると同時に、調整可能な日へ移し、**資源使用の均等化**を図ることを山均しという。工期を短縮できる可能性もある。

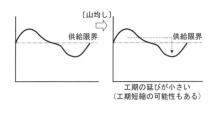

③ 〇 休日および天候による工事の実質的な**作業可能日数**を算出し、**暦日換算**した日数を用いて、工事工程表を作成する（同上）。

④ ✕ **基本工程表**は、**工事全体を一つの工程表**としてまとめた工程表であり、主要な作業の進捗や、主要マイルストーンを表示する。**工事の特定の部分**を取り出し、それに関わる作業、順序関係、日程などを記した工程表は**部分工程表**である。なお、**特定の職種が関連する工程**を取り出し、それに関わる作業、順序関係、日程などを記した工程表は**職種別工程表**である（同上）。

正解 4

建築工事の施工速度とコストとの一般的な関係を表すグラフとして、最も適当なものはどれか。

①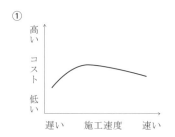

②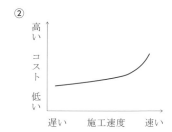

③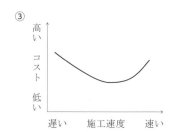

④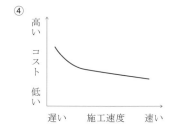

解説 ・・・ ➡テキスト 第4編 2-1

　一般に工程とコスト（原価）の関係は、施工速度を上げて施工出来高（施工効率）が上がるとコストは安くなるが、さらに施工速度を上げて突貫作業を行うと逆にコストは上昇する（施工最適化のための工程管理）。したがって、③が適当である。

正解 3

問題 360 工事原価（コスト）

突貫工事になると工事原価が急増する原因として、最も不適当なものはどれか。

① 材料の手配が施工量の急増に間に合わず、労務の手待ちが生じること。

② 1日の施工量の増加に伴い、労務費が施工量に比例して増加すること。

③ 一交代から二交代、三交代へと1日の作業交代数の増加に伴う現場経費が増加すること。

④ 型枠支保工材、コンクリート型枠等の使用量が、施工量に比例的でなく急増すること。

解説 ━━━━━━━━━━━━━━━━━━━━━━ →テキスト 第4編 2-1

突貫工事になると工事原価は比例的でなく急増する原因に関する出題である（施工最適化のための工程管理）。

① ○ 材料の手配が施工量の急増に間に合わず、**労務の手待ち**が生じたり、あるいは**高価な材料**を購入することにより、工事原価が急増する。

② ✕ 1日の施工量の増減に伴って、1日の工事原価が比例的に増減するのは当然であり、その増減が生じても工事総原価は変動しない。割増賃金、残業手当、深夜手当の支給等、**施工量に比例的でない賃金方式**を採用することで工事原価が急増する。

③ ○ 一交代から二交代、三交代へと1日の**作業交代数の増加**に伴う**現場経費**や固定費が増加することで工事原価が急増する。

④ ○ 支給材料の増加、型枠等の転用回数減少に伴う使用量増加等、**使用量が施工量に比例的でなく急増**すると、工事原価が急増する。

正解 2

工事原価（コスト）

建築工事の工期と費用の一般的な関係として、最も不適当なものはどれか。

① 工期を短縮すると、直接費は増加する。

② 工期を短縮すると、間接費は増加する。

③ 直接費と間接費の和が最小となるときが、最適な工期となる。

④ 総工事費は、工期を最適な工期より短縮しても、延長しても増加する。

解 説 ………………………………………… →テキスト 第4編 **2-1**

① ○ **直接費**とは、労務費、材料費、仮設備費（共通仮設を除く）、機械運転費用等の費用のことである。一般に作業速度を速めると、超過勤務、交代費用、同時作業の非効率、材料費の割高、労務のむだ等によって、直接費は増加する。したがって、直接費は**工期の短縮**に伴って**増加**する（施工最適化のための工程管理）。

② × **間接費**とは、管理費、共通仮設費、減価償却費、金利等の費用のことである。間接費は、一般に工期の延長に従って、ほぼ直線的に増加する傾向となり、**工期の短縮**にともなって一般に間接費は**減少**する（同上）。

③ ○ **最適工期**とは、**直接費と間接費の和**である総建設費（総工事費）が最小となる最も経済的な工期のことである（同上）。

④ ○ 工期を最適工期より短縮すれば一般に間接費は減少するが、直接費は増加し、総工事費としては増加する。工期を最適工期より延長すれば直接費は減少するが、間接費が直線的に増加し、総工事費としては増加する。したがって、**総工事費は工期を最適な工期より短縮しても、延長しても増加する。**

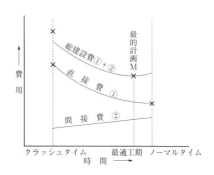

正解 **2**

工事原価（コスト）

建築工事における工期と費用に関する一般的な記述として、最も不適当なものはどれか。

① 直接費が最小となるときに要する工期を、ノーマルタイム（標準時間）という。

② 工期を短縮すると、間接費は増加する。

③ どんなに直接費を投入しても、ある限度以上には短縮できない工期を、クラッシュタイム（特急時間）という。

④ 総工事費は、工期を最適な工期より短縮しても、延長しても増加する。

解説 ┄┄┄┄┄┄┄┄┄┄┄┄┄┄┄┄┄┄┄┄┄┄┄┄┄ ➡テキスト 第4編 2-1

総建設費（総工事費）は、直接費と間接費に分類される。
- **間接費**：管理費、共通仮設費、減価償却費、金利等の費用
- **直接費**：労務費、材料費、仮設備費（共通仮設除く）、機械運転費用等の費用

① ○ **直接費**が最小となる工期を**ノーマルタイム**（標準時間）、費用を**ノーマルコスト**（標準費用）という。

② × **間接費**とは、管理費、共通仮設費、減価償却費、金利等の費用のことである。間接費は、一般に工期の延長に従って、ほぼ直線的に**増加**する傾向となり、工期の短縮にともなって一般に間接費は**減少**する（施工最適化のための工程管理）。

③ ○ 各作業は標準より作業速度を速めて工期を短縮することができるが、一般に直接費は増加する。しかし、どんなに直接費をかけても、ある限度以上には**短縮できない時間**があり、これを**クラッシュタイム**と呼ぶ（同上）。

④ ○ 工期を最適工期より短縮すれば一般に間接費は減少するが、直接費は増加し、総工事費としては増加する。工期を最適工期より延長すれば直接費は減少するが、間接費が直線的に増加し、総工事費としては増加する。したがって、**総工事費は工期を最適な工期より短縮しても、延長しても増加する。**

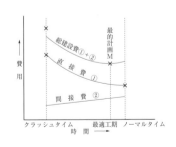

正解 **2**

工程管理に関する記述として、最も不適当なものはどれか。

① バーチャート手法は、前工程の遅れによる後工程への影響を理解しやすい。

② 工事の進捗度の把握には、時間と出来高の関係を示したSチャートが用いられる。

③ 間接費は、一般に工期の長短に相関して増減する。

④ どんなに直接費を投入しても、ある限度以上には短縮できない時間をクラッシュタイムという。

解 説 .... →テキスト / 第4編 / **2-2**

① × バーチャート手法による工程表（**横線式工程表**）は、工事ごとに、横線で工事の開始時期・終了時期を示し、各工事の期間を表した工程表であり、縦軸に工事種目、横軸に各工事日数を示す。施工の流れを単純な形の表で表すので、作業の開始日、終了日、所要日数は分かりやすいが、各作業の相互関連（**作業順序、前工程の遅れが後工程に与える影響等**）は理解しにくい（建築工事における工程の計画と管理指針・同解説）。

工事名	3月 15	4月 15	5月 15	6月 15	7月 15	8月 15	9月 15	10月 15	11月 15	12月 15	1月 15	2月 15
仮設工事			足場組立						足場解体			
杭・土工事	杭打設・根切り	埋戻し										
躯体工事		基礎		躯体								
仕上工事							内装					
設備工事												
外構工事									外構			

② ○ Sチャート**手法**は、工程の**進捗**を数量で表現する手法である。縦軸に**工事出来高**などを、横軸に**時間**を配置して、各時点における累積値を図上に記載する。このグラフの形が、Sに似ているためSチャートと呼ばれる（同上）。

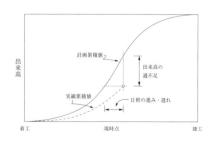

446

③ ◯ 間接費とは、管理費、共通仮設費、減価償却費、金利等の費用のことである。間接費は、一般に**工期の延長**に従って、ほぼ直線的に**増加**する傾向となり、**工期の短縮**にともなって一般に間接費は**減少**する（施工最適化のための工程管理）。

④ ◯ 各作業は標準より作業速度を速めて工期を短縮することができるが、一般に直接費は増加する。しかし、どんなに直接費をかけても、**ある限度以上には短縮できない時間**があり、これを**クラッシュタイム**と呼ぶ（同上）。

正解 **1**

タクト手法に関する記述として、最も不適当なものはどれか。

① 作業を繰り返し行うことによる習熟効果によって生産性が向上するため、工事途中でのタクト期間の短縮又は作業者数の削減をすることができる。

② 設定したタクト期間では終わることができない一部の作業については、当該作業の作業期間をタクト期間の整数倍に設定する。

③ 各作業は独立して行われるので、1つの作業に遅れがあってもタクトを構成する工程全体への影響は小さい。

④ 一連の作業は同一の日程で行われ、次の工区へ移動することになるので、各工程は切れ目なく実施できる。

解 説 ➡テキスト 第4編 **2-2**

　タクト工程とは、同種の作業を複数の工区や階で繰り返し実施する場合、作業の**所要期間を一定**（タクト期間）に同期させることによって、各作業が工区や階を順々に移動しながら作業を行う工程を計画する手法である。なお、**サイクル工程**とは別概念の手法である（建築工事における工程の計画と管理指針）。

6階						作業A	作業B	作業C	作業D
5階					作業A	作業B	作業C	作業D	
4階				作業A	作業B	作業C	作業D		
3階			作業A	作業B	作業C	作業D			
2階		作業A	作業B	作業C	作業D				
1階	作業A	作業B	作業C	作業D					

① ○ 繰返し作業による**習熟効果**によって**生産性が向上**するため、工事途中で、タクト期間を短縮するか又は作業者数を削減することが可能になる。

② ○ 設定したタクト期間では終わることができない一部の作業については、当該作業の作業班を複数にしたり、作業期間をタクト期間の2倍又は3倍などの整数倍に設定する。

③ ✕ 一部作業の遅れがタクトを構成する工程全体に大きな影響を与える。このため、全ての作業に遅れが生じないように**管理**することが重要である。

④ ○ 一連の作業は、同一の日程で開始され終了する。このため、各作業者は同じ日程で次の工区や階へ移動して作業を始めることとなり、一連の作業は**切れ目なく実施**することができる。

正解 3

MEMO

タクト手法に関する記述として、最も不適当なものはどれか。

① 作業を繰り返し行うことによる習熟効果によって生産性が向上するため、工事途中でのタクト期間の短縮や作業者数の削減を検討する。

② タクト手法は、同一設計内容の基準階を多く有する高層建築物の仕上工事の工程計画手法として、適している。

③ 設定したタクト期間では終わることができない一部の作業については、当該作業の作業期間をタクト期間の整数倍に設定する。

④ 各作業が独立して行われているため、1つの作業に遅れがあってもタクトを構成する工程全体への影響は小さい。

解説 .... →テキスト 第4編 **2-2**

　タクト工程とは、同種の作業を複数の工区や階で繰り返し実施する場合、作業の所要**期間**を一定（タクト期間）に同期させることによって、各作業が工区や階を順々に移動しながら作業を行う工程を計画する手法である。なお、**サイクル工程**とは別概念の手法である（建築工事における工程の計画と管理指針）。

6階						作業A	作業B	作業C	作業D	
5階					作業A	作業B	作業C	作業D		
4階				作業A	作業B	作業C	作業D			
3階			作業A	作業B	作業C	作業D				
2階		作業A	作業B	作業C	作業D					
1階	作業A	作業B	作業C	作業D						

① ○ 繰返しによる**習熟効果**によって**生産性が向上**するため、工事途中で、タクト期間の短縮や作業者数の削減が可能になる。

② ○ タクト手法は、同一作業量をもつ複数の作業を同じ期間で実施し、工程全体を同期させる手法である。このため、**基準階を有する高層建築物**、集合住宅、ホテル客室の仕上げ工事などの工程計画に適している。

③ ○ 設定したタクト期間では終わることができない一部の作業については、当該作業の作業班を複数にしたり、作業期間をタクト期間の2倍又は3倍などの**整数倍**に設定する。

④ ✕ 各作業の進捗が密接に関連しているため、一部作業の遅れがタクトを構成する工程全体に大きな影響を与える。このため、**全ての作業に遅れが生じない**ように**管理**することが重要である。

正解 **4**

タクト手法に関する記述として、最も不適当なものはどれか。

① 作業を繰り返し行うことによる習熟効果によって生産性が向上するため、工事途中でのタクト期間の短縮や作業者の人数の削減を検討する。

② 設定したタクト期間では終わることができない一部の作業については、当該作業の作業期間をタクト期間の整数倍に設定しておく。

③ 各作業は独立して行われるため、1つの作業に遅れがあってもタクトを構成する工程全体への影響は小さい。

④ 一連の作業は同一の日程で行われ、次の工区へ移動することになるため、各工程は切れ目なく実施できる。

解説 .... →テキスト｜第4編｜2-2

　タクト工程とは、同種の作業を複数の工区や階で繰り返し実施する場合、作業の所要期間を一定（タクト期間）に同期させることによって、各作業が工区や階を順々に移動しながら作業を行う工程を計画する手法である。なお、**サイクル工程**とは別概念の手法である。

6階						作業A	作業B	作業C	作業D
5階					作業A	作業B	作業C	作業D	
4階				作業A	作業B	作業C	作業D		
3階			作業A	作業B	作業C	作業D			
2階		作業A	作業B	作業C	作業D				
1階	作業A	作業B	作業C	作業D					

① ○ 繰返しによる**習熟効果**によって**生産性が向上**するため、工事途中で、タクト期間の短縮や作業者数の削減が可能になる。

② ○ 設定したタクト期間では終わることができない一部の作業については、当該作業の作業班を複数にしたり、作業期間をタクト期間の2倍又は3倍などの**整数倍**に設定する。

③ ✕ 各作業の進捗が密接に関連しているため、一部作業の遅れがタクトを構成する工程全体に大きな影響を与える。このため、**全ての作業に遅れが生じないように管理**することが重要である。

④ ○ 一連の作業は、**同一の日程で開始され終了する**。このため、各作業者は同じ日程で次の工区や階へ移動して作業を始めることとなり、一連の作業は**切れ目なく**実施することができる。

正解 **3**

次の条件の工事の総所要日数として、正しいものはどれか。ただし、（ ）内は各作業の所要日数である。

条件

イ．作業A（3日）及びB（4日）は、同時に着工できる。

ロ．作業C（6日）は、作業A及びBが完了後、作業を開始できる。

ハ．作業D（5日）及びE（8日）は、作業Bが完了後、作業を開始できる。

ニ．作業F（4日）は、作業C及びDが完了後、作業を開始できる。

ホ．作業E及びFが完了したとき、全工事は完了する。

① 11日

② 12日

③ 13日

④ 14日

解 説 .... ➜テキスト 第4編 2-2

条件イ．「作業A（3日）及びB（4日）は、同時に着工できる」より図1となる。

図1

条件ロ．「作業C（6日）は、作業A及びBが完了後、作業を開始できる」より図2となる。

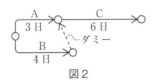

図2

条件ハ.「作業D（5日）及びE（8日）は、作業Bが完了後、作業を開始できる」より図3となる。

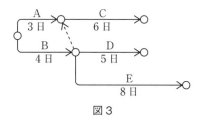

図3

条件ニ.「作業F（4日）は、作業C及びDが完了後、作業を開始できる」より図4となる。

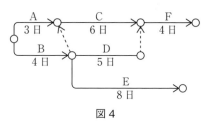

図4

条件ホ.「作業E及びFが完了したとき、全工事は完了する」より図4を整理すると、図5となる。

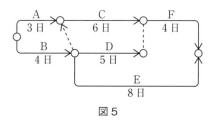

図5

次に、左から右に各作業の**最早開始時刻（EST）**を計算し、図6の各イベントの右上の○印内に記入すると、次のようになる。
- 作業CのESTはA（3日）とB（4日）を受け、④となる。
- 作業D及び作業EのESTはB（4日）から、④となる。
- 作業FのESTは作業CのEST（4日）＋6日＝10日を及び作業DのEST（4日）＋5日＝9日を受け、⑩となる。

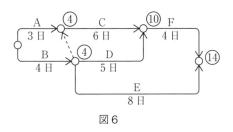

図6

・作業完了は、作業FのEST（10日）＋4日＝14日、及び作業EのEST（4日）＋8日＝12日を受け、⑭となる。

したがって、14日の④が正しい。

なお、ネットワーク工程表の形は、各作業の前後関係が同じであれば図7のような他の形でもかまわない。

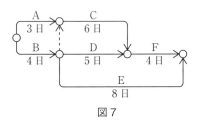

図7

工程管理（ネットワーク）

ネットワーク工程表に関する記述として、最も不適当なものはどれか。

① トータルフロートは、当該作業の最遅終了時刻（LFT）から当該作業の最早終了時刻（EFT）を差し引いて求められる。

② ディペンデントフロートは、後続作業のトータルフロートに影響を与えるフロートである。

③ クリティカルパス以外の作業でも、フロートを使い切ってしまうとクリティカルパスになる。

④ フリーフロートは、その作業の中で使い切ってしまうと後続作業のフリーフロートに影響を与える。

解 説 .... →テキスト 第4編 2-2

　ネットワーク工程表の用語に関する問題である（建築工事における工程の計画と管理指針・同解説）。

① ○ トータルフロート（TF）は、作業を最早開始時刻で始め、最遅終了時刻で完了する場合に生じる余裕時間である。したがって、当該作業の最遅終了時刻（LFT）から当該作業の最早終了時刻（EFT）を差し引いて求める。

② ○ ディペンデントフロート（DF）は、後続作業のトータルフロートに影響を及ぼす時間的余裕を意味し、トータルフロートからフリーフロート（自由余裕時間）を差し引いて求める。

③ ○ クリティカルパスはトータルフロートがゼロである作業の経路で、クリティカルパスを構成する作業に遅れが生じると全体工程に影響が生じるため、重点管理する必要がある。クリティカルパス以外の作業でも、**フロートを使い切ってしまうとクリティカルパスになる**。

④ × フリーフロート（自由余裕時間：FF）は、作業を最早開始時刻で始めて、後続する作業も最早開始時刻で始めてもなお存在する余裕時間である。したがって、その作業の中で使い切ってしまっても後続作業のフリーフロートに影響を与えることはない。

正解 4

ネットワーク工程表に用いられる用語に関する記述として、最も不適当なものはどれか。

① ディペンデントフロート（DF）は、最遅結合点時刻（LT）からフリーフロート（FF）を減じて得られる。

② 最遅開始時刻（LST）は、後続の最早結合時刻（ET）から作業日数（D）を減じて得られる。

③ 最遅結合点時刻（LT）は、工期に影響することなく、各結合点が許される最も遅い時刻である。

④ 最早終了時刻（EFT）は、最早開始時刻（EST）に作業日数（D）を加えて得られる。

解 説 ➡テキスト **第4編** **2-2**

ネットワーク工程表の用語に関する問題である（建築工事における工程の計画と管理指針・同解説、建築技術者のためのネットワークプランニング、建築施工《理工図書》）。

① × ディペンデントフロート（DF）は、後続作業には影響するが全体の工期には影響しない時間的余裕を意味し、**トータルフロート（TF）**から**フリーフロート（FF：自由余裕時間）**を差し引いて求める。なお、トータルフロート（TF）とは、クリティカルパスからみて、その作業のもつ最大の余裕時間で、これを超えると全体工期に遅れを生じる。フリーフロート（FF）は後続作業に全く影響しない余裕時間のことである。

② ○ **最遅開始時刻（LST）**は、工期に影響することなく、作業の着手を遅らせる限界の時刻のことで、後続の最早結合時刻（ET）から作業日数（D）を減じて得られる。

③ ○ **最遅結合点時刻（LT）**は、工期に影響することなく、各結合点が許される最も遅い時刻である。

④ ○ **最早終了時刻（EFT）**は、その作業が最も早く完了できる時刻のことで、その作業の最早開始時刻（EST）に作業日数（D）を加えたものである。

正解 1

問題 370 工程管理（ネットワーク）

難易度 B

ネットワーク工程表に関する記述として、最も不適当なものはどれか。

① ディペンデントフロートは、後続作業のトータルフロートに影響を及ぼすようなフロートである。

② フリーフロートは、その作業の中で使い切ってしまうと後続作業のフリーフロートに影響を及ぼすようなフロートである。

③ クリティカルパスは、トータルフロートが0の作業を開始結合点から終了結合点までつないだものである。

④ トータルフロートは、当該作業の最遅終了時刻（LFT）から当該作業の最早終了時刻（EFT）を差し引いて求められる。

解説 →テキスト 第4編 2-2

① ○ ディペンデントフロート（DF）は、後続作業のトータルフロートに影響を及ぼす時間的余裕を意味し、トータルフロートからフリーフロート（自由余裕時間）を差し引いて求める。

② × フリーフロート（FF：自由余裕時間）は、作業を最早開始時刻で始めて、後続する作業も最早開始時刻で始めてもなお存在する余裕時間である。したがって、その作業の中で使い切ってしまっても後続作業のフリーフロートに影響を与えることはない。

③ ○ クリティカルパスはトータルフロートがゼロである作業の経路で、クリティカルパスを構成する作業に遅れが生じると全体工程に影響が生じるため、重点管理する必要がある。なお、クリティカルパス以外の作業でも、フロートを使い切ってしまうとクリティカルパスになる。

④ ○ トータルフロート（TF）は、作業を最早開始時刻で始め、最遅終了時刻で完了する場合に生じる余裕時間である。したがって、当該作業の最遅終了時刻（LFT）から当該作業の最早終了時刻（EFT）を差し引いて求める。

正解 2

ネットワーク工程表におけるフロートに関する記述として、最も不適当なものはどれか。

① クリティカルパス（CP）以外の作業でも、フロートを使い切ってしまうとクリティカルパス（CP）になる。

② ディペンデントフロート（DF）は、最遅結合点時刻（LT）からフリーフロート（FF）を減じて得られる。

③ 作業の始点から完了日までの各イベントの作業日数を加えていき、複数経路日数のうち、作業の完了を待つことになる最も遅い日数が最早開始時刻（EST）となる。

④ 最遅完了時刻（LFT）を計算した時点で、最早開始時刻（EST）と最遅完了時刻（LFT）が同じ日数の場合、余裕のない経路であるため、クリティカルパス（CP）となる。

解説 ························· →テキスト 第4編 2-2

① ○ **クリティカルパス（CP）はトータルフロートがゼロである作業の経路**で、クリティカルパスを構成する作業に遅れが生じると全体工程に影響が生じるため、重点管理する必要がある。クリティカルパス以外の作業でも、**フロートを使い切ってしまうとクリティカルパスになる。**

② × ディペンデントフロート（DF）は、後続作業には影響するが全体の工期には影響しない時間的余裕を意味し、**トータルフロート（TF）からフリーフロート（FF：自由余裕時間）を差し引いて求める。** なお、トータルフロート（TF）とは、その作業のもつ最大の余裕時間で、フリーフロート（FF）は後続作業に全く影響しない余裕時間のことである。

③ ○ **最早開始時刻（EST）** とは、その作業が最も早く開始できる時刻のことで、作業の始点から完了日までの各イベントの作業日数を加えていき、複数経路日数のうち、作業の完了を待つことになる最も遅い日数となる。

④ ○ **クリティカルパス（CP）はトータルフロートがゼロである**（最も余裕がない）作業経路である。最早開始時刻（EST）と最遅完了時刻（LFT）が同じ場合、全く余裕のないイベントとなるため、クリティカルパス（CP）となる。

正解 2

工程管理
R5-46

難易度	問題 372
B	✓CHECK ☐☐☐

工程管理（ネットワーク）

ネットワーク工程表に関する記述として、最も不適当なものはどれか。

① 一つの作業の最早終了時刻（EFT）は、その作業の最早開始時刻（EST）に作業日数（D）を加えて得られる。

② 一つの作業の最遅開始時刻（LST）は、その作業の最遅終了時刻（LFT）から作業日数（D）を減じて得られる。

③ 一つの作業でトータルフロート（TF）が0である場合、その作業ではフリーフロート（FF）は0になる。

④ 一つの作業でフリーフロート（FF）を使い切ってしまうと、後続作業のトータルフロート（TF）に影響を及ぼす。

解 説 ··· ➡テキスト 第4編 2-2

　ネットワーク工程表の用語に関する問題である（建築工事における工程の計画と管理指針・同解説、建築技術者のためのネットワークプランニング、建築施工（理工図書））。

① ○ **最早終了時刻（EFT）** は、その作業が最も早く完了できる時刻のことで、その作業の最早開始時刻（EST）に作業日数（D）を加えたものである。

② ○ **最遅開始時刻（LST）** は、その作業が遅くともその時刻に開始されなければ、予定工期までに完成できない時刻のことで、その作業の**最遅終了時刻（LFT）**から作業日数（D）を引いたものである。

③ ○ **トータルフロート（TF）** は、任意の作業内でとり得る最大の余裕時間であり、**フリーフロート(FF)とディペンデントフロート(DF：後続作業のトータルフロートに影響を与えるフロート)の和**である。したがって、ある作業でトータルフロート（TF）が0である場合、当然その作業のフリーフロート（FF）は0になる。

④ × **フリーフロート（FF：自由余裕時間）** は、その作業で自由に使っても後続作業に影響を及ぼさない範囲の自由な余裕時間のことで、作業を最早開始時刻で始めて、後続する作業も最早開始時刻で始めてもなお存在する余裕時間である。

正解 4

工程計画

工程計画及び工程管理に関する記述として、最も不適当なものはどれか。

① 算出した工期が指定工期を超える場合は、作業日数を短縮するため、クリティカルパス上の作業について、作業方法の変更や作業員の増員等を検討する。

② 工程計画の立案には、大別して積上方式と割付方式とがあり、工期が制約されている場合は、割付方式で検討することが多い。

③ 工事に投入する作業員、施工機械、資機材などの量が一定の量を超えないように山崩しを行うと、工期を短縮できる。

④ 工程計画において、山均しは、作業員、施工機械、資機材などの投入量の均等化を図る場合に用いる。

解説　　　　　　　　　　　　　　　　　　　→テキスト　第4編　2-3

① ○　算出した工期が指定工期を超える場合は、クリティカルパス上の作業について、作業方法の変更、作業員の増員、工事用機械の機種変更・台数増加等によって、作業日数の短縮を検討する（建築工事における工程の計画と管理指針・同解説）。

② ○　割付方式は、主要工事（地業、躯体、仕上げ等）などに分けた各工程に必要日数を割り当て、その工程で完成する工事方法を検討した上で、さらに詳細な部分に割り当てていく方式であり、**工期が指定**され、工事内容が**比較的容易**で、**実績や経験が多い**工事・工種に多く用いられる。なお、**積上方式（順行型）**は、各部分で採用する工事方法を検討し、実現可能な所要日数を算定し、全体の工期を積み上げる方式で、工事内容が複雑で、**実績や経験が少ない**工事・工種において用いられる（同上）。

③ ✕　工事に投入する作業員、施工機械、**資機材等の資源供給量が一定量を超えないように工程を調整することを山崩しというが、山崩しには工期の延長**が必要である（建築施工計画実践テキスト　仮設工事編）。

④ ○　工事に投入する作業員、施工機械、資機材等の資源供給量が一定量を超えないように調整すると同時に、調整可能な日へ移し、**資源使用の均等化**を図ることを山均しという。工期を短縮できる可能性もある。

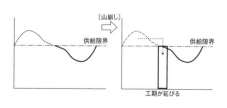

正解　3

MEMO

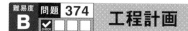
工程計画の立案に関する記述として、最も不適当なものはどれか。

① 工程計画には、大別して積上方式と割付方式とがあり、工期が制約されている場合は、割付方式を採用することが多い。

② 算出した工期が指定工期を超える場合は、クリティカルパス上に位置する作業について、作業方法の変更や作業員増員等を検討する。

③ 作業員、施工機械、資機材等の供給量のピークが一定の量を超えないように山崩しを行うことで、工期を短縮できる。

④ 作業員、施工機械、資機材等の供給量が均等になるように、山均しを意図したシステマティックな工法の導入を検討する。

解 説　　　　　　　　　　　　　　　　　　　➡テキスト｜第 4 編｜**2-3**

① 〇 **割付方式**は、主要工事の各工程に必要日数を割り当て、完成する工事方法を検討した上で、さらに詳細な部分に割り当てていく方式であり、**工期が指定**され、工事内容が**比較的容易**で、**実績や経験が多い**工事に多く用いられる。逆に**積上方式**は、工事内容が**複雑**で、**実績や経験が少ない**工事において用いられる（建築工事における工程の計画と管理指針・同解説）。

② 〇 算出した工期が指定工期を超える場合は、**クリティカルパス**上の作業について、作業方法の変更、作業員の増員、工事用機械の機種変更・台数増加等によって、作業日数の短縮を検討する（同上）。

③ × 工事に投入する作業員、施工機械等の**資源供給量が一定を超えない**ように工程を調整することを山崩しというが、**山崩し**には**工期の延長**が必要である（建築施工計画実践テキスト〈仮設工事編〉）。

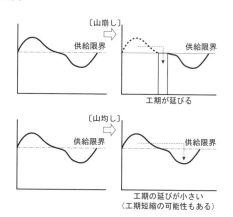

④ ◯ 作業員、施工機械等の資源投入量が一定量を超えないように調整した上で、谷の部分を埋めて、**資源使用の均等化**を図ることを山均しという。**山均し**を図るには工程の規格化や均等化を図るとか、**山均し**を意図したシステマティックな工法の採用が必要である（施工計画ガイドブック〈工事編Ⅰ〉）。

正解 3

工程計画に関する記述として、最も不適当なものはどれか。

① 工程計画では、各作業の手順計画を立て、次に日程計画を決定した。

② 工程計画では、工事用機械が連続して作業を実施し得るように作業手順を定め、工事用機械の不稼働をできるだけ少なくした。

③ 工期短縮を図るため、作業員、工事用機械、資機材等の供給量のピークが一定の量を超えないように山崩しを検討した。

④ 工期短縮を図るため、クリティカルパス上の鉄骨建方において、部材を地組してユニット化し、建方のピース数を減らすよう検討した。

解説 ─────────────────── ➡テキスト 第4編 2-3

① ○ 工程計画では、手順計画と日程計画からなり、一般に**手順計画➡日程計画**の順序で進める。

② ○ 作業に従事する作業者や工事用機械が、できるだけ連続して作業を実施し得るように手順を定め、**作業者の不連続な就業**や**工事用機械の不稼働をできるだけ小さくする**（建築工事における工程の計画と管理指針・同解説）。

③ ✕ 工事に投入する作業員、施工機械等の**資源供給量が一定を超えないように工程を調整することを山崩し**というが、山崩しには工期の延長が必要である（建築施工計画実践テキスト-仮設工事編）。

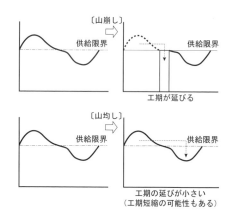

④ ○ 算出した工期が指定工期を超える場合は、**クリティカルパス上の作業**について、作業方法の変更、作業員の増員、工事用機械の機種変更・台数増加等によって、作業日数の短縮を検討する（建築工事における工程の計画と管理指針・同解説）。鉄骨建方において、部材を地組して**ユニット化**し、建方の**ピース数を減らす**ことは、作業日数短縮に有効である。

正解 3

問題 376 工程計画（歩掛り）

難易度 **B**

工程管理 H29-55

高層建築の鉄骨工事において、所要工期算出のための各作業の一般的な能率に関する記述として、最も不適当なものはどれか。

① タワークレーンの揚重ピース数は、1日当たり40ピースとした。

② 補助クレーンを併用するため、タワークレーンの鉄骨建方作業のみに占める時間の割合を、30％とした。

③ 現場溶接は、溶接工1人1日当たりボックス柱で2本、梁で5箇所とした。

④ タワークレーンの1回のクライミングに要する日数は、1.5日とした。

解説 ➡テキスト 第4編 **2-3**

① 〇 重層建築において、**タワークレーン**にて鉄骨建方を行う場合の1日当たりの歩掛かりは**40〜45ピース**である（鉄骨工事技術指針、建築工程表の作成実務）。

② ✕ 高層ビルの場合、タワークレーンの**鉄骨建方作業占有率**は、**補助クレーンを用いる場合は0.5〜0.6程度**、補助クレーンを用いない場合は0.4〜0.5程度である（鉄骨工事技術指針）。

③ 〇 一般に**現場溶接**における溶接工の平均能率は、1人1日当たりボックス柱で**2本、梁で5カ所**が目安である（新版 建築鉄骨工事施工指針）。

④ 〇 タワークレーンの1回の**クライミング**に要する日数は、1.5日程度である（建築工程表の作成実務）。なおクライミングには、ポストクライミング（ポストを継ぎ足して高さを上げる）と、ベースクライミング（設置場所をせり上げる）がある。

正解 2

工程計画（歩掛り）

一般的な事務所ビルの新築工事における鉄骨工事の工程計画に関する記述として、最も不適当なものはどれか。

① トラッククレーンによる鉄骨建方の取付けピース数は、1台1日当たり70ピースとして計画した。

② 鉄骨のガスシールドアーク溶接による現場溶接は、1人1日当たり6mm換算で80mとして計画した。

③ 建方用機械の鉄骨建方作業占有率は、60%として計画した。

④ タワークレーンのクライミングに要する日数は、1回当たり1.5日として計画した。

解 説 .... ➡テキスト / 第4編 / **2-3**

① **×** 一般的な重層建築において、**トラッククレーン**による鉄骨建方の取付けピース数は、1台1日当たり**30～35ピース**である（鉄骨工事技術指針）。

② **○** 一般建物において、鉄骨の**ガスシールドアーク溶接**による**工事現場溶接**の作業能率は、1人1日当たり**隅肉溶接脚長6mm換算で60～80m**である（同上）。

③ **○** 一般的なビル鉄骨において、建方用機械の**鉄骨建方作業占有率**は、0.6～0.7程度である（同上）。

④ **○** タワークレーンの1回の**クライミング**に要する日数は、1.5日程度である（建築工程表の作成実務）。

正解 1

工程計画（歩掛り）

一般的な事務所ビルの新築工事における鉄骨工事の工程計画に関する記述として、最も不適当なものはどれか。

① タワークレーンによる鉄骨建方の取付け歩掛りは、1台1日当たり80ピースとして計画した。

② 建方工程の算定において、建方用機械の鉄骨建方作業の稼働時間を1台1日当たり5時間30分として計画した。

③ トルシア形高力ボルトの締付け作業能率は、1人1日当たり200本として計画した。

④ 鉄骨のガスシールドアーク溶接による現場溶接の作業能率は、1人1日当たり6mm換算で80mとして計画した。

解説 ➡テキスト 第4編 2-3

① ✕ 一般的な重層建築において、鉄骨建方の取付けピース数は、**トラッククレーン**の場合で1台1日当たり30〜35ピース、**タワークレーン**の場合では40〜45ピースである（鉄骨工事技術指針）。

② 〇 一般的なビル鉄骨において、建方用機械の**鉄骨建方作業占有率**は、0.6〜0.7程度である。したがって、建方用機械の稼働時間を1台1日当たり5時間30分（8時間×0.69）として計画したことは適当である。

③ 〇 **トルシア形高力ボルト**の締付け本数は、1人1日あたり**250本**である（同指針）。

④ 〇 一般建物において、鉄骨の**ガスシールドアーク溶接**による**工事現場溶接**の作業能率は、1人1日当たり隅肉溶接の場合、**脚長6mm換算で60〜80m**である（同指針）。

正解 1

一般的な事務所ビルの鉄骨工事において、所要工期算出のために用いる各作業の能率に関する記述として、最も不適当なものはどれか。

① 鉄骨のガスシールドアーク溶接による現場溶接の作業能率は、1人1日当たり6㎜換算溶接長さで80mとして計画した。

② タワークレーンのクライミングに要する日数は、1回当たり1.5日として計画した。

③ 建方用機械の鉄骨建方作業占有率は、60％として計画した。

④ トルシア形高力ボルトの締付け作業能率は、1人1日当たり300本として計画した。

解説 ・・・・・・・・・・・・・・・・・・・・・・・・・・・・・・・・ ➡テキスト 第4編 **2-3**

① 〇 一般建物において、鉄骨のガスシールドアーク溶接による**工事現場溶接**の作業能率は、1人1日当たり**隅肉溶接脚長6㎜換算**で60〜80mである（鉄骨工事技術指針）。

② 〇 タワークレーンの1回の**クライミング**に要する日数は、1.5日程度である（建築工程表の作成実務）。

③ 〇 一般的なビル鉄骨において、建方用機械の**鉄骨建方作業占有率**は、0.6〜0.7程度である（鉄骨工事技術指針）。

④ ✕ **トルシア形高力ボルト**の締付け本数は、1人1日当たり250本である（鉄骨工事技術指針）。

正解 4

難易度 A　問題 380　品質管理

品質管理に関する記述として、最も適当なものはどれか。

① 品質管理は、品質計画の目標のレベルにかかわらず緻密な管理を行う。

② 品質管理は、計画段階よりも施工段階で施工情報を検討する方がより効率的である。

③ 品質確保のための作業標準が計画できたら、作業がそのとおり行われているかどうかの管理に重点をおく。

④ 品質の目標値を大幅に上回る品質が確保されていれば、優れた品質管理といえる。

解説　　　　　　　　　　　　　　　→テキスト　第4編　3-1

① ✕ 品質管理は、品質計画の目標のレベル（顧客の要求品質）を達成するために、そのレベルに見合った管理を行うことが重要である。必要以上に緻密な管理を行うことは、工程、コストにも影響を及ぼす面からも好ましくない。

② ✕ 品質に及ぼす影響の検討・品質の造り込み・プロセスの改善・再発防止は、施工段階よりも計画段階、すなわち、より源流のプロセスにおいて行う方が、効果的かつ効率的である。これを源流管理、フロントローディングともいう（品質管理用語85）。

③ ◯ 品質確保のための作業標準が計画できたら、工程がそのとおり行われているかどうかの管理、維持、改善が重要である。これをプロセスに基づく管理という（同上）。

④ ✕ 品質管理は、品質計画の目標のレベル（顧客の要求品質）を達成するために、そのレベルに見合った管理を行うことが重要である。品質の目標値を大幅に上回る品質を確保することは、工程、コストにも影響を及ぼす面からも好ましくなく、優れた品質管理とはいえない。

正解　3

品質管理に関する記述として、最も適当なものはどれか。

① 品質管理は、計画段階より施工段階で検討するほうが、より効果的である。

② 品質確保のための作業標準を作成し、作業標準どおり行われているか管理を行う。

③ 工程（プロセス）の最適化より検査を厳しく行うことのほうが、優れた品質管理である。

④ 品質管理は、品質計画の目標のレベルにかかわらず、緻密な管理を行う。

解説 ➡️テキスト 第4編 3-1

① ✕ 品質に及ぼす影響の検討・品質の造り込み・プロセスの改善・再発防止は、**施工段階よりも計画段階**、すなわち、**より源流のプロセスにおいて行う**方が、効果的かつ効率的である。これを源流管理、フロントローディングともいう（品質管理用語85）。

② 〇 品質確保のための**作業標準**が計画できたら、工程がそのとおり行われているかどうかの管理、維持、改善が重要である。これを**プロセスに基づく管理**という（同上）。

③ ✕ 品質の管理・保証を検査のみで行うことには限界があり、その造り込みのプロセスにおいて品質を確保すること、すなわち**工程（プロセス）の最適化**を図ることの方が優れた品質管理である（鉄骨工事技術指針〈工場製作編〉）。

④ ✕ 品質管理は、品質計画の目標のレベル（顧客の要求品質）を達成するために、**そのレベルに見合った管理**を行うことが重要である。必要以上に緻密な管理を行うことは、工程、コストに影響を及ぼす面からも好ましくない。

正解 **2**

品質管理に関する記述として、最も適当なものはどれか。

① 品質管理は、品質計画の目標のレベルにかかわらず、緻密な管理を行う。

② 品質の目標値を大幅に上回る品質が確保されていれば、優れた品質管理といえる。

③ 品質確保のための作業標準を作成し、作業標準どおり行われているか管理を行う。

④ 品質管理は、計画段階より施工段階で検討するほうが、より効果的である。

解説 .... →テキスト **第4編** **3-1**

① ✕ **品質管理**は、品質計画の**目標のレベル**（顧客の要求品質）を達成するために、そのレベルに見合った**管理**を行うことが重要である。必要以上に緻密な管理を行うことは、工程、コストに影響を及ぼす面からも好ましくない。

② ✕ **品質管理**は、品質計画の**目標のレベル**（顧客の要求品質）を達成するために、そのレベルに見合った管理を行うことが重要である。品質の目標値を大幅に上回る品質を確保することは、工程、コストにも影響を及ぼす面からも好ましくなく、優れた品質管理とはいえない。

③ ◯ 品質確保のための**作業標準**が計画できたら、工程がそのとおり行われているかどうかの管理、維持、改善が重要である。これを**プロセスに基づく管理**という（品質管理用語85）。

④ ✕ 品質に及ぼす影響の検討・品質の造り込み・プロセスの改善・再発防止は、**施工段階よりも計画段階**、すなわち、より**源流のプロセス**において行う方が、効果的かつ効率的である。これを**源流管理**、フロントローディングともいう（同上）。

正解 **3**

品質管理の用語に関する記述として、最も不適当なものはどれか。

① 誤差とは、試験結果又は測定結果の期待値から真の値を引いた値のことである。

② 目標値とは、仕様書で述べられる、望ましい又は基準となる特性の値のことである。

③ 不適合とは、要求事項を満たしていないことである。

④ トレーサビリティとは、対象の履歴、適用又は所在を追跡できることである。

解説 ┄┄┄┄┄┄┄┄┄┄┄┄┄┄┄┄┄┄┄┄┄┄┄ ➡テキスト / 第4編 / 3-2

① ✕ 誤差とは、**観測値・測定結果**から**真**の値を引いた値である（JIS Z 8101-2）。期待値から真の値を引いた値ではない。

② 〇 目標値とは、仕様書で述べられる、**望ましい又は基準となる特性の値**のことである（同上）。

③ 〇 不適合とは、**要求事項を満たしていないこと**である（JIS Q 9000）。

④ 〇 トレーサビリティとは、考慮の対象となっているものの履歴、適用又は所在を**追跡できる**ことである（同上）。

正解 **1**

問題 384 品質管理（用語）

難易度 **B** 問題 384

品質管理の用語に関する記述として、最も不適当なものはどれか。

① 品質マニュアルとは、品質に関して組織を指揮し、管理するためのマネジメントシステムを規定する文書のことである。

② 工程（プロセス）管理とは、工程（プロセス）の出力である製品又はサービスの特性のばらつきを低減し、維持する活動のことである。

③ 是正処置とは、起こりうる不適合又はその他の望ましくない起こりうる状況の原因を除去するための処置のことである。

④ 母集団の大きさとは、母集団に含まれるサンプリング単位の数のことである。

解説 →テキスト 第4編 3-2

① ○ 品質マニュアルとは、品質に関して**組織を指揮**し、**管理**するためのマネジメントシステムを規定する**文書**のことである（クオリティマネジメント用語辞典）。

② ○ **工程（プロセス）管理**とは、工程（プロセス）の結果である製品又はサービスの特性の**ばらつきを低減**し、**維持向上**する活動のことである（品質管理用語85）。

③ ✕ **是正処置**とは、**検出された不適合**又はその他の**検出された望ましくない状況の原因**を除去するための処置をいう。設問の「起こりうる不適合又はその他の望ましくない起こりうる状況の原因を除去するための処置のこと」は**予防処置**のことである（JIS Q 9000、クオリティマネジメント用語辞典）。

④ ○ **母集団の大きさ**とは、母集団に含まれる**サンプリング単位の数**である（JIS Z 8101-2:1999）。

正解 3

品質管理の用語に関する記述として、最も不適当なものはどれか。

① 目標値とは、仕様書で述べられる、望ましい又は基準となる特性の値のことをいう。

② ロットとは、等しい条件下で生産され、又は生産されたと思われるものの集まりをいう。

③ かたよりとは、観測値又は測定結果の大きさが揃っていないことをいう。

④ トレーサビリティとは、対象の履歴、適用又は所在を追跡できることをいう。

解 説 .... →テキスト／第4編 3-2

① ○ 目標値とは、仕様書で述べられる、**望ましい又は基準となる特性の値**のことである （JIS Z 8101-2）。

② ○ ロットとは、**等しい条件下**で生産され、又は生産されたと思われる品物・サービスの集まりをいう （同上）。

③ ✕ かたよりとは、観測値・測定結果の**期待値**から**真の値**を引いた差をいう。観測値・測定結果の大きさがそろっていないこと、又は不ぞろいの程度は**ばらつき**という。ばらつきの大きさを表すには、**標準偏差**などを用いる （同上）。

④ ○ トレーサビリティとは、考慮の対象となっているものの**履歴**、適用又は**所在**を追跡できることである （JIS Q 9000）。

正解 **3**

品質管理（JIS Q 9000）

JIS Q 9000（品質マネジメントシステム－基本及び用語）の用語の定義に関する記述として、最も不適当なものはどれか。

① マネジメントシステムとは、方針及び目標、並びにその目標を達成するためのプロセスを確立するための、相互に関連する又は相互に作用する、組織の一連の要素をいう。

② 是正処置とは、不適合の原因を除去し、再発を防止するための処置をいう。

③ トレーサビリティとは、設定された目標を達成するための対象の適切性、妥当性又は有効性を確定するために行われる活動をいう。

④ 品質マネジメントとは、品質に関して組織を指揮し、管理するための調整された活動をいう。

解 説 ・・・・・・・・・・・・・・・・・・・・・・・・・・・・・・・ ➡テキスト 第4編 3-2

① ○ **マネジメントシステム**とは、方針及び目標、並びにその目標を達成するための**プロセス**を確立するための、相互に関連する又は相互に作用する、**組織の一連の要素**をいう（JIS Q 9000）。

② ○ **是正処置**とは、不適合の**原因を除去**し、**再発を防止**するための処置をいう（同上）。

③ ✕ **トレーサビリティ**とは、対象の**履歴**、**適用**又は**所在**を**追跡できる**ことをいう。設問の記述は**レビュー**である（同上）。

④ ○ **品質マネジメント**とは、品質に関して組織を**指揮**し、**管理**するための**調整された活動**をいう（同上）。

正解 3

施工品質管理表（QC工程表）の作成に関する記述として、最も不適当なものはどれか。

① 工種別又は部位別とし、管理項目は作業の重要度に関わらず施工工程に沿って並べる。

② 工事監理者、施工管理者及び専門工事業者の役割分担を明記する。

③ 管理値を外れた場合の処置をあらかじめ定めておく。

④ 各作業の施工条件及び施工数量を明記する。

解説 ➡テキスト 第4編 3-2

　QC（Quality Control）工程表は、製品・サービスの生産及び提供に関する一連のプロセスを図・表に表し、このプロセスの流れに沿って各段階で、誰が、いつ、どこで、何を、どのように管理したらよいか（管理水準、管理の間隔、頻度など）を一覧にまとめたものである（JIS Q 9026）。QC工程表は建設工事においては、施工品質管理表と呼ばれる。

① ○ 工種別又は部位別とし、管理項目を工程の各段階（プロセス）に沿って並べる。

② ○ 工事監理者、施工管理者及び専門工事業者のうち、誰が、いつ、どこで、何を、どのように管理したらよいかの役割分担を明記する。

③ ○ 管理値・管理水準、及び異常時の処置として管理値を外れた場合の処置をあらかじめ定めておく。

④ × 各作業の施工条件及び施工数量は施工品質管理表に記載するのではなく、一般には施工計画書（工種別施工計画書）に記載すべきものである。

正解 4

問題 388 品質管理（QC工程表）

難易度 **B** CHECK □□□

施工品質管理表（QC工程表）に関する記述として、最も不適当なものはどれか。

① 管理項目には、重点的に実施すべき項目を取り上げる。

② 工事監理者、施工管理者及び専門工事業者の役割分担を明記する。

③ 管理値を外れた場合の処置をあらかじめ定めておく。

④ 工種別又は部位別とし、管理項目は作業の重要度の高い順に並べる。

解説 →テキスト 第4編 3-2

　QC工程表は、製品・サービスの生産及び提供に関する一連のプロセスを図・表に表し、このプロセスの流れに沿ってプロセスの各段階で、誰が、いつ、どこで、何を、どのように管理したらよいか（管理水準、管理の間隔、頻度など）を一覧にまとめたものである（JIS Q 9026）。QC工程表は、**施工品質管理表**とも呼ばれる。

① ○ 品質管理は結果に大きな影響を与えるので、効果の大きい重点問題に着目する重点指向（志向）で行い、メリハリをつける。したがって、管理項目には、**重点的に実施すべき項目**を取り上げる（新版品質保証ガイドブック、わかりやすい建築の品質管理）。

② ○ 工事監理者、施工管理者、専門工事業者などのうち、誰が、いつ、どこで、何を、どのように管理したらよいかの**役割分担**を明記する（品質管理をベースとした新しい建築生産のしくみ）。

③ ○ 管理値・管理水準を満足しない場合、及び異常時の処置などとして**管理値を外れた場合の処置**をあらかじめ定めておく。

④ × 管理項目は、工種別又は部位別とし、**施工工程の各段階（プロセス）**に沿って並べる。

正解 4

品質管理図に関する記述として、最も不適当なものはどれか。

① $\overline{\mathrm{X}}$（エックスバー）管理図は、サンプルの個々の観測値を用いて工程水準を評価するための計量値管理図である。

② np（エヌピー）管理図は、サンプルサイズが一定の場合に、所与の分類項目に該当する単位の数を評価するための計数値管理図である。

③ R（アール）管理図は、群の範囲を用いて変動を評価するための計量値管理図である。

④ s（エス）管理図は、群の標準偏差を用いて変動を評価するための計量値管理図である。

解説 .... ➡テキスト／第4編／**3-2**

　品質管理図は、製品の品質が各製造ロットにおいて、どのようなばらつき状況にあるのかを図で表したもので、「偶然のばらつき」なのか「異常原因によるばらつき」なのかを判断できる。

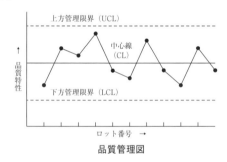

品質管理図

　図には中心線（CL）と上下対になる**管理限界**（UCL、LCL）が引かれている。「偶然のばらつき」は管理限界線の**内**側に入り、「異常原因によるばらつき」は管理限界線の**外**側に出る。

① × $\overline{\mathrm{X}}$（エックスバー）**管理図**は、群の**平均値**を用いて**工程水準**を評価するための計量値管理図である。サンプルの**個々の観測値**を用いて工程水準を評価するための計量値管理図は**X管理図**である（JIS Z 8101-2）。

② ○ np（エヌピー）**管理図**は、サンプルサイズが一定の場合に、所与の分類項目に該当する単位の数を評価するための**計数値管理図**である（同上）。

③ ○ R（アール）管理図は、群の範囲を用いて変動を評価するための計量値管理図である（同上）。

④ ○ s（エス）管理図は、群の標準偏差を用いて変動を評価するための計量値管理図である（同上）。

正解 1

品質管理に用いる図表に関する記述として、最も不適当なものはどれか。

① パレート図は、観測値若しくは統計量を時間順又はサンプル番号順に表し、工程が管理状態にあるかどうかを評価するために用いられる。

② ヒストグラムは、計量特性の度数分布のグラフ表示で、製品の品質の状態が規格値に対して満足のいくものか等を判断するために用いられる。

③ 散布図は、対応する２つの特性を横軸と縦軸にとり、観測値を打点して作るグラフ表示で、主に２つの変数間の相関関係を調べるために用いられる。

④ チェックシートは、欠点や不良項目などのデータを取るため又は作業の点検確認をするために用いられる。

解説 ………………………………………………………… **→テキスト 第4編 3-2**

① × **パレート図**は、項目別に**層別**して**出現頻度数の大きさ**の順に並べるとともに、**累積和**を示す図である（JIS Z 8101-2:1999）。たとえば、不適合品を不適合の内容の別に分類し、不適合品数の順に並べてパレート図をつくると不適合の重点順位がわかる。

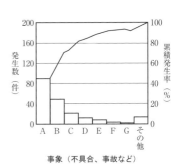

事象（不具合、事故など）

② ○ **ヒストグラム**は、**計量特性の度数分布のグラフ表示**で、製品の品質の状態が規格値に対して満足のいくものか等を判断するために用いられる。

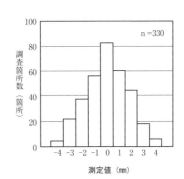

③ ○ **散布図**は、対応する2つの特性を横軸と縦軸にとり、観測値を打点してつくるグラフ表示で、主に2つの変数間の**相関関係**を調べるために用いられる。一般には要因（原因）となる変数を横軸に、結果（値）を縦軸にプロットする。ほぼ直線上にあれば「**正（負）の相関**」、散在すれば「**無相関**」といい、関係性が一目でわかる（建築施工《理工図書》）。

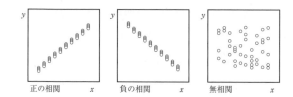

④ ○ **チェックシート**は、欠点や不良項目などのデータを取るための**記録用**のものと、点検すべき項目をあらかじめ決めておいて、これに従って**作業を確認**する点検確認用のものがある（新版 建設業のTQC）。

正解 1

品質管理（管理図）

品質管理に用いる図表に関する記述として、最も不適当なものはどれか。

① ヒストグラムは、観測値若しくは統計量を時間順又はサンプル番号順に表し、工程が管理状態にあるかどうかを評価するために用いられる。

② 特性要因図は、特定の結果と原因系の関係を系統的に表し、重要と思われる原因への対策の手を打っていくために用いられる。

③ 散布図は、対応する2つの特性を横軸と縦軸にとり、観測値を打点して作るグラフ表示で、主に2つの変数間の相関関係を調べるために用いられる。

④ パレート図は、項目別に層別して、出現度数の大きさの順に並べるとともに、累積和を示した図である。

解 説 .... → テキスト 第4編 3-2

① × **ヒストグラム**は、**計量特性**の度数分布の**グラフ表示**で、製品の品質の状態が規格値に対して満足のいくものか等を判断するために用いられる。

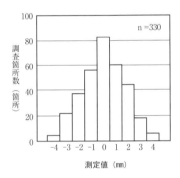

② ○ **特性要因図**は、特定の**結果**と**原因系**の関係を系統的に表した図で（JIS Z 8101-2）、重要と思われる原因への対策の手を打っていくために用いられる。

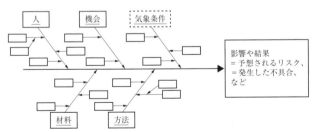

③ ○ **散布図**は、対応する2つの特性を横軸と縦軸にとり、観測値を打点してつくるグラフ表示で、主に2つの変数間の相関関係を調べるために用いられる。一般には要因（原因）となる変数を横軸に、結果（値）を縦軸にプロットする。ほぼ直線上にあれば「**正（負）の相関**」、散在すれば「**無相関**」といい、関係性

が一目でわかる（建築施工《理工図書》）。

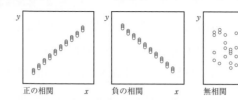

正の相関　　x　　　負の相関　　x　　　無相関　　x

④ ○ **パレート図**は、項目別に**層別**して**出現頻度数の大きさの順**に並べるとともに、累積和を示す図である。たとえば、不適合品を不適合の内容の別に分類し、不適合品数の順に並べてパレート図をつくると不適合の重点順位がわかる。

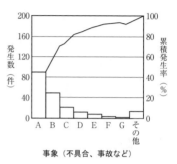

事象（不具合、事故など）

正解 1

品質管理に用いる図表に関する記述として、最も不適当なものはどれか。

① ヒストグラムは、観測値若しくは統計量を時間順又はサンプル番号順に表し、工程が管理状態にあるかどうかを評価するために用いられる。

② 散布図は、対応する2つの特性を横軸と縦軸にとり、観測値を打点して作るグラフ表示で、主に2つの変数間の相関関係を調べるために用いられる。

③ パレート図は、項目別に層別して、出現度数の大きさの順に並べるとともに、累積和を示した図である。

④ 系統図は、設定した目的や目標と、それを達成するための手段を系統的に展開した図である。

解 説 .... →テキスト 第4編 **3-2**

① × **ヒストグラム**は、**計量特性の度数分布のグラフ表示**で、製品の品質の状態が規格値に対して満足のいくものか等を判断するために用いられる。

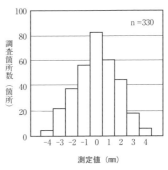

② ○ **散布図**は、対応する2つの特性を横軸と縦軸にとり、観測値を打点してつくるグラフ表示で、主に2つの変数間の相関関係を調べるために用いられる。一般には要因（原因）となる変数を横軸に、結果（値）を縦軸にプロットする。ほぼ直線上にあれば「**正（負）の相関**」、散在すれば「**無相関**」といい、関係性が一目でわかる（建築施工《理工図書》）。

正の相関　　　負の相関　　　無相関

③ ○ パレート図は、項目別に層別して**出現頻度数の大きさ**の順に並べるとともに、**累積和**を示す図である。たとえば、不適合品を不適合の内容の別に分類し、不適合品数の順に並べてパレート図をつくると不適合の重点順位がわかる。

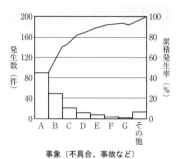

事象（不具合、事故など）

④ ○ 系統図は、**目的**や**目標**、**結果**などと**手段**や方策などを系統付けて展開した図であり、新QC 7つ道具の一つである（クオリティマネジメント用語辞典）。

正解 1

品質管理における検査に関する記述として、最も不適当なものはどれか。

① 受入検査は、依頼した原材料、部品、製品などを受け入れる段階で行う検査で、生産工程に一定の品質水準のものを流すことを目的で行う。

② 中間検査は、不良なロットが次工程に渡らないように、事前に取り除くことによって損害を少なくするために行う。

③ 抜取検査は、継続的に不良率が大きく、決められた品質水準に修正しなければならない場合に行う。

④ 検査とは、適切な測定、試験、又はゲージ合せを伴った、観測及び判定による適合性評価をいう。

解 説 ┄┄┄┄┄┄┄┄┄┄┄┄┄┄┄┄┄┄┄┄┄┄┄┄┄┄┄┄┄┄ →テキスト 第4編 **3-3**

① ◯ **受入検査**は、物品を受け入れる段階で、**受入れの可否**を一定の基準のもとで行う検査である（JIS Z 8141）。具体的には、原材料、部品、製品、又は加工を依頼したものを受け入れる段階で行う検査で、生産工程に一定の品質水準のものを流すことを目的で行う（新版 品質管理便覧）。

② ◯ **中間検査**は、**工程内検査**、工程間検査ともいい、**不良なロットが次工程に渡らないように**、事前に取り除くことによって損害を極力少なくするために行う（同便覧）。

③ ✕ **抜取検査**は、対象とするグループからアイテムを**抜き取って**行う検査である（JIS Z 8101-2）。具体的にはサンプルを抜き取って試験し、その結果をロット判定基準と比較して**ロット**の合否判定を行う検査であり、**品質が安定**している場合に適用できる（新版 品質保証ガイドブック）。工程の**品質状況が悪く**継続的に不良率が大きく、決められた品質水準に修正しなければならない場合に行う検査は**全数検査**である（新版 品質管理便覧）。

④ ◯ **検査**とは、適切な測定、試験、又はゲージ合わせを伴った、**観測及び判定**による適合性評価である（JIS Z 8101-2）。

正解 **3**

488

品質管理（検査）

品質管理における検査に関する記述として、最も不適当なものはどれか。

① 無試験検査は、工程が安定状態にあり、品質状況が定期的に確認でき、そのまま次工程に流しても損失は問題にならない場合に適用される。

② 間接検査は、購入者側が受入検査を行うことによって、供給者側の試験を省略する検査である。

③ 非破壊検査は、品物を試験してもその商品価値が変わらない検査である。

④ 全数検査は、工程の品質状況が悪く継続的に不良率が大きく、決められた品質水準に修正しなければならない場合に適用される。

解説 ·· →テキスト 第4編 **3-3**

① ○ **無試験検査**は、サンプルなどに試験を直接行わずに、品質情報・技術情報などに基づいて、ロットの合否判定を行うものである。工程が**安定状態**で不良品となるものがごくわずかであり、これがもし次工程に流れても、その損害が検査費用に比べて少なく、損失は問題にならない場合などに適用される（新版 品質管理便覧）。

② ✕ **間接検査**とは、「**供給者の検査システム**及び提出された**検査結果**を評価し、試験することによる合否判定検査」（JIS Z 8101-2:2015）である。この具体的な方法としては、書類検査がある。**書類検査**とは、供給者が検査した結果について、受入検査基準と比較して適切かどうかを書類で合否判断するものである（新版 品質保証ガイドブック）。

③ ○ **非破壊検査**は、品物を試験してもその**商品価値が変わらない検査**をいう。一般に行われている大部分の検査がこの非破壊検査に属する（新版 品質管理便覧）。

④ ○ **全数検査**は、品物の個々について全数を検査するもので、工程の**品質状況が悪く**継続的に不良率が大きく、決められた品質水準に修正しなければならない場合や、わずかな不良品でも人命に危険が及んだり、大きな経済的損失となるときなどに適用される（同便覧）。

正解 2

品質管理における検査に関する記述として、最も不適当なものはどれか。

① 購入検査は、提出された検査ロットを購入してよいかどうかを判定するために行う検査で、品物を外部から購入する場合に適用する。

② 中間検査は、製品として完成したものが要求事項を満足しているかどうかを判定する場合に適用する。

③ 間接検査は、長期にわたって供給側の検査結果が良く、使用実績も良好な品物を受け入れる場合に適用する。

④ 巡回検査は、検査を行う時点を指定せず、検査員が随時工程をパトロールしながら行う場合に適用する。

解説 ・・ →テキスト 第4編 3-3

① ○ **購入検査**は、提出された検査ロットを**購入してよいかどうか**を判定するために行う検査である。**受入検査**（物品を受け入れる段階で、受入れの可否を一定の基準のもとで行う検査）のうち、品物を外部から購入する場合に購入検査という（クオリティマネジメント用語辞典）。

② × **中間検査**は、**工程内検査**、工程間検査ともいい、**不良なロットが次工程に渡らないように**、事前に取り除くことによって損害を極力少なくするために行う（新版 品質管理便覧）。

③ ○ **間接検査**とは、受入検査、購入検査などで、**供給側**の実施したロットについての検査成績を、そのまま使用して確認することにより受入検査の試験・測定を省略する検査である（クオリティマネジメント用語辞典）。間接検査は、技術的に十分な検討がなされ、かつ検査結果がよく、使用実績も良好な場合に適用できる（新版 品質管理便覧）。

④ ○ **巡回検査**は、検査を行う時点を指定せず、検査員が随時工程を**パトロール**しながら行う検査である（クオリティマネジメント用語辞典）。

正解 **2**

難易度 **A** 問題 **396** CHECK □□□ **品質管理（検査）**

品質管理における検査に関する記述として、最も不適当なものはどれか。

① 中間検査は、不良なロットが次工程に渡らないよう事前に取り除くことによって、損害を少なくするために行う検査である。

② 間接検査は、購入者側が受入検査を行うことによって、供給者側の試験を省略する検査である。

③ 非破壊検査は、品物を試験してもその商品価値が変わらない検査である。

④ 全数検査は、工程の品質状況が悪いために不良率が大きく、決められた品質水準に修正しなければならない場合に適用される検査である。

解説 →テキスト 第4編 **3-3**

① ○ **中間検査**は、**工程内検査**、工程間検査ともいい、**不良なロットが次工程に渡らないように**、事前に取り除くことによって損害を極力少なくするために行う（新版 品質管理便覧）。

② × **間接検査**とは、受入検査、購入検査などで、**供給側**の実施したロットについての検査成績を、そのまま使用して確認することにより**受入検査の試験・測定を省略**する検査である（クオリティマネジメント用語辞典）。間接検査は、技術的に十分な検討がなされ、かつ検査結果がよく、使用実績も良好な場合に適用できる（新版 品質管理便覧）。

③ ○ **非破壊検査**は、品物を試験してもその**商品価値が変わらない検査**をいう。一般に行われている大部分の検査がこの非破壊検査に属する（同便覧）。

④ ○ **全数検査**は、品物の個々について全数を検査するもので、工程の**品質状況が悪く**継続的に不良率が大きく、決められた品質水準に修正しなければならない場合や、わずかな不良品でも人命に危険が及んだり、大きな経済的損失となるときなどに適用される（同便覧）。

正解 **2**

品質管理（検査）

品質管理における検査に関する記述として、最も不適当なものはどれか。

① 購入検査は、提出された検査ロットを購入してよいかどうかを判定するために行う検査で、品物を外部から購入する場合に適用する。

② 巡回検査は、検査を行う時点を指定せず、検査員が随時、工程をパトロールしながら検査を行うことができる場合に適用する。

③ 無試験検査は、工程が安定状態にあり、品質状況が定期的に確認でき、そのまま次工程に流しても損失は問題にならない場合に適用する。

④ 抜取検査は、継続的に不良率が大きく、決められた品質水準に修正しなければならない場合に適用する。

解 説 ··· →テキスト｜第4編｜3-3

① ○ **購入検査**は、提出された検査ロットを購入してよいかどうかを判定するために行う検査である。**受入検査**（物品を受け入れる段階で、受入れの可否を一定の基準のもとで行う検査）のうち、品物を外部から購入する場合に購入検査という（クオリティマネジメント用語辞典）。

② ○ **巡回検査**は、検査を行う時点を指定せず、検査員が随時工程を**パトロール**しながら行う検査である（同辞典）。

③ ○ **無試験検査**は、サンプルなどに試験を直接行わずに、品質情報・技術情報などに基づいて、ロットの合否判定を行うものである。工程が安定状態で不良品となるものがごくわずかであり、これがもし次工程に流れても、その損害が検査費用に比べて少なく、損失は問題にならない場合などに適用される（新版品質管理便覧）。

④ × **抜取検査**は、対象とするグループからアイテムを抜き取って行う検査である（JIS Z 8101-2）。具体的にはサンプルを抜き取って試験し、その結果をロット判定基準と比較して**ロットの合否判定を行う検査であり**（同上）、**品質が安定し**ている場合に適用できる（新版品質保証ガイドブック）。工程の品質状況が悪く継続的に**不良率が大きく**、決められた品質水準に修正しなければならない場合に行う検査は**全数検査**である（新版品質管理便覧）。

正解 4

| 難易度 A | 問題 398 | 品質管理（検査） |

品質管理における検査に関する記述として、最も不適当なものはどれか。

① 中間検査は、製品として完成したものが要求事項を満足しているかどうかを判定する場合に適用する。

② 無試験検査は、サンプルの試験を行わず、品質情報、技術情報等に基づいてロットの合格、不合格を判定する。

③ 購入検査は、提出された検査ロットを、購入してよいかどうかを判定するために行う検査で、品物を外部から受け入れる場合に適用する。

④ 抜取検査は、ロットからあらかじめ定められた検査の方式に従ってサンプルを抜き取って試験し、その結果に基づいて、そのロットの合格、不合格を判定する。

解説 →テキスト 第4編 3-3

① ✕ **中間検査**は、工程内検査、工程間検査ともいい、**不良なロットが次工程に渡らないように**、事前に取り除くことによって損害を極力少なくするために行う（新版品質管理便覧）。

② ○ **無試験検査**は、サンプルなどに試験を直接行わずに、品質情報・技術情報などに基づいて、ロットの合否判定を行うものである。工程が**安定状態で不良品**となるものがごくわずかであり、これがもし次工程に流れても、その損害が検査費用に比べて少なく、損失は問題にならない場合などに適用される（新版品質管理便覧）。

③ ○ **購入検査**は、提出された検査ロットを**購入してよいかどうか**を判定するために行う検査である。受入検査（物品を受け入れる段階で、受入れの可否を一定の基準のもとで行う検査）のうち、品物を外部から購入する場合に購入検査という（クオリティマネジメント用語辞典）。

④ ○ **抜取検査**は、対象とするグループからアイテムを**抜き取って**行う検査である（JISZ8101-2）。具体的には**サンプル**を抜き取って試験し、その結果をロット判定基準と比較して**ロットの合否判定**を行う検査であり（新版品質管理便覧）、品質が安定している場合に適用できる（新版品質保証ガイドブック）。

正解 **1**

品質管理における精度に関する記述として、最も不適当なものはどれか。

① カーテンウォール工事において、プレキャストコンクリートカーテンウォール部材の取付け位置の寸法許容差のうち、目地の幅については、±5mmとした。

② コンクリート工事において、コンクリート部材の設計図書に示された位置に対する各部材の位置の許容差は、±20mmとした。

③ コンクリート工事において、ビニル床シート下地のコンクリート面の仕上がりの平坦さは、3mにつき7mm以下とした。

④ 鉄骨工事において、スタッド溶接後の頭付きスタッドの傾きの限界許容差は、10°以下とした。

解 説 ……………………………………………… ➡テキスト / 第**4**編 / **3-4**

① ○ プレキャストコンクリート部材の取付け位置における、**目地幅の寸法許容差**は、特記のない限り**±5mm**とする。

② ○ コンクリート部材の**位置及び断面寸法の許容差**は、特記がない場合は、次表を標準とする。各部材の**位置の許容差は±20mm**である（公共建築工事標準仕様書）。

項　目		許容差（mm）
位　置	設計図に示された位置に対する各部材の**位置**	±20
断面寸法	柱・梁・壁の**断面寸法**、スラブの厚さ	0〜+20
	基礎の断面寸法	0〜+50

③ ○ ビニル床シート、樹脂塗床など、**仕上げが極めて薄く**、下地の良好な表面状態が必要な場合、下地となるコンクリート床面の仕上りの平坦さの標準値については、**3mにつき7mm以下**とする。

④ × スタッド溶接後のスタッドの傾きについては、**管理許容差3°以内（限界許容差5°以内）**である。なお、仕上り高さについては、管理許容差±1.5mm（限界許容差±2mm）である。

スタッド溶接後の仕上り高さと傾き

	管理許容差	限界許容差	測定方法
	$-1.5\text{mm} \leqq \Delta L \leqq +1.5\text{mm}$	$-2\text{mm} \leqq \Delta L \leqq +2\text{mm}$	スタッドが傾いている場合は、軸の中心でその軸長を測定する。
	$\theta \leqq 3°$	$\theta \leqq 5°$	

正解 4

建築施工の品質を確保するための管理値に関する記述として、最も不適当なものはどれか。

① 鉄骨柱据付け面となるベースモルタル天端の高さの管理許容差は、±3㎜とした。

② 硬質吹付けウレタンフォーム断熱材の吹付け厚さの許容差を、±5㎜とした。

③ 鉄骨梁の製品検査において、梁の長さの管理許容差は、±3㎜とした。

④ 化粧打放しコンクリート仕上げ壁面の仕上がり平坦さを、3mにつき7㎜以下とした。

解説 →テキスト 第4編 3-4

① ○ ベースモルタルの仕上面は、柱の建方前にレベル検査を行い、仕上面の高さの精度は管理許容差を±3㎜、限界許容差を±5㎜とする。

② × 吹付け硬質ウレタンフォーム断熱材の現場施工において、吹付け厚さの許容誤差は−0〜+10㎜で、マイナス（厚み不足）は認められない。なお、吹付け施工は、施工面に約5㎜以下の厚さで下吹きした後、層の厚さ30㎜以下で吹き付ける。総厚さが30㎜以上の場合には多層吹きとする。

③ ○ 鉄骨梁の製品検査において、梁の長さの管理許容差は±3㎜、限界許容差は±5㎜とする。

④ ○ コンクリートの仕上がりの平たんさは、打放し仕上げや塗装仕上げを行う壁面の場合、壁の長さ3mにつき7㎜以下となるように施工する。

コンクリートの内外装仕上げ	平たんさ（凹凸）	参考仕上げ	
		柱・壁	床
・仕上げ厚さが7㎜以上 ・下地の影響が小さい場合	1mにつき10㎜以下	・モルタル塗壁 ・胴縁下地	・モルタル塗床 ・二重床
・仕上げ厚さが7㎜未満 ・かなり良好な平たんさが必要	3mにつき10㎜以下	・吹付け ・セメントモルタルタイル張	・カーペット ・防水
・見えがかりとなる場合 ・仕上げがきわめて薄い ・良好な表面状態が必要な場合	**3mにつき7㎜以下**	・打放し ・塗装 ・壁紙張り	・樹脂塗床 ・ビニル系床材 ・直均し仕上げ

正解 **2**

MEMO

コンクリート工事における品質を確保するための管理値に関する記述として、最も不適当なものはどれか。

① 普通コンクリートの荷卸し地点における空気量の許容差は、±2.5％とした。

② 目標スランプフローが60cmの高流動コンクリートの荷卸し地点におけるスランプフローの許容差は、±10.0cmとした。

③ スランプ18cmの普通コンクリートの荷卸し地点におけるスランプの許容差は、±2.5cmとした。

④ 構造体コンクリートの部材の仕上りにおける柱、梁、壁の断面寸法の許容差は、0mm〜+15mmとした。

解説 .... →テキスト / 第4編 / 3-4

① ✕ コンクリートの空気量は、調合、練り混ぜてからの経過時間などによって変動する。荷卸し地点で指定した空気量に対する許容差は±1.5％である。

② ○ 高流動コンクリートの流動性はスランプフローで表し、45cm以上65cm以下とし、目標スランプフローが60cmの場合、±10cmの範囲にあるものを合格とする（JASS 5）。

③ ○ スランプ試験の許容差は以下の表のとおりとし、許容差を満足しない場合は、その旨を製造者に連絡するなどの対策を講じなければならない。

スランプの許容差（単位：cm）

スランプ	許容差
8以上18以下	±2.5
21	±1.5※

※ 呼び強度27以上で、高性能AE減水剤を使用する場合は±2とする。

④ ○ コンクリート部材の位置及び断面寸法の許容差は、特記がない場合は、次表を標準とする。柱・梁・壁の断面寸法の許容差は、0〜+20mmである（公共建築工事標準仕様書）。

項　目		許容差（mm）
位　置	設計図に示された位置に対する各部材の**位置**	±20
断面寸法	柱・梁・壁の**断面寸法**、スラブの厚さ	0〜+20
	基礎の断面寸法	0〜+50

正解 1

建築施工の品質を確保するための管理値に関する記述として、最も不適当なものはどれか。

① 鉄骨工事において、一般階の柱の階高寸法は、梁仕口上フランジ上面間で測り、その管理許容差は、±3mmとした。

② コンクリート工事において、ビニル床シート下地のコンクリート面の仕上がりの平坦さは、3mにつき7mm以下とした。

③ カーテンウォール工事において、プレキャストコンクリートカーテンウォール部材の取付け位置の寸法許容差のうち、目地の幅は、±5mmとした。

④ 断熱工事において、硬質吹付けウレタンフォーム断熱材の吹付け厚さの許容差は、±5mmとした。

解説 ・・・・・・・・・・・・・・・・・・・・・・・・・・・・・・・・・・ ➡テキスト 第4編 3-4

① ○ 柱の製品検査における**一般階の階高**は、梁仕口上フランジ上面間で測定し、**管理許容差は±3mm**、限界許容差は±5mmである。

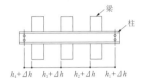

梁・柱

$h_4+\varDelta h$　$h_3+\varDelta h$　$h_2+\varDelta h$　$h_1+\varDelta h$

② ○ ビニル床シート、樹脂塗床など、**仕上げが極めて薄く**、下地の良好な表面状態が必要な場合、下地となるコンクリート床面の仕上りの平坦さの標準値については、**3mにつき7mm以下**とする。

③ ○ プレキャストコンクリート部材の取付け位置における、**目地幅の寸法許容差**は、特記のない限り±5mmとする。

④ × **吹付け硬質ウレタンフォーム**断熱材の現場施工において、吹付け厚さの許容誤差は0〜+10mmで、マイナス（厚み不足）は認められない。なお、吹付け施工は、施工面に約5mm以下の厚さで下吹きした後、層の厚さ30mm以下で吹き付ける。総厚さが30mm以上の場合には多層吹きとする。

正解 4

| 難易度 | 問題 403 | 品質管理（管理値） |

建築施工における品質管理に関する記述として、最も不適当なものはどれか。

① コンクリート工事において、コンクリート部材の設計図書に示された位置に対する各部材の位置の許容差は、±20mmとした。

② コンクリートの受入検査において、目標スランプフローが60cmの高流動コンクリートの荷卸し地点におけるスランプフローの許容差は、±10cmとした。

③ 鉄骨工事において、スタッド溶接後のスタッドの傾きの管理許容差は、3°以内とした。

④ 鉄骨梁の製品検査において、梁の長さの管理許容差は、±7.5mmとした。

解 説 ➡テキスト 第4編 3-4

① ○ コンクリート部材の**位置**及び**断面寸法**の許容差は、特記がない場合は、次表を標準とする。各部材の**位置の許容差**は±20mmである（公共建築工事標準仕様書）。

項　目		許容差（mm）
位　置	設計図に示された位置に対する各部材の**位置**	±20
断面寸法	柱・梁・壁の**断面寸法**、スラブの厚さ	0〜+20
	基礎の断面寸法	0〜+50

② ○ **高流動コンクリート**など、非常に流動性の高いコンクリートは、スランプに代わり**スランプフロー**を用いて管理する。その目標値は45cm以上65cm以下とし、目標スランプフローが**60cm**の場合、±10cmの範囲にあるものを合格とする。

③ ○ スタッド溶接後の**スタッドの傾き**については、**管理許容差3°以内（限界許容差5°以内）**である。なお、仕上り高さについては、管理許容差±1.5mm（限界許容差±2mm）である。

④ × 鉄骨梁の製品検査において、**梁の長さの管理許容差は±3mm**、限界許容差は±5mmとする。

正解 4

建築施工の品質を確保するための管理値に関する記述として、最も不適当なものはどれか。

① 鉄骨工事において、スタッド溶接後のスタッドの傾きの許容差は、5°以内とした。

② 構造体コンクリートの部材の仕上がりにおいて、柱、梁、壁の断面寸法の許容差は、0～+20mmとした。

③ 鉄骨梁の製品検査において、梁の長さの許容差は、±7mmとした。

④ コンクリート工事において、薄いビニル床シートの下地コンクリート面の仕上がりの平坦さは、3mにつき7mm以下とした。

解説 ➡テキスト 第4編 **3-4**

① ○ スタッド溶接後の**スタッドの傾き**については、**管理許容差3°以内**（限界許容差5°以内）である。なお、仕上り高さについては、管理許容差±1.5mm（限界許容差±2mm）である。

② ○ コンクリート部材の位置及び断面寸法の許容差は、特記がない場合は、次表を標準とする。したがって、柱、梁、壁の**断面寸法**の許容差は0～+20mmである（公共建築工事標準仕様書）。

項　目		許容差（mm）
位　置	設計図に示された位置に対する各部材の位置	±20
断面寸法	柱・梁・壁の**断面寸法**、スラブの厚さ	0～+20
	基礎の断面寸法	0～+50

③ × 鉄骨梁の製品検査において、**梁の長さ**の**管理許容差**は±3mm、限界許容差は±5mmとする。

④ ○ **ビニル床シート**、樹脂塗床など、仕上げが極めて薄く、下地の良好な表面状態が必要な場合、下地となるコンクリート床面の**仕上りの平坦さ**の標準値については、3mにつき7mm以下とする。

正解 3

問題 405　鉄筋（ガス圧接・検査）

難易度 **B** CHECK □□□

鉄筋のガス圧接継手の外観検査の結果、不合格となった圧接部の処置に関する記述として、最も不適当なものはどれか。

① 圧接部のふくらみの直径が規定値に満たない場合は、再加熱し圧力を加えて所定のふくらみに修正する。

② 圧接部のふくらみが著しい**つば**形の場合は、圧接部を切り取って再圧接する。

③ 圧接部における相互の鉄筋の偏心量が規定値を超えた場合は、再加熱し圧力を加えて偏心を修正する。

④ 圧接面のずれが規定値を超えた場合は、圧接部を切り取って再圧接する。

解説 ➡テキスト 第4編 **3-4**

　ガス圧接継手の外観検査により、圧接部の**ふくらみの径や長さ**が所定の形状になっていない場合、**再加熱**し、**圧力**を加えて修正する。**中心軸の偏心**や**圧接面のずれ**などが規定値を超える場合は、**切り取って再圧接**する。

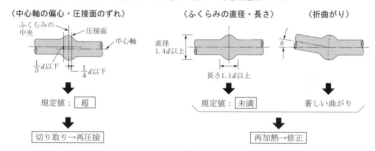

ガス圧接継手の外観

① ○ 圧接部の**ふくらみの直径や長さ**が規定値に満たない場合は、**再加熱し加圧**して所定のふくらみに修正する。

② ○ 圧接部のふくらみが**著しいつば形**である場合、著しい**たれ**、へこみ、**焼き割れ**が生じた場合は、圧接部を**切り取って再圧接**する。

③ × 圧接部における相互の鉄筋の**偏心量**が規定値を超えた場合は、圧接部を**切り取って再圧接**する。

④ ○ **圧接面のずれ**が規定値を超えた場合は、圧接部を**切り取って再圧接**する。

正解 **3**

鉄筋のガス圧接工事の試験及び検査に関する記述として、最も不適当なものはどれか。

① 外観検査は、圧接部のふくらみの直径及び長さ、鉄筋中心軸の偏心量、折曲がりなどについて行った。

② 超音波探傷試験における抜取検査ロットの大きさは、1組の作業班が1日に施工した圧接箇所とした。

③ 超音波探傷試験の抜取検査は、1検査ロットに対して無作為に3か所抽出して行った。

④ 超音波探傷試験による抜取検査で不合格となったロットについては、試験されていない残り全数に対して超音波探傷試験を行った。

解説　→テキスト／第4編／**3-4**

① ○ ガス圧接継手の外観検査は、圧接部の**ふくらみの直径**、**長さ**、**折曲がり**、中心軸や**圧接面のずれ**などについて行い、所定の形状になっていない場合、再加熱や切り取って**再圧接**などの修正を行う。

② ○ **超音波探傷試験**における**抜取検査ロット**の大きさは、1組の作業班が1日に施工した圧接箇所とする。

③ × ガス圧接継手の検査には「全数検査」と「抜取検査」があり、外観の全数検査を行い、その合格確認後に抜取検査を行う。この抜取検査の方法のうち、非破壊検査である「**超音波探傷試験**」は、1検査ロット（1組の作業班

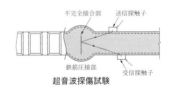

不完全接合部　　送信探触子
鉄筋圧接部
受信探触子
超音波探傷試験

が1日に施工した圧接箇所の数量）から、ランダムに**30カ所**を無作為に抜き取って検査を行う。

④ ○ 超音波探傷試験による抜取検査で**不合格となったロット**については、ロット全体が不合格となるので、試験されていない**残り全数**に対して超音波探傷試験を行って、個別の圧接箇所に対して判定する。

正解 3

難易度 **B** 問題 **407** CHECK ☑□□□ **鉄筋（ガス圧接・検査）**

鉄筋のガス圧接継手の外観検査の結果、不合格となった圧接部の処置に関する記述として、最も不適当なものはどれか。

① 圧接部のふくらみの直径や長さが規定値に満たない場合は、再加熱し加圧して所定のふくらみに修正する。

② 圧接部の折曲がりが規定値を超えた場合は、再加熱して折曲がりを修正する。

③ 圧接部における鉄筋中心軸の偏心量が規定値を超えた場合は、再加熱し加圧して偏心を修正する。

④ 圧接面のずれが規定値を超えた場合は、圧接部を切り取って再圧接する。

解説 ➡テキスト 第4編 **3-4**

ガス圧接継手の外観検査の結果は、圧接部の**ふくらみの径や長さ**が所定の形状になっていない場合、**再加熱し、圧力を加えて修正する**。**中心軸の偏心**や**圧接面のずれ**などが規定値を超える場合は、**切り取って再圧接する**。

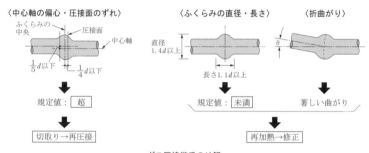

ガス圧接継手の外観

① ◯ 圧接部の**ふくらみの直径**や**長さ**が規定値に満たない場合は、**再加熱し加圧**して所定のふくらみに修正する。

② ◯ 圧接部の**折曲がり**が規定値を超えた場合は、**再加熱**して折曲がりを修正する。

③ ✕ 圧接部における相互の鉄筋の**偏心量**が規定値を超えた場合は、圧接部を**切り取って再**圧接する。

④ ◯ **圧接面のずれ**が規定値を超えた場合は、圧接部を**切り取って再圧接**する。

正解 3

普通コンクリートの試験及び検査に関する記述として、最も不適当なものはどれか。

① スランプ18cmのコンクリートの荷卸し地点におけるスランプの許容差は、±2.5cmとした。

② 1回の構造体コンクリート強度の判定に用いる供試体は、複数の運搬車のうちの1台から採取した試料により、3個作製した。

③ 構造体コンクリート強度の判定は、材齢28日までの平均気温が20℃であったため、工事現場における水中養生供試体の1回の試験結果が調合管理強度以上のものを合格とした。

④ 空気量4.5％のコンクリートの荷卸し地点における空気量の許容差は、±1.5％とした。

解説 ━━━━━━━━━━━━━━━━━━━ ➡テキスト / 第4編 / 3-4

① ○ **スランプ試験**の許容差は以下の表のとおりとし、許容差を満足しない場合は、その旨を製造者に連絡するなどの対策を講じなければならない。

スランプの許容差（単位：cm）

スランプ	許容差
8 以上18以下	±2.5
21	±1.5※

※ 呼び強度27以上で、高性能AE減水剤を使用する場合は±2とする。

② ✕ 普通コンクリートにおける「**構造体コンクリートの圧縮強度の検査**」は、打込み日ごと、打込み区画ごと、かつ、1日の計画打込み量が150㎥を超える場合には、150㎥以下にほぼ均等に分割

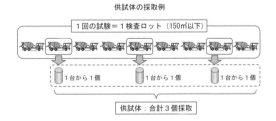

供試体の採取例

1回の試験＝1検査ロット（150㎥以下）

1台から1個　1台から1個　1台から1個

供試体：合計3個採取

した単位ごとに1回の検査とする。この1回の検査（1検査ロット）は、適当な間隔をあけた**任意の3台**の運搬車から**各1個**ずつ、**合計3個**の供試体を採取するものとする（JASS 5）。

③ ◯ 普通コンクリートにおける「**構造体コンクリートの圧縮強度の検査**」の判定基準において、材齢28日までの平均気温が20℃以上の場合、工事現場における水中養生供試体の1回の試験結果が**調合管理強度以上**のものを合格とする。なお、**標準養生**の供試体を用いた場合も、1回の試験における**3個**の供試体の圧縮強度の平均値が、**調合管理強度以上**で合格となる（JASS 5）。

構造体コンクリートの圧縮強度の検査の判定基準

供試体の養生方法	試験材齢		判定基準
標準養生	28日		$X ≧$調合管理強度
現場水中養生	28日	平均気温20℃以上	
		平均気温20℃未満	$X ≧$品質基準強度＋3N/㎟
現場封かん養生	28日超91日以内		

X：材齢日における1回の試験（3個の供試体）の圧縮強度の平均値（N/㎟）

④ ◯ コンクリートの**空気量**は、調合、練り混ぜてからの経過時間などによって変動する。荷卸し地点で指定した空気量に対する許容差は±1.5％である。

正解 **2**

鉄筋コンクリート工事における試験及び検査に関する記述として、最も不適当なものはどれか。

① スランプ18cmのコンクリートの荷卸し地点におけるスランプの許容差は、±2.5cmとした。

② 鉄筋圧接部における超音波探傷試験による抜取検査で不合格となったロットについては、試験されていない残り全数に対して超音波探傷試験を行った。

③ 鉄筋圧接部における鉄筋中心軸の偏心量が規定値を超えたため、再加熱し加圧して偏心を修正した。

④ 空気量4.5％のコンクリートの荷卸し地点における空気量の許容差は、±1.5％とした。

解説 ・・・ →テキスト 第4編 3-4

① ○ **スランプ試験**の許容差は下表のとおりとし、許容差を満足しない場合は、その旨を製造者に連絡するなどの対策を講じなければならない。

スランプの許容差（単位：cm）

スランプ	許容差
8以上18以下	±2.5
21	±1.5※

※ 呼び強度27以上で、高性能AE減水剤を使用する場合は±2とする。

② ○ **超音波探傷試験**による抜取検査で不合格となったロットについては、ロット全体が不合格となるので、試験されていない**残り全数**に対して超音波探傷試験を行って、個別の圧接箇所に対して判定する。

③ × 圧接部における相互の鉄筋の**偏心量**が規定値を超えた場合は、圧接部を**切り取って再圧接**する。

④ ○ コンクリートの**空気量**は、調合、練り混ぜてからの経過時間などによって変動する。荷卸し地点で指定した空気量に対する許容差は±1.5％である。

正解 3

タイル張り（試験）

壁面のセラミック質タイル張り工事における試験に関する記述として、最も不適当なものはどれか。

① 有機系接着剤によるタイル後張り工法において、引張接着試験は、タイル張り施工後、2週間経過してから行った。

② セメントモルタルによるタイル後張り工法において、引張接着試験に先立ち、試験体周辺部をコンクリート面まで切断した。

③ 引張接着試験の試験体の個数は、300㎡ごと及びその端数につき1個以上とした。

④ 二丁掛けタイルの引張接着試験の試験体は、タイルを小口平の大きさに切断して行った。

解説 →テキスト 第4編 3-5

① ○ 有機系接着剤によるタイル後張り工法における引張接着試験は、タイル張り施工後、2週間以上経過してから行うのが一般的である。これはセメントモルタルによるタイル後張りの場合でも同じである。

② ○ セメントモルタルによるタイル後張り工法において、引張接着試験に先立ち、試験体周辺部をコンクリート面まで切断する。これは、タイルのはく落がモルタルとコンクリートの界面からはく落することが多いので、この部分まで試験するためである。

③ ✕ 引張接着試験の試験体の個数は、100㎡ごと及びその端数につき1個以上、全体で3個以上とする。

④ ○ 試験機のアタッチメントの大きさはタイルの大きさを標準とする。ただし、二丁掛タイルなど小口タイルより大きなタイルの場合は、力のかかり方が局部に集中し、正しい結果が得られないことがあるので、タイルを小口平タイル程度の大きさに切断して試験を行う。

正解 3

壁面のセラミック質タイル張り工事における試験に関する記述として、最も不適当なものはどれか。

① 引張接着試験の試験体の個数は、300㎡ごと及びその端数につき1個以上とした。

② 接着剤張りのタイルと接着剤の接着状況の確認は、タイル張り直後にタイルをはがして行った。

③ セメントモルタル張りの引張接着試験は、タイル張り施工後、2週間経過してから行った。

④ 二丁掛けタイル張りの引張接着試験は、タイルを小口平の大きさに切断した試験体で行った。

解説 ➡テキスト 第4編 **3-5**

① ✕ **引張接着試験**の試験体の個数は、**100㎡ごと及びその端数につき1個以上**、全体で**3個以上**とする。

② 〇 **接着剤張り**のタイルと接着剤の**接着状況**の確認は、タイル張り直後にタイルをはがして行い、タイル裏面への接着剤の**接着率が60%以上**、かつ、タイル全面に**均等**に接着していれば合格とする（JASS 19）。

③ 〇 セメントモルタルによるタイル後張り工法における**引張接着試験**は、タイル張り施工後、**2週間以上**経過してから行うのが一般的である。これは有機系接着剤の場合でも同じである。

④ 〇 試験機のアタッチメントの大きさはタイルの大きさを標準とする。ただし、二丁掛タイルなど小口タイルより大きなタイルの場合は、力のかかり方が局部に集中し、正しい結果が得られないことがあるので、タイルを小口平**タイル程度の大きさに切断**して試験を行う。

正解 **1**

仕上工事（試験・検査）

仕上工事における試験及び検査に関する記述として、最も不適当なものはどれか。

① 工場塗装において、鉄鋼面のさび止め塗装の塗膜厚の確認は、硬化乾燥後に電磁膜厚計を用いて行った。

② アスファルト防水工事において、下地コンクリートの乾燥状態の確認は、高周波水分計を用いて行った。

③ タイル張り工事において、タイルの浮きの打音検査は、リバウンドハンマー（シュミットハンマー）を用いて行った。

④ 室内空気中に含まれるホルムアルデヒドの濃度測定は、パッシブ型採取機器を用いて行った。

解説 ──────────────────── → テキスト 第4編 3-5

① ○ 錆止め塗装は、塗付け量又は塗膜厚が防錆性能に大きく影響するため、**工場塗装**の場合、**電磁膜厚計**等による**膜厚測定**による確認を標準とする。

② ○ アスファルト防水工事における下地コンクリートの**乾燥状態**に対する試験方法は、**❶高周波水分計**による**含水率**測定、**❷**下地を**不透膜**で覆って一昼夜後の結露水を見る方法、**❸**コンクリートの打設後の経過**日数**による方法などがある（JASS 8）。

③ ✕ タイルの浮きの**打音検査**は、**打診用ハンマー（テストハンマー）**を用いて行う。**リバウンドハンマー（シュミットハンマー）**はコンクリートの**圧縮強度**を推定するための装置である。

タイル用テストハンマー

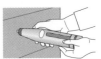

リバウンドハンマー

④ ○ **パッシブ法**及び**アクティブ法**は**精密測定法**と呼ばれ、厚生労働省が定める室内空気汚染物質の標準的測定方法である。**パッシブ法**はパッシブ型採取機器により捕集剤を対象室内空気に**24時間暴露**し、吸引ポンプを用いずに空気中の分子拡散を利用して、化学物質を捕集する方法である。**アクティブ法**は、吸引ポンプの吸引口に吸着剤を充填した捕集管を取り付け、空気を**30分間吸引**することで、化学物質を捕集する方法である（シックハウス対策マニュアル）。

正解 3

仕上げ工事における試験及び検査に関する記述として、最も不適当なものはどれか。

① アルミニウム製外壁パネルの陽極酸化皮膜の厚さの測定は、渦電流式測定器を用いて行った。

② 室内空気中に含まれるホルムアルデヒドの濃度測定は、パッシブ型採取機器を用いて行った。

③ 現場搬入時の造作用針葉樹製材の含水率は、15%以下であることを出荷証明書により確認した。

④ 塗装素地のモルタル面のアルカリ度は、pHコンパレータを用いて塗装直前にpH12以下であることを確認した。

解説 ································· ➜テキスト / 第4編 3-5

① 〇 陽極酸化皮膜厚さ試験は、**渦電流式測定法**又は顕微鏡断面測定法等により、平均皮膜厚さ（μm）の測定を行う。複合皮膜の試験片は、陽極酸化皮膜に損傷を与えない方法で塗膜を除去してよい（JIS Z 2381、建築工事監理指針）。

② 〇 パッシブ法、及びアクティブ法は**精密測定法**と呼ばれ、厚生労働省の**ホルムアルデヒド**などの室内空気汚染物質の標準的測定方法である。
パッシブ法は、パッシブ型採取機器により捕集剤を対象室内空気に**24時間暴露**し、吸引ポンプを用いずに空気中の分子拡散を利用して、化学物質を捕集する方法である。**アクティブ法**は、吸引ポンプの吸引口に吸着剤を充填した捕集管を取り付け、空気を**30分間吸引**することで、化学物質を捕集する方法である（シックハウス対策マニュアル）。

③ 〇 現場における搬入した木材の**含水率**は、造作材・下地材においては、特記がなければ**15%以下**であることを、出荷証明書により確認する。

④ ✕ アルカリ性が高い状態の下地に塗装すると、塗膜の変色やエフロレッセンスなどが生じる可能性があるため、一般にセメント系下地の**pHは9以下**が望ましく、測定には**pHコンパレーター**やリトマス試験紙などを使用する（新しい塗装の知識）。

正解 **4**

MEMO

仕上工事における試験及び検査に関する記述として、不適当なものを2つ選べ。

① 防水形仕上塗材仕上げの塗厚の確認は、単位面積当たりの使用量を基に行った。

② シーリング材の接着性試験は、同一種類のものであっても、製造所ごとに行った。

③ 室内空気中に含まれるホルムアルデヒドの濃度測定は、パッシブサンプラを用いて行った。

④ アスファルト防水下地となるコンクリート面の乾燥状態の確認は、渦電流式測定計を用いて行った。

⑤ 壁タイルの浮きの打音検査は、リバウンドハンマー（シュミットハンマー）を用いて行った。

解説 ・・・ ➡テキスト 第4編 **3-5**

① ◯ 防水形仕上塗材の場合、塗厚の確保が防水等の性能に影響するため、**単位面積当たり**の仕上塗材の使用質量の確認を行う（建築工事監理指針）。

② ◯ シーリング材は、同一種類のものであってもシーリング材の**製造所**ごとにその組成が異なっていて、被着体との組合せによっては、接着性能に問題がおこる場合がある。そのため、接着性試験は、同一種類のものであっても、**製造所**ごとに行う。

③ ◯ パッシブ法、及びアクティブ法は精密測定法と呼ばれ、厚生労働省のホルムアルデヒドなどの室内空気汚染物質の標準的測定方法である。**パッシブ法**は、パッシブ型採取機器により捕集剤を対象室内空気に**24時間暴露**し、吸引ポンプを用いずに空気中の分子拡散を利用して、化学物質を捕集する方法である。アクティブ法は、吸引ポンプの吸引口に吸着剤を充填した捕集管を取り付け、空気を**30分間吸引**することで、化学物質を捕集する方法である（シックハウス対策マニュアル）。

④ **✕** **渦電流式測定法**は、アルミニウム製建具の陽極酸化皮膜厚さ試験に使われ、平均皮膜厚さ（μm）の測定を行う（JISZ2381）。コンクリートの乾燥状態に対する試験方法は、❶高周波水分計による含水率測定、❷下地を不透膜で覆って一昼夜後の結露水を見る方法、❸コンクリートの打設後の経過日数による方法などがある（JASS 8）。

⑤ **✕** タイルの浮きの打音検査は、**打診用ハンマー**（テストハンマー）を用いて行う。**リバウンドハンマー（シュミットハンマー）**はコンクリートの**圧縮強度**を推定するための装置である。

タイル用テストハンマー

リバウンドハンマー

正解 **4、5**

解体工事における振動・騒音対策に関する記述として、最も不適当なものはどれか。

① 現場の周辺地域における許容騒音レベルの範囲内に騒音を抑えるために、外部足場に防音養生パネルを設置した。

② 振動対策として、壁などを転倒解体する際に、床部分に、先行した解体工事で発生したガラを敷きクッション材として利用した。

③ 内部スパン周りを先に解体し、外周スパンを最後まで残すことにより、解体する予定の構造物を遮音壁として利用した。

④ 測定器の指示値が周期的に変動したため、変動ごとに指示値の最大値と最小値の平均を求め、そのなかの最大の値を振動レベルとした。

解説 ──────────────────────── →テキスト 第4編 3-6

① ○ 現場の周辺地域における騒音は**騒音規制法**の基準値（**許容騒音レベル**）範囲内に抑える必要がある。騒音・粉じん対策のため、**防音パネル**や**防音シート**等を足場等を利用して建物外周部に隙間なく設ける（建築物解体工事共通仕様書・同解説）。

② ○ 躯体を**転倒解体**する際に、転倒体が転倒する位置の床部分に、先行した解体工事で発生したガラや鉄筋ダンゴ等の**クッション材**を設置する。

③ ○ 中央部のスパンを先に解体し、**外周スパンを残す**ように解体すると、外部への**飛散物の防止**に有効であるとともに、外周躯体を遮音壁として利用することとなり、**騒音拡散の防止**に有効である（鉄筋コンクリート造建築物等の解体工事施工指針・解説）。

④ × 測定器の指示値が**周期的又は間欠的**に変動し、その指示値が概ね一定の場合には、変動ごとの指示値の**最大値の平均値**を振動値とする（同上）。

正解 4

難易度 **B** 問題 **416** **解体工事（振動・騒音）** 品質管理 R2-63

鉄筋コンクリート造建築物の解体工事における振動、騒音対策に関する記述として、最も不適当なものはどれか。

① 内部スパン周りを先に解体し、外周スパンを最後まで残すことにより、解体する予定の躯体を防音壁として利用した。

② 周辺環境保全に配慮し、振動や騒音が抑えられるコンクリートカッターを用いる切断工法とした。

③ 振動レベルの測定器の指示値が周期的に変動したため、変動ごとに指示値の最大値と最小値の平均を求め、そのなかの最大の値を振動レベルとした。

④ 転倒工法による壁の解体工事において、先行した解体工事で発生したガラは、転倒する位置に敷くクッション材として利用した。

解 説 .... →テキスト 第4編 3-6

① ○ 中央部のスパンを先に解体し、**外周スパンを残す**ように解体すると、外部への飛散物の**防止**に有効であるとともに、外周躯体を遮音壁として利用することとなり、**騒音拡散の防止**に有効である（鉄筋コンクリート造建築物等の解体工事施工指針・解説）。

② ○ **コンクリートカッター**は、ブレードで柱、梁、床、壁を適当な大きさに**切断**し、**部材解体や縁切り等**に用いる（コンクリート工作物解体工事の作業指針）。**振動と粉じんがほとんど発生せず**、**騒音**は高周波の音が発生するものの、防音シート等で比較的容易に**遮音できる**工法である（建築物解体工事共通仕様書・同解説）。

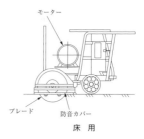
モーター
ブレード
防音カバー
床 用

③ × 振動測定器の指示値が**周期的又は間欠的**に変動し、その指示値が概ね一定の場合には、変動ごとの指示値の**最大値の平均値**を振動値とする。なお、**不規則かつ大幅に変動**する場合は、**80％レンジの上端値**を振動値とする（鉄筋コンクリート造建築物等の解体工事施工指針・解説）。

④ ○ 躯体を**転倒解体**する際に、転倒体が転倒する位置の床部分に、先行した解体工事で発生したガラや鉄筋ダンゴ等の**クッション材**を設置する。

正解 **3**

鉄筋コンクリート造建築物の解体工事における振動対策及び騒音対策に関する記述として、最も不適当なものはどれか。

① 壁等を転倒解体する際の振動対策として、先行した解体作業で発生したガラを床部分に敷き、クッション材として利用した。

② 振動レベルの測定器の指示値が周期的に変動したため、変動ごとの指示値の最大値と最小値の平均を求め、そのなかの最大の値を振動レベルとした。

③ 振動ピックアップの設置場所は、緩衝物がなく、かつ、十分踏み固めた堅い場所に設定した。

④ 周辺環境保全に配慮し、振動や騒音が抑えられるコンクリートカッターを用いる切断工法を採用した。

解説 →テキスト／第4編／**3-6**

① ○ 躯体を**転倒解体**する際に、転倒体が転倒する位置の床部分に、先行した解体工事で発生したガラや鉄筋ダンゴ等の**クッション材**を設置する。

② ✕ 振動測定器の指示値が**周期的又は間欠的に変動**し、その**指示値が概ね一定**の場合には、**変動ごとの指示値の最大値の平均値を振動値**とする。なお、**不規則かつ大幅に変動**する場合は、**80%レンジの上端値を振動値**とする（鉄筋コンクリート造建築物等の解体工事施工指針・解説）。

③ ○ 振動ピックアップの設置場所は、緩衝物がなく、かつ、十分踏み固めた堅い場所で、傾斜及び凹凸がない水平面を確保できる場所に設定する（振動規制法施行規則）。

④ ○ **コンクリートカッター**は、ブレードで柱、梁、床、壁を適当な大きさに切断し、**部材解体や縁切り**等に用いる（コンクリート工作物解体工事の作業指針）。振動と粉じんがほとんど発生せず、騒音は高周波の音が発生するものの、防音シート等で比較的容易に遮音できる工法である（建築物解体工事共通仕様書・同解説）。

正解 2

難易度 **B** 問題 **418**
CHECK ☑ □ □

労働災害

労働災害に関する記述として、最も**不適当なもの**はどれか。

① 労働損失日数は、一時全労働不能の場合、暦日による休業日数に$\frac{300}{365}$を乗じて算出する。

② 度数率は、災害発生の頻度を表すもので、100万延べ実労働時間当たりの延べ労働損失日数を示す。

③ 年千人率は、労働者1,000人当たりの1年間の死傷者数を示す。

④ 一般に重大災害とは、一時に3名以上の労働者が死傷又は罹病した災害をいう。

解 説 ・・・ ➡テキスト 第4編 **4-1**

① ○ **労働損失日数**は、**一時全労働不能**の場合、暦日による休業日数に$\frac{300}{365}$を乗じて算出する。

② ✕ **度数率**とは、100万延べ実労働時間当たりの労働災害による**死傷者数**で、災害発生の**頻度**を表す。ただし、度数率は休業1日以上及び身体の一部又は機能を失う労働災害による死傷者数に限定して算出する。

$$度数率 = \frac{労働災害による死傷者数}{延べ実労働時間数} \times 1,000,000$$

なお、**強度率**は、1,000延べ実労働時間当たりの延べ労働損失日数をもって、災害の**重さの程度**を表したものである。統計をとった期間中に発生した労働災害による延べ労働損失日数を同じ期間中の全労働者の延べ実労働時間数で割り、それに1,000を掛けた数値で表す。

$$強度率 = \frac{延べ労働損失日数}{延べ実労働時間数} \times 1,000$$

③ ○ **年千人率**は、1年間の労働者1,000人**当たり**に発生した死傷者数を示すものである。

$$年千人率 = \frac{1年間の死傷者数}{1年間の平均労働者数} \times 1,000$$

④ ○ **重大災害**とは、一時に3名以上の労働者が死傷又は罹病した災害をいう。

正解 **2**

次に示すイ～ニの災害を、平成28年の建築工事における死亡災害の発生件数の多い順から並べた組合せとして、適当なものはどれか。

（災害の種類）

イ．建設機械等による災害

ロ．墜落による災害

ハ．電気、爆発火災等による災害

ニ．飛来、落下による災害

① イロニハ

② ロイニハ

③ イハロニ

④ ロハイニ

解説 ・・・ → テキスト｜第4編｜4-1

　平成30年の死亡災害発生状況は「墜落・転落」→「交通事故（道路）」→「はさまれ・巻き込まれ」→「激突され」→「崩壊・倒壊」→「飛来・落下」の順である。交通事故を除くと**「墜落・転落」**及び**建設機械等による「はさまれ・巻き込まれ」「激突され」**が上位を占め**「崩壊・倒壊」**がそれに次ぐ。「感電」や「爆発」は多くはない。

　この状況は例年大きな変化はなく、受験対策上は、まず「墜落・転落」（ロ.）が最多になっている②と④に絞り込む。次に「建設機械による災害」（イ.）、「飛来・落下」（ニ.）が上位にあり、「電気、爆発火災」（ハ.）が下位にある②に絞り込むのが得策である。

正解 **2**

| 難易度 B | 問題 420 | 労働災害 | 安全管理 R1-64 |

労働災害に関する記述として、最も不適当なものはどれか。

① 一般に重大災害とは、一時に3名以上の労働者が死傷又は罹病した災害をいう。

② 年千人率は、1,000人当たりの年間に発生した死傷者数で表すもので、災害発生の頻度を示す。

③ 労働損失日数は、死亡及び永久全労働不能の場合、1件につき5,000日としている。

④ 強度率は、1,000延労働時間当たりの労働損失日数で表すもので、災害の重さの程度を示す。

解説 ━━━━━━━━━━━━━━━━━━━━━━→ テキスト / 第4編 / 4-1

① ○ **重大災害**とは、一時に**3名以上**の労働者が死傷又は罹病した災害をいう。

② ○ **年千人率**は、**1年間**の労働者**1,000人当たり**に発生した**死傷者数**を示すものである。

$$年千人率 = \frac{1年間の死傷者数}{1年間の平均労働者数} \times 1,000$$

③ × **労働損失日数**は次の基準により算出する。

・死亡・永久全労働不能…**7,500日**
・永久一部労働不能………身体障がい等級に応じて**50〜5,500日**
・一時労働不能……………暦日の休業日数に$\frac{300}{365}$を乗じた日数

④ ○ **強度率**は、1,000延べ実労働時間当たりの延べ労働損失日数をもって、災害の重さの程度を表したものである。統計をとった期間中に発生した労働災害による延べ労働損失日数を同じ期間中の全労働者の延べ実労働時間数で割り、それに1,000を掛けた数値で表す。

$$強度率 = \frac{延べ労働損失日数}{延べ実労働時間数} \times 1,000$$

なお、**度数率**とは、100万延べ実労働時間当たりの労働災害による**死傷者数**で、災害発生の**頻度**を表す。ただし、度数率は休業1日以上及び身体の一部又は機能を失う労働災害による死傷者数に限定して算出する。

$$度数率 = \frac{労働災害による死傷者数}{延べ実労働時間数} \times 1,000,000$$

正解 3

521

労働災害に関する記述として、最も不適当なものはどれか。

① 労働損失日数は、一時労働不能の場合、暦日による休業日数に300/365を乗じて算出する。

② 労働災害における労働者とは、所定の事業又は事務所に使用される者で、賃金を支払われる者をいう。

③ 度数率は、災害発生の頻度を表すもので、100万延べ実労働時間当たりの延べ労働損失日数を示す。

④ 永久一部労働不能で労働基準監督署から障がい等級が認定された場合、労働損失日数は、その等級ごとに定められた日数となる。

解 説 ⋯⋯⋯⋯⋯⋯⋯⋯⋯⋯⋯⋯⋯⋯⋯⋯⋯⋯ ➡テキスト 第4編 **4-1**

① ◯ 労働損失日数は次の基準により算出する。
- 死亡・永久全労働不能…7,500日
- 永久一部労働不能………身体障がい等級に応じて50～5,500日
- 一時労働不能……………暦日の休業日数に$\frac{300}{365}$を乗じた日数

② ◯ 労働者とは、所定の事業又は事務所に使用される者で、賃金を支払われる者をいう。

③ ✕ 度数率とは、100万延べ実労働時間当たりの労働災害による死傷者数で、災害発生の頻度を表す。ただし、度数率は休業1日以上及び身体の一部又は機能を失う労働災害による死傷者数に限定して算出する。

$$度数率 = \frac{労働災害による死傷者数}{延べ実労働時間数} \times 1,000,000$$

④ ◯ 労働損失日数は次の基準により算出する。
- 死亡・永久全労働不能…7,500日
- 永久一部労働不能………身体障がい等級に応じて50～5,500日
- 一時労働不能……………暦日の休業日数に$\frac{300}{365}$を乗じた日数

正解 **3**

労働災害

労働災害に関する記述として、最も不適当なものはどれか。

① 労働災害における労働者とは、事業又は事務所に使用される者で、賃金を支払われる者をいう。

② 労働災害の重さの程度を示す強度率は、1,000延労働時間当たりの労働損失日数の割合で表す。

③ 労働災害における重大災害とは、一時に3名以上の労働者が業務上死傷又は罹病した災害をいう。

④ 労働災害には、労働者の災害だけでなく、物的災害も含まれる。

解説 .... → テキスト 第4編 4-1

① ○ **労働者**とは、所定の事業又は事務所に**使用される者**で、賃金を支払われる者をいう。

② ○ **強度率**は、1,000**延べ実労働時間**当たりの延べ労働損失日数をもって、**災害の重さの程度**を表したものである。統計をとった期間中に発生した労働災害による延べ労働損失日数を同じ期間中の全労働者の延べ実労働時間数で割り、それに1,000を掛けた数値で表す。

$$強度率 = \frac{延べ労働損失日数}{延べ実労働時間数} \times 1{,}000$$

なお、**度数率**とは、100万**延べ実労働時間**当たりの労働災害による**死傷者数**で、災害発生の頻度を表す。ただし、度数率は休業1日以上及び身体の一部又は機能を失う労働災害による死傷者数に限定して算出する。

$$度数率 = \frac{労働災害による死傷者数}{延べ実労働時間数} \times 1{,}000{,}000$$

③ ○ **重大災害**とは、一時に3名以上の労働者が死傷又は罹病した災害をいう。

④ × **労働災害**とは、**労働者**が業務遂行中に業務に起因して受けた業務上の災害のことで、業務上の**負傷**、業務上の**疾病**及び**死亡**をいう。物的災害は**含まれない**。

正解 **4**

市街地の建築工事における公衆災害防止対策に関する記述として、最も不適当なものはどれか。

① 歩行者が多い箇所であったため、歩行者が安全に通行できるよう、車道とは別に幅1.5mの歩行者用通路を確保した。

② 道路の通行を制限する必要があり、制限後の車線が2車線となるので、その車道幅員を5.5mとした。

③ 建築工事を行う部分の地盤面からの高さが20mなので、防護棚を2段設置した。

④ 防護棚は、外部足場の外側から水平距離で2m突き出し、水平面となす角度を15度とした。

解 説 ⟶ テキスト／第4編 **4-2**

① ○　歩行者の通行を制限する必要がある場合、歩行者が安全に通行できるよう、車道とは別に**幅0.9m以上**、有効**高さ2.1m以上**の**歩行者用通路**を確保しなければならず、特に**歩行者の多い箇所**においては**幅1.5m以上**とし、交通誘導警備員を配置する等、適切に歩行者を誘導しなければならない。

② ○　一般交通や通行を制限する必要のある場合、**道路管理者**及び**警察署長**の指示に従い、次を標準とする。
  ❶ 制限後の道路車線の幅員は、**1車線の場合は3m以上**、**2車線の場合は5.5m以上**とする。
  ❷ 制限後の道路車線が1車線となり、往復の**交互交通**にする場合、制限区間はできる限り短くし、交通渋滞しないよう、原則として**交通誘導警備員**を配置する。

③ ○　**防護棚**は、工事等を行う部分が地盤面からの高さが10m以上の場合にあっては1段、20m以上の場合にあっては2段以上設ける。

④ ✕　**防護棚は水平距離で2m以上突出させ、水平面となす角度を20度以上**とする。

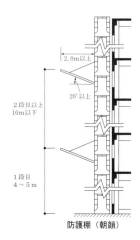

防護棚（朝顔）

正解 4

B

市街地の建築工事における公衆災害防止対策に関する記述として、最も不適当なものはどれか。

① 工事現場内の表土がむきだしになることによる土埃の発生のおそれがあるため、十分散水し、シートで覆いをかけた。

② 落下物による危害を防止するため、道路管理者及び所轄警察署長の許可を受けて、防護棚を道路上空に設けた。

③ 工事現場の境界に接している荷受け構台には、落下物による危害を防止するために手すりを設けたので、幅木は省略した。

④ 落下物による危害を防止するために足場の外側に設けた工事用シートは、日本産業規格（JIS）で定められた建築工事用シートの1類を使用した。

解説 ➡テキスト 第4編 **4-2**

① ○ 粉じん発生や工事現場内の表土がむきだしになることによる**土埃**の発生のおそれがある場合には、発生源を**散水**などにより湿潤な状態に保つ、**シート・パ**ネルなどによる発生源の囲い込みや覆い等、粉じんの発散を防止するための措置を講じなければならない（建設工事公衆災害防止対策要綱の解説）。

② ○ 道路上に**防護構台**を設置する場合や**防護棚**を道路上空に設ける場合には、**道路管理者**及び所轄**警察署長**の許可を受けなければならない。

③ × **荷受け構台**が作業場の境界に近接している場合には、構台の周辺に手すりと幅木を設ける等、**落下物**による危害を防止するための設備を設けなければならない。したがって、幅木を省略することは不適当である。

④ ○ **工事用シート**は、一般に工事中の上部から落下物等による危害を防止するために足場の外側に張るが、**日本産業規格（JIS）**及び仮設工業会の認定基準で定められた品質を満足しているものを使用する（JASS 2）。落下物による危険防止のためには、1類はシートのみで足りるが、2類は金網が必要である。

正解 3

公衆災害防止対策

市街地の建築工事における公衆災害防止対策に関する記述として、最も不適当なものはどれか。

① 高さ10mの鉄骨造2階建の建築工事を行うため、工事現場周囲に高さ3mの鋼板製仮囲いを設置した。

② 建築工事を行う部分の高さが地盤面から20mのため、防護棚を2段設置した。

③ 外部足場に設置した防護棚は、水平面となす角度を20度とし、はね出し長さは建築物の外壁面から水平距離で2mとした。

④ 外部足場に設置した工事用シートは、シート周囲を35cmの間隔で、すき間やたるみが生じないように緊結した。

解 説 .... →テキスト 第4編 4-2

① ○ 木造の建築物で高さが13mもしくは軒の高さが9mを超えるもの、木造以外の建築物で2階建て以上のものの工事を行う場合は、工事期間中、原則として作業場の周辺にその地盤面からの高さが1.8m（特に必要がある場合は3m）以上の板べいその他これに類する工事期間に見合った耐久性のある仮囲いを設けなければならない（建設工事公衆災害防止対策要綱）。

② ○ **防護棚**は、工事等を行う部分が地盤面からの高さが10m以上の場合にあっては1段、20m以上の場合にあっては2段以上設ける。

③ × **防護棚**は外部足場から**水平距離で2m以上**突出させ、水平面となす角度を**20度以上**とする。したがって、「外壁面から水平距離で2m」では不適当である。

④ ○ 工事現場からの**飛来・落下物**により、工事現場周辺の通行人や隣家への危害を防止するために、足場の外側面に**工事用シート**、ネットフレーム等を取り付ける。シートは、足場に水平材を垂直方向5.5m以下ごとに設け、シートの周囲を**35〜45cm以下**の間隔で、隙間やたるみがないように足場に緊結する（建築工事監理指針）。

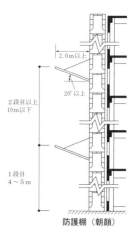

防護棚（朝顔）

正解 **3**

難易度 B 問題 426 公衆災害防止対策

市街地の建築工事における公衆災害防止対策に関する記述として、最も不適当なものはどれか。

① 工事現場周囲の道路に傾斜があったため、高さ3mの鋼板製仮囲いの下端は、隙間を土台コンクリートで塞いだ。

② 飛来落下物による歩行者への危害防止等のために設置した歩道防護構台は、構台上で雨水処理し、安全のために照明を設置した。

③ 鉄筋コンクリート造の建物解体工事において、防音と落下物防護のため、足場の外側面に防音パネルを設置した。

④ 外部足場に設置した防護棚の敷板は、厚さ1.6mmの鉄板を用い、敷板どうしの隙間は3cm以下とした。

解説 →テキスト 第4編 4-2

① 〇 **仮囲い下部の隙間**は、背面に幅木を取り付けたり、**土台コンクリート**を打設して塞ぐが、道路に傾斜がある場合は、土台コンクリートを階段状に打設して、隙間が生じないようにする（建築施工計画実践テキストⅠ）。

② 〇 **防護構台**は、歩道上の歩行者を飛来落下物から保護し、安全を確保するために設置する。**雨水などは構台上で処理**し、水が歩行者にかからないようにする。また、歩行の安全のために**照明**を設ける（同上）。

③ 〇 建築物解体工事においては、**騒音・粉じん対策**として、**防音パネル**等を建物外周部に隙間なく設ける。また、防音パネル等は、**物体の飛散及び落下防止**に対する養生として、第三者への災害防止が図れる（建築物解体工事共通仕様書・同解説）。

④ ✕ 外部足場に設置する**防護棚**における**敷板**は、**隙間がないもの**で、十分な耐力を有する適正な厚さである必要がある。一般に、厚さ1.6mmの鉄板が敷板として用いられる（建設工事公衆災害防止対策要綱、建築工事監理指針）。

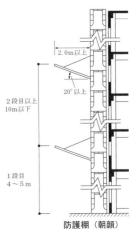

2.0m以上
20°以上
2段目以上
10m以下
1段目
4〜5m

防護棚（朝顔）

正解 4

市街地の建築工事における災害防止対策に関する記述として、最も不適当なものはどれか。

① 外部足場に設置した工事用シートは、シート周囲を35cmの間隔で、隙間やたるみが生じないように緊結した。

② 歩行者が多い箇所であったため、歩行者が安全に通行できるよう、車道とは別に幅1.5mの歩行者用通路を確保した。

③ 防護棚は、外部足場の外側からのはね出し長さを水平距離で2mとし、水平面となす角度を15°とした。

④ 飛来落下災害防止のため、鉄骨躯体の外側に設置する垂直ネットは、日本産業規格（JIS）に適合した網目寸法15mmのものを使用した。

解説 ➡テキスト 第4編 4-2

① ○ 工事現場からの**飛来・落下物**により、工事現場周辺の通行人や隣家への危害を防止するために、足場の外側面に**工事用シート**、ネットフレーム等を取り付ける。シートは、足場に水平材を垂直方向5.5m以下ごとに設け、シートの周囲を35～45cm以下の間隔で、隙間やたるみがないように足場に緊結する（建築工事監理指針）。

② ○ 歩行者の通行を制限する必要がある場合、歩行者が安全に通行できるよう車道とは別に、**幅0.90m以上、有効高さ2.1m以上の歩行者用通路**を確保しなければならない。特に**歩行者の多い箇所**においては**幅1.5m以上**とし、交通誘導警備員を配置する等、適切に歩行者を誘導しなければならない。

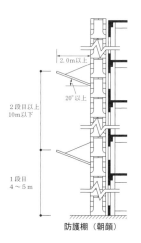

防護棚（朝顔）

③ × 防護棚は**水平距離で2m以上**突出させ、水平面となす角度を**20度以上**とする。

④ ○ **垂直ネット**は、鉄骨の外側に設け、ボルト、工具などの小物の飛来落下物に対応するもので、日本産業規格（JIS）に適合した網目寸法**13mm以上15mm以下**のものとする。

正解 **3**

難易度 **A** 問題 **428** CHECK □□□

公衆災害防止対策

安全管理
R4-51

第4編 施工管理

4

安全管理

市街地の建築工事における公衆災害防止対策に関する記述として、最も不適当なものはどれか。

① 鉄筋コンクリート造建築物の解体工事において、防音と落下物防護のため、足場の外側面に防音シートを設置した。

② 建築工事を行う部分の高さが地盤面から20mのため、防護棚を2段設置した。

③ 外部足場に設置した防護棚の敷板は、厚さ1.6mmの鉄板を用い、敷板どうしの隙間は3cm以下とした。

④ 地盤アンカーの施工において、アンカーの先端が敷地境界の外に出るため、当該敷地所有者の許可を得た。

解説 ……………………………… →テキスト 第4編 **4-2**

① ◯ 建築物解体工事においては、騒音・粉じん対策として、**防音パネルや防音シート**を建物外周部に隙間なく設ける。防音パネルや防音シートは**物体の飛散及び落下防止に対する養生**として、第三者への災害防止も図れる（建築物解体工事共通仕様書・同解説）。

② ◯ **防護棚**は、工事等を行う部分が地盤面からの高さが**10m以上の場合**にあっては1段、20m以上の場合にあっては**2段以上設ける**。

③ ✕ 外部足場に設置する**防護棚**における敷板は、**隙間がないもの**で、十分な耐力を有する適正な厚さである必要がある。一般に、**厚さ1.6mmの鉄板**が敷板として用いられる（建設工事公衆災害防止対策要綱、建築工事監理指針）。

④ ◯ 発注者及び施工者は、地盤アンカーの先端が敷地境界の外に出る場合には、必ず当該**敷地所有者**又は**管理者**の許可を得なければならない。

正解 3

市街地の建築工事における公衆災害防止対策に関する記述として、最も不適当なものはどれか。

① 敷地境界線からの水平距離が5mで、地盤面からの高さが3mの場所からごみを投下する際、飛散を防止するためにダストシュートを設けた。

② 防護棚は、外部足場の外側からのはね出し長さを水平距離で2mとし、水平面となす角度を15°とした。

③ 工事現場周囲の道路に傾斜があったため、高さ3mの鋼板製仮囲いの下端は、隙間を土台コンクリートで塞いだ。

④ 歩車道分離道路において、幅員3.6mの歩道に仮囲いを設置するため、道路占用の幅は、路端から1mとした。

解説 ・・・・・・・・・・・・・・・・・・・・・・ →テキスト 第4編 4-2

① ○ 敷地境界線からの水平距離が**5m以内**で、かつ、地盤面からの高さが**3m以上**の場所から、ごみその他飛散するおそれのある物を投下する場合においては、ダストシュートを用いる等、ごみ等が工事現場の周辺に飛散することを防止するための措置を講じなければならない（建築基準法施行令136条の5）。

② × **防護棚**は水平距離で**2m以上突出**させ、水平面となす角度を**20°以上**とする。

③ ○ 仮囲い下部の隙間は、背面に幅木を取り付けたり、**土台コンクリート**を打設して塞ふさぐが、道路に傾斜がある場合は、土台コンクリートを階段状に打設して、隙間が生じないようにする（建築施工計画実践テキストⅠ）。

④ ○ 歩行者の通行を制限する必要がある場合、歩行者が安全に通行できるよう、車道とは別に、幅0.90m以上、有効高さ2.1m以上の**歩行者用通路**を確保しなければならず、特に歩行者が多い箇所は幅1.5m以上としなければならない（建設工事公衆災害防止対策要綱）。したがって、幅員3.6mの歩道における道路占用の幅を路端から1mとしたことは、歩行者用通路を2.1m（≧1.5m）確保できるので適当である。

防護棚（朝顔）

2.0m以上
20°以上
2段目以上
10m以下
1段目
4〜5m

正解 2

難易度 B 問題 430 作業主任者の選任

作業主任者の選任に関する記述として、「労働安全衛生法」上、誤っているものはどれか。

① 同一場所で行う型枠支保工の組立て作業において、型枠支保工の組立て等作業主任者を2名選任した場合、それぞれの職務の分担を定めなければならない。

② 鉄筋コンクリート造建築物の支保工高さが3mの型枠支保工の解体作業においては、型枠支保工の組立て等作業主任者を選任しなくてもよい。

③ 高さが4mの鋼管枠組足場の組立て作業においては、足場の組立て等作業主任者を選任しなくてもよい。

④ 高さが5mの鉄骨造建築物の骨組みの組立て作業においては、建築物等の鉄骨の組立て等作業主任者を選任しなければならない。

解説 →テキスト 第4編 4-3

① ○ 作業を同一場所で行う場合において、**作業主任者を2人以上選任したときは**、それぞれの作業主任者の**職務の分担**を定めなければならない（労働安全衛生規則17条）。

② × **型枠支保工の組立て又は解体の作業**については、作業主任者を選定しなければならない（労働安全衛生法14条、同法施行令6条）。型枠支保工の組立て等作業主任者は支保工の高さにかかわらず選任しなければならない。

③ ○ **つり足場、張出し足場、高さが5m以上の足場の組立て、解体、変更の作業**には、作業主任者を選任しなければならない。設問は、高さが4mの鋼管枠組足場のため不要である。

④ ○ **高さが5m以上の建築物の骨組又は塔であって、金属製の部材により構成されるものの組立て、解体又は変更の作業**においては、作業主任者を選任しなければならない。

正解 2

作業主任者の選任に関する記述として、「労働安全衛生法」上、誤っているものはどれか。

① 掘削面からの高さが2mの地山の掘削作業において、地山の掘削作業主任者を選任しなかった。

② 高さが3mの型枠支保工の解体作業において、型枠支保工の組立て等作業主任者を選任した。

③ 高さが4mの移動式足場の組立て作業において、足場の組立て等作業主任者を選任しなかった。

④ 高さが5mのコンクリート造工作物の解体作業において、コンクリート造の工作物の解体等作業主任者を選任した。

解説 ➡テキスト 第4編 4-3

① ✕ 掘削面の高さが2m以上となる**地山の掘削**の作業には、作業主任者を選任し、その者に労働者の指揮を行わせる。

② ○ **型枠支保工の組立て又は解体**の作業については、作業主任者を選定しなければならない（労働安全衛生法14条、施行令6条）。型枠支保工の組立て等作業主任者は支保工の高さにかかわらず選任しなければならない。

③ ○ 足場の組立て等作業主任者は、**つり足場、張出し足場及び高さ5m以上の足場**の組立て・解体・変更作業において選任する必要がある。設問は高さ5m以上ではないため、選任しなくてよい。

④ ○ 高さが5m以上の**コンクリート造の工作物**における**解体又は破壊**の作業には、作業主任者を選任しなければならない（労働安全衛生法施行令6条十五号の五）。

正解 1

問題 432 作業主任者の職務

難易度 B

CHECK ☐☐☐

作業主任者の職務として、「労働安全衛生法」上、定められていないものはどれか。

① 型枠支保工の組立て等作業主任者は、作業の方法を決定し、作業を直接指揮すること。

② 木造建築物の組立て等作業主任者は、作業の方法及び順序を決定し、作業を直接指揮すること。

③ 足場の組立て等作業主任者は、作業の方法及び労働者の配置を決定し、作業の進行状況を監視すること。

④ 建築物等の鉄骨の組立て等作業主任者は、作業の方法及び順序を作業計画として定めること。

解説 ➡️テキスト 第4編 4-3

各作業主任者の職務はよく似ているが、僅かに相違点があるので、注意して押さえること。本問におけるポイントは**「作業の順序」が規定されているのは、木造建築物の組立て等作業主任者だけである**点、**「作業計画として定めること」はいずれの作業主任者にも含まれない**点である。

① ◯ **型枠支保工の組立て等作業主任者**は、作業の方法を決定し、作業を**直接指揮**すること等を職務とする。

② ◯ **木造建築物の組立て等作業主任者**は、軒の高さが5m以上の木造建築物の構造部材の組立て等の作業の**方法及び順序**を決定し、作業を**直接指揮**すること等を職務とする。

③ ◯ **足場の組立て等作業主任者**は、つり足場、張出し足場又は**高さが5m以上の**足場の組立て、解体又は変更の作業において、**作業の方法**及び**労働者の配置**を決定し、作業の進行状況を**監視**すること等を職務とする。

④ ✕ **建築物等の鉄骨の組立て等作業主任者**は、**高さが5m以上の建築物の骨組又は塔であって、金属製の部材により構成されるものの組立て、解体又は変更の**方法及び労働者の配置**を決定し、作業を**直接指揮**すること等を職務とするが、「作業計画として定めること」は定められていない。

正解 **4**

作業主任者の職務として、「労働安全衛生法」上、定められていないものはどれか。

① 地山の掘削作業主任者として、作業の方法を決定し、作業を直接指揮すること。

② 石綿作業主任者として、周辺住民の健康障害を予防するため、敷地境界での計測を定期的に行うこと。

③ 土止め支保工作業主任者として、材料の欠点の有無並びに器具及び工具を点検し、不良品を取り除くこと。

④ はい作業主任者として、はい作業をする箇所を通行する労働者を安全に通行させるため、その者に必要な事項を指示すること。

解 説 .... →テキスト 第4編 **4-3**

① ○ **地山の掘削作業主任者**は、掘削面の**高さが2m以上**となる地山の掘削の作業において選任が必要な作業主任者で、**作業の方法を決定**したり、作業を**直接指揮**したり、器具及び工具を点検し、不良品を取り除くこと等が職務として定められている。

② × **石綿作業主任者**は、石綿（アスベスト）又は石綿を**重量比0.1%を超えて含**有する製品を製造又は取り扱う作業において選任が必要な作業主任者であるが、敷地境界での**計測は作業主任者の職務ではない**。

③ ○ **土止め支保工作業主任者**は、土止め（山留め）支保工の切ばり、腹起しの取付け又は取外しの作業において選任が必要な作業主任者で、**作業の方法を決定**し、作業を**直接指揮**したり、器具及び工具を点検し、不良品を取り除くこと等が職務として定められている。

④ ○ 「**はい作業主任者**」は、**高さが2m以上のはい**（倉庫、上屋又は土場に積み重ねられた荷の集団をいう）のはい付け又は、はい崩しの作業において選任が必要な作業主任者で、**作業の方法を決定**し、作業を**直接指揮**したり、器具及び工具を点検し、不良品を取り除いたり、当該作業を行う箇所を**通行する労働者**を安全に通行させるため、その者に必要な事項を指示すること等が職務として定められている。

正解 **2**

難易度	問題		安全管理
B	434	作業主任者の職務	R2-66

作業主任者の職務として、「労働安全衛生法」上、定められていないもの
はどれか。

① 型枠支保工の組立て等作業主任者は、作業中、要求性能墜落制止用器具等
及び保護帽の使用状況を監視すること。

② 有機溶剤作業主任者は、作業に従事する労働者が有機溶剤により汚染され、
又はこれを吸入しないように、作業の方法を決定し、労働者を指揮すること。

③ 建築物等の鉄骨の組立て等作業主任者は、作業の方法及び順序を作業計画
として定めること。

④ はい作業主任者は、はい作業をする箇所を通行する労働者を安全に通行さ
せるため、その者に必要な事項を指示すること。

解説 ━━━━━━━━━━━━━━━━━━━ ➡テキスト 第4編 **4-3**

各作業主任者の職務はよく似ているが、相違点があるので注意して押さえること。
【ほぼ共通する職務】

❶ 作業方法の決定・直接指揮

❷ 材料や保護具等の点検・不良品排除

❸ 保護具等の使用状況の監視

※ 「作業計画として定めること」はいずれの作業主任者にも含まれない。

※ 「作業の順序」が含まれるのは、木造建築物の組立て等作業主任者だけ。

① ○ 器具等及び保護帽の使用状況の監視は、定められている。

② ○ 作業に従事する労働者が有機溶剤により汚染され、又はこれを吸入しないよ
うに、**作業の方法を決定**し、労働者を指揮することは、有機溶剤作業主任者の
職務である。

③ × 「作業計画として定めること」は定められていない。

④ ○ **はい**（倉庫、上屋又は土場に積み重ねられた荷の集団をいう）作業をする箇
所を通行する**労働者を安全に通行させる**ため、その者に必要な事項を指示する
ことは、**はい**作業主任者の職務として定められている。

正解 3

535

作業主任者の職務として、「労働安全衛生規則」上、定められていないものはどれか。

① 型枠支保工の組立て等作業主任者は、作業中、要求性能墜落制止用器具等及び保護帽の使用状況を監視すること。

② 建築物等の鉄骨の組立て等作業主任者は、作業の方法及び順序を作業計画として定めること。

③ 地山の掘削作業主任者は、作業の方法を決定し、作業を直接指揮すること。

④ 土止め支保工作業主任者は、材料の欠点の有無並びに器具及び工具を点検し、不良品を取り除くこと。

解説 ──────────────────────────── →テキスト 第4編 4-3

各作業主任者の職務はよく似ているが、相違点があるので注意して押さえること。

【ほぼ共通する職務】

❶ 作業方法の決定・直接指揮

❷ 材料や保護具等の点検・不良品排除

❸ 保護具等の使用状況の監視

【よく出る相違点】

❶ 「作業計画として定めること」はいずれの作業主任者にも含まれない。

❷ 「作業の順序」が含まれるのは、木造建築物の組立て等作業主任者だけ。

① ○「器具等及び保護帽の使用状況の監視」は定められている。

② ×「作業計画として定めること」は定められていない。

③ ○ 地山の掘削作業主任者は、掘削面の高さが2m以上となる地山の掘削の作業において選任が必要な作業主任者で、**作業の方法を決定し、作業を直接指揮**したり、**器具及び工具を点検し、不良品を取り除く**こと等が職務として定められている。

④ ○ 土止め支保工作業主任者は、土止め（山留め）支保工の切ばり、腹起しの取付け又は取外しの作業において選任が必要な作業主任者で、**作業の方法を決定し、作業を直接指揮**したり、**器具及び工具を点検し、不良品を取り除く**こと等が職務として定められている。

正解 2

| 難易度 B | 問題 436 CHECK | 作業主任者の職務 | 安全管理 R5-51 |

作業主任者の職務として、「労働安全衛生法」上、定められていないものはどれか。

① 建築物等の鉄骨の組立て等作業主任者は、器具、工具、要求性能墜落制止用器具等及び保護帽の機能を点検し、不良品を取り除くこと。

② 有機溶剤作業主任者は、作業に従事する労働者が有機溶剤により汚染され、又はこれを吸入しないように、作業の方法を決定し、労働者を指揮すること。

③ 土止め支保工作業主任者は、要求性能墜落制止用器具等及び保護帽の使用状況を監視すること。

④ 足場の組立て等作業主任者は、組立ての時期、範囲及び順序を当該作業に従事する労働者に周知させること。

解説 ➡テキスト 第4編 4-3

各作業主任者の職務はよく似ているが、相違点があるので注意して押さえる。

【ほぼ共通する職務】
❶ 作業方法の決定・直接指揮
❷ 材料や保護具等の点検・不良品排除
❸ 保護具等の使用状況の監視

※ 「作業計画として定めること」はいずれの作業主任者にも含まれない。
※ 「作業の順序」が含まれるのは、木造建築物の組立て等作業主任者だけ。

① ○ **建築物等の鉄骨の組立て等作業主任者**の職務に「器具、工具、要求性能墜落制止用器具等及び保護帽の機能を**点検**し、**不良品を取り除くこと**」は定められている。

② ○ **有機溶剤作業主任者**の職務に「作業に従事する労働者が有機溶剤により**汚染**され、又はこれを**吸入**しないように、**作業の方法を決定**し、**労働者を指揮する**こと」は定められている。

③ ○ **土止め支保工作業主任者**の職務に「要求性能墜落制止用器具等及び保護帽の使用状況を監視すること」は定められている。

④ × **足場の組立て等作業主任者**の職務に「組立ての時期、範囲及び順序を当該作業に従事する**労働者に周知させること**」は定められていない。

正解 4

足場

足場に関する記述として、最も不適当なものはどれか。

① 単管足場の壁つなぎの間隔は、垂直方向5.5m以下、水平方向5m以下とする。

② 単管足場の建地間の積載荷重は、400kg以下とする。

③ 枠組足場の使用高さは、通常使用の場合45m以下とする。

④ 枠組足場に設ける高さ8m以上の階段には、7m以内ごとに踊場を設ける。

解説 ----------------------------------- **→テキスト／第4編／4-4**

① ✕ 単管足場の壁つなぎの間隔は、**垂直方向5m以下、水平方向5.5m以下**とする。
なお、枠組足場は、垂直方向9m以下、水平方向8m以下である。

	水平方向	垂直方向
枠組足場	8m以内	9m以内
単管足場	5.5m以内	5m以内

② ○ **単管足場**の建地間の**積載荷重**（布にかかる荷重）は、**400kg以下**としなければならない。

③ ○ 枠組足場の使用高さは、通常の場合45m以下である。

④ ○ 仮設工事に用いる**登り桟橋**の勾配は、**30度以下**（階段を設けたものを除く）とし、高さ8m以上の登り桟橋には、**7m以内ごとに踊場を設ける。

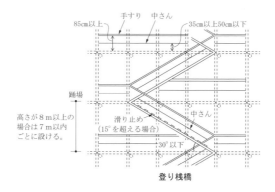

登り桟橋

正解 1

足場

足場に関する記述として、最も不適当なものはどれか。

① 単管足場において、建地を鋼管2本組とする部分は、建地の最高部から測って31mを超える部分とした。

② 単管足場における建地の間隔は、けた行方向を1.85m以下、はり間方向を1.5m以下とした。

③ 枠組足場における高さ2m以上に設ける作業床は、床材と建地とのすき間を12cm未満とした。

④ 高さが20mを超える枠組足場の主枠間の間隔は、2m以下とした。

解 説 ··· →テキスト 第4編 4-4

① ○ 単管足場においては、建地の最高部から測って31mを超える部分の建地は、鋼管を**2本組み**とする。ただし、建地の下端に作用する設計荷重（足場重量＋作業床の最大積載荷重）が当該建地の最大使用荷重を超えないときは、この限りでない。

② ○ 単管足場における建地の間隔は、**けた行方向を1.85m以下**、**はり間方向を1.5m以下**とする。

③ ○ 足場における高さ2m以上に設ける作業床は、**床材と建地との隙間を12cm未満**とする。

④ ✕ 枠組足場における**主枠間の間隔**（建枠の間隔）は**けた行方向に1.85m以下**とする。

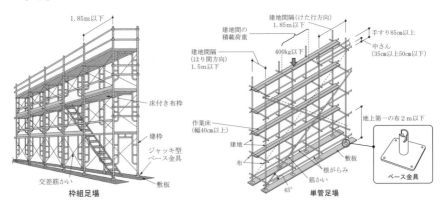

枠組足場

単管足場

正解 4

足場に関する記述として、最も不適当なものはどれか。

① つり足場の作業床の幅は、40cm以上とする。

② 単管足場の壁つなぎの間隔は、垂直方向5.5m以下、水平方向5m以下とする。

③ 枠組足場の使用高さは、通常使用の場合、45m以下とする。

④ 移動はしごの幅は、30cm以上とする。

解 説 ➡テキスト / 第4編 / 4-4

① ○ つり足場の作業床は、**幅を40cm以上**とし、かつ、**隙間がない**ようにする（労働安全衛生規則574条）。

② × 単管足場の壁つなぎの間隔は、**垂直方向5m以下、水平方向5.5m以下**とする。なお、枠組足場の場合は、垂直方向9m以下、水平方向8m以下である。

	水平方向	垂直方向
枠組足場	8m以内	9m以内
単管足場	5.5m以内	5m以内

③ ○ 足場の使用高さの限度は、足場の自重、足場に積載される積載荷重などに対する建地、建枠などの部材の強度の制約から決まる。標準的な目安は以下のとおりである。枠組足場の高さが**45mを超える場合**は、最下部の建枠、ジャッキ型ベース金具が自重、積載荷重に対して許容荷重以下であることを確認する。

	使用高さ	備考
枠組足場	45m	－
単管足場	31m	積載1層
	22m	積載2層

④ ○ **移動はしご**は、**幅30cm以上**とし、すべり止め装置の取り付け、その他転位を防止するために必要な措置を講ずる（同規則527条）。

正解 2

足場

足場に関する記述として、最も不適当なものはどれか。

① 単管足場の建地を鋼管2本組とする部分は、建地の最高部から測って31m を超える部分とした。

② くさび緊結式足場の支柱の間隔は、桁行方向2m、梁間方向1.2mとした。

③ 移動式足場の作業床の周囲は、高さ90cmで中桟付きの丈夫な手すり及び高 さ10cmの幅木を設置した。

④ 高さが8mのくさび緊結式足場の壁つなぎは、垂直方向5m、水平方向5.5 mの間隔とした。

解説 ┄┄┄┄┄┄┄┄┄┄┄┄┄┄┄┄┄┄┄┄┄┄┄┄┄┄┄┄┄┄ ➡テキスト 第4編 4-4

① ◯ 単管足場においては、建地の最高部から測って31mを超える部分の建地は、 鋼管を2本組みとする。ただし、建地の下端に作用する設計荷重（足場重量＋ 作業床の最大積載荷重）が当該建地の最大使用荷重を超えないときは、この限 りでない。

② ✕ 労働安全衛生規則において、**くさび緊結式足場は単管足場**に含まれる。単管 足場の建地の間隔は、**けた行方向を1.85m以下、はり間方向を1.5m以下**とす る（労働安全衛生規則570条1項五号イ）。

③ ◯ 高さ2m以上の作業場所には、**作業床を設けなければならない**。その作業床 においては、次の設備を設けなければならない（同規則563条1項）。

・墜落により労働者に危険を及ぼすおそれのある箇所の**墜落防止設備**
　→85cm以上の手すり及び高さ35cm以上50cm以下の中さんなど
・物体が落下することで、労働者に危険を及ぼすおそれのあるときの**落下防止 設備**→高さ10cm以上の幅木、メッシュシート・防網等と同等以上の設備

④ ◯ 労働安全衛生規則において、くさび緊結式足場は単管足場に含まれる。単管 足場の壁つなぎ又は控えの間隔は、**垂直方向5m以下、水平方向5.5m以下**とす る（同規則570条1項五号イ）。

正解 2

足場に関する記述として、最も不適当なものはどれか。

① 移動はしごは、丈夫な構造とし、幅は30cm以上とする。

② 枠組足場の使用高さは、通常使用の場合、45m以下とする。

③ 作業床は、つり足場の場合を除き、床材間の隙間は3cm以下、床材と建地の隙間は12cm未満とする。

④ 登り桟橋の高さが15mの場合、高さの半分の位置に1箇所踊場を設ける。

解説 ➡テキスト 第4編 4-4

① ○ **移動はしごは、幅30cm以上**とし、すべり止め装置の取付け、その他転位を防止するために必要な措置を講ずる（労働安全衛生規則527条）。

② ○ 足場の使用高さの限度は、足場の自重、積載荷重などに対する建地、建枠などの部材の強度の制約から決まる。標準的な目安は右のとおりである。**枠組足場**の高さが45mを超える場合は、最下部の建枠、ジャッキ型ベース金具が

	使用高さ	備考
枠組足場	45m	–
単管足場	31m	積載1層
	22m	積載2層

自重、積載荷重に対して許容荷重以下であることを確認する。

③ ○ 足場における高さ2m以上に設ける作業床は、**床材間の隙間は3cm以下、床材と建地との隙間は12cm未満**とする。

④ × 仮設工事に用いる登り桟橋の勾配は、**30度以下**（階段を設けたものを除く）とし、高さ8m以上の登り桟橋には、**7m以内ごとに踊場を設ける**。15mの半分の位置は、7.5mであり、7m以内とならない。

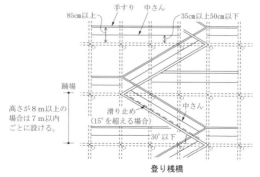

登り桟橋

正解 4

| 難易度 A | 問題 442 ☑□□□ | 足場 | 安全管理 R5-52 |

足場に関する記述として、最も不適当なものはどれか。

① 枠組足場に設ける高さ8m以上の階段には、7m以内ごとに踊場を設けた。

② 作業床は、つり足場の場合を除き、床材間の隙間は3cm以下、床材と建地の隙間は12cm未満とした。

③ 単管足場の壁つなぎの間隔は、垂直方向5.5m以下、水平方向5m以下とした。

④ 脚立を使用した足場における足場板は、踏さん上で重ね、その重ね長さを20cm以上とした。

解 説 ➡テキスト 第4編 4-4

① ○ 仮設工事に用いる**登り桟橋**の勾配は、30度以下（階段を設けたものを除く）とし、高さ8m以上の登り桟橋には、7m以内ごとに踊場を設ける。

登り桟橋

② ○ 足場における高さ2m以上に設ける**作業床**は、床材間の隙間は3cm以下、床材と建地との隙間は12cm未満とする。

③ × 単管足場の**壁つなぎ**の間隔は、**垂直方向5m以下**、**水平方向5.5m以下**とする。なお、枠組足場の場合は、垂直方向9m以下、水平方向8m以下である。

	水平方向	垂直方向
枠組足場	8m以内	9m以内
単管足場	5.5m以内	5m以内

④ ○ **脚立足場**は、脚立と脚立の間隔は1.8m以下とし、足場板の長手方向の重ねは踏さん等の上で行い、**重ね部分**の長さは20cm以上とする。また、足場板の高さは2m未満とする。なお、2枚重ねとする場合は、2点支持とし、両端を脚立に固定する。

正解 3

事業者が行わなければならない点検に関する記述として、「労働安全衛生規則」上、誤っているものはどれか。

① 車両系建設機械を用いて作業を行うときは、その日の作業を開始する前に、ブレーキ及びクラッチの機能について点検を行わなければならない。

② つり足場における作業を行うときは、その日の作業を開始する前に、脚部の沈下及び滑動の状態について点検を行わなければならない。

③ 高所作業車を用いて作業を行うときは、その日の作業を開始する前に、制動装置、操作装置及び作業装置の機能について点検を行わなければならない。

④ 作業構台における作業を行うときは、その日の作業を開始する前に、作業を行う箇所に設けた手すり等及び中桟等の取り外し及び脱落の有無について点検を行わなければならない。

解 説 ➡テキスト／第4編／4-5

① ○ 事業者は、車両系建設機械を用いて作業を行うときは、**その日の作業を開始する前（作業開始前点検）**に、ブレーキ及びクラッチの機能について点検を行わなければならない。

② × 事業者は、**つり足場**における作業を行うときは、**その日の作業を開始する前**に、次の❶～❸について点検し、異常があれば、直ちに補修しなければならない。「脚部の沈下及び滑動の状態」はつり足場においては構造上無関係である。
   ❶ 床材の損傷、取付け及び掛渡しの状態
   ❷ 建地、布、腕木等の緊結部、接続部及び取付部の緩みの状態
   ❸ 緊結材及び緊結金具の損傷及び腐食の状態　等

③ ○ 事業者は、**高所作業車**を用いて作業を行うときは、**その日の作業を開始する前**に、制動装置、操作装置及び**作業装置**の機能について**点検**を行わなければならない。

④ ○ 事業者は、**作業構台**における作業を行うときは、**その日の作業を開始する前**に、作業を行う箇所に設けた**手すり等及び中さん等**の**取外し及び脱落**の有無について点検し、異常を認めたときは、直ちに補修しなければならない。

正解 2

B 問題 **444** 労働安全衛生規則

「**労働安全衛生規則**」上、事業者が、作業を行う区域内に関係労働者以外の労働者の立入りを禁止しなければならないものはどれか。

① 高さが2mの足場の組立ての作業

② 高さが3mの鉄骨造建築物の組立ての作業

③ 高さが4mのコンクリート造建築物の解体の作業

④ 軒の高さが5mの木造建築物の解体の作業

解 説 ➡テキスト 第4編 **4-5**

① ○ 高さが**2m以上**の**足場の組立て・解体等**の作業を行うときは、作業区域内を関係者以外立入禁止にしなければならない。

② × 高さが**5m以上**の**鉄骨の組立て等**の作業を行うときは、作業区域内を関係者以外立入禁止にしなければならない。設問は高さが3mなので該当しない。

③ × 高さが**5m以上**の**コンクリート造工作物の解体等**の作業を行うときは、作業区域内を関係者以外立入禁止にしなければならない。設問は高さが4mなので該当しない。

④ × 軒の高さが**5m以上**の**木造建築物の組立等**の作業を行うときは、作業区域内を関係者以外立入禁止にしなければならない。設問は解体作業なので該当しない。

正解 **1**

事業者の講ずべき措置に関する記述として、「労働安全衛生規則」上、誤っているものはどれか。

① 事業者は、高さが 2 m 以上の箇所で作業を行う場合、強風、大雨、大雪等の悪天候のため危険が予想されるときは、労働者を作業に従事させてはならない。

② 事業者は、2 m 以上の箇所から物体を投下する場合、適当な投下設備を設け、監視人を置く等労働者の危険を防止するための措置を講じなければならない。

③ 事業者は、高さが 2 m 以上の箇所で作業を行う場合、作業に従事する労働者が墜落するおそれのあるとき、作業床を設けなければならない。

④ 事業者は、高さが 2 m 以上の箇所で作業を行う場合、作業を安全に行うため必要な照度を保持しなければならない。

解 説 .... ➡テキスト / 第 4 編 / 4-5

① ○ 事業者は、高さが 2 m 以上の箇所で作業を行う場合において、**強風、大雨、大雪等の悪天候**のため、当該作業の実施について危険が予想されるときは、当該作業に労働者を**従事させてはならない**。

② ✕ 事業者は、**3 m 以上の高所**から**物体を投下**するときは、適当な**投下設備**を設け、**監視人**を置く等労働者の危険を防止するための措置を講じなければならない。

③ ○ 足場の高さが 2 m 以上の作業場所には、**作業床**を設け、墜落のおそれのある箇所には、高さ85cm以上の手すり等及び中さん等を設ける（労働安全衛生規則563条）。

④ ○ 事業者は、高さが 2 m 以上の箇所で高所作業を行うときは、当該作業を安全に行うため必要な**照度**を保持しなければならない（同規則523条）。なお、**普通の作業**の場合は150ルクス以上である（同規則604条）。

正解 **2**

難易度 **B** 問題 **446** 労働安全衛生規則

事業者が行わなければならない点検に関する記述として、「労働安全衛生規則」上、誤っているものはどれか。

① 作業構台における作業を行うときは、その日の作業を開始する前に、作業を行う箇所に設けた手すり等及び中桟等の取り外し及び脱落の有無について点検を行わなければならない。

② 高所作業車を用いて作業を行うときは、その日の作業を開始する前に、制動装置、操作装置及び作業装置の機能について点検を行わなければならない。

③ つり足場における作業を行うときは、その日の作業を開始する前に、脚部の沈下及び滑動の状態について点検を行わなければならない。

④ 繊維ロープを貨物自動車の荷掛けに使用するときは、その日の使用を開始する前に、繊維ロープの点検を行わなければならない。

解説 ➡テキスト 第4編 4-5

① ○ 事業者は、**作業構台**における作業を行うときは、**その日の作業を開始する前**に、作業を行う箇所に設けた**手すり**等及び中さん等の**取外し及び脱落**の有無について点検し、異常を認めたときは、直ちに補修しなければならない。

② ○ 事業者は、**高所作業車**を用いて作業を行うときは、**その日の作業を開始する前**に、**制動装置、操作装置**及び**作業装置**の機能について**点検**を行わなければならない。

③ × 事業者は、**つり足場**における作業を行うときは、**その日の作業を開始する前**に、次の❶〜❸について点検し、異常があれば、直ちに補修しなければならない。「脚部の沈下及び滑動の状態」はつり足場においては構造上無関係である。
❶ 床材の損傷、取付け及び掛渡しの状態
❷ 建地、布、腕木等の緊結部、接続部及び取付部の緩みの状態
❸ 緊結材及び緊結金具の損傷及び腐食の状態 等

④ ○ 事業者は、**繊維ロープを貨物自動車の荷掛け**に使用するときは、その日の**使用を開始する前**に、当該繊維ロープを**点検**し、異常を認めたときは、直ちに取り替えなければならない（労働安全衛生規則151条の69）。

正解 **3**

労働安全衛生規則

労働災害を防止するため、特定元方事業者が講ずべき措置として、「労働安全衛生規則」上、定められていないものはどれか。

① 特定元方事業者と関係請負人との間及び関係請負人相互間における、作業間の連絡及び調整を随時行うこと。

② 仕事の工程に関する計画及び作業場所における主要な機械、設備等の配置に関する計画を作成すること。

③ 関係請負人が雇い入れた労働者に対し、安全衛生教育を行うための場所を提供すること。

④ 特定元方事業者及び特定の関係請負人が参加する協議組織を設置し、会議を随時開催すること。

解説 ➡テキスト 第4編 4-5

① ○ **特定元方事業者**は、随時、特定元方事業者と関係請負人との間、及び関係請負人相互間における、**作業間の連絡及び調整**を行わなければならない（労働安全衛生規則636条）。

② ○ 特定元方事業者は、工程表等の仕事の**工程に関する計画**並びに当該作業場所における**主要な機械、設備**及び作業用の仮設の建設物の配置に関する**計画**を作成しなければならない（同規則638条の3）。

③ ○ 特定元方事業者は、労働安全教育に対する指導及び援助については、当該教育を行う**場所の提供**、当該教育に**使用する資料の提供**等の措置を講じなければならない（同規則638条）。

④ × 特定元方事業者は、特定元方事業者及び**全ての関係請負人**が参加する**協議組織**を設置し、**会議を定期的**に開催しなければならない（同規則635条）。

正解 **4**

| 難易度 B | 問題 448 | 労働安全衛生規則 | 安全管理 R4-53 |

事業者の講ずべき措置に関する記述として、「労働安全衛生規則」上、誤っているものはどれか。

① 強風、大雨、大雪等の悪天候のため危険が予想されるとき、労働者を作業に従事させてはならないのは、作業箇所の高さが3m以上の場合である。

② 安全に昇降できる設備を設けなければならないのは、原則として、高さ又は深さが1.5mをこえる箇所で作業を行う場合である。

③ 自動溶接を除くアーク溶接の作業に使用する溶接棒等のホルダーについて、感電の危険を防止するため必要な絶縁効力及び耐熱性を有するものでなければ、使用させてはならない。

④ 明り掘削の作業において、掘削機械の使用によるガス導管、地中電線路等地下工作物の損壊により労働者に危険を及ぼすおそれがあるときは、掘削機械を使用させてはならない。

解説 →テキスト 第4編 4-5

① ✕ 事業者は、高さが**2m以上**の箇所で作業を行う場合において、**強風、大雨、大雪等の悪天候**のため、当該作業の実施について危険が予想されるときは、当該作業に労働者を**従事させてはならない**。

② ○ 事業者は、高さ又は深さが1.5mを超える箇所で作業を行うときは、当該作業に従事する労働者が安全に**昇降するための設備**等を設けなければならない。

③ ○ 事業者は、**アーク溶接**等（自動溶接を除く。）の作業に使用する溶接棒等の**ホルダー**については、感電の危険を防止するため必要な**絶縁**効力及び**耐熱性**を有するものでなければ、使用してはならない（労働安全衛生規則）。

④ ○ 事業者は、**明り掘削**の作業を行う場合において、掘削機械、積込機械及び運搬機械の使用による**ガス導管、地中電線路**その他地下に存する工作物の損壊により労働者に危険を及ぼすおそれのあるときは、**これらの機械を使用してはならない**（労働安全衛生規則）。

正解 1

事業者又は特定元方事業者の講ずべき措置に関する記述として、「労働安全衛生法」上、誤っているものはどれか。

① 特定元方事業者は、特定元方事業者及びすべての関係請負人が参加する協議組織を設置し、会議を定期的に開催しなければならない。

② 事業者は、つり足場における作業を行うときは、その日の作業を開始する前に、脚部の沈下及び滑動の状態について点検を行わなければならない。

③ 事業者は、高さが2m以上の箇所で作業を行う場合、作業に従事する労働者が墜落するおそれのあるときは、作業床を設けなければならない。

④ 特定元方事業者は、作業場所の巡視を、毎作業日に少なくとも1回行わなければならない。

解説　　→テキスト 第4編 4-5

① ○ 特定元方事業者は、特定元方事業者及び全ての関係請負人が参加する**協議組織**を設置し、会議を定期的に開催しなければならない（労働安全衛生規則635条）。

② ✕ 事業者は、つり足場における作業を行うときは、その日の作業を**開始する前**に、次の❶〜❸について**点検**し、異常があれば、直ちに補修しなければならない。「脚部の沈下及び滑動の状態」はつり足場においては構造上無関係である。

❶ 床材の損傷、取付け及び掛渡しの状態
❷ 建地、布、腕木等の緊結部、接続部及び取付部の緩みの状態
❸ 緊結材及び緊結金具の損傷及び腐食の状態　等

③ ○ 足場の高さが2m以上の作業場所には、**作業床**を設け、墜落のおそれのある箇所には、高さ85cm以上の手すり等及び中さん等を設ける（労働安全衛生規則563条）。

④ ○ 特定元方事業者は、**作業場所の巡視**については、毎作業日に少なくとも1回行わなければならない（労働安全衛生規則637条）。

正解 2

クレーン等安全規則

つり上げ荷重が0.5t以上の移動式クレーンを用いて作業を行う場合に事業者の講ずべき措置として、「クレーン等安全規則」上、誤っているものはどれか。

① 移動式クレーンの運転の合図について、合図を行う者を指名し、その者に合図の方法を定めさせた。

② 移動式クレーンの玉掛け用具として使用するワイヤロープは、安全係数が6以上のものを使用させた。

③ 移動式クレーンの玉掛け用具として使用するワイヤロープは、直径が公称径の92%だったので使用させなかった。

④ 移動式クレーンの上部旋回体の旋回範囲内に、労働者が立ち入らないようにさせた。

解説 ➡テキスト 第4編 4-6

① ✕ **事業者**は、移動式クレーンを用いて作業を行うときは、移動式クレーンの運転について一定の**合図を定め**、**合図を行う者**を指名して、その者に合図を行わせなければならない。合図を定めるのは事業者であって、合図を行う者ではない。

② ◯ 事業者は、クレーン、移動式クレーン又はデリックの**玉掛けワイヤロープ**の**安全係数**については、**6以上**でなければ使用してはならない。なお、安全係数は、ワイヤロープの切断荷重の値を、荷重の最大の値で除した値である。

③ ◯ 事業者は、次の❶❷のいずれかに該当するワイヤロープをクレーン、移動式クレーンの玉掛け用具として使用してはならない。
❶ ワイヤロープの素線が10%以上切断しているもの
❷ 直径の減少が公称径の**7%**を超えるもの（最低93%以上必要）等

④ ◯ 事業者は、移動式クレーンに係る作業を行うときは、当該移動式クレーンの**上部旋回体**と**接触**することにより労働者に危険が生ずるおそれのある箇所に労働者を**立ち入らせてはならない**。

正解 **1**

クレーン又は移動式クレーンに関する記述として、「クレーン等安全規則」上、誤っているものはどれか。

① 移動式クレーンの運転についての合図の方法は、事業者に指名された合図を行う者が定めなければならない。

② クレーンに使用する玉掛け用ワイヤロープひとよりの間において、切断している素線の数が10%以上のものは使用してはならない。

③ つり上げ荷重が0.5t以上5t未満のクレーンの運転の業務に労働者を就かせるときは、当該業務に関する安全のための特別の教育を行わなければならない。

④ 強風により作業を中止した場合であって移動式クレーンが転倒するおそれがあるときは、ジブの位置を固定させる等の措置を講じなければならない。

解説 ・・ ➡テキスト 第4編 4-6

① ✕ **事業者**は、移動式クレーンの運転について一定の**合図を定め**、**合図を行う者**を指名して、その者に合図を行わせなければならない（移動式クレーンの運転者に単独で作業を行わせるときを除く）。したがって、合図の方法を定めるのは「合図を行う者」ではなく、事業者であるので、設問は不適当である。

② ○ 事業者は、ワイヤロープひとよりの間において素線の数の10%以上の素線が切断しているものや、直径の減少が公称径の7%を超えるワイヤロープ等をクレーン、移動式クレーンの玉掛用具として使用してはならない。

③ ○ 事業者は、一定の**危険・有害**な業務に労働者を就かせるときは、当該業務に関する安全又は衛生のため下記の**特別の教育**を行わなければならない（労働安全衛生規則20条・36条・37条、クレーン等安全規則21条等）。

つり上げ荷重	1t未満	1t以上5t未満	5t以上
クレーン	特別教育		免許
移動式クレーン	特別教育	技能講習	免許

④ ○ 移動式クレーンに係る作業の実施について、**強風**のため危険が予想されるときは、その**作業を中止**し、強風でクレーンが**転倒するおそれ**のあるときは、ジブの位置を固定させる等によりクレーンの転倒による労働者の危険を防止する措置を講じなければならない（クレーン等安全規則74条の3・74条の4）。

正解 1

クレーン等安全規則

クレーンに関する記述として、「クレーン等安全規則」上、誤っているものはどれか。

① つり上げ荷重が3t以上のクレーンの落成検査における荷重試験は、クレーンの定格荷重に相当する荷重の荷をつって行った。

② つり上げ荷重が0.5t以上5t未満のクレーンの運転の業務に労働者を就かせるため、当該業務に関する安全のための特別の教育を行った。

③ つり上げ荷重が0.5t以上のクレーンの玉掛け用具として使用するワイヤロープは、安全係数が6以上のものを使用した。

④ つり上げ荷重が1t以上のクレーンの玉掛けの業務は、玉掛け技能講習を修了した者が行った。

解 説 ➡テキスト 第4編 4-6

① ✕ つり上げ荷重が3t以上の**クレーンの落成検査**における**荷重試験**では、定格荷重の**1.25倍**に相当する荷重の荷をつり起こさなければならない。

② ◯ 事業者は、一定の危険・有害な業務に労働者を就かせるときは、当該業務に関する安全又は衛生のため下記の**特別の教育**を行わなければならない（労働安全衛生規則20条・36条・37条、クレーン等安全規則21条等）。

つり上げ荷重	1t未満	1t以上5t未満	5t以上
クレーン	特別教育		免許
移動式クレーン	特別教育	技能講習	免許

③ ◯ 事業者は、クレーン、移動式クレーン又はデリックの**玉掛けワイヤロープの安全係数**については、6以上でなければ使用してはならない。なお、安全係数は、ワイヤロープの切断荷重の値を、荷重の最大の値で除した値である。

④ ◯ つり上げ荷重が1t以上のクレーンの**玉掛け**業務については、玉掛け技能講習を修了した者に行わせなければならない。なお、つり上げ荷重が1t未満の玉掛け業務については、**特別教育**を行わなければならない。

正解 1

クレーンに関する記述として、「クレーン等安全規則」上、誤っているものはどれか。

① つり上げ荷重が0.5t以上のクレーンの玉掛用具として使用するワイヤロープは、安全係数が6以上のものを使用した。

② つり上げ荷重が3t以上の移動式クレーンを用いて作業を行うため、当該クレーンに、その移動式クレーン検査証を備え付けた。

③ 設置しているクレーンについて、その使用を廃止したため、遅滞なくクレーン検査証を所轄労働基準監督署長に返還した。

④ 移動式クレーンの運転についての合図の方法は、事業者に指名された合図を行う者が定めた。

解説 ………………………………………………… ➡テキスト 第4編 4-6

① ○ 事業者は、クレーン、移動式クレーン又はデリックの**玉掛けワイヤロープ**の**安全係数**については、6以上でなければ使用してはならない。なお、安全係数は、ワイヤロープの切断荷重の値を、荷重の最大の値で除した値である。

② ○ つり上げ荷重が**3t以上**の移動式クレーンを用いて作業を行うときは、当該クレーンに、その**移動式クレーン検査証**を備え付けておかなければならない（クレーン等安全規則63条）。

③ ○ 設置しているクレーンを設置している者が当該クレーンについて、その使用を廃止したときは、遅滞なく**クレーン検査証**を所轄労働基準監督署長に**返還**しなければならない（クレーン等安全規則53条）。

④ × **事業者**は、移動式クレーンの運転について一定の合図を定め、合図を行う者を指名して、その者に合図を行わせなければならない（移動式クレーンの運転者に単独で作業を行わせるときを除く）。したがって、合図の方法を定めるのは「合図を行う者」ではなく事業者であるので、設問は不適当である。

正解 **4**

難易度 B 問題 454 ゴンドラ安全規則

ゴンドラに関する記述として、「ゴンドラ安全規則」上、誤っているものはどれか。

① ゴンドラの操作の業務に労働者をつかせるときは、当該業務に関する安全のための特別の教育を行わなければならない。

② つり下げのためのワイヤロープが2本のゴンドラでは、要求性能墜落制止用器具等をゴンドラに取り付けて作業を行うことができる。

③ ゴンドラの検査証の有効期間は2年であり、保管状況が良好であれば1年を超えない範囲内で延長することができる。

④ ゴンドラを使用する作業を、操作を行う者に単独で行わせる場合は、操作の合図を定めなくてもよい。

解説 ➡テキスト 第4編 4-6

① ○ ゴンドラの操作の業務に労働者を就かせるときは、当該労働者に対し、当該業務に関する安全のための**特別の教育**を行わなければならない。

② ○ つり下げのためのワイヤロープが2本のゴンドラでは、要求性能墜落制止用器具等を**ゴンドラに取り付けて**作業を行うことができる。なお、つり下げのためのワイヤロープが1本であるゴンドラにあっては、要求性能墜落制止用器具等は当該**ゴンドラ以外**のものに取り付けなければならない。

③ × ゴンドラの**検査証の有効期間は1年**である。ただし、保管状況が良好である等の場合は、有効期間を検査の日から起算して2年を超えず、かつ、当該ゴンドラを設置した日から起算して1年を超えない範囲内で延長することができる。

④ ○ ゴンドラを使用して作業を行うときは、ゴンドラの操作について**一定の合図**を定め、合図を行う者を指名して、その者に合図を行わせなければならない。ただし、ゴンドラを操作する者に単独で作業を行わせるときは、**この限りでない**。

正解 3

ゴンドラを使用して作業を行う場合、事業者の講ずべき措置として、「ゴンドラ安全規則」上、誤っているものはどれか。

① ゴンドラの操作の業務に就かせる労働者は、当該業務に係る技能講習を修了した者でなければならない。

② ゴンドラを使用して作業するときは、原則として、1月以内ごとに1回自主検査を行わなければならない。

③ ゴンドラを使用して作業を行う場所については、当該作業を安全に行うため必要な照度を保持しなければならない。

④ ゴンドラについて定期自主検査を行ったときは、その結果を記録し、これを3年間保存しなければならない。

解 説 ➡テキスト 第4編 4-6

① **✕** ゴンドラの操作の業務に労働者を就かせるときは、当該労働者に対し、当該業務に関する安全のための**特別の教育**を行わなければならない。

② **〇** 事業者は、ゴンドラについて、**月1回**以上の**定期自主検査**と作業開始前の点検を行わなければならない（ゴンドラ安全規則21条・22条）。

③ **〇** 事業者は、ゴンドラを使用して作業を行う場所については、当該作業を安全に行うため必要な**照度**を保持しなければならない。

④ **〇** 事業者は、ゴンドラについて**定期自主検査**を行ったときは、その結果を記録し、これを**3年間保存**しなければならない（同規則21条）。

正解 1

| 難易度 B | 問題 456 CHECK | 酸素欠乏症等防止規則 | 安全管理 R2-70 |

酸素欠乏危険作業に労働者を従事させるときの事業者の責務として、「酸素欠乏症等防止規則」上、誤っているものはどれか。

① 酸素欠乏危険作業については、所定の技能講習を修了した者のうちから、酸素欠乏危険作業主任者を選任しなければならない。

② 酸素欠乏危険作業に労働者を就かせるときは、当該労働者に対して酸素欠乏危険作業に係る特別の教育を行わなければならない。

③ 酸素欠乏危険場所で空気中の酸素の濃度測定を行ったときは、その記録を3年間保存しなければならない。

④ 酸素欠乏危険場所では、原則として、空気中の酸素の濃度を15％以上に保つように換気しなければならない。

解説 ────────────────── →テキスト 第4編 4-7

① ○ 事業者は、酸素欠乏危険作業については、所定の技能講習を修了した者のうちから酸素欠乏危険作業主任者を選任しなければならない。

② ○ 事業者は、酸素欠乏危険作業に労働者を就かせるときは、労働者に対して酸素欠乏危険作業に係る特別の教育を行わなければならない。

③ ○ 事業者は、酸素欠乏危険場所における作業場について、その日の作業を開始する前に、当該作業場における空気中の酸素濃度を測定しなければならない。また、この測定記録を3年間保存しなければならない。

④ × 事業者は、酸素欠乏危険作業に労働者を従事させる場合は、当該作業を行う場所の空気中の酸素濃度を18％以上に保つように換気しなければならない。

正解 4

酸素欠乏危険作業に労働者を従事させるときの事業者の責務に関する記述として、「酸素欠乏症等防止規則」上、誤っているものはどれか。

① 酸素欠乏危険作業については、衛生管理者を選任しなければならない。

② 酸素欠乏危険場所で空気中の酸素の濃度測定を行ったときは、その記録を3年間保存しなければならない。

③ 酸素欠乏危険場所では、原則として、空気中の酸素の濃度を18％以上に保つように換気しなければならない。

④ 酸素欠乏危険場所では、空気中の酸素の濃度測定を行うため必要な測定器具を備え、又は容易に利用できるような措置を講じておかなければならない。

解説 ....➜テキスト｜第4編｜4-7

① ✕ 事業者は、酸素欠乏危険作業については、**酸素欠乏危険作業主任者**を選任しなければならない。衛生管理者選任の規定はない。

② ○ 事業者は、酸素欠乏危険場所における作業場について、その日の作業を開始する前に、当該作業場における空気中の**酸素濃度を測定**しなければならない。また、この測定記録を3年間保存しなければならない。

③ ○ 事業者は、酸素欠乏危険作業に労働者を従事させる場合は、当該作業を行う場所の空気中の**酸素濃度を18％以上**に保つように**換気**しなければならない。

④ ○ 事業者は、酸素欠乏危険場所では、空気中の酸素の濃度測定を行うため必要な**測定器具**を備え、又は容易に利用できるような措置を講じておかなければならない。

正解 1

難易度 **B** 問題 **458** 有機溶剤中毒予防規則
CHECK □□□

安全管理
H29-70

有機溶剤作業主任者の職務として、「有機溶剤中毒予防規則」上、定められていないものはどれか。

① 屋内作業場において有機溶剤業務に労働者を従事させるときは、作業中の労働者が有機溶剤の人体に及ぼす作用を容易に知ることができるよう、見やすい場所に掲示すること。

② 作業に従事する労働者が有機溶剤により汚染され、又はこれを吸入しないように、作業の方法を決定し、労働者を指揮すること。

③ 局所排気装置、プッシュプル型換気装置又は全体換気装置を1月を超えない期間ごとに点検すること。

④ 保護具の使用状況を監視すること。

解説 ……………………………………… →テキスト / 第4編 / 4-7

① × 設問は「事業者」が実施する内容であり、作業主任者の職務ではない。

事業者は、屋内作業場等において有機溶剤業務に労働者を従事させるときは、次の❶〜❸を、作業中の労働者が容易に知ることができるよう、見やすい場所に掲示しなければならない。

❶ 有機溶剤の人体に及ぼす作用

❷ 取扱い上の注意事項

❸ 中毒が発生したときの応急処置

②〜④ ○ 有機溶剤作業主任者の主な職務は以下のとおりである。

❶ 作業に従事する労働者が有機溶剤により汚染され、又はこれを吸入しないように、作業の方法を決定し、労働者を指揮すること。

❷ 局所排気装置、プッシュプル型換気装置又は全体換気装置を1月を超えない期間ごとに点検すること。

❸ 保護具の使用状況を監視すること。

正解 **1**

屋内作業場において、有機溶剤業務に労働者を従事させる場合における事業者の講ずべき措置として、「有機溶剤中毒予防規則」上、誤っているものはどれか。

① 有機溶剤濃度の測定を必要とする業務を行う屋内作業場について、原則として6月以内ごとに1回、定期に、濃度の測定を行わなければならない。

② 原則として、労働者の雇い入れの際、当該業務への配置換えの際及びその後6月以内ごとに1回、定期に、所定の事項について医師による健康診断を行わなければならない。

③ 有機溶剤業務に係る局所排気装置は、3月を超えない期間ごとに1回、定期に、有機溶剤作業主任者に点検させなければならない。

④ 有機溶剤業務に係る局所排気装置は、原則として1年以内ごとに1回、定期に、所定の事項について自主検査を行わなければならない。

解 説 ➡テキスト 第4編 **4-7**

① ○ 事業者は、有機溶剤濃度の測定を必要とする業務を行う屋内作業場について、原則として**6月以内**ごとに1回、定期に、**濃度の測定**を行わなければならない（有機溶剤中毒予防規則28条）。

② ○ 事業者は、有機溶剤業務に常時従事する労働者に対し、雇入れの際、配置替えの際及びその後**6月以内**ごとに1回、定期に、所定の項目について医師による**健康診断**を行わなければならない（同規則29条）。

③ × 事業者は、**有機溶剤作業主任者**に局所排気装置等の**換気装置**を1月を超えない期間ごとに**点検**させなければならない（同規則19条の2）。したがって、3月に1回とする設問は不適当である。

④ ○ 有機溶剤業務に係る局所排気装置、プッシュプル型換気装置は、原則として**1年以内**ごとに1回、定期に、所定の事項について**自主検査**を行わなければならない（同規則20条）。

正解 3

問題 460 工具と根拠法令

難易度 **B** CHECK □□□

工具とその携帯に関する規定のある法律の組合せとして、誤っているものはどれか。

① ガス式ピン打ち機————火薬類取締法

② ガラス切り————————軽犯罪法

③ 作用する部分の幅が2cm以上で長さが24cm以上のバール

————特殊開錠用具の所持の禁止等に関する法律（ピッキング防止法）

④ 刃体の長さが8cmを超えるカッターナイフ

————銃砲刀剣類所持等取締法（銃刀法）

解説 →テキスト 第4編 4-8

① × **火薬類取締法**は火薬類の製造、販売、取り扱い等を規制する法律であるが、**ガス式ピン打ち機（ガス式びょう打ち機）**は火薬を用いないので、**火薬類取締法には抵触しない**（建築工事監理指針）。

② ○ **軽犯罪法**により「正当な理由がなく、合かぎ、のみ、**ガラス切り**その他他人の邸宅又は建物に侵入するのに使用されるような器具を隠して携帯」することは禁止されている。

③ ○ **特殊開錠用具の所持の禁止等に関する法律（ピッキング防止法）**の対象物には、**バール**（作用部分のいずれかの**幅2cm以上で長さ24cm以上**）等があり、「業務その他正当な理由による場合を除いて、隠して携帯」することが禁止されている。

④ ○ **銃砲刀剣類所持等取締法（銃刀法）**により業務その他正当な理由による場合を除いては、「**刃体の長さが6cmを超える刃物の携帯**」は禁止されている。

正解 **1**

第**5**編

法　規

用語の定義に関する記述として、「建築基準法」上、誤っているものはどれか。

① 床が地盤面下にある階で、床面から地盤面までの高さがその階の天井の高さの$\frac{1}{3}$以上のものは、地階である。

② 建築物の構造上重要でない間仕切壁の過半の模様替は、大規模の模様替である。

③ 高架の工作物内に設ける店舗は、建築物である。

④ 一の建築物又は用途上不可分の関係にある2以上の建築物のある一団の土地は、敷地である。

解説 ························· ➡テキスト 第5編 1-1

① ○ **地階**とは、床が地盤面下にある階で、床面から地盤面までの高さがその階の天井高さの$\frac{1}{3}$以上のものをいう。

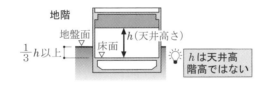

地階

地盤面 ▽　床面 ▽　h（天井高さ）

$\frac{1}{3}h$以上

💡 hは天井高 階高ではない

② ✕ **大規模の模様替え**とは、建築物の**主要構造部**の**1種以上**について行う過半の模様替えをいう。**主要構造部**とは、**壁、柱、床、はり、屋根又は階段**をいい、**構造上重要でない間仕切壁**、間柱等は除かれる。したがって、設問の模様替えは、大規模の模様替えには当たらない。

③ ○ **地下若しくは高架の工作物内**に設ける**事務所、店舗**、興行場、倉庫その他これらに類する施設は**建築物**である。

④ ○ **敷地**とは、1の建築物又は用途上不可分の関係にある2以上の建築物のある一団の土地をいう。

正解 **2**

基準法―用語の定義

用語の定義に関する記述として、「建築基準法」上、誤っているものはどれか。

① 事務所の用途に供する建築物は、特殊建築物である。

② 建築物の屋根は、主要構造部である。

③ 建築物に附属する塀は、建築物である。

④ 百貨店の売場は、居室である。

解 説 ....➡テキスト / 第5編 / 1-1

① × **特殊建築物**とは、不特定多数が利用する学校、病院、劇場等や工場、倉庫などをいい、事務所は**特殊建築物ではない**（建築基準法2条二号）。

② ○ **主要構造部**とは、**壁、柱、床、はり、屋根又は階段**をいい、建築物の構造上重要でない間仕切壁等は除かれる。したがって、屋根は主要構造部である（法2条五号）。

③ ○ **建築物**とは、土地に定着する工作物のうち、屋根及び柱若しくは壁を有するもので、これに**附属する門若しくは塀**も含まれる（法2条一号）。

④ ○ **居室**とは、居住、執務、作業、集会、娯楽等に類する目的のために**継続的に使用する室**をいうので、百貨店の売場は居室である（法2条四号）。

正解 1

用語の定義に関する記述として、「建築基準法」上、誤っているものはどれか。

① 事務所の用途に供する建築物は、特殊建築物である。

② 観覧のための工作物は、建築物である。

③ 高架の工作物内に設ける店舗は、建築物である。

④ 共同住宅の用途に供する建築物は、特殊建築物である。

解 説 ··· →テキスト／ 第 5 編 **1-1**

① ✕ **特殊建築物**は、主として、不特定、又は特定多数が使用する建築物（**学校、病院、劇場、百貨店、旅館、共同住宅**など）、危険物等を保有する建築物（**工場、倉庫**など）、周辺への配慮が必要な建築物（**火葬場、汚物処理場**など）である。事務所、銀行、郵便局などは、特殊建築物ではない。

② ◯ 観覧のための工作物は、建築物である。

③ ◯ 次のとおり、高架の工作物内に設ける店舗は、建築物である。
建築物とは、次のいずれかに該当するものである。

❶ 土地に定着する工作物のうち、屋根及び柱若しくは壁を有するもの（これに類する構造のものを含む）

❷ 上記❶に附属する門若しくは塀

❸ **観覧のための工作物**

❹ 地下若しくは**高架の工作物内**に設ける**事務所**、店舗、興行場、倉庫その他これらに類する施設

❺ 建築設備

④ ◯ 共同住宅の用途に供する建築物は、**特殊建築物**である。

正解 **1**

基準法一用語の定義

用語の定義に関する記述として、「建築基準法」上、誤っているものはどれか。

① 建築物の構造上重要でない間仕切壁の過半の模様替は、大規模の模様替である。

② 建築物の屋根は、主要構造部である。

③ 観覧のための工作物は、建築物である。

④ 百貨店の売場は、居室である。

解説 ➡テキスト 第5編 1-1

① **×**「大規模の模様替」とは、建築物の主要構造部の1種以上について行う過半の模様替をいう。ここで、**主要構造部**とは、壁、柱、床、はり、屋根又は階段をいう。建築物の構造上重要でない**間仕切壁**、間柱、最下階の床、小ばり、ひさし、局部的な小階段等、屋外階段その他これらに類する建築物の部分は、**主要構造部ではない**。したがって、間仕切壁の過半の模様替は「大規模の模様替」に該当しない。

② **○** 主要構造部とは、壁、柱、床、はり、屋根又は階段をいい、建築物の構造上重要でない間仕切壁等は除かれる。したがって、屋根は主要構造部である（建築基準法2条五号）。

③ **○** 観覧のための工作物は、**建築物**である。

④ **○** **居室**とは、居住、執務、作業、集会、娯楽等に類する目的のために継続的に使用する室をいうので、百貨店の売場は居室である（建築基準法2条四号）。

正解 **1**

次の記述のうち、「建築基準法」上、誤っているものはどれか。

① 鉄筋コンクリート造3階建の既存の建築物にエレベーターを設ける場合においては、確認済証の交付を受けなければならない。

② 鉄骨造2階建、延べ面積200㎡の建築物の新築工事において、特定行政庁の仮使用の承認を受けたときは、建築主は検査済証の交付を受ける前においても、仮に、当該建築物を使用することができる。

③ 防火地域及び準防火地域外において建築物を改築しようとする場合で、その改築に係る部分の床面積の合計が10㎡以内のときは、建築確認申請書の提出は必要ない。

④ 確認済証の交付を受けた建築物の完了検査を受けようとする建築主は、工事が完了した日から5日以内に、建築主事に到達するように検査の申請をしなければならない。

解説 →テキスト 第5編 **1-2**

① ○ 法6条1項一号の特殊建築物、又は同二号、三号に定める大規模な建築物に**エレベーター**を設置する場合は、**確認済証**の交付を受けなければならない。設問の建築物は、これに該当する。

木 造	木造以外
いずれかに該当するもの	いずれかに該当するもの
(1) 3階建て以上	(1) **2階建て以上**
(2) 延べ面積500㎡超	(2) **延べ面積200㎡超**
(3) 高さ13m超	
(4) 軒高9m超	

② ○ 法6条1項一号、二号、三号の特殊建築物等を新築する場合、**検査済証**の交付を受けなければ使用を開始することはできないが、特定行政庁等が、安全上、防火上及び避難上支障がないと認めたときは、検査済証の交付を受ける前に、仮に、使用を開始することができる（**仮使用**）。

③ ○ 防火地域及び準防火地域**外**において**10㎡以内**の増改築、移転の場合、**建築確認申請は不要**である。

④ ✕ 建築主は、確認済証の交付を受けた工事を完了したときは、建築主事の検査（**完了検査**）を申請しなければならない。この申請は、工事が完了した日から**4日以内**に到達するように、しなければならない。

正解 4

次の記述のうち、「建築基準法」上、誤っているものはどれか。

① 床面積の合計が10㎡を超える建築物を除却しようとする場合においては、原則として、当該除却工事の施工者は、建築主事を経由して、その旨を都道府県知事に届け出なければならない。

② 避難施設等に関する工事を含む建築物の完了検査を受けようとする建築主は、建築主事が検査の申請を受理した日から7日を経過したときは、検査済証の交付を受ける前であっても、仮に、当該建築物を使用することができる。

③ 鉄筋コンクリート造3階建共同住宅の3階の床及びこれを支持する梁に鉄筋を配置する工事の工程は、中間検査の申請が必要な特定工程である。

④ 木造3階建の戸建て住宅を、大規模の修繕をしようとする場合においては、確認済証の交付を受けなければならない。

解説 ━━━━━━━━━━━━━━━━━━━━━ →テキスト 第5編 1-2

① ◯ 床面積の合計が**10㎡を超える建築物の除却**の工事を施工する者は、**建築主事を経由**して、その旨を**都道府県知事に届け出**なければならない。

② ◯ 建築主は、一定の建築物等を新築する場合、原則として、**検査済証の交付**を受けた後でなければ、当該建築物を使用することができないが、完了検査の申請が受理された日から**7日を経過**したときは、建築物を、仮に使用することができる。

③ ✕ **特定工程**の対象は、原則として、**階数が3以上の共同住宅の2階の床**及び、これを支持する**梁に配筋**する工事の工程である（法7条の3）。したがって、設問の「3階の床」は「2階の床」の誤りである。

④ ◯ 建築主は、**木造**の建築物で**3以上の階数**を有するものの、大規模の修繕をしようとする場合は、当該工事に着手する前に、**確認済証**の交付を受けなければならない。

正解 **3**

建築確認等の手続きに関する記述として、「建築基準法」上、誤っているものはどれか。

① 防火地域及び準防火地域内において、建築物を増築しようとする場合、その増築部分の床面積の合計が10㎡以内のときは、建築確認を受ける必要はない。

② 延べ面積が150㎡の一戸建ての住宅の用途を変更して旅館にしようとする場合、建築確認を受ける必要はない。

③ 鉄筋コンクリート造3階建ての共同住宅において、2階の床及びこれを支持する梁に鉄筋を配置する特定工程に係る工事を終えたときは、中間検査の申請をしなければならない。

④ 確認済証の交付を受けた建築物の完了検査を受けようとする建築主は、工事が完了した日から4日以内に建築主事に到達するように、検査の申請をしなければならない。

解説 →テキスト 第5編 1-2

① ✕ 10㎡以内の増改築について確認を受ける必要がないのは、防火地域・準防火地域**以外**の地域である。**防火地域・準防火地域**では、10㎡以内の増改築についても**建築確認が必要**である。

② ◯ 住宅を旅館のような**特殊建築物に用途変更**する場合、その用途に供する床面積が**200㎡を超えている**場合は**確認**を受けなければならないので、150㎡では不要である。

③ ◯ 設問は**特定工程**に該当し、その工程を終えたときは**中間検査**の申請をし、その検査合格証を受けなければ後続の工程に着手することができない。

④ ◯ 完了検査を受けようとする建築主は、工事が**完了した日から4日以内に**建築主事に到達するように、**検査の申請**をしなければならない。

正解 **1**

次の記述のうち、「建築基準法」上、誤っているものはどれか。

① 鉄筋コンクリート造3階建ての共同住宅においては、2階の床及びこれを支持する梁に鉄筋を配置する特定工程に係る工事を終えたときは、中間検査の申請をしなければならない。

② 木造3階建ての戸建て住宅を、大規模の修繕をしようとする場合においては、確認済証の交付を受けなければならない。

③ 確認済証の交付を受けた建築物の完了検査を受けようとする建築主は、工事が完了した日から5日以内に、建築主事に到達するように検査の申請をしなければならない。

④ 床面積の合計が10㎡を超える建築物を除却しようとする場合においては、原則として、当該除却工事の施工者は、建築主事を経由して、その旨を都道府県知事に届け出なければならない。

解 説 ➡テキスト 第5編 **1-2**

① ○ 設問は**特定工程**に該当し、その工程を終えたときは**中間検査**の申請をし、その検査合格証を受けなければ後続の工程に着手することができない。

② ○ 建築主は、**木造の建築物で3以上の階数**を有するものの、大規模の修繕をしようとする場合は、当該工事に着手する前に、確認済証の交付を受けなければならない。

③ × 完了検査を受けようとする建築主は、工事が**完了した日から4日以内**に建築主事に到達するように、**検査の申請**をしなければならない。

④ ○ 床面積の合計が**10㎡を超える**建築物の除却の工事を施工する者は、建築主事を経由して、その旨を都道府県知事に届け出なければならない。

正解 **3**

B 問題 **469**

基準法ー建築手続き

建築基準法
R5-62

建築確認等の手続きに関する記述として、「建築基準法」上、誤っている
ものはどれか。

① 延べ面積が150㎡の一戸建ての住宅の用途を変更して旅館にしようとする場
合、建築確認を受ける必要はない。

② 鉄骨造2階建て、延べ面積200㎡の建築物の新築工事において、特定行政庁
の仮使用の承認を受けたときは、建築主は検査済証の交付を受ける前にお
いても、仮に、当該建築物を使用することができる。

③ 避難施設等に関する工事を含む建築物の完了検査を受けようとする建築主
は、建築主事が検査の申請を受理した日から7日を経過したときは、検査済
証の交付を受ける前であっても、仮に、当該建築物を使用することができる。

④ 防火地域及び準防火地域内において、建築物を増築しようとする場合、そ
の増築部分の床面積の合計が10㎡以内のときは、建築確認を受ける必要は
ない。

解 説 ●●●●●●●● →テキスト 第5編 **1-2**

① ○ 住宅を旅館のような**特殊建築物**に**用途変更**する場合、その用途に供する床面
積が200㎡を超えている場合は**建築確認**を受けなければならないので、150㎡で
は不要である。

② ○ 法6条1項一号、二号、三号の特殊建築物等を新築する場合、**検査済証**の交
付を受けなければ使用を開始することはできないが、特定行政庁等が、安全上、
防火上及び避難上支障がないと認めたときは、**検査済証の交付を受ける前**に、
仮に、使用を開始することができる（**仮使用**）。

③ ○ 建築主は、一定の建築物等を新築する場合、原則として、**検査済証**の交付を
受けた後でなければ、当該建築物を使用することができないが、完了検査の申請
が受理された日から7日を経過したときは、建築物を、**仮に使用**することができる。

④ ✕ 10㎡以内の増改築について確認を受ける必要がないのは、防火地域・準防火
地域以外の地域である。**防火地域・準防火地域**では、10㎡以内の増改築につい
ても建築確認が必要である。

正解 4

次の記述のうち、「建築基準法」上、誤っているものはどれか。

① 建築監視員は、建築物の工事施工者に、当該工事の施工の状況に関する報告を求めることができる。

② 建築主事は、建築基準法令の規定に違反した建築物に関する工事の請負人に対して、当該工事の施工の停止を命じることができる。

③ 建築主は、延べ面積が300㎡を超える鉄骨造の建築物を新築する場合は、一級建築士である工事監理者を定めなければならない。

④ 特定行政庁は、飲食店に供する床面積が200㎡を超える建築物の劣化が進み、そのまま放置すれば著しく保安上危険となると認める場合、相当の猶予期限を付けて、所有者に対し除却を勧告することができる。

解 説 ➡テキスト **第5編** **1-3**

① ○ 特定行政庁、建築主事、**建築監視員**は、建築物の所有者、工事監理者、工事施工者等に対して、建築材料等の受取若しくは引渡しの状況、**工事の計画**、施工の状況又は建築物に関する調査の状況に関する報告を求めることができる。

② × **特定行政庁、建築監視員**は、**建築基準法令等**に違反することが明らかな建築物、修繕又は模様替えの工事中の建築物については、緊急の必要があって事前手続によることができない場合、これらの手続によらないで、当該建築物の建築主、請負人（下請人を含む）又は現場管理者に対して、当該工事の**施工の停止**を命ずることができる。命令権者は「建築主事」ではない。

③ ○ 鉄骨造・鉄筋コンクリート造で延べ面積が300㎡を超える建築物を新築する場合は、**一級建築士**でなければ、その設計又は**工事監理**をしてはならない。

④ ○ **特定行政庁**は、飲食店に供する特殊建築物のうち、延べ面積が200㎡を超えるもの又は階数が3以上で、その用途に供する部分の床面積の合計が100㎡を超え、200㎡以下のものについて、損傷、腐食その他の劣化が進み、そのまま放置すれば著しく**保安上危険等**となるおそれがあると認める場合、当該建築物等の所有者等に対して、相当の**猶予期限**を付けて、当該建築物の**除却等**、必要な措置をとることを**勧告**することができる（法10条、施行令14条の2）。

正解 **2**

次の記述のうち、「建築基準法」上、誤っているものはどれか。

① 建築物の容積率の算定において、自動車車庫の面積は、敷地内の建築物の各階の床面積の合計の$\frac{1}{5}$までは算入しないことができる。

② 延べ面積が300㎡の鉄骨造の建築工事の施工者は、工事現場に建築主、設計者、工事施工者及び工事の現場管理者の氏名又は名称の表示をしないことができる。

③ 建築基準法の規定は、文化財保護法の規定によって重要文化財に指定され、又は仮指定された建築物については適用しない。

④ 建築基準法の規定は、条例の定めるところにより現状変更の規制及び保存のための措置が講じられている建築物であって、特定行政庁が建築審査会の同意を得て指定したものには適用しない。

解 説 ➡テキスト 第5編 1-3

① ◯ 容積率の算定の基礎となる**延べ面積**には、**自動車車庫**の面積は、敷地内の建築物の各階の床面積の合計の$\frac{1}{5}$までは**算入しない**（建築基準法施行令2条1項四号イ、3項）。

② ✕ **確認済証の交付**を受けるべき建築工事の施工者は、当該**工事現場**の見やすい場所に、**建築主、設計者、工事施工者**及び工事の**現場管理者**の氏名又は名称の**表示**をしなければならない（建築基準法89条1項）。300㎡の鉄骨造の建築は、確認済証の交付を受けなければならない（法6条1項三号）。

区　分	区域	対　象
〔第一号〕 法別表第1（い）欄の**特殊建築物**	全国どこでも	用途部分の床面積の合計値＞200㎡
〔第二号〕 **木造建築物**		1．階数≧3 2．延べ面積＞500㎡ 3．高さ＞13m 4．軒高＞9m
〔第三号〕 **木造以外**の建築物		1．階数≧2 2．延べ面積＞200㎡

③ ○ 文化財保護法の規定によって**国宝**、**重要文化財**等に指定、又は仮指定された建築物には、建築基準法の規定は適用しない（法3条1項一号）。

④ ○ 地方自治体の**条例**により現状変更の規制及び保存のための措置が講じられている建築物であって、特定行政庁が**建築審査会の同意**を得て指定したものについては、建築基準法は適用されない（法3条1項三号）。

正解 2

次の記述のうち、「建築基準法」上、誤っているものはどれか。

① 建築主は、延べ面積が1,000㎡を超え、かつ、階数が2以上の建築物を新築する場合、一級建築士である工事監理者を定めなければならない。

② 特定行政庁は、飲食店に供する床面積が200㎡を超える建築物の劣化が進み、そのまま放置すれば著しく保安上危険となると認める場合、相当の猶予期限を付けて、所有者に対し除却を勧告することができる。

③ 建築監視員は、建築物の工事施工者に対して、当該工事の施工の状況に関する報告を求めることができる。

④ 建築主事は、建築基準法令の規定に違反した建築物に関する工事の請負人に対して、当該工事の施工の停止を命じることができる。

解説 →テキスト 第5編 **1-3**

① ○ 延べ面積が1,000㎡を超え、**かつ**、階数が2以上の建築物の設計・工事監理は、**一級建築士**の独占業務である。

② ○ **特定行政庁**は、所定の特殊建築物等の劣化が進み、そのまま放置すれば著しく保安上危険になるおそれがあると認める場合、建築物の所有者等に対し、相当の猶予期限を付けて**除却を勧告**することができる。

③ ○ **特定行政庁、建築主事**又は**建築監視員**は、建築物の工事施工者等に対して、工事の計画や施工の状況等について**報告**を求めることができる。

④ × **特定行政庁**又は**建築監視員**は、建築基準法令の規定等に違反した建築物の建築主や工事の請負人等に対して、工事の**施工の停止**を命じることができる。この権限は建築主事にはない。

正解 **4**

次の記述のうち、「建築基準法」上、誤っているものはどれか。

① 建築物の容積率の算定において、自動車車庫の面積は、敷地内の建築物の各階の床面積の$\frac{1}{5}$までは算入しないことができる。

② 建築主は、軒の高さが9mを超える木造の建築物を新築する場合においては、二級建築士である工事監理者を定めなければならない。

③ 建築基準法の規定は、条例の定めるところにより現状変更の規制及び保存のための措置が講じられている建築物であって、特定行政庁が建築審査会の同意を得て指定したものには適用されない。

④ 建築基準法又はこれに基づく命令若しくは条例の規定の施行又は適用の際現に存する建築物が、規定の改正等によりこれらの規定に適合しなくなった場合、これらの規定は当該建築物に適用されない。

解説 → テキスト 第5編 1-3

① ○ 容積率の算定の基礎となる延べ面積には、**自動車車庫**の面積は、敷地内の建築物の各階の床面積の合計の$\frac{1}{5}$までは算入しない。

② × 次の建築物を新築する場合は、**一級建築士**でなければ、その設計又は**工事監理**をしてはならない。

一	学校、病院、劇場、映画館、観覧場、公会堂、集会場（オーディトリアムを有しないものを除く。）又は百貨店の用途に供する建築物で、延べ面積が**500㎡を超える**もの
二	木造建築物又は建築物の部分で、**高さが13m又は軒の高さが9mを超える**もの
三	鉄筋コンクリート造、鉄骨造り、石造、れん瓦造、コンクリートブロック造若しくは無筋コンクリート造の建築物又は建築物の部分で、**延べ面積が300㎡、高さが13m又は軒の高さが9mを超える**もの
四	延べ面積が**1,000㎡を超え、かつ、階数が2以上**の建築物

③ ○ 文化財保護法その他の**条例**の定めるところにより、現状変更の規制及び保存のための措置が講じられている建築物（「**保存建築物**」）であって、特定行政庁が**建築審査会**の同意を得て指定したものには、建築基準法の規定は適用されない。

④ ○ **既存不適格建築物**として、現行法令に適合しなくても違反とならない。

正解 2

次の記述のうち、「建築基準法」上、誤っているものはどれか。

① 建築監視員は、建築物の工事施工者に対して、当該工事の施工の状況に関する報告を求めることができる。

② 建築主事は、建築基準法令の規定に違反した建築物に関する工事の請負人に対して、当該工事の施工の停止を命じることができる。

③ 建築物の所有者、管理者又は占有者は、その建築物の敷地、構造及び建築設備を常時適法な状態に維持するよう努めなければならない。

④ 特定行政庁が指定する建築物の所有者又は管理者は、建築物の敷地、構造及び建築設備について、定期に、建築物調査員にその状況の調査をさせて、その結果を特定行政庁に報告しなければならない。

解説 .... →テキスト / 第5編 **1-3**

① ○ **特定行政庁、建築主事**又は**建築監視員**は、建築物の**工事施工者等**に対して、工事の計画や施工の状況等について**報告**を求めることができる。

② × **特定行政庁、建築監視員**は、建築基準法令等に違反することが明らかな建築物、修繕又は模様替えの工事中の建築物については、緊急の必要があって事前手続によることができない場合、これらの手続によらないで、当該建築物の**建築主、請負人**（**下請人を含む**）又は**現場管理者**に対して、当該工事の**施工の停止**を命ずることができる。命令権者は「建築主事」ではない。

③ ○ 建築物の所有者、管理者又は占有者は、建築物の敷地、構造及び建築設備を**常時適法な状態に維持**するよう努めなければならない。

④ ○ 特定行政庁が指定する建築物の所有者又は管理者は、建築物の敷地、構造及び建築設備について、**定期に、一級建築士**若しくは**二級建築士**又は**建築物調査員**にその状況を調査させて、その結果を特定行政庁に**報告**しなければならない（定期報告）。

正解 2

次の記述のうち、「建築基準法」上、誤っているものはどれか。

① 共同住宅の各戸の界壁を給水管が貫通する場合においては、当該管と界壁とのすき間をモルタルその他の不燃材料で埋めなければならない。

② 準防火地域内にある建築物で、外壁が耐火構造のものについては、その外壁を隣地境界線に接して設けることができる。

③ 主要構造部を耐火構造とした建築物で、延べ面積が1,500㎡を超えるものは、原則として、床面積の合計1,500㎡以内ごとに1時間準耐火基準に適合する準耐火構造の床若しくは壁又は特定防火設備で区画しなければならない。

④ 政令で定める窓その他の開口部を有しない事務所の事務室は、その事務室を区画する主要構造部を準耐火構造とし、又は不燃材料で造らなければならない。

解説
→テキスト　第5編　1-5

① 〇 給水管、配電管等が**防火区画を貫通**する場合、当該管と防火区画との隙間をモルタルその他の**不燃材料**で埋めなければならない。

② 〇 **防火地域又は準防火地域内**にある建築物で、外壁が耐火構造のものについては、その外壁を隣地境界線に接して設けることができる。

③ 〇 主要構造部を耐火構造とした建築物は、原則として、床面積の合計1,500㎡以内ごとに1時間準耐火基準に適合する準耐火構造の床若しくは壁又は特定**防火設備**で区画しなければならない。

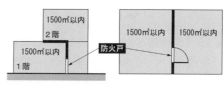

④ ✕ 次のいずれかを満たす開口部を有しない**無窓居室**を区画する主要構造部は、原則として耐火**構造又は不燃材料**でつくらなければならない。

施行令 111条	一号：採光上有効な開口部面積が居室の床面積の1/20以上であること
	二号：開口部の大きさが、直径1m以上の円が内接できるか、又は幅75cm、高さ1.2m以上であり、避難上有効な構造であること

正解 4

基準法―防火区画

防火区画に関する記述として、「建築基準法」上、誤っているものはどれか。

① 5階建ての共同住宅の用途に供する建築物は、原則として、共同住宅の部分と自動車車庫の用途に供する部分とを1時間準耐火基準に適合する準耐火構造とした床若しくは壁又は特定防火設備で区画しなければならない。

② 主要構造部を耐火構造とした建築物で、延べ面積が1,500㎡を超えるものは、原則として床面積の合計1,500㎡以内ごとに1時間準耐火基準に適合する準耐火構造とした床若しくは壁又は特定防火設備で区画しなければならない。

③ 主要構造部を準耐火構造とした階数が3で延べ面積が200㎡の一戸建ての住宅における吹抜きとなっている部分及び階段の部分については、当該部分とその他の部分とを準耐火構造の床若しくは壁又は防火設備で区画しなければならない。

④ 建築物の11階以上の部分で、各階の床面積の合計が100㎡を超えるものは、原則として床面積の合計100㎡以内ごとに耐火構造の床若しくは壁又は防火設備で区画しなければならない。

解説 ➡テキスト／第5編 1-5

① ○ 3階以上の階を共同住宅の用途に供する建築物は、その他の用途の部分がある場合、原則として、その部分を防火区画しなければならない（**異種用途区画**）。

② ○ 主要構造部を耐火構造とした建築物で、**延べ面積が1,500㎡を超える**ものは、原則として、1,500㎡以内ごとに**一時間準耐火基準に適合する準耐火構造**の床若しくは壁又は**特定防火設備**で区画しなければならない（**面積区画**）。

③ × **竪穴区画**は、階数が3以下で延べ面積が200㎡以内の一戸建ての住宅については、適用されない（**竪穴区画**）。

④ ○ 建築物の11階以上の部分で、各階の床面積の合計が**100㎡**を超えるものは、原則として床面積の合計100㎡以内ごとに**防火区画**しなければならない（**高層区画**）。

正解 3

防火区画に関する記述として、「建築基準法」上、誤っているものはどれか。

① 主要構造部を準耐火構造とした階数が3以下で、延べ面積200㎡以内の一戸建住宅の階段は、竪穴部分とその他の部分について、準耐火構造の床若しくは壁又は防火設備で区画しなくてもよい。

② 政令で定める窓その他の開口部を有しない事務所の事務室は、その事務室を区画する主要構造部を準耐火構造とし、又は不燃材料で造らなければならない。

③ 建築物の11階以上の部分で、各階の床面積の合計が100㎡を超えるものは、原則として床面積の合計100㎡以内ごとに耐火構造の床若しくは壁又は防火設備で区画しなければならない。

④ 共同住宅の各戸の界壁を給水管が貫通する場合においては、当該管と界壁との隙間をモルタルその他の不燃材料で埋めなければならない。

解説 .... →テキスト／第5編／**1-5**

① ○ 竪穴区画は、階数が3以下で延べ面積が200㎡以内の一戸建ての住宅については、適用されない（**竪穴区画**）。

② ✕ 次のいずれかを満たす開口部を有しない**無窓居室**を区画する主要構造部は、原則として**耐火構造又は不燃材料**でつくらなければならない。

施行令 111条	一号：採光上有効な開口部面積が居室の床面性の1/20以上であること
	二号：開口部の大きさが、直径1m以上の円が内接できるか、又は幅75cm、高さ1.2m以上であり、避難上有効な構造であること

③ ○ 建築物の11階以上の部分で、各階の床面積の合計が100㎡を超えるものは、原則として床面積の合計100㎡以内ごとに防火区画をしなければならない（**高層区画**）。

④ ○ 給水管、配電管等が**防火区画を貫通**する場合、当該管と防火区画との隙間をモルタルその他の**不燃材料**で埋めなければならない。

正解 **2**

第5編 法規 1 建築基準法

次の記述のうち、「建築基準法施行令」上、誤っているものはどれか。

① 共同住宅の各戸の界壁を給水管が貫通する場合においては、当該管と界壁との隙間をモルタルその他の不燃材料で埋めなければならない。

② 劇場の客席は、主要構造部を耐火構造とした場合であっても、スプリンクラー設備等を設けなければ、1,500㎡以内ごとに区画しなければならない。

③ 主要構造部を準耐火構造とした建築物で、3階以上の階に居室を有するものの昇降機の昇降路の部分とその他の部分は、原則として、準耐火構造の床若しくは壁又は防火設備で区画しなければならない。

④ 換気設備のダクトが準耐火構造の防火区画を貫通する場合においては、火災により煙が発生した場合又は火災により温度が急激に上昇した場合に自動的に閉鎖する構造の防火ダンパーを設けなければならない。

解 説 ・・・　➡テキスト｜第5編｜1-5

① ○ 給水管、配電管等が**防火区画を貫通**する場合、当該管と防火区画との隙間をモルタルその他の**不燃材料**で埋めなければならない。

② ✕ 主要構造部を耐火構造とした建築物で、延べ面積が1,500㎡を超えるものは、スプリンクラー設備等を設けない場合、1,500㎡以内ごとに**1時間**準耐火基準に適合する**準耐火構造**の床、壁又は**特定防火設備**によって区画しなければならない。ただし、**劇場**、映画館、集会場の客席、体育館、工場等**は除く**（建築基準法施行令112条）。

③ ○ 主要構造部が耐火構造または準耐火構造で、地階又は**3階**以上の階に居室を有する建築物の階段や昇降路の部分は、その他の部分との境界を**準耐火構造**の床もしくは壁または**防火設備**で区画しなければならない。この防火区画は**竪穴区画**と呼ばれる。

④ ○ 準耐火構造の**防火区画を貫通するダクト**には、建物内での火災の延焼を防止することを目的として、防火ダンパーの設置が要求されている。その仕組みは、熱や煙をセンサーなどが感知することでダンパーが**自動的に閉じて遮断する**もので、火災による延焼の拡大を防ぐ。

正解 **2**

建築物の内装制限に関する記述として、「建築基準法」上、誤っているものはどれか。

① 自動車車庫の用途に供する特殊建築物は、構造及び床面積に関係なく、原則として、内装制限を受ける。

② 主要構造部を耐火構造とした学校の1階に設ける調理室は、内装制限を受けない。

③ 内装制限を受ける百貨店の売場から地上に通ずる主たる廊下の室内に面する壁のうち、床面からの高さが1.2m以下の部分は、内装制限を受けない。

④ 主要構造部を耐火構造とした地階に設ける飲食店は、原則として、内装制限を受ける。

➡テキスト／第5編 1-6

解説

① ○ 自動車車庫又は自動車修理工場の用途に供する特殊建築物は、構造及び床面積に関係なく、原則として、内装制限を受ける。

② ○ 学校は構造及び面積にかかわらず内装制限を受けない。また、こんろその他火を使用する設備又は器具を設けた調理室は、学校であっても内装制限を受けるが、主要構造部を耐火構造としたものは除かれる。

③ × 百貨店の売場の壁は、床面からの高さが1.2m以下の部分は内装制限を受けないが、地上に通ずる主たる通路、階段等の壁、天井の室内に面する部分は床からの高さにかかわらず内装制限を受ける。

④ ○ 地階に設ける飲食店、映画館、劇場、百貨店等は、構造及び面積にかかわらず、原則として内装制限を受ける。

正解 **3**

避難施設等に関する記述として、「建築基準法」上、誤っているものはどれか。

① 小学校には、非常用の照明装置を設けなければならない。

② 集会場で避難階以外の階に集会室を有するものは、その階から避難階又は地上に通ずる2以上の直通階段を設けなければならない。

③ 映画館の客用に供する屋外への出口の戸は、内開きとしてはならない。

④ 高さ31mを超える建築物には、原則として、非常用の昇降機を設けなければならない。

解 説 ➡テキスト / 第5編 / 1-7

① ✕ 非常用の照明装置は、一戸建の住宅、共同住宅の住戸、病院の病室等のほか、**学校等についても不要**とされている。

② 〇 避難階以外の階が劇場、映画館、**集会場**等の用途に供する階である場合、その階から避難階又は地上に通ずる**2以上の直通階段**を設けなければならない。

③ 〇 **劇場、映画館**、演芸場、観覧場、公会堂又は**集会場**における**客席からの出口の戸**は、避難方向を考慮して内開きとしてはならない。また、これらの建築物で客用に供する**屋外への出口の戸**も、**内開きとしてはならない**。

④ 〇 **高さ31mを超える**建築物には、原則として、**非常用の昇降機**を設けなければならない。

正解 1

避難施設等に関する記述として、「建築基準法施行令」上、誤っているものはどれか。

① 小学校には、非常用の照明装置を設けなければならない。

② 映画館の客用に供する屋外への出口の戸は、内開きとしてはならない。

③ 回り階段の部分における踏面の寸法は、踏面の狭い方の端から30cmの位置において測らなければならない。

④ 両側に居室がある場合の、小学校の児童用の廊下の幅は、2.3m以上としなければならない。

解説 .... →テキスト 第5編 1-7

① × 非常用の照明装置は、一戸建の住宅、共同住宅の住戸、病院の病室等のほか、**学校**等についても**不要**とされている。

② ○ **劇場、映画館、演芸場、観覧場、公会堂又は集会場**における**客席からの出口の戸**は、避難方向を考慮して内開きとしてはならない。また、これらの建築物で客用に供する**屋外への出口の戸**も、**内開きとしてはならない**。

③ ○ **回り階段**の部分における踏面の寸法は、踏面の狭い方の端から**30cmの位置**において測る。

④ ○ **小学校〜高等学校**の廊下の幅は、**両側に居室**がある場合は2.3m、その他は1.8m以上としなければならない。

30cm
けあげ
踏面
階段の幅

正解 1

建設業の許可に関する記述として、「建設業法」上、誤っているものはどれか。

① 建設業の許可は、5年ごとにその更新を受けなければ、その期間の経過によって、その効力を失う。

② 建設業の許可を受けた建設業者は、許可を受けてから3年以内に営業を開始せず、又は引き続いて1年以上営業を休止した場合は、当該許可を取り消される。

③ 工事1件の請負代金の額が建築工事にあっては1,500万円に満たない工事又は延べ面積が150㎡に満たない木造住宅工事は、建設業のみを請け負う場合は、建設業の許可を必要としない。

④ 建設業者は、許可を受けた建設業に係る建設工事を請け負う場合、当該建設工事に附帯する他の建設業に係る建設工事を請け負うことができる。

解 説 ⋯⋯⋯⋯⋯⋯⋯⋯⋯⋯⋯⋯⋯⋯⋯⋯⋯ ➡テキスト 第5編 **2-2**

① ○ 建設業の許可の有効期間は5年で、更新を受けなければ、期間経過により効力を失う。

② ✕ 許可を受けた建設業者が許可を受けてから**1年以内**に営業を開始せず、又は引き続き1年以上営業を休止した場合等は、当該建設業者の**許可を取り消される**。3年ではない。

③ ○ 次の**軽微な建設工事**のみを請け負うことを営業とする場合は、**建設業の許可は不要**である。

・**建築一式工事**：請負代金の額が1,500万円未満の工事又は延べ面積150㎡未満の木造住宅工事

・**建築一式工事以外**：500万円未満の工事

④ ○ 建設業者は、許可を受けた建設業に係る建設工事を請け負う場合、建設工事に附帯する他の建設業に係る建設工事を請け負うことができる（たとえば、屋根工事の一部分に塗装工事が必要である場合など）。

正解 **2**

建設業の許可に関する記述として、「建設業法」上、誤っているものはどれか。

① 特定建設業の許可を受けようとする者は、発注者との間の請負契約で、その請負代金の額が8,000万円以上であるものを履行するに足りる財産的基礎を有していなければならない。

② 特定建設業の許可を受けようとする建設業のうち、指定建設業は、土木工事業、建築工事業、電気工事業、管工事業及び造園工事業の5業種である。

③ 特定建設業の許可を受けた者でなければ、発注者から直接請け負った建設工事を施工するために、建築工事業にあっては下請代金の額の総額が7,000万円以上の下請契約を締結してはならない。

④ 許可を受けようとする建設業に係る建設工事に関して10年の実務の経験を有する者を、一般建設業の営業所に置く専任の技術者とすることができる。

解説 ➡テキスト 第5編 2-2

① ○ 特定建設業の許可を受けようとする者は、発注者との間の請負契約で、その請負代金の額が**8,000万円以上**であるものを履行するに足りる**財産的基礎**を有していなければならない。

② × 特定建設業の許可を受けようとする建設業のうち、**指定建設業**は、**土木**工事業、**建築**工事業、**電気**工事業、**管**工事業、**鋼構造物**工事業、**舗装**工事業及び**造園**工事業の**7業種**である。

③ ○ 特定建設業の許可を受けた者でなければ、発注者から直接請け負った建設工事を施工するために、建築工事業（建築一式工事）にあっては下請代金の額の総額が**7,000万円以上**の**下請契約**を締結してはならない。

④ ○ 許可を受けようとする建設業に係る建設工事に関して**10年**の実務の経験を有する者を、一般建設業の**営業所に置く専任の技術者**とすることができる。

正解 2

建設業の許可に関する記述として、「建設業法」上、誤っているものはどれか。

① 工事 1 件の請負代金の額が建築一式工事にあっては1,500万円に満たない工事又は延べ面積が150㎡に満たない木造住宅工事のみを請け負う場合は、建設業の許可を必要としない。

② 建設業の許可の更新を受けようとする者は、有効期間満了の日前30日までに許可申請書を提出しなければならない。

③ 建築工事業で一般建設の許可を受けた者が、1 件の建設工事につき、総額が7,000万円以上となる下請け契約を締結するために、特定建設業の許可を受けたときは、一般建設の許可は、その効力を失う。

④ 建設業の許可を受けた建設業者は、許可を受けてから 3 年以内に営業を開始せず、又は引き続いて 3 年以上営業を休止した場合は、当該許可を取り消される。

解説 ………………………………………………………… ➡テキスト **第5編** **2-2**

① ○ 建設業を営もうとする者は、**軽微な建設工事**のみ請け負う場合を除き、建設業の許可を受けなければならない。建築一式工事にあっては、請負代金の額が1,500万円に満たない工事又は延べ面積が150㎡に満たない**木造住宅**工事は、**軽微な建設工事**にあたる（建設業法 3 条 1 項、施行令 1 条の 2 ）。

② ○ 建設業の許可の更新を受けようとする者は、有効**期間満了の日前30日**までに許可申請書を提出しなければならない（規則 5 条）。

③ ○ 建築工事業で 1 件の建設工事につき総額が7,000万円以上となる下請契約を締結する場合、**特定建設業**の許可が必要となる。一般建設業の許可を受けた者がこれに該当して特定建設業の許可を受けた場合、一般建設業の許可は失効する（法 3 条 6 項、令 2 条）。

④ × 許可を受けてから **1 年以内**に営業を開始せず、又は引き続いて **1 年以上**営業を休止した場合は、当該建設業者の**許可は取り消される**。3 年ではない（法29条 1 項四号）。

正解 **4**

建設業の許可に関する記述として、「建設業法」上、誤っているものはどれか。

① 建設業の許可を受けようとする者は、許可を受けようとする建設業に係る建設工事に関して10年の実務の経験を有する者を、一般建設業の営業所に置く専任の技術者とすることができる。

② 建設業の許可を受けようとする者は、複数の都道府県の区域内に営業所を設けて営業をしようとする場合、それぞれの都道府県知事の許可を受けなければならない。

③ 内装仕上工事など建築一式工事以外の工事を請け負う建設業者であっても、特定建設業の許可を受けることができる。

④ 特定建設業の許可を受けた者でなければ、発注者から直接請け負った建設工事を施工するために、建築工事業にあっては下請代金の額の総額が7,000万円以上となる下請契約を締結してはならない。

解 説 ‥‥‥‥‥‥‥‥‥‥‥‥‥‥‥‥‥‥‥‥‥‥‥‥‥‥‥ →テキスト 第5編 2-2

① ○ 建設業の許可を受けるためには**営業所ごとに専任の技術者**を置かなければならず、その資格は、建設工事に関し**10年以上実務経験**を有する者等が定められている。

② ✕ **複数**の都道府県の区域内に営業所を設けて営業をしようとする場合、**国土交通大臣の許可**を受けなければならない。

③ ○ 下請金額が**4,500万円**（**建築一式工事業**は7,000万円）以上の下請契約を締結する**元請業者**として、建設業を営もうとする者は**特定建設業**の許可を受けなければならない。したがって、建築一式工事以外の工事を請け負う建設業者であっても、特定建設業者となることができる。

④ ○ 発注者から直接請け負った建設工事を施工するために、建築工事業は下請代金の額の総額が**7,000万円以上**となる下請契約を締結する場合は**特定建設業**の許可が必要である。

正解 **2**

建設業の許可に関する記述として、「建設業法」上、誤っているものはどれか。

① 建設業の許可は、一般建設業と特定建設業の区分により、建設工事の種類ごとに受ける。

② 建設業者は、許可を受けた建設業に係る建設工事を請け負う場合においては、当該建設工事に附帯する他の建設業に係る建設工事を請け負うことができる。

③ 建設業の許可を受けた建設業者は、許可を受けてから3年以内に営業を開始せず、又は引き続いて1年以上営業を休止した場合、当該許可を取り消される。

④ 特定建設業の許可を受けようとする者は、発注者との間の請負契約で、その請負代金の額が8,000万円以上であるものを履行するに足りる財産的基礎を有していなければならない。

解説 ·· →テキスト 第5編 2-2

① ○ 建設工事は29業種に区分され、その区分ごとに原則として許可を要する。

② ○ 建設業者は、許可を受けた建設業に係る建設工事を請け負う場合、建設工事に附帯する他の建設業に係る建設工事を請け負うことができる（たとえば、屋根工事の一部分に塗装工事が必要である場合など）。

③ ✕ 許可を受けた建設業者が許可を受けてから**1年以内に営業を開始せず**、又は引き続き**1年以上営業を休止した場合**等は、当該建設業者の**許可を取り消される**。3年ではない。

④ ○ 特定建設業の許可を受けようとする者は、発注者との間の請負契約で、その請負代金の額が8,000万円以上であるものを履行するに足りる**財産的基礎**を有していなければならない。

正解 3

建設業の許可に関する記述として、「建設業法」上、誤っているものはどれか。

① 特定建設業の許可を受けようとする建設業のうち、指定建設業は、土木工事業、建築工事業、電気工事業、管工事業及び造園工事業の5業種である。

② 一般建設業の許可を受けようとする者は、許可を受けようとする建設業に係る建設工事に関して10年以上の実務の経験を有する者を、その営業所ごとに置く専任の技術者とすることができる。

③ 工事一件の請負代金の額が500万円に満たない建設工事のみを請け負うことを営業とする者は、建設業の許可を受けなくてもよい。

④ 特定建設業の許可を受けた者でなければ、発注者から直接請け負った建設工事を施工するために、建築工事業にあっては下請代金の額の総額が7,000万円以上となる下請契約を締結してはならない。

解 説 .... ➡テキスト／ 第5編 ／ 2-2

① ✕ 特定建設業の許可を受けようとする建設業のうち、**指定建設業**は、**土木工事業、建築工事業、電気工事業、管工事業、鋼構造物工事業、舗装工事業及び造園工事業の7業種**である。

② ◯ 建設業の許可を受けるためには**営業所ごとに専任の技術者**を置かなければならず、その資格は、建設工事に関し**10年以上実務経験**を有する者等が定められている。

③ ◯ 次の軽微な建設工事（請負代金が少ない工事・小規模住宅に限定される）のみを請け負うことを営業とする場合は、建設業の許可は不要である。
- 建築一式工事：1,500万円未満の工事又は延べ面積150㎡未満の木造住宅工事
- 建築一式工事以外：500万円未満の工事

④ ◯ 発注者から直接請け負った建設工事を施工するために、**建築工事業**にあっては下請代金の額の総額が7,000万円以上となる**下請契約**を締結する場合は**特定建設業**の許可が必要である。

正解 **1**

建設業の許可に関する記述として、「建設業法」上、誤っているものはどれか。

① 許可に係る建設業者は、営業所の所在地に変更があった場合、30日以内に、その旨の変更届出書を国土交通大臣又は都道府県知事に提出しなければならない。

② 建築工事業で一般建設業の許可を受けた者が、建築工事業の特定建設業の許可を受けたときは、その者に対する建築工事業に係る一般建設業の許可は、その効力を失う。

③ 木造住宅を建設する工事を除く建築一式工事であって、工事1件の請負代金の額が4,500万円に満たない工事を請け負う場合は、建設業の許可を必要としない。

④ 内装仕上工事など建築一式工事以外の工事を請け負う建設業者であっても、特定建設業者となることができる。

解　説 ┈┈┈┈┈┈┈┈┈┈┈┈┈┈┈┈┈┈┈┈┈┈┈┈┈┈┈┈ →テキスト 第5編 2-2

① ○ 建設業の許可を受けた者は、**営業所の名称及び所在地**等に変更が生じたときには、30日以内に、許可権者に対して**変更届出書**を提出しなければならない（建設業法11条）。

② ○ 一般建設業の許可を受けた者が、当該許可に係る建設業について、特定建設業の許可を受けたときは、その者に対する一般建設業の許可は、その効力を失う。

③ × 建設業を営もうとする者は、**軽微な建設工事**のみ請け負う場合を除き、建設業の許可を受けなければならない。建築一式工事にあっては1,500万円に満たない工事又は延べ面積が150㎡に満たない**木造住宅工事**は、軽微な建設工事にあたる（建設業法3条1項、施行令1条の2）。

④ ○ 下請金額が4,500万円（建築一式工事業は7,000万円）以上の下請契約を締結する元請業者として、建設業を営もうとする者は特定建設業の許可を受けなければならない。したがって、建築一式工事以外の工事を請け負う建設業者であっても、特定建設業者となることができる。

正解 3

請負契約に関する記述として、「建設業法」上、誤っているものはどれか。

① 請負契約においては、注文者が工事の全部又は一部の完成を確認するための検査の時期及び方法並びに引渡しの時期に関する事項を書面に記載しなければならない。

② 注文者は、請負契約の締結後、自己の取引上の地位を不当に利用して、建設工事に使用する資材や機械器具の購入先を指定して請負人に購入させ、その利益を害してはならない。

③ 請負人は、請負契約の履行に関し、工事現場に現場代理人を置く場合、注文者の承諾を得なければならない。

④ 共同住宅を新築する建設工事の場合、建設業者は、その請け負った建設工事を、いかなる方法をもってするかを問わず、一括して他人に請け負わせてはならない。

解 説 ➡テキスト 第5編 2-3

① ○ 請負契約においては、「注文者が工事の全部又は一部の完成を確認するための**検査**の時期及び方法並びに**引渡し**の時期」に関する事項を書面に記載しなければならない。

② ○ 注文者は、請負契約の締結後、自己の**取引上の地位**を不当に**利用**して、その注文した建設工事に使用する資材若しくは機械器具又はこれらの**購入先を指定**し、これらを請負人に**購入させて**、その利益を害してはならない。

③ ✕ 請負人は、請負契約の履行に関し工事現場に現場代理人を置く場合においては、「当該現場代理人の権限に関する事項及び当該現場代理人の行為についての注文者の請負人に対する**意見の申出の方法**」を、書面により注文者に**通知**しなければならないが、現場代理人を置く場合に注文者の承諾が必要なわけではない。

④ ○ 建設業者は、その請け負った建設工事を、方法を問わず、**一括して他人に請け負わせてはならない。**ただし、共同住宅の**新築工事以外**の建設工事である場合、元請負人があらかじめ**発注者の書面による承諾**を得たときは、一括下請けさせることができる。したがって、共同住宅を新築する建設工事の場合には、たとえ発注者の書面による承諾を得たとしても一括下請けはさせることはできない。

正解 **3**

請負契約に関する記述として、「建設業法」上、誤っているものはどれか。

① 請負人は、請負契約の履行に関し工事現場に現場代理人を置く場合に、注文者の承諾を得て、現場代理人に関する事項を、情報通信の技術を利用する一定の方法で通知することができる。

② 特定建設業者は、発注者から直接建築一式工事を請け負った場合に、下請契約の請負代金の総額が7,000万円以上になるときは、施工体制台帳を工事現場ごとに備え置き、発注者の閲覧に供しなければならない。

③ 注文者は、請負人に対して、建設工事の施工につき著しく不適当と認められる下請負人があるときは、あらかじめ注文者の書面等による承諾を得て選定した下請負人である場合であっても、その変更を請求することができる。

④ 注文者は、工事一件の予定価格が5,000万円以上である工事の請負契約の方法が随意契約による場合であっても、契約の締結までに建設業者が当該建設工事の見積りをするための期間は、原則として、15日以上を設けなければならない。

解説　→テキスト 第5編 2-3

① ○ 請負人は、注文者の承諾を得て、現場代理人に関する事項を、書面による通知に代えて、情報通信の技術を利用する一定の方法で通知することができる。この場合、請負人は書面による通知をしたものとみなす。

② ○ 発注者から直接建設工事を請け負った特定建設業者で、当該建設工事を施工するために7,000万円以上（建築一式工事）の下請契約を締結したものは、「施工体制台帳」を作成し、建設工事の目的物を引き渡すまで、工事現場ごとに備え置く。

③ × 注文者は、請負人に対して、建設工事の施工につき著しく不適当と認められる下請負人があるときは、その変更を請求することができるが、あらかじめ注文者の書面による承諾を得て選定した下請負人はこの限りでない。

④ ○ 注文者は、請負契約の方法が随意契約による場合にあっては、契約を締結する以前に、できる限り具体的な内容を提示し、かつ、当該提示から当該契約の締結までに、建設業者が当該建設工事の見積りをするために必要な期間を、予定価格が5,000万円以上の工事については15日以上設けなければならない。

正解 3

建設業法―請負契約

請負契約に関する記述として、「建設業法」上、**誤っている**ものはどれか。

① 請負契約においては、各当事者の履行の遅滞その他債務の不履行の場合における遅延利息、違約金その他の損害金に関する事項を書面に記載しなければならない。

② 注文者は、工事現場に監督員を置く場合、当該監督員の権限に関する事項及びその行為についての請負人の注文者に対する意見の申出の方法に関し、書面により請負人の承諾を得なければならない。

③ 建設業者は、建設工事の注文者から請求があったときは、請負契約が成立するまでの間に、建設工事の見積書を交付しなければならない。

④ 建設業者は、共同住宅を新築する建設工事を請け負った場合、いかなる方法をもってするかを問わず、一括して他人に請け負わせてはならない。

解 説 ··· ➡テキスト **第5編** **2-3**

① ◯ 当事者は、請負契約の締結に際して所定の事項を**書面に記載**し、**署名又は記名押印をして相互に交付**しなければならない。各当事者の履行の遅滞その他債務の不履行の場合における**遅延利息、違約金**その他の**損害金**に関する事項は、記載事項の1つである（建設業法19条1項14号）。

② ✕ 注文者は、工事現場に**監督員**を置く場合、その権限や行為等について、書面により**請負人に通知**しなければならない。承諾が必要なわけではない（法19条の2第2項）。

③ ◯ 建設業者は、**注文者から請求**があった場合は、請負**契約が成立するまでの間**に、工事の**見積書**を交付しなければならない（法20条2項）。

④ ◯ 建設業者は、その請け負った建設工事を、方法を問わず、**一括して他人に請け負わせてはならない**。ただし、**共同住宅の新築工事以外**の建設工事である場合、元請負人があらかじめ**発注者の書面による承諾**を得たときは、一括下請けさせることができる。したがって、共同住宅を新築する建設工事の場合には、たとえ発注者の書面による承諾を得たとしても一括下請けはさせることはできない。

正解 **2**

元請負人の義務に関する記述として、「建設業法」上、誤っているものは
どれか。

① 元請負人は、前払金の支払を受けたときは、下請負人に対して、資材の購入、
労働者の募集その他建設工事の着手に必要な費用を前払金として支払うよ
う適切な配慮をしなければならない。

② 元請負人が請負代金の出来形部分に対する支払を受けたときは、当該支払
の対象となった建設工事を施工した下請負人に対して出来形部分に相応す
る下請代金を、当該支払を受けた日から1月以内で、かつ、できる限り短
い期間内に支払わなければならない。

③ 元請負人は、下請負人からその請け負った建設工事が完成した旨の通知を
受けたときは、当該通知を受けた日から1月以内で、かつ、できる限り短
い期間内に、その完成を確認するための検査を完了しなければならない。

④ 元請負人は、下請負人の請け負った建設工事の完成を確認した後、下請負
人が申し出たときは、特約がされている場合を除き、直ちに、目的物の引
渡しを受けなければならない。

解 説 ·· →テキスト / 第5編 **2-3**

① ○ 発注者から**前払金**を受けた元請負人は、下請負人に対して、資材の購入と
いった建設工事の着手に必要な費用を前払金として支払うよう**適切な配慮**を
しなければならない（建設業法24条の3第3項）。

② ○ 請負代金について、出来形部分の支払い、又は工事完成後における支払いを
受けた元請負人は、当該工事を施工した下請負人に対して、その**施工した割合
に相応する下請代金**を、支払いを受けた日から**1月以内**で、かつ、できる限り
短い期間内に支払わなければならない（法24条の3第1項）。

③ × 下請負人から工事が完成した旨の通知を受けた元請負人は、**通知を受けた日
から20日以内**で、かつ、できる限り短い期間内に、その完成を確認するための
検査を完了しなければならない。1月以内ではない（法24条の4第1項）。

④ ○ 元請負人は、検査によって建設工事の**完成を確認した後、下請負人が申し出
た**ときは、特約がない限り、直ちに、当該建設工事の目的物の**引渡し**を受けな
ければならない（法24条の4第2項）。

正解 **3**

建設業法－請負契約

請負契約に関する記述として、「建設業法」上、誤っているものはどれか。

① 注文者は、請負人に対して、建設工事の施工につき著しく不適当と認められる下請負人があるときは、あらかじめ注文者の書面等による承諾を得て選定した下請負人である場合を除き、その変更を請求することができる。

② 注文者は、工事一件の予定価格が5,000万円以上である工事の請負契約の方法が随意契約による場合であっても、契約の締結までに建設業者が当該建設工事の見積りをするための期間は、原則として、15日以上を設けなければならない。

③ 元請負人は、その請け負った建設工事を施工するために必要な工程の細目、作業方法その他元請負人において定めるべき事項を定めようとするときは、あらかじめ、注文者の意見をきかなければならない。

④ 請負人は、請負契約の履行に関し工事現場に現場代理人を置く場合に、注文者の承諾を得て、現場代理人に関する事項を、省令で定める情報通信の技術を利用する方法で通知することができる。

解説 ➡️テキスト／第5編 **2-3**

① ○ 注文者は、請負人に対して、建設工事の施工につき著しく不適当と認められる下請負人があるときは、その変更を請求することができるが、あらかじめ注文者の書面による承諾を得て選定した下請負人はこの限りでない。

② ○ 注文者は、請負契約の方法が随意契約による場合にあっては、契約を締結する以前に、できる限り具体的な内容を提示し、かつ、当該提示から当該契約の締結までに、建設業者が当該建設工事の見積りをするために必要な期間を、予定価格が5,000万円以上の工事については15日以上設けなければならない。

③ ✕ 元請負人が、建設工事の工程の細目、作業方法等を定める場合、あらかじめ、下請負人の意見をきかなければならない。注文者ではない。

④ ○ 請負人は、工事現場に現場代理人を置く場合、現場代理人に関する事項を、書面又は情報通信の技術（注文者の承諾を得た場合）により注文者に通知しなければならない。

正解 **3**

建設工事の請負契約に関する記述として、「建設業法」上、誤っているものはどれか。

① 建設工事の請負契約書には、契約に関する紛争の解決方法に該当する事項を記載しなければならない。

② 建設業者は、建設工事の注文者から請求があったときは、請負契約が成立するまでの間に、建設工事の見積書を交付しなければならない。

③ 請負人は、建設工事の施工について工事監理を行う建築士から工事を設計図書のとおりに実施するよう求められた場合において、これに従わない理由があるときは、直ちに、注文者に対して、その理由を報告しなければならない。

④ 注文者は、工事現場に監督員を置く場合においては、当該監督員の権限に関する事項及びその行為についての請負人の注文者に対する意見の申出の方法を、書面により請負人の承諾を得なければならない。

解説 ────────────────────→テキスト 第5編 2-3

① ○ 請負契約書には、主に以下の内容などを記載する（建設業法19条）。

❶ 工事内容（工事名、工事場所など）

❷ 請負代金の額

❸ 工期（工事着手の時期・工事完成の時期）

❹ 天災、その他の不可抗力による損害負担などの定め

❺ 物価水準などの変動・変更に基づく請負代金の額に関する定め

❻ 注文者が工事の完成を確認するための検査の時期・方法・引渡しの時期

❼ 工事完成後における請負代金の支払いの時期・方法

❽ 契約に関する紛争の解決方法

② ○ 建設業者は、注文者から請求があった場合は、請負契約が成立するまでの間に、工事の見積書を交付しなければならない（法20条2項）。

③ ○ 請負人は、工事監理者たる建築士から是正を求められた際に、それに**従わない理由**があるときは、**直ちに注文者**にその理由を報告しなければならない（法23条の2）。

④ × 注文者は、工事現場に**監督員**を置く場合、その権限に関する事項及びその行為についての**請負人の注文者に対する意見の申出の方法**を、書面により請負人に**通知**しなければならない。承諾が必要なわけではない。

正解 4

元請負人の義務に関する記述として、「建設業法」上、誤っているものは
どれか。

① 元請負人は、前払金の支払を受けたときは、下請負人に対して、資材の購入、
労働者の募集その他建設工事の着手に必要な費用を前払金として支払うよ
う適切な配慮をしなければならない。

② 元請負人は、請負代金の出来形部分に対する支払を受けたときは、当該支
払の対象となった建設工事を施工した下請負人に対して出来形部分に相応
する下請代金を、当該支払を受けた日から50日以内で、かつ、できる限り
短い期間内に支払わなければならない。

③ 特定建設業者は、発注者から直接建築一式工事を請け負った場合において、
下請契約の請負代金の総額が7,000万円以上になるときは、施工体制台帳を
工事現場ごとに備え置き、発注者の閲覧に供しなければならない。

④ 特定建設業者が注文者となった下請契約において、下請代金の支払期日が
定められなかったときは、下請負人が完成した工事目的物の引渡しを申し
出た日を支払期日としなければならない。

解 説 ┄┄┄┄┄┄┄┄┄┄┄┄┄┄┄┄┄┄┄┄┄┄ ➡テキスト│第 5 編│2-3

① ○ 元請負人は、前払金の支払いを受けたときは、下請負人に対して、資材の購入、
労働者の募集その他建設工事の着手に必要な費用を前払金として支払うよう適
切な配慮をしなければならない（建設業法24条の３）。

② ✕ 請負代金について、出来形部分の支払い、又は工事完成後における支払いを
受けた元請負人は、当該工事を施工した下請負人に対して、その施工した割合
に相応する下請代金を、支払いを受けた日から１月以内で、かつ、できる限り
短い期間内に支払わなければならない（法24条の３第１項）。

③ ○ 発注者から直接建設工事を請け負った特定建設業者で、当該建設工事を施工す
るために7,000万円以上（建築一式工事）の下請契約を締結したものは、「施工体
制台帳」を作成し、建設工事の目的物を引き渡すまで、工事現場ごとに備え置く。

④ ○ 特定建設業者が注文者となった下請契約において、下請代金の支払期日が定
められなかったときは、下請負人が完成した工事目的物の引渡しを申し出た日
が、下請代金の支払期日と定められたものとみなす（法24条の６）。

正解 2

建設業法—請負契約

請負契約に関する記述として、「建設業法」上、誤っているものはどれか。

① 注文者は、工事一件の予定価格が5,000万円以上である工事の請負契約の方法が随意契約による場合であっても、契約の締結までに建設業者が当該建設工事の見積りをするための期間は、原則として、15日以上を設けなければならない。

② 元請負人は、下請負人からその請け負った建設工事が完成した旨の通知を受けたときは、当該通知を受けた日から30日以内で、かつ、できる限り短い期間内に、その完成を確認するための検査を完了しなければならない。

③ 特定建設業者は、当該特定建設業者が注文者となった下請契約に係る下請代金の支払につき、当該下請代金の支払期日までに一般の金融機関による割引を受けることが困難であると認められる手形を交付してはならない。

④ 元請負人は、その請け負った建設工事を施工するために必要な工程の細目、作業方法その他元請負人において定めるべき事項を定めようとするときは、あらかじめ、下請負人の意見をきかなければならない。

解 説 →テキスト 第5編 2-3

① ○ 建設工事の注文者は、請負契約が随意契約の場合は契約締結、入札の場合は入札までに、建設業者が**見積り**をするため、予定価格が5,000万円以上の場合は15日以上の期間を設けなければならない。

② ✕ 下請負人から工事が完成した旨の通知を受けた元請負人は、**通知を受けた日**から20日以内で、かつ、できる限り短い期間内に、その完成を確認するための**検査**を完了しなければならない（法24条の4第1項）。30日以内ではない。

③ ○ 特定建設業者は、当該特定建設業者が注文者となった下請契約に係る下請代金の支払につき、当該下請代金の支払期日までに一般の金融機関による**割引を受けることが困難であると認められる手形**を交付してはならない（法24条の6第3項）。

④ ○ 元請負人が、建設工事の工程の細目、作業方法等を定める場合、あらかじめ、**下請負人の意見**をきかなければならない。

正解 2

請負契約に関する記述として、「建設業法」上、**誤っている**ものはどれか。

① 注文者は、請負人に対して、建設工事の施工につき著しく不適当と認められる下請負人があるときは、あらかじめ注文者の書面等による承諾を得て選定した下請負人である場合を除き、その変更を請求することができる。

② 建設業者は、共同住宅を新築する建設工事を請け負った場合、いかなる方法をもってするかを問わず、一括して他人に請け負わせてはならない。

③ 請負契約の当事者は、請負契約において、各当事者の履行の遅滞その他債務の不履行の場合における遅延利息、違約金その他の損害金に関する事項を書面に記載しなければならない。

④ 請負人は、請負契約の履行に関し、工事現場に現場代理人を置く場合、注文者の承諾を得なければならない。

解説 ·· ➡テキスト / 第5編 / 2-3

① ○ 注文者は、請負人に対して、建設工事の施工につき著しく不適当と認められる下請負人があるときは、その**変更を請求**することができるが、あらかじめ注文者の**書面による承諾**を得て選定した下請負人は**この限りでない**。

② ○ 建設業者は、その請け負った建設工事を、方法を問わず、**一括して他人に請け負わせてはならない**。ただし、**共同住宅の新築工事以外**の建設工事である場合、元請負人があらかじめ発注者の**書面による承諾**を得たときは、一括下請けさせることができる。したがって、共同住宅を新築する建設工事の場合には、たとえ発注者の書面による承諾を得たとしても一括下請けはさせることはできない。

③ ○ 各当事者の履行の遅滞その他債務の不履行の場合における**遅延利息、違約金**その他の**損害金**に関する事項は、請負契約書の記載事項の1つである（建設業法19条1項14号）。

④ ✕ 請負人は、請負契約の履行に関し工事現場に**現場代理人**を置く場合においては、「当該現場代理人の権限に関する事項及び当該現場代理人の行為についての注文者の請負人に対する意見の申出の方法」を、**書面により注文者に通知**しなければならないが、現場代理人を置く場合に注文者の承諾が必要なわけではない。

正解 **4**

次の記述のうち、「建設業法」上、誤っているものはどれか。

① 建設業者は、許可を受けた建設業に係る建設工事を請け負う場合においては、当該建設工事に附帯する他の建設業に係る建設工事を請け負うことができる。

② 特定建設業者は、発注者から建築一式工事を直接請け負った場合、当該工事に係る下請代金の総額が4,000万円以上のときは、施工体制台帳を作成しなければならない。

③ 注文者は、前金払の定がなされた場合、工事1件の請負代金の総額が500万円以上のときは、建設業者に対して保証人を立てることを請求することができる。

④ 特定専門工事の元請負人及び建設業者である下請負人は、その合意により、元請負人が置いた主任技術者が、その下請に係る建設工事について主任技術者の行うべき職務を行うことができる場合、当該下請負人は主任技術者を置くことを要しない。

解説 ……………………………………………… ➡テキスト 第5編 **2-3**

① ◯ 建設業者は、許可を受けた建設業に係る建設工事を請け負う場合、建設工事に附帯する**他の建設業に係る建設工事**を請け負うことができる（たとえば、屋根工事の一部分に塗装工事が必要である場合など）。

② ✕ 発注者から直接建設工事を請け負った特定建設業者で、当該建設工事を施工するために7,000万円以上（建築一式工事）の下請契約を締結したものは、「施工体制台帳」を作成し、建設工事の目的物を引き渡すまで、工事現場ごとに備え置く。

③ ◯ 請負代金の全部または一部の**前金払**をする定がなされたときは、注文者は、建設業者に対して前金払をする前に、**保証人**を立てることを請求することができる。ただし、建築一式工事の請負代金が1,500万円未満（一式以外の場合は500万円未満）、延べ面積150㎡未満の木造住宅といった**軽微な工事は除かれる**（建設業法施行令1条の2）。

④ ◯ **特定専門工事**の元請負人及び下請負人は、その合意により、当該元請負人が

おいた主任技術者が、下請負人が置かなければならない主任技術者の職務を行うことができる。この場合、**下請負人は主任技術者を置くことを要しない**（建設業法26条の3）。

正解 **2**

工事現場に置く技術者に関する記述として、「建設業法」上、誤っているものはどれか。

① 専任の者でなければならない監理技術者は、当該選任の期間中のいずれの日においても国土交通大臣の登録を受けた講習を受講した日の属する年の翌年から起算して7年を経過しない者でなければならない。

② 一般建設業の許可を受けた者が、下請けとして工事金額が450万円の防水工事を請け負った場合、主任技術者を置かなければならない。

③ 発注者から直接建築一式工事を請け負った特定建設業者が、下請契約の総額が7,000万円以上となる工事を施工する場合、工事現場に置く技術者は、監理技術者でなければならない。

④ 公共性のある施設又は多数の者が利用する施設に関する重要な建設工事で、政令で定めるものについては、主任技術者又は監理技術者は、工事現場ごとに、専任の者でなければならない。

解説　　　　　　　　　　　　　　　　　→テキスト 第5編 2-4

① × 専任の**監理技術者**は、当該選任の期間中のいずれの日においても、**国土交通大臣の登録を受けた講習**を受講した日の属する年の翌年から起算して**5年を経過しない者**でなければならない。

② ○ 建設業の許可を受けて建設業を営む者（建設業者）は、**元請け、下請けにかかわらず**、請け負った建設工事を施工する場合、その工事現場における建設工事の施工の技術上の管理をつかさどる「**主任技術者**」を置かなければならない。

③ ○ 元請けたる特定建設業者が4,500万円（建築一式工事の場合は7,000万円）以上の**下請施工**をさせる場合は、主任技術者に代えて「**監理技術者**」を置かなければならない。

④ ○ 「**公共性のある施設・工作物、または多数の者が利用する施設・工作物に関する重要な建設工事**」で、工事1件の**請負代金が4,000万円以上**（**建築一式工事では8,000万円以上**）の工事においては、主任技術者又は監理技術者は、**専任の者を工事現場に配置**しなければならない。なお、元請け・下請けにかかわらず専任は必要である。

正解 1

工事現場に置く技術者に関する記述として、「建設業法」上、誤っているものはどれか。

① 工事一件の請負代金の額が5,000万円である事務所の建築一式工事において、工事の施工の技術上の管理をつかさどるものは、工事現場ごとに専任の者でなければならない。

② 下請負人として建設工事を請け負った建設業者は、下請代金の額にかかわらず、主任技術者を置かなければならない。

③ 専任の主任技術者を必要とする建設工事のうち、密接な関係のある二以上の建設工事を同一の建設業者が同一の場所又は近接した場所において施工するものについては、同一の専任の主任技術者がこれらの建設工事を管理することができる。

④ 専任の者でなければならない監理技術者は、当該選任の期間中のいずれの日においても国土交通大臣の登録を受けた講習を受講した日の属する年の翌年から起算して５年を経過しない者でなければならない。

解説 ・・・・・・・・・・・・・・・・・・・・・・・・・・・・・・・・・・ →テキスト｜第5編｜2-4

① ✕ 元請けたる特定建設業者は、公共性のある施設、多数の者が利用する施設等に関する**重要な建設工事**（設問の事務所も含まれる）で、**請負金額が8,000万円**（建築一式工事）**以上**の場合、工事の施工の技術上の管理をつかさどるもの（**主任技術者**又は**監理技術者**）を現場ごとに「**専任**」で置く必要がある。5,000万円では専任でなくてもよい。

② 〇 建設業者は、請け負った建設工事を施工するときは、その工事現場における建設工事の施工の技術上の管理をつかさどる「**主任技術者**」を置かなければならない。

③ 〇 専任の主任技術者を置かなければならない建設工事のうち、密接な関係のある２以上の建設工事を同一の建設業者が同一の場所又は近接した場所において施工するものについては、**同一の専任の主任技術者**がこれらの建設工事を管理することができる。

④ 〇 専任の者でなければならない監理技術者は、**監理技術者資格証の交付を受けて**いる者であって、当該選任の期間中のいずれの日においても、**国土交通大臣の登録を受けた講習を受講した日の属する年の翌年から起算して５年を経過しない者**でなければならない。

正解 **1**

工事現場に置く技術者に関する記述として、「建設業法」上、誤っているものはどれか。

① 発注者から直接建築一式工事を請け負った特定建設業者は、下請契約の総額が7,000万円以上の工事を施工する場合、監理技術者を工事現場に置かなければならない。

② 工事一件の請負代金の額が7,000万円である診療所の建築一式工事において、工事の施工の技術上の管理をつかさどるものは、工事現場ごとに専任の者でなければならない。

③ 専任の主任技術者を必要とする建設工事のうち、密接な関係のある2以上の建設工事を同一の建設業者が同一の場所又は近接した場所において施工するものについては、同一の専任の主任技術者がこれらの建設工事を管理することができる。

④ 発注者から直接防水工事を請け負った特定建設業者は、下請契約の総額が4,000万円の工事を施工する場合、主任技術者を工事現場に置かなければならない。

解 説 .... ➡テキスト 第5編 2-4

① 〇 特定建設業者は、建築一式工事に係る**下請契約**の総額が**7,000万円以上**の工事を施工する場合、**監理技術者**を工事現場に置かなければならない。

② ✕ 専任の要件は、病院又は診療所といった**公共性**のある建築物であり、かつ建築一式工事の場合は**請負代金の額が8,000万円以上**の場合である。

③ 〇 **密接な関係のある2以上の建設工事**を同一の建設業者が**同一の場所又は近接した場所**において施工する場合、**同一の専任の主任技術者**がこれらの建設工事を管理することができる。

④ 〇 建設業者は、その請け負った建設工事を施工するときは、工事現場に主任技術者を置かなければならない。**防水工事業は法で定める29業種**の1つであり、特定建設業者がこれを行う場合も同様である。

正解 2

監理技術者等に関する記述として、「建設業法」上、誤っているものはどれか。

① 専任の監理技術者を置かなければならない建設工事について、その監理技術者の行うべき職務を補佐する者として政令で定める者を工事現場に専任で置く場合には、監理技術者は2つの現場を兼任することができる。

② 専任の者でなければならない監理技術者は、当該選任の期間中のいずれの日においても国土交通大臣の登録を受けた講習を受講した日の属する年の翌年から起算して7年を経過しない者でなければならない。

③ 建設業者は、請け負った建設工事を施工するときは、現場代理人の設置にかかわらず、主任技術者又は監理技術者を置かなければならない。

④ 主任技術者及び監理技術者は、建設工事を適正に実施するため、当該建設工事の施工計画の作成、工程管理、品質管理その他の技術上の管理及び施工に従事する者の技術上の指導監督を行わなければならない。

解説 .... ➡テキスト / 第5編 / 2-4

① ○ **専任の監理技術者**を置かなければならない建設工事について、その監理技術者の行うべき職務を**補佐**する者として政令で定める者（**監理技術者補**）を工事現場に専任で置く場合には、監理技術者は2つの現場を兼任することができる。

② ✕ 専任の監理技術者は、**監理技術者資格証**の交付を受けている者であって、当該選任の期間中のいずれの日においても、**国土交通大臣の登録を受けた講習**を受講した日の属する年の翌年から起算して**5年を経過しない者**でなければならない。

③ ○ 建設業者は、工事現場における建設工事の施工の技術上の管理をつかさどる主任技術者を置かなければならない。また、一次下請への発注総額が4,500万円（**建築一式工事の場合は7,000万円**）以上となるときは、主任技術者に代えて、監理技術者を置かなければならない。

④ ○ 主任技術者及び監理技術者は、建設工事を適正に実施するため、当該建設工事の施工計画の作成、工程管理、品質管理その他の技術上の管理及び**施工に従事する者の技術上の指導監督**を行わなければならない（同法26条の4）。

正解 **2**

労働時間等に関する記述として、「労働基準法」上、誤っているものはどれか。

① 労働時間、休憩及び休日に関する規定は、監督又は管理の地位にある者には適用されない。

② 使用者は、労働時間が8時間を超える場合には、少なくとも1時間の休憩時間を労働時間の途中に与えなければならない。

③ 使用者は、労働者の合意があれば休憩時間中であっても、留守番等の軽微な作業であれば命ずることができる。

④ 使用者は、労働者に対し毎週少なくとも1回の休日を与えるか、又は4週間を通じ4日以上の休日を与えなければならない。

解説 ➡テキスト 第5編 3-2

① ○ 労働時間、休憩及び休日に関する規定は、**監督若しくは管理の地位**にある者又は機密の事務を取り扱う労働者については**適用しない**。

② ○ 使用者は、労働時間が**6時間**を超える場合においては、少なくとも**45分**、8時間を超える場合においては、少なくとも1時間の休憩時間を労働時間の途中に与えなければならない。

③ × 使用者は、労働者に休憩時間を**自由**に利用させなければならない。

④ ○ 使用者は、労働者に対して、**毎週少なくとも1回の休日を与えるか、又は4週間を通じ4日以上の休日**を与えなければならない。

正解 **3**

労働基準法－労働契約

労働契約に関する記述として、「労働基準法」上、誤っているものはどれか。

① この法律で定める基準に達しない労働条件を定める労働契約は、その部分については無効であり、この法律に定められた基準が適用される。

② 労働契約は、契約期間の定めのないものを除き、一定の事業の完了に必要な契約期間を定めるもののほかは、原則として3年を超える契約期間について締結してはならない。

③ 使用者は、労働者が業務上負傷し、休業する期間とその後30日間は、やむを得ない事由のために事業の継続が不可能となった場合でも解雇してはならない。

④ 労働者が、退職の場合において、使用期間、業務の種類、その事業における地位等について証明書を請求した場合においては、使用者は、遅滞なくこれを交付しなければならない。

解 説 ················· ➡テキスト / 第5編 / 3-2

① ○ 労働基準法で定める**基準に達しない労働条件**を定める労働契約は、その部分については**無効**となる。この場合において、無効となった部分は、労働基準法で定める基準による。

② ○ 労働契約は、期間の定めのないものを除き、一定の事業の完了に必要な期間を定めるもののほかは、原則として**3年を超える期間**について締結してはならない。

③ ✕ 使用者は、労働者が**業務上負傷し又は疾病にかかり療養のために休業する等した期間とその後30日間は、解雇してはならない**。ただし、使用者が、打切補償を支払う場合、又は天災事変その他**やむを得ない事由**のために事業の継続が**不可能**となった場合においては、**この限りでない**。

④ ○ 労働者が、退職の場合において、使用期間、業務の種類、その事業における地位、賃金又は退職の事由について**証明書**を請求した場合においては、使用者は、遅滞なくこれを交付しなければならない。

正解 **3**

労働基準法－労働契約

労働契約に関する記述として、「労働基準法」上、誤っているものはどれか。

① 使用者は、労働者の退職の場合において、請求があった日から、原則として、7日以内に賃金を支払い、労働者の権利に属する金品を返還しなければならない。

② 満60歳以上の労働者との間に締結される労働契約は、契約期間の定めのないものを除き、一定の事業の完了に必要な期間を定めるもののほかは、5年を超える期間について締結してはならない。

③ 使用者は、労働者が業務上負傷し、休業する期間とその後30日間は、やむを得ない事由のために事業の継続が不可能となった場合においても解雇してはならない。

④ 使用者は、試の使用期間中の者で14日を超えて引き続き使用されるに至った者を解雇しようとする場合、原則として、少なくとも30日前にその予告をしなければならない。

解説 ➡テキスト 第5編 **3-2**

① ○ 使用者は、労働者の死亡又は退職の場合、権利者の請求があったときは、原則として7日以内に**賃金**を支払い、貯蓄金等の**労働者の権利に属する**金品を**返還**しなければならない。

② ○ **満60歳以上**の労働者と労働契約を締結するにあたり、契約期間を定める場合は、原則として**5年を超えて**はならない。

③ × 使用者は、労働者が業務上の負傷等で休業する場合、当該期間及びその後30日間は解雇できないが、使用者が所定の打切補償を支払う場合又は天災等**やむを得ない事由のために事業の継続が不可能**となった場合においては、**この限りでない**。

④ ○ 試の使用期間中の者であっても、14日を超えて引き続き使用されるに至った者を解雇しようとする場合、原則として、少なくとも**30日前**にその予告をしなければならない。

正解 **3**

労働基準法ー労働契約

労働契約に関する記述として、「労働基準法」上、誤っているものはどれか。

① 使用者は、労働者の退職の場合において、請求があった日から、原則として、7日以内に賃金を支払い、労働者の権利に属する金品を返還しなければならない。

② 労働契約は、契約期間の定めのないものを除き、一定の事業の完了に必要な契約期間を定めるもののほかは、原則として、3年を超える契約期間について締結してはならない。

③ 使用者は、労働者が業務上負傷し、療養のために休業する期間とその後30日間は、やむを得ない事由のために事業の継続が不可能となった場合においても解雇してはならない。

④ 就業のために住居を変更した労働者が、省令により明示された労働条件が事実と相違する場合で労働契約を解除し、当該契約解除の日から14日以内に帰郷する場合においては、使用者は、必要な旅費を負担しなければならない。

解説 ･･････････････････････････ ➡テキスト 第5編 **3-2**

① ◯ 使用者は、労働者の死亡又は**退職**の場合、権利者の請求があったときは、原則として7日以内に**賃金**を支払い、貯蓄金等の労働者の権利に属する**金品を返還**しなければならない。

② ◯ 労働契約は、期間の定めのないものを除き、一定の事業の完了に必要な期間を定めるもののほかは、原則として3年**を超える期間**について締結してはならない。

③ ✕ 使用者は、労働者が業務上の負傷等で休業する場合、当該期間及びその後**30日間は解雇**できないが、使用者が所定の打切補償を支払う場合又は**天災等やむを得ない事由**のために事業の継続が不可能となった場合においては、この限りでない。

④ ◯ 省令により明示された労働条件が事実と相違する場合で労働契約を解除する場合、就業のために住居を変更した労働者が、当該**契約解除の日**から14日以内に**帰郷**する場合においては、使用者は、必要な**旅費を負担**しなければならない（労働基準法15条）。

正解 **3**

労働時間等に関する記述として、「労働基準法」上、誤っているものはどれか。

① 使用者は、削岩機の使用によって身体に著しい振動を与える業務については、1日について2時間を超えて労働時間を延長してはならない。

② 使用者は、災害その他避けることのできない事由によって、臨時の必要がある場合においては、行政官庁の許可を受けて、法令に定められた労働時間を延長して労働させることができる。

③ 使用者は、労働者の合意がある場合、休憩時間中であっても留守番等の軽微な作業であれば命ずることができる。

④ 使用者は、その雇入れの日から起算して6箇月間継続勤務し全労働日の8割以上出勤した労働者に対して、10労働日の有給休暇を与えなければならない。

解説 ➡テキスト 第5編 3-2

① ○ 使用者は、削岩機の使用によって身体に**著しい振動**を与える業務については、1日について2時間を超えて**労働時間を延長**してはならない（労働基準法36条・労働基準法施行規則18条）。

② ○ 使用者は、災害その他避けることのできない事由によって、臨時の必要がある場合においては、行政官庁の許可を受けて、その必要の限度において、法令に定められた労働時間を延長し、又は休日に労働させることができる（労働基準法33条）。

③ ✕ 使用者は、労働者に**休憩時間を自由**に利用させなければならない（労働基準法34条）。

④ ○ 使用者は、その雇入れの日から起算して6箇月間**継続勤務**し全労働日の8割以上出勤した労働者に対して、継続し、又は分割した10労働日の**有給休暇**を与えなければならない（労働基準法39条）。

正解 3

次の記述のうち、「労働基準法」上、誤っているものはどれか。

① 満18才に満たない者を、足場の組立、解体又は変更の業務のうち地上又は床上における補助作業の業務に就かせてはならない。

② 満18才に満たない者を、高さが5m以上の場所で、墜落により危害を受けるおそれのあるところにおける業務に就かせてはならない。

③ 満18才に満たない者を、原則として午後10時から午前5時までの間において使用してはならない。

④ 満18才に満たない者を、単独で行うクレーンの玉掛けの業務に就かせてはならない。

解説 .... ➡テキスト｜第5編｜3-3

① ✕ 満18歳未満の者は、次のような危険な業務に就かせてはならない。

❶ クレーン運転業務

❷ クレーンの玉掛け業務（ただし、2人以上の者によって行う玉掛け業務における補助作業を除く）

❸ 動力駆動する土木建築用機械の運転業務

❹ 高さ5m以上の場所で、墜落危険性のあるところにおける業務

❺ 足場の組立、解体又は変更の業務（地上又は床上における補助作業を除く）

② ◯ ❹のとおりである。

③ ◯ 満18歳未満の者に、午後10時から午前5時までの深夜時間帯に労働させることは原則として禁止されている。ただし、交替制によって使用する満16歳以上の男性については、この限りでない（労働基準法61条）。

④ ◯ ❷のとおりである。

正解 1

「労働基準法」上、妊産婦であるか否かにかかわらず女性を就業させることが禁止されている業務はどれか。

① 20kg以上の重量物を継続作業として取り扱う業務

② つり上げ荷重が5t以上のクレーンの運転の業務

③ クレーンの玉掛けの業務

④ 足場の解体の業務

解 説 ....➡テキスト 第5編 3-3

　妊産婦であるか否かにかかわらず、**女性の就業が禁止**されている業務は次のとおりである（労働基準法64条の2、64条の3、女性労働基準規則1～3条）。

❶ 鉱物の掘削又は掘採等の所定の坑内業務

❷ 一定の重量物を取り扱う業務（**18歳以上の継続業務で20kg以上**）

❸ 水銀その他一定の有害物質が発散する場所での業務

　以上により、設問のうち禁止されるのは①の20kg以上の重量物を継続作業として取り扱う業務だけである。なお、②～④は、**妊娠中**の女性について就業が禁止されている業務である。

正解 1

安衛法ー安全衛生管理体制

建設業の事業場における安全衛生管理体制に関する記述として、「労働安全衛生法」上、誤っているものはどれか。

① 事業者は、常時10人の労働者を使用する事業場では、安全衛生推進者を選任しなければならない。

② 事業者は、常時30人の労働者を使用する事業場では、安全管理者を選任しなければならない。

③ 事業者は、常時50人の労働者を使用する事業場では、衛生管理者を選任しなければならない。

④ 事業者は、常時100人の労働者を使用する事業場では、安全委員会及び衛生委員会、又は安全衛生委員会を設けなければならない。

解　説　→テキスト 第5編 4-1

① ○ 事業者は、常時10人以上50人未満の労働者を使用する事業場では、**安全衛生推進者**を選任しなければならない。

② × 事業者は、常時50人以上の労働者を使用する事業場では、**安全管理者**を選任しなければならない。30人では選任しなくてよい。

③ ○ 事業者は、常時50人以上の労働者を使用する事業場では、**衛生管理者**を選任しなければならない。

安全衛生管理体制

当該事業場の労働人数（人）	10〜	50〜	100〜
建設業	安全衛生推進者	安全管理者	
		衛生管理者	
		産業医	
			総括安全衛生管理者

④ ○ 事業者は、常時50人以上の労働者を使用する事業場では、**安全委員会及び衛生委員会**を設けなければならない。また、安全委員会及び衛生委員会を設けなければならないときは、それぞれの委員会の設置に代えて、**安全衛生委員会**を設置することができる。

正解 2

建設業の事業場における安全衛生管理体制に関する記述として、「労働安全衛生法」上、誤っているものはどれか。

① 統括安全衛生責任者を選任すべき特定元方事業者は、安全衛生責任者を選任しなければならない。

② 一の場所において鉄骨造の建築物の建設の仕事を行う元方事業者は、その労働者及び関係請負人の労働者の総数が常時20人以上50人未満の場合、店社安全衛生管理者を選任しなければならない。

③ 事業者は、常時100人の労働者を使用する事業場では、総括安全衛生管理者を選任しなければならない。

④ 元方安全衛生管理者は、その事業場に専属の者でなければならない。

解説 ➡テキスト 第5編 4-1

① ✕ **統括安全衛生責任者**は、労働者の数が常時50人以上となる工事現場において、元請けである特定元方事業者が選任する。**安全衛生責任者**は、**下請**業者が選任する者で、その者に統括安全衛生責任者との連絡、関係者への連絡を行わせなければならない。

② ◯ 元方事業者は、その労働者及び関係請負人の労働者の総数が常時**20人以上50人未満**の場合、**店社安全衛生管理者**を選任しなければならない。その者に、当該事業場の統括安全衛生管理を担当する者に対する指導等にあたらせる。

特定元方事業者の混在作業現場における統括安全衛生責任者等の選任義務

当該事業場の労働人数（人）	20〜	30〜	50〜
鉄骨造又は鉄骨鉄筋コンクリート造の建設工事	店社安全衛生管理者		統括安全衛生責任者
上記以外の工事等			元方安全衛生管理者

③ ◯ 事業者は、常時**100人以上**の労働者を使用する事業場では、**総括安全衛生管理者**を選任しなければならない。その者に、安全管理者及び衛生管理者の指導等を行わせなければならない。

616

安全衛生管理体制

当該事業場の
労働人数(人)　10〜　　　　　　50〜　　　　　　100〜

建設業	安全衛生推進者	安全管理者
		衛生管理者
		産業医
		総括安全衛生管理者

④ ○ **元方安全衛生管理者**は、その事業場に**専属**の者を選任しなければならない。

正解 1

建設業の事業場における安全衛生管理体制に関する記述として、「労働安全衛生法」上、誤っているものはどれか。

① 事業者は、常時50人の労働者を使用する事業場では、安全衛生推進者を選任しなければならない。

② 事業者は、常時50人の労働者を使用する事業場では、安全管理者を選任しなければならない。

③ 事業者は、常時50人の労働者を使用する事業場では、産業医を選任しなければならない。

④ 事業者は、常時50人の労働者を使用する事業場では、衛生管理者を選任しなければならない。

解 説 .... →テキスト 第5編 4-1

① ✕ 安全衛生推進者を設置しなければならないのは、**常時10人以上50人未満**の労働者を使用する事業場である（労働安全規則12条の2）。

②～④ ○ 安全管理者、衛生管理者、産業医については、**常時50人以上の労働者**を使用する事業場で選任しなければならない（労働安全衛生法施行令3～5条）。

【建設業の労働安全衛生体制が必要となる労働者の規模】
総括安全衛生管理者…常時100人以上（労働安全衛生法10条、令2条）
安全管理者、衛生管理者、産業医…常時50人以上（法11～13条、令3～5条）
安全衛生推進者…常時10人以上50人未満（法12条の2、規則12条の2）

安全衛生管理体制

当該事業場の労働人数（人）	10～	50～	100～
建設業	安全衛生推進者	安全管理者	
		衛生管理者	
		産業医	
			総括安全衛生管理者

正解 1

建設業の事業場における安全衛生管理体制に関する記述として、「労働安全衛生法」上、誤っているものはどれか。

① 統括安全衛生責任者を選任すべき特定元方事業者は、元方安全衛生管理者を選任しなければならない。

② 安全衛生責任者は、安全管理者又は衛生管理者の資格を有する者でなければならない。

③ 統括安全衛生責任者は、その事業の実施を統括管理する者でなければならない。

④ 元方安全衛生管理者は、その事業場に専属の者でなければならない。

解 説 .... ➡テキスト 第5編 4-1

① ○ **統括安全衛生責任者**を選任した事業者で、建設業等の事業を行うものは、**元方安全衛生管理者を選任**し、作業間の連絡及び調整等、技術的事項を管理させなければならない。

② × 設問のような規定はない。なお、**安全衛生責任者**は、統括安全衛生責任者を選任すべき事業者**以外**の請負人が選任する。

③ ○ **統括安全衛生責任者**は、当該場所においてその事業の実施を統括**管理**する者でなければならない。

④ ○ **元方安全衛生管理者**の選任は、その**事業場に専属の者を選任**しなければならない。

正解 **2**

建設業の事業場における安全衛生管理体制に関する記述として、「労働安全衛生法」上、誤っているものはどれか。

① 事業者は、常時10人の労働者を使用する事業場では、安全衛生推進者を選任しなければならない。

② 事業者は、常時30人の労働者を使用する事業場では、衛生管理者を選任しなければならない。

③ 事業者は、常時50人の労働者を使用する事業場では、産業医を選任しなければならない。

④ 事業者は、常時100人の労働者を使用する事業場では、総括安全衛生管理者を選任しなければならない。

解説 ┈┈┈┈┈┈┈┈┈┈┈┈┈┈┈┈┈┈┈┈┈┈ ➡テキスト 第5編 4-1

① ◯ 事業者は、常時10人以上50人未満の労働者を使用する事業場では、**安全衛生推進者**を選任しなければならない。

② ✕ 事業者は、常時50人以上の労働者を使用する事業場では、**衛生管理者**を選任しなければならない。30人では、選任しなくてもよい。

③ ◯ **安全管理者、衛生管理者、産業医**については、**常時50人以上**の労働者を使用する事業場で選任しなければならない（労働安全衛生法施行令3～5条）。

【建設業の労働安全衛生体制が必要となる労働者の規模】
総括安全衛生管理者…常時100人以上（法10条、令2条）
安全管理者・衛生管理者・産業医…常時50人以上（法11～13条、令3～5条）
安全衛生推進者…常時10人以上50人未満（法12条の2、規則12条の2）

安全衛生管理体制

当該事業場の 労働人数（人）	10～	50～	100～
建設業	安全衛生推進者	安全管理者	
		衛生管理者	
		産業医	
			総括安全衛生管理者

④ ◯ 上表のとおりである。

正解 2

安衛法ー安全衛生管理体制

建設業の事業場における安全衛生管理体制に関する記述として、「労働安全衛生法」上、誤っているものはどれか。

① 元方安全衛生管理者は、その事業場に専属の者でなければならない。

② 安全衛生責任者は、安全管理者又は衛生管理者の資格を有する者でなければならない。

③ 特定元方事業者は、統括安全衛生責任者に元方安全衛生管理者の指揮をさせなければならない。

④ 統括安全衛生責任者は、その事業の実施を統括管理する者でなければならない。

解 説 ・・・ ➡テキスト 第5編 4-1

① ○ **元方安全衛生管理者**の選任は、その事業場に専属の者を選任しなければならない。

② ✕ 設問のような規定はない。なお、**安全衛生責任者**は、統括安全衛生責任者を選任すべき事業者以外の請負人が選任する。

③ ○ 建設業は、同じ場所で違う会社の労働者が混在して作業するケースが多いため、建設業の元方事業者は「**特定元方事業者**」と呼ばれ、事業所の統括管理が義務づけられている。具体的には、特定元方事業者は**統括安全衛生責任者**(現場所長など)を指名して、**元方安全衛生管理者**を指揮して、事業所の安全衛生管理体制を組織しなければならない。

④ ○ **統括安全衛生責任者**は、当該場所においてその事業の実施を統括管理する者でなければならない。

正解 **2**

建設業の事業場における安全衛生管理体制に関する記述として、「労働安全衛生法」上、誤っているものはどれか。

① 事業者は、常時10人の労働者を使用する事業場では、安全衛生推進者を選任しなければならない。

② 事業者は、常時50人の労働者を使用する事業場では、産業医を選任しなければならない。

③ 事業者は、統括安全衛生責任者を選任すべきときは、同時に安全衛生責任者を選任しなければならない。

④ 事業者は、産業医から労働者の健康を確保するため必要があるとして勧告を受けたときは、衛生委員会又は安全衛生委員会に当該勧告の内容等を報告しなければならない。

解 説 ●● ➡テキスト 第5編 4-1

① ○ 事業者は、常時10人以上50人未満の労働者を使用する事業場では、**安全衛生推進者**を選任しなければならない（労働安全衛生法12条の2・労働安全衛生規則12条の2）。

② ○ 事業者は、常時50人以上の労働者を使用する事業場では、**産業医**を選任しなければならない（労働安全衛生法13条）。

③ ✕ **統括安全衛生責任者**は、労働者の数が常時50人以上となる工事現場において、元請けである特定元方事業者が選任する。**安全衛生責任者**は、下請業者が選任する者で、その者に統括安全衛生責任者との連絡、関係者への連絡を行わせなければならない。

④ ○ 事業者は、産業医から労働者の健康を確保するため必要があるとして**勧告**を受けたときは、当該勧告の内容等を衛生委員会又は安全衛生委員会に**報告**しなければならない（労働安全衛生法13条）。

当該事業場の 労働人数(人)	10〜	50〜	100〜
建設業	安全衛生推進者	安全管理者	
		衛生管理者	
		産業医	
			総括安全衛生管理者

正解 3

建設現場における次の業務のうち、「労働安全衛生法」上、都道府県労働局長の当該業務に係る免許を必要とするものはどれか。

① 最大積載量が1t以上の不整地運搬車の運転の業務

② 最大荷重が1t以上のフォークリフトの運転の業務

③ つり上げ荷重が5t以上の移動式クレーンの運転の業務

④ 作業床の高さが10m以上の高所作業車の運転の業務

解 説 ┄┄┄┄┄┄┄┄┄┄┄┄┄┄┄┄┄┄┄┄┄┄┄┄┄┄┄┄┄┄ ➡テキスト 第5編 4-2

① ✕ **不整地運搬車**の運転は、最大積載量が1t以上は技能講習修了者、1t未満は特別教育修了者であればできる。免許は不要である。なお、不整地運搬車とは、不整地走行用に設計した専ら荷を運搬する構造の自動車で、クローラー式又はホイール式（左右独立全輪駆動）のものをいう。

② ✕ **フォークリフト**の運転は、最大荷重が1t以上は技能講習修了者、1t未満は特別教育修了者であればできる。免許は不要である。

③ 〇 **移動式クレーン**の運転は、つり上げ荷重が5t以上は移動式クレーン運転士**免許**保有者でなければできない。なお、1t以上5t未満は技能講習修了者、1t未満は特別教育修了者であればできる。

④ ✕ **高所作業車**の運転は、作業床の高さが10m以上の能力の高所作業車は技能講習修了者、10m未満は特別教育修了者であればできる。免許は不要である。

正解 **3**

労働者の就業に当たっての措置に関する記述として、「労働安全衛生法」上、誤っているものはどれか。

① 事業者は、事業場における安全衛生の水準の向上を図るため、危険又は有害な業務に現に就いている者に対し、その従事する業務に関する安全又は衛生のための教育を行うように努めなければならない。

② 事業者は、従事する業務に関する安全又は衛生のため必要な事項の全部又は一部に関し十分な知識及び技能を有していると認められる労働者については、当該事項についての雇入れ時の安全衛生教育を省略することができる。

③ 事業者は、建設業の事業場において新たに職務に就くこととなった作業主任者に対し、作業方法の決定及び労働者の配置に関する事項について、安全又は衛生のための教育を行わなければならない。

④ 事業者は、中高年齢者については、その者の心身の条件に応じて適正な配置を行うように努めなければならない。

解 説 ……………………………………………… →テキスト / 第5編 / 4-2

① ○ 事業者は、その事業場における安全衛生の水準の向上を図るため、**危険又は有害な業務に現に就いている者**に対し、その従事する業務に関する安全又は衛生のための教育を行うように努めなければならない。

② ○ 事業者は、労働者を**雇い入れ**たときは、当該労働者に対し、その従事する業務に関する安全又は衛生のための教育を行わなければならない。ただし、従事する業務に関する安全又は衛生のため必要な事項に関し、**十分な知識及び技能を有していると認められる労働者**については、当該事項についての教育を省略することができる。

③ × 事業者は、新たに職務に就くこととなった**職長その他の作業中の労働者を直接指導又は監督する者（作業主任者を除く）**に対し、安全又は衛生のための教育を行わなければならない。

④ ○ 事業者は、**中高年齢者**その他労働災害の防止上その就業にあたって**特に配慮を必要とする者**については、これらの者の心身の条件に応じて**適正な配置**を行うように努めなければならない。

正解 3

建築工事現場における就業制限に関する記述として、「労働安全衛生法」上、誤っているものはどれか。

① 小型移動式クレーン運転技能講習を修了した者は、つり上げ荷重が5 t未満の移動式クレーンの運転の業務に就くことができる。

② フォークリフト運転技能講習を修了した者は、最大荷重が1 t以上のフォークリフトの運転の業務に就くことができる。

③ クレーン・デリック運転士免許を受けた者は、つり上げ荷重が5 t以上の移動式クレーンの運転の業務に就くことができる。

④ 高所作業車運転技能講習を修了した者は、作業床の高さが10m以上の高所作業車の運転の業務に就くことができる。

解説 ・・・ →テキスト 第5編 **4-2**

① ○ つり上げ荷重が**1 t以上5 t未満**の**移動式クレーン**の運転の業務については、小型移動式クレーン運転技能講習を修了した者を就かせることができる（クレーン等安全規則68条）。

② ○ 最大荷重が**1 t以上**の**フォークリフト**の運転の業務については、フォークリフト運転技能講習を修了した者を就かせることができる（労働安全衛生法施行令20条十一号、法61条、76条）。

③ ✕ つり上げ荷重が**5 t以上**の**移動式クレーン**の運転の業務は、**移動式クレーンの免許**が必要であり、クレーン・デリックの免許では就かせることができない。

④ ○ 作業床の高さが**10m以上**の高所作業車の運転の業務は、高所作業車運転技能講習を修了した者を就かせることができる。

正解 **3**

労働者の就業に当たっての措置に関する記述として、「労働安全衛生法」上、正しいものはどれか。

① 事業者は、従事する業務に関する安全又は衛生のため必要な事項の全部又は一部に関し十分な知識及び技能を有していると認められる労働者については、当該事項についての雇入れ時の安全衛生教育を省略することができる。

② 就業制限に係る業務に就くことができる者が当該業務に従事するときは、これに係る免許証その他その資格を証する書面の写しを携帯していなければならない。

③ 元方安全衛生管理者は、作業場において下請負業者が雇入れた労働者に対して、雇入れ時の安全衛生教育を行わなければならない。

④ 事業者は、作業主任者の選任を要する作業において、新たに職長として職務に就くことになった作業主任者について、法令で定められた安全又は衛生のための教育を実施しなければならない。

解 説 ··· ➡テキスト 第5編 4-2

① ○ 事業者は、業務に関する安全又は衛生のため必要な事項の全部又は一部に関し**十分な知識及び技能**を有していると認められる労働者については、当該事項についての雇入れ時の教育を**省略することができる**。

② ✕ 就業制限に係る業務に就くことができる者は、**免許証**その他その**資格を証する書面**を携帯していなければならない。**写しでは足りない**。

③ ✕ 雇入れ時等の安全衛生教育は、その者を**雇い入れた事業者**が行う。下請業者が雇い入れた労働者に対する教育は、その下請事業者が行う。

④ ✕ 事業者は、作業主任者の選任を要する作業において、**新たに職長**として職務に就くことになった者等について、所定の安全又は衛生のための教育を実施しなければならないが、作業**主任者**はその対象から**除かれる**。

正解 1

建設現場における次の業務のうち、「労働安全衛生法」上、都道府県労働局長の当該業務に係る免許を必要とするものはどれか。

① 最大積載量が1t以上の不整地運搬車の運転の業務

② 動力を用い、かつ、不特定の場所に自走することができる機体重量が3t以上のくい打機の運転の業務

③ 作業床の高さが10m以上の高所作業車の運転の業務

④ つり上げ荷重が5t以上の移動式クレーンの運転の業務

解 説 ……………………………………………… ➡テキスト / 第5編 / 4-2

① × 不整地運搬車の運転は、**最大積載量が1t以上は技能講習修了者**、1t未満は特別教育修了者であればできる。免許は不要である。なお、不整地運搬車とは、不整地走行用に設計した専ら荷を運搬する構造の自動車で、クローラー式又はホイール式（左右独立全輪駆動）のものをいう。

② × 動力を用い、かつ、不特定の場所に自走することができる**機体重量が3t以上の基礎工事用機械**（**くい打機**など）、掘削用機械、整地・運搬・積込み用機械（ブルドーザーなど）の運転の業務は技能講習修了者、**3t未満の場合は特別教育修了者**であればできる。免許は不要である。

③ × **高所作業車**の運転は、作業床の高さが10m以上の能力の高所作業車は**技能講習修了者**、10m未満は特別教育修了者であればできる。免許は不要である。

④ ○ 移動式クレーンの運転は、つり上げ荷重が5t以上は移動式クレーン運転士**免許保有者**でなければできない。なお、1t以上5t未満は技能講習修了者、1t未満は特別教育修了者であればできる。

つり上げ荷重	1t未満	1t以上5t未満	5t以上
クレーン	特別教育		免許
移動式クレーン	特別教育	技能講習	**免許**

正解 4

労働者の就業に当たっての措置に関する記述として、「労働安全衛生法」上、誤っているものはどれか。

① 事業者は、労働者を雇い入れたときは、原則として、当該労働者に対し、その従事する業務に関する安全又は衛生のための教育を行なわなければならない。

② 事業者は、事業場における安全衛生の水準の向上を図るため、危険又は有害な業務に現に就いている者に対し、その従事する業務に関する安全又は衛生のための教育を行うように努めなければならない。

③ 事業者は、特別教育を必要とする業務に従事させる労働者が、当該教育の科目の全部又は一部に関し十分な知識及び技能を有すると認められるときは、当該科目についての特別教育を省略することができる。

④ 事業者は、建設業の事業場において新たに職務に就くこととなった作業主任者に対し、作業方法の決定及び労働者の配置に関する事項について、安全又は衛生のための教育を行なわなければならない。

解説 ➡テキスト 第5編 4-2

① ○ 事業者は、労働者を雇い入れたときは、当該労働者に対し、その従事する業務に関する安全又は衛生のための教育を行わなければならない。ただし、業務に関する安全又は衛生に関し、十分な知識及び技能を有していると認められる労働者については、当該事項についての教育を省略することができる。

② ○ 事業者は、その事業場における安全衛生の水準の向上を図るため、危険又は有害な業務に現に就いている者に対し、その従事する業務に関する安全又は衛生のための教育を行うように努めなければならない。

③ ○ 事業者は、特別教育を必要とする業務に従事させる労働者が、当該教育の科目の全部又は一部に関し十分な知識及び技能を有すると認められるときは、当該科目についての特別教育を省略することができる（労働安全衛生規則37条）。

④ × 事業者は、新たに職務に就くこととなった職長その他の作業中の労働者を直接指導又は監督する者（作業主任者を除く）に対し、安全又は衛生のための教育を行わなければならない。

正解 4

建設現場における就業制限に関する記述として、「労働安全衛生法」上、誤っているものはどれか。

① 不整地運搬車運転技能講習を修了した者は、最大積載量が1t以上の不整地運搬車の運転の業務に就くことができる。

② 移動式クレーン運転士免許を受けた者は、つり上げ荷重が5t未満の移動式クレーンの運転の業務に就くことができる。

③ フォークリフト運転技能講習を修了した者は、最大荷重が1t以上のフォークリフトの運転の業務に就くことができる。

④ クレーン・デリック運転士免許を受けた者は、つり上げ荷重が1t以上のクレーンの玉掛けの業務に就くことができる。

解説 ➡テキスト 第5編 **4-2**

① ○ **不整地運搬車**の運転は、最大積載量が1t以上は技能講習修了者、1t未満は特別教育修了者であればできる。免許は不要である。なお、不整地運搬車とは、不整地走行用に設計した専ら荷を運搬する構造の自動車で、クローラー式又はホイール式（左右独立全輪駆動）のものをいう。

② ○ **移動式クレーン**の運転は、つり上げ荷重が5t以上は移動式クレーン運転士免許保有者でなければできない。なお、1t以上5t未満は**技能講習**修了者、1t未満は**特別教育**修了者であればできる。

つり上げ荷重	1t未満	1t以上5t未満	5t以上
クレーン	特別教育		免許
移動式クレーン	特別教育	技能講習	免許

③ ○ 最大荷重が1t以上の**フォークリフト**の運転の業務については、フォークリフト運転技能講習を修了した者を就かせることができる（労働安全衛生法施行令20条11号、法61条、76条）。

④ ✕ つり上げ荷重が1t以上のクレーンの**玉掛け**業務については、玉掛け技能講習を修了した者に行わせなければならない。なお、つり上げ荷重が1t未満の玉掛け業務については、**特別教育**を行わなければならない。

正解 4

次の記述のうち、「廃棄物の処理及び清掃に関する法律」上、誤っている
ものはどれか。ただし、特別管理産業廃棄物を除くものとする。

① 産業廃棄物の運搬又は収集を行う車両は、産業廃棄物運搬車である旨の事
項を表示し、かつ、当該運搬車に環境省令で定める書面を備え付けておか
なければならない。

② 事業者は、産業廃棄物を自ら運搬する場合、管轄する都道府県知事の許可
を受けなければならない。

③ 事業者は、産業廃棄物の再生を委託する場合、その再生施設の所在地、再
生方法及び再生に係る施設の能力を委託契約書に含めなければならない。

④ 事業者は、産業廃棄物の運搬又は処分を委託する場合、委託契約書及び環
境省令で定める書面を、その契約の終了の日から5年間保存しなければな
らない。

解説 ➡️テキスト 第5編 5-1

① 〇 産業廃棄物の収集又は運搬にあたっては、**運搬車の車体の外側**に、**産業廃棄物
の収集又は運搬の用に供する運搬車**である旨その他の事項を見やすいように表示
し、かつ、当該運搬車に環境省令で定める書面を備え付けておかなければならない。

② ✕ 産業廃棄物の収集又は運搬を業として行おうとする者は、当該業を行おうと
する区域（運搬のみの場合にあっては積卸しを行う区域）を管轄する**都道府県
知事の許可**を受けなければならない。ただし、**自らその産業廃棄物を運搬する
事業者**、専ら再生利用の目的となる産業廃棄物のみの収集又は運搬を業として
行う者については、**この限りでない**。したがって、事業者が自ら運搬する場合、
許可は不要である。

③ 〇 産業廃棄物の**処分又は再生**を委託するときは、その処分又は再生の場所の所
在地、その**処分又は再生の方法**及びその**処分又は再生に係る施設の処理能力**を、
当該委託契約書に含めなければならない。

④ 〇 事業者は、産業廃棄物の運搬又は処分を委託する場合、**委託契約書及び環境
省令で定める書面**を、その契約の終了の日から**5年間**保存しなければならない。

正解 **2**

次の記述のうち、「廃棄物の処理及び清掃に関する法律」上、誤っている
ものはどれか。ただし、特別管理産業廃棄物を除くものとする。

① 事業者は、工事に伴って発生した産業廃棄物を自ら処理しなければならない。

② 事業者は、工事に伴って発生した産業廃棄物を自ら運搬する場合、管轄する都道府県知事の許可を受けなければならない。

③ 事業者は、産業廃棄物の運搬又は処分を委託した場合、委託契約書及び環境省令で定める書面を、その契約の終了の日から5年間保存しなければならない。

④ 事業者は、産業廃棄物の運搬又は処分を委託した際に産業廃棄物管理票を交付した場合、管理票の写しを、交付した日から5年間保存しなければならない。

解説 .... →テキスト 第5編 5-1

① ○ 事業者は、その産業廃棄物を自ら**処理**しなければならない（廃棄物処理法11条1項）。

② × 産業廃棄物の収集又は**運搬**を業として行おうとする者は、当該業を行おうとする区域（運搬のみの場合にあっては積卸しを行う区域）を管轄する**都道府県知事の許可**を受けなければならない。ただし、**自らその産業廃棄物を運搬する事業者**、専ら再生利用の目的となる産業廃棄物のみの収集又は運搬を業として行う者については、**この限りでない**。したがって、事業者が自ら運搬する場合、許可は不要である。

③ ○ 産業廃棄物の運搬又は処分を委託した場合、**委託契約書及び環境省令で定める書面**を、その契約の終了の日から**5年間保存**しなければならない（法12条6項、令6条の2、規則8条の21の2）。

④ ○ 産業廃棄物の運搬又は処分を委託した際に産業廃棄物管理票を交付した場合、**管理票の写しを、交付した日から5年間保存**しなければならない（法12条の3、規則8条の21の2）。

正解 **2**

廃棄物処理法

次の記述のうち、「廃棄物の処理及び清掃に関する法律」上、誤っているものはどれか。ただし、特別管理産業廃棄物を除くものとする。

① 産業廃棄物の運搬又は収集を行う車両は、産業廃棄物運搬車である旨の事項を表示し、かつ、当該運搬車に環境省令で定める書面を備え付けておかなければならない。

② 事業者は、産業廃棄物の運搬又は処分を委託した際に産業廃棄物管理票を交付した場合、管理票の写しを、交付した日から5年間保存しなければならない。

③ 事業者は、工事に伴って発生した産業廃棄物を自ら運搬する場合、管轄する都道府県知事の許可を受けなければならない。

④ 汚泥の処理能力が1日当たり10㎡を超える乾燥処理施設（天日乾燥施設を除く。）を設置する場合、管轄する都道府県知事の許可を受けなければならない。

解説 .... →テキスト / 第5編 / 5-1

① ○ 産業廃棄物の収集又は運搬にあたっては、**運搬車の車体の外側に**、**産業廃棄物の収集又は運搬の用に供する運搬車**である旨その他の事項を見やすいように表示し、かつ、当該運搬車に環境省令で定める書面を備え付けておかなければならない。

② ○ 産業廃棄物の運搬又は処分を委託した際に産業廃棄物管理票を交付した場合、**管理票の写しを、交付した日から5年間**保存しなければならない（産業廃棄物処理法12条の3、規則8条の21の2）。

③ ✕ 産業廃棄物の収集又は運搬を業として行おうとする者は、当該業を行おうとする区域（運搬のみの場合にあっては積卸しを行う区域）を管轄する**都道府県知事の許可を受けなければならない**。ただし、**自らその産業廃棄物を運搬する事業者**、専ら再生利用の目的となる産業廃棄物のみの収集又は運搬を業として行う者については、**この限りでない**。したがって、事業者が自ら運搬する場合、許可は不要である。

④ ○ 所定の**産業廃棄物処理施設**を設置しようとする者は、管轄する**都道府県知事**の許可を受けなければならない。汚泥の処理能力が1日当たり10㎡を超える**乾燥処理施設**（天日乾燥施設にあっては100㎡）は、これに該当する（法15条1項、令7条）。

正解 **3**

次の記述のうち、「廃棄物の処理及び清掃に関する法律」上、誤っているものはどれか。ただし、特別管理産業廃棄物を除くものとする。

① 事業者は、産業廃棄物の運搬又は処分を委託した場合、委託契約書及び環境省令で定める書面を、その契約の終了の日から5年間保存しなければならない。

② 事業者は、工事に伴って発生した産業廃棄物を自ら運搬する場合、管轄する都道府県知事の許可を受けなければならない。

③ 多量排出事業者は、当該事業場に係る産業廃棄物の減量その他その処理に関する計画の実施の状況について、環境省令で定めるところにより、都道府県知事に報告しなければならない。

④ 天日乾燥施設を除く汚泥の処理能力が1日当たり10㎥を超える乾燥処理施設を設置する場合、管轄する都道府県知事の許可を受けなければならない。

解説 ・・・ →テキスト 第5編 5-1

① ○ 産業廃棄物の運搬又は処分を委託した場合、**委託契約書**及び環境省令で定める書面を、その契約の終了の日から**5年間保存**しなければならない（法12条6項、令6条の2、規則8条の21の2）。

② × 産業廃棄物の収集又は**運搬**を業として行おうとする者は、当該業を行おうとする区域（運搬のみの場合にあっては積卸しを行う区域）を管轄する**都道府県知事の許可**を受けなければならない。ただし、自らその産業廃棄物を運搬する事業者、専ら再生利用の目的となる産業廃棄物のみの収集又は運搬を業として行う者については、**この限りでない**。したがって、事業者が自ら運搬する場合、許可は不要である。

③ ○ **多量排出事業者**は、当該事業場に係る産業廃棄物の減量その他その処理に関する計画の実施の状況について、環境省令で定めるところにより、都道府県知事に**報告**しなければならない（法12条）。

④ ○ 所定の**産業廃棄物処理施設**を設置しようとする者は、管轄する都道府県知事の許可を受けなければならない。汚泥の処理能力が1日当たり**10㎥を超える乾燥処理施設**（天日乾燥施設にあっては100㎥）は、これに該当する（法15条、令7条）。

正解 **2**

特定建設資材を用いた建築物等の解体工事又は新築工事等のうち、「建設工事に係る資材の再資源化等に関する法律」上、分別解体等をしなければならない建設工事に該当しないものはどれか。

① アスファルト・コンクリートの撤去工事であって、請負代金の額が700万円の工事

② 建築物の増築工事であって、当該工事に係る部分の床面積の合計が500㎡の工事

③ 建築物の耐震改修工事であって、請負代金の額が7,000万円の工事

④ 擁壁の解体工事であって、請負代金の額が500万円の工事

解 説 .... ➡テキスト / 第5編 / 5-2

「建設工事に係る資材の再資源化等に関する法律」（いわゆる建設リサイクル法）における対象建設工事はコンクリート、木材などの再資源化が必要な**特定建設資材**を用いた建築物などに係る解体工事又はその施工に特定建設資材を使用する新築工事などで、以下の規模の工事が対象となる。

❶ 建築物の**解体**工事：床面積80㎡以上
❷ 建築物の**新築又は増築**：床面積500㎡以上
❸ 建築物の**修繕・模様替**：請負代金1億円以上
❹ **建築物以外の解体又は新築**：請負代金500万円以上

　対象建設工事の受注者又は自主施工者は、正当な理由がある場合を除き、**分別解体**等をしなければならない。また、対象建設工事の発注者又は自主施工者は、工事着手日の**7日前**までに、所定の事項を記載した届出書を**都道府県知事**に提出しなければならない。

　①及び④は❹に、②は❷に該当する。③は❸の改修工事であるが、「請負代金1億円以上」ではないので、対象建設工事に該当しない。

正解 3

建設リサイクル法

「建設工事に係る資材の再資源化等に関する法律」上、特定建設資材を用いた建築物等の解体工事又は新築工事等のうち、分別解体等をしなければならない建設工事に該当しないものはどれか。

① 建築物の増築工事であって、当該工事に係る部分の床面積の合計が500㎡の工事

② 建築物の大規模な修繕工事であって、請負代金の額が8,000万円の工事

③ 建築物の解体工事であって、当該工事に係る部分の床面積の合計が80㎡の工事

④ 擁壁の解体工事であって、請負代金の額が500万円の工事

解 説 ....➡テキスト **第5編** **5-2**

① 〇 建築物の**新築・増築工事**は、建築物（増築の工事は、工事に係る部分）の床面積の合計が**500㎡以上**のものが、原則として分別解体等の対象となる。

② ✕ 大規模な**修繕工事**のような**新築・増築工事以外**のものは（改修工事など）、**請負代金の額が1億円以上**の工事が分別解体等の対象となる。

③ 〇 建築物の**解体**工事は、解体部分の床面積の合計が**80㎡以上**の工事が分別解体等の対象となる。

④ 〇 擁壁のような**建築物以外**のものに係る**解体**工事又は**新築**工事等については、その**請負代金の額が500万円以上**のものが、分別解体等の対象となる。

正解 **2**

次の記述のうち、「建設工事に係る資材の再資源化等に関する法律」上、誤っているものはどれか。

① 建設資材廃棄物の再資源化等には、焼却、脱水、圧縮その他の方法により建設資材廃棄物の大きさを減ずる行為が含まれる。

② 建設業を営む者は、建設資材廃棄物の再資源化により得られた建設資材を使用するよう努めなければならない。

③ 対象建設工事の元請業者は、特定建設資材廃棄物の再資源化等が完了したときは、その旨を都道府県知事に報告しなければならない。

④ 分別解体等には、建築物等の新築工事に伴い副次的に生ずる建設資材廃棄物をその種類ごとに分別しつつ当該工事を施工する行為が含まれる。

解説 ･･ →テキスト／第5編 5-2

① ○ 建設資材廃棄物の「**再資源化等**」とは、**再資源化**及び**縮減**をいう。ここで**縮減**とは、焼却、脱水、圧縮その他の方法により建設資材廃棄物の**大きさを減ずる**行為をいう（建設工事に係る資材の再資源化等に関する法律2条）。

② ○ 建設業を営む者は、**建設資材廃棄物の再資源化**により得られた建設資材（建設資材廃棄物の再資源化により得られた物を使用した建設資材を含む）を使用するよう**努めなければならない**。

③ × 対象建設工事の元請業者は、当該工事に係る特定建設資材廃棄物の**再資源化等が完了**したときは、**発注者に書面で報告**するとともに、当該再資源化等の実施状況に関する記録を作成し、これを保存しなければならない。つまり、発注者への報告義務はあるが、都道府県知事への報告義務は規定されていない。

④ ○ 「**分別解体等**」とは、建設資材の廃棄物を種類ごとに**分別しつつ解体工事**を計画的に施工する行為、又は工事に伴い副次的に生ずる建設資材の廃棄物をその種類ごとに**分別しつつ建築工事**を施工する行為をいう。

正解 **3**

指定地域内における特定建設作業の実施の届出に関する記述として、「騒音規制法」上、誤っているものはどれか。ただし、作業はその作業を開始した日に終わらないものとする。

① 特定建設作業を伴う建設工事を施工しようとする者は、作業の実施の期間や騒音の防止の方法等の事項を、市町村長に届出をしなければならない。

② 環境大臣が指定するものを除き、原動機の定格出力が80kW以上のバックホウを使用する作業は、特定建設作業の実施の届出をしなければならない。

③ さく岩機を使用する作業であって、作業地点が連続的に移動し、1日における作業に係る地点間の距離が50mを超えない作業は、特定建設作業の実施の届出をしなければならない。

④ 構台支持杭を打ち込むため、もんけんを使用する作業は、特定建設作業の実施の届出をしなければならない。

解説 ┄┄┄┄┄┄┄┄┄┄┄┄┄┄┄┄┄┄┄┄┄ ➡テキスト / 第5編 / **6-1**

指定地域内において**特定建設作業**を伴う建設工事を施工しようとする者は、当該特定建設作業の開始の日の**7日前**までに、場所・実施の期間、騒音の防止方法等を**市町村長**に届け出なければならない。したがって①は正しい。

次のような著しい騒音を発生する建設作業が特定建設作業である。

❶ 杭打機（もんけんを除く）、杭抜機又は杭打杭抜機（圧入式を除く）を使用する作業（アースオーガー併用を除く）

❷ **さく岩機**を使用する作業（1日における当該作業に係る2地点間の最大**移動距離が50mを超えない作業**に限る）

❸ 空気圧縮機（電動機以外の原動機を用いるものであって、その原動機の定格出力が15kW以上のものに限る）を使用する作業

❹ バックホウ（環境大臣が指定する低騒音型を除き、原動機の定格出力が80kW以上のものに限る）を使用する作業

❺ ブルドーザー（環境大臣が指定する低騒音型を除き、原動機の定格出力が40kW以上のものに限る）を使用する作業

②は❹に、③は❷に該当する。④はもんけんを使用するため❶に該当せず、誤りである。

正解 **4**

「騒音規制法」上、指定地域内における特定建設作業の実施の届出に関する記述として、誤っているものはどれか。ただし、作業はその作業を開始した日に終わらないものとする。

① さく岩機を使用する作業であって、作業地点が連続的に移動し、1日における当該作業に係る2点間の距離が50mを超える作業は、特定建設作業の実施の届出をしなければならない。

② さく岩機の動力として使用する作業を除き、電動機以外の原動機の定格出力が15kW以上の空気圧縮機を使用する作業は、特定建設作業の実施の届出をしなければならない。

③ 環境大臣が指定するものを除き、原動機の定格出力が40kW以上のブルドーザーを使用する作業は、特定建設作業の実施の届出をしなければならない。

④ 環境大臣が指定するものを除き、原動機の定格出力が80kW以上のバックホウを使用する作業は、特定建設作業の実施の届出をしなければならない。

解説 ────────────── ➡️テキスト　第5編　6-1

① ✕ さく岩機を使用する作業は、1日の作業に係る2点間の距離が50mを超えないものが届出を要する特定建設作業に当たる。

② ◯ 電動機以外の原動機の定格出力が15kW以上の空気圧縮機を使用する作業は、さく岩機の動力として使用する作業を除き、特定建設作業の届出をしなければならない。

③ ◯ 原動機の定格出力が40kW以上のブルドーザーを使用する作業は、原則として届出を要する特定建設作業に当たる。

④ ◯ 原動機の定格出力が80kW以上のバックホウを使用する作業は、原則として届出を要する特定建設作業に当たる。

正解 1

騒音規制法

「騒音規制法」上、指定地域内における特定建設作業の実施の届出に関する記述として、誤っているものはどれか。ただし、作業は、その作業を開始した日に終わらないものとする。

① 特定建設作業を伴う建設工事を施工しようとする者は、作業の実施の期間や騒音の防止の方法等の事項を、市町村長に届出をしなければならない。

② くい打機をアースオーガーと併用する作業は、特定建設作業の実施の届出をしなければならない。

③ さく岩機の動力として使用する作業を除き、電動機以外の原動機の定格出力が15kW以上の空気圧縮機を使用する作業は、特定建設作業の実施の届出をしなければならない。

④ 環境大臣が指定するものを除き、原動機の定格出力が70kW以上のトラクターショベルを使用する作業は、特定建設作業の実施の届出をしなければならない。

解 説 ……………………………………… ➡テキスト 第5編 6-1

① ○ 指定地域内において**特定建設作業**を伴う建設工事を施工しようとする者は、当該特定建設作業の開始の日の**7日前**までに、場所・実施の期間、騒音の防止方法等を**市町村長**に届け出なければならない。したがって、①は正しい。

特定建設作業とは、次のような著しい騒音を発生する作業である。

❶ **杭打機**（もんけんを除く）、**杭抜機**又は**杭打杭抜機**（圧入式を除く）を使用する作業（アースオーガー併用を除く）

❷ **さく岩機**を使用する作業（1日における当該作業に係る2地点間の**最大移動距離が50mを超えない**作業に限る）

❸ **空気圧縮機**（電動機以外の原動機を用いるものであって、その原動機の定格出力が15kW以上のものに限る）を使用する作業

❹ **バックホウ**（環境大臣が指定する低騒音型を除き、原動機の定格出力が80kW以上のものに限る）を使用する作業

❺ **トラクターショベル**（環境大臣が指定する低騒音型を除き、原動機の定格出力が70kW以上のものに限る）を使用する作業

❻ **ブルドーザー**（環境大臣が指定する低騒音型を除き、原動機の定格出力が

40kW以上のものに限る）を使用する作業

　杭打機をアースオーガーと併用する場合は❶に該当せず、②は誤りである。③は❸に、④は❺に該当し、特定建設作業の実施の届出をしなければならない。

正解 2

指定地域内における特定建設作業の実施の届出に関する記述として、「振動規制法」上、誤っているものはどれか。

① 建設工事の目的に係る施設又は工作物の種類を届け出なければならない。

② 特定建設作業開始の日までに、都道府県知事に届け出なければならない。

③ 届出には、当該特定建設作業の場所の付近の見取図その他環境省令で定める書類を添付しなければならない。

④ 特定建設作業の種類、場所、実施期間及び作業時間を届け出なければならない。

解説 → テキスト 第5編 6-2

「振動規制法」上、**指定地域内**において**特定建設作業**を伴う建設工事を施工しようとする者は、原則として、当該特定建設作業の開始の日の**7日前**までに、次の事項等を**市町村長**に届け出なければならない。

❶ 氏名又は名称及び住所並びに法人にあっては、その代表者の氏名
❷ 建設工事の目的に係る**施設又は工作物の種類**
❸ 特定建設作業の種類、場所、実施**期間及び作業時間**
❹ **振動防止方法**
❺ その他環境省令で定める事項

また、届出には当該特定建設作業の場所の**付近の見取図**その他環境省令で定める書類を添付しなければならない。

① ○ ❷のとおり正しい。

② × 作業開始日の**7日前**までに**市町村長**に届け出なければならない。

③ ○ 設問のとおり正しい。

④ ○ ❸のとおり正しい。

正解 **2**

「振動規制法」上、指定地域内における特定建設作業の規制に関する基準として、誤っているものはどれか。ただし、災害その他非常時等を除く。

① 特定建設作業の振動が、日曜日その他の休日に行われる特定建設作業に伴って発生するものでないこと。

② 特定建設作業の振動が、特定建設作業の全部又は一部に係る作業の期間が当該特定建設作業の場所において、連続して6日を超えて行われる特定建設作業に伴って発生するものでないこと。

③ 特定建設作業の振動が、特定建設作業の場所の敷地の境界線において、85dBを超える大きさのものでないこと。

④ 特定建設作業の振動が、住居の用に供されているため、静穏の保持を必要とする区域内として指定された区域にあっては、夜間において行われる特定建設作業に伴って発生するものでないこと。

解説　　　　　　　　　　　　　　　　　　　　　　　➡テキスト／第5編／6-2

① ◯ くい打ち等の著しい振動を発生する作業を特定建設作業といい、特定建設作業の振動が、原則として**日曜日その他の休日に行われる特定建設作業**に伴って発生するものでないこと、とされている。

② ◯ 作業の期間が当該特定建設作業の場所において、原則として**連続して6日を超えて**行われるものでないこととされている。

③ ✕ 特定建設作業の振動が、特定建設作業の場所の敷地の**境界線**において、**75dB**を超える大きさのものでないこととされている。

④ ◯ 住居の用に供されているため、**静穏の保持を必要とする区域内**として指定された区域にあっては、夜間（午後7時から翌日の午前7時まで）において行われる特定建設作業に伴って発生するものでないこととされている。

正解 **3**

「振動規制法」上、指定地域内における特定建設作業に関する記述として、誤っているものはどれか。

① 特定建設作業の振動が、当該特定建設作業の場所において、図書館、特別養護老人ホーム等の敷地の周囲おおむね80mの区域内として指定された区域にあっては、1日10時間を超えて行われる特定建設作業に伴って発生するものでないこと。

② 特定建設作業の振動が、特定建設作業の場所の敷地の境界線において、85dBを超える大きさのものでないこと。

③ 特定建設作業の振動が、特定建設作業の全部又は一部に係る作業の期間が当該特定建設作業の場所において、連続して6日を超えて行われる特定建設作業に伴って発生するものでないこと。

④ 特定建設作業の振動が、良好な住居の環境を保全するため、特に静穏の保持を必要とする区域として指定された区域にあっては、午後7時から翌日の午前7時までの時間において行われる特定建設作業に伴って発生するものでないこと。

解説 →テキスト 第5編 6-2

振動規制法では、くい打機など、建設工事として行われる作業のうち、著しい振動を発生する作業であって政令で定める作業を**特定建設作業**として規制対象としている。

① ○ 学校、保育所、病院、患者の収容施設を有する診療所、**図書館及び特別養護老人ホーム**の、敷地の周囲概ね80mの区域内で行われる特定建設作業は、1日当たり**10時間以内**と、規制されている。

② × 特定建設作業の振動が、特定建設作業の場所の**敷地の境界線**において、**75dB**を超える大きさのものでないこととされている。

③ ○ 作業の期間が当該特定建設作業の場所において、原則として**連続して6日**を超えて行われるものでないこととされている。

④ ○ 住居の用に供されているため、静穏の保持を必要とする区域内として指定された区域にあっては、**夜間（午後7時から翌日の午前7時まで）**において行われる特定建設作業に伴って発生するものでないこととされている。

正解 2

次の作業のうち、「振動規制法」上、特定建設作業に該当しないものはどれか。ただし、作業は開始した日に終わらないものとし、作業地点が連続的に移動する作業ではないものとする。

① 油圧式くい抜機を使用する作業

② もんけん及び圧入式を除くくい打機を使用する作業

③ 鋼球を使用して建築物その他の工作物を破壊する作業

④ 手持式を除くブレーカーを使用する作業

解説 .... ➡テキスト 第5編 6-2

　指定地域内において**特定建設作業**を伴う建設工事を施工しようとする者は、当該特定建設作業の開始の日の**7日前**までに、場所・実施の期間、振動の防止方法等を**市町村長**に届け出なければならない。

　次のような著しい振動を発生する建設作業が特定建設作業である。

❶ 杭打機（もんけんを除く）、杭抜機又は杭打杭抜機（圧入式・油圧式を除く）を使用する作業

❷ 鋼球を使用して建築物その他の工作物を破壊する作業

❸ 舗装版破砕機を使用する作業（1日の作業の2地点間の最大距離が50mを超えない作業に限る）

❹ ブレーカーを使用する作業（1日の作業の2地点間の最大距離が50mを超えない作業に限る）ただし、**手持ち式は除く**。

※ いずれも作業を開始した日に終わるものを除く。

　②は❶に該当、③は❷に該当、④は❹に該当。①は油圧式くい抜機を使用するため、特定建設作業に該当しない。

正解 1

宅地以外の土地を宅地にするため、土地の形質の変更を行う場合、「宅地造成及び特定盛土等規制法」上、宅地造成に該当しないものはどれか。

① 切土をする土地の面積が600㎡であって、切土をした土地の部分に高さが1.0mの崖を生ずるもの

② 盛土をする土地の面積が600㎡であって、盛土をした土地の部分に高さが1.0mの崖を生ずるもの

③ 盛土をする土地の面積が300㎡であって、盛土をした土地の部分に高さが2.0mの崖を生ずるもの

④ 切土をする土地の面積が300㎡であって、切土をした土地の部分に高さが2.0mの崖を生ずるもの

解説 ………………………………… ➡テキスト 第5編 6-3

　本法上、**宅地造成**とは、宅地以外の土地を宅地にするために行う盛土その他の土地の形質の変更で、以下のものをいう（宅地を宅地以外の土地にするために行うものを除く）。

❶ 盛土であって、高さが**1mを超える崖**を生ずるもの

❷ 切土であって、高さが**2mを超える崖**を生ずるもの

❸ 盛土と切土とを同時にする場合における盛土であって、**盛土**部分に高さが**1m以下**の崖を生じ、かつ、当該**盛土及び切土**をした土地の部分に高さが**2mを超える崖**を生ずることとなるもの

❹ ❶❸に該当しない盛土で、高さ**2mを超える**もの

❺ 上記のいずれにも該当しない盛土又は切土であって、当該盛土又は切土をする土地の**面積**が**500㎡を超える**もの

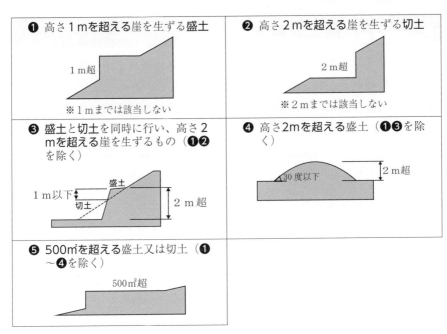

❶ 高さ１ｍを超える崖を生ずる<u>盛土</u>

１ｍ超

※１ｍまでは該当しない

❷ 高さ２ｍを超える崖を生ずる<u>切土</u>

２ｍ超

※２ｍまでは該当しない

❸ <u>盛土</u>と<u>切土</u>を同時に行い、高さ２ｍを超える崖を生ずるもの（**❶❷**を除く）

盛土

１ｍ以下

切土

２ｍ超

❹ 高さ2mを超える<u>盛土</u>（**❶❸**を除く）

30度以下

2ｍ超

❺ <u>500㎡を超える盛土又は切土</u>（**❶**〜**❹**を除く）

500㎡超

①②は**❺**に、③は**❶**に該当する。④は**❶**〜**❺**のいずれにも該当しない。

※　令和５年より、「宅地造成等規制法」は、「宅地造成及び特定盛土等規制法」へと改正された。

正解 **4**

宅地造成等工事規制区域内において行われる宅地造成工事に関する記述として、「宅地造成及び特定盛土等規制法」上、誤っているものはどれか。なお、指定都市又は中核市の区域内の土地については、都道府県知事はそれぞれ指定都市又は中核市の長をいう。

① 宅地において、土地の600㎡の面積の部分について盛土に関する工事を行い、引き続き宅地として利用するため、都道府県知事の許可を受けた。

② 宅地造成に関する工事の許可を受けていなかったため、地表水等を排除するための排水施設の一部を除却する工事に着手する7日の前に、その旨を都道府県知事に届け出た。

③ 高さが2mの崖を生ずる盛土を行う際、崖の上端に続く地盤面には、その崖の反対方向に雨水その他の地表水が流れるように勾配を付けた。

④ 高さが3mの崖を生ずる切土を行う際、切土をした後の地盤に滑りやすい土質の層があったため、その地盤に滑りが生じないように、地滑り抑止ぐいを設置した。

解説 .... →テキスト 第5編 6-3

① ◯ 500㎡超の盛土工事は**宅地造成**に該当するため、引き続き宅地として利用する場合は、宅地造成等工事の許可が必要となる（法12条1項、令3条）。

② ✕ 規制区域内で、地表水等を排除するための**排水施設の一部を除却**する工事については、許可を得ている場合を除き、**着手日の14日前**までに、その旨を都道府県知事に**届け出**なければならない（法21条3項、令26条）。

③ ◯ 盛土等の際、崖の上端に続く地盤面には、その**崖の反対方向**に雨水その他の地表水が流れるように勾配を付けなければならない（令7条2項）。

④ ◯ 切土をした後の地盤に滑りやすい土質の層があるときは、その地盤に滑りが生じないように、**地滑り抑止ぐい**又はグラウンドアンカーその他の土留めの措置を講じなければならない（令7条1項）。

※ 令和5年より、「宅地造成等規制法」は、「宅地造成及び特定盛土等規制法」へと改正された。

正解 **2**

MEMO

宅地以外の土地を宅地にするため、土地の形質の変更を行う場合、「宅地造成及び特定盛土等規制法」上、宅地造成に該当しないものはどれか。

① 切土をする土地の面積が300㎡であって、切土をした土地の部分に高さが1.5mの崖を生ずるもの

② 盛土をする土地の面積が400㎡であって、盛土をした土地の部分に高さが2mの崖を生ずるもの

③ 切土と盛土を同時にする土地の面積が500㎡であって、盛土をした土地の部分に高さが1mの崖を生じ、かつ、切土及び盛土をした土地の部分に高さが2.5mの崖を生ずるもの

④ 盛土をする土地の面積が600㎡であって、盛土をした土地の部分に高さが1mの崖を生ずるもの

解 説 ➡テキスト 第5編 6-3

本法上、**宅地造成**とは、宅地以外の土地を宅地にするために行う盛土その他の土地の形質の変更で、以下のものをいう（宅地を宅地以外の土地にするために行うものを除く）。

❶ 盛土であって、高さが1mを超える崖を生ずるもの

❷ 切土であって、高さが2mを超える崖を生ずるもの

❸ 盛土と切土とを同時にする場合における盛土であって、盛土部分に高さが1m以下の崖を生じ、かつ、当該盛土及び切土をした土地の部分に高さが2mを超える崖を生ずることとなるもの

❹ ❶❸に該当しない盛土で、高さ2mを超えるもの

❺ 上記のいずれにも該当しない盛土又は切土であって、当該盛土又は切土をする土地の面積が500㎡を超えるもの

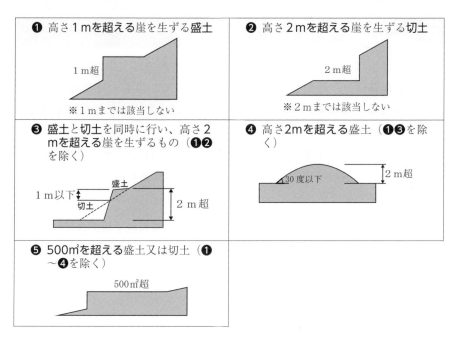

❶ 高さ１ｍを超える崖を生ずる盛土

1 m超

※１ｍまでは該当しない

❷ 高さ２ｍを超える崖を生ずる切土

2 m超

※２ｍまでは該当しない

❸ 盛土と切土を同時に行い、高さ２ｍを超える崖を生ずるもの（❶❷を除く）

盛土
1 m以下
切土
2 m超

❹ 高さ2mを超える盛土（❶❸を除く）

30度以下
2 m超

❺ 500㎡を超える盛土又は切土（❶〜❹を除く）

500㎡超

①はいずれにも該当しない。②は❶に、③は❸に、④は❺に該当する。

※　令和５年より、「宅地造成等規制法」は、「宅地造成及び特定盛土等規制法」へと改正された。

正解　1

宅地造成等工事規制区域内において行われる宅地造成工事に関する記述として、「宅地造成及び特定盛土等規制法」上、**誤っているもの**はどれか。なお、指定都市又は中核市の区域内の土地については、都道府県知事はそれぞれ指定都市又は中核市の長をいう。

① 宅地造成に関する工事の許可を受けていなかったため、地表水等を排除するための排水施設の一部を除却する工事に着手する日の7日前に、その旨を都道府県知事に届け出た。

② 高さが2mの崖を生ずる盛土を行う際、崖の上端に続く地盤面には、その崖の反対方向に雨水その他の地表水が流れるように勾配を付けた。

③ 宅地造成に伴う災害を防止するために崖面に設ける擁壁には、壁面の面積3㎡以内ごとに1個の水抜穴を設け、裏面の水抜穴周辺に砂利を用いて透水層を設けた。

④ 切土又は盛土をする土地の面積が1,500㎡を超える土地における排水設備の設置については、政令で定める資格を有する者が設計した。

解説 ………………………………………………… ➡テキスト / 第5編 / **6-3**

① ✕ 規制区域内で、地表水等を排除するための排水施設の一部を除却する工事については、許可を得ている場合を除き、着手日の**14日前**までに、その旨を**都道府県知事**に届け出なければならない（法21条、令26条）。

② 〇 盛土等の際、崖の上端に続く地盤面には、その崖の反対方向に雨水その他の地表水が流れるように**勾配**を付けなければならない（令7条）。

③ 〇 擁壁には、その裏面の排水をよくするため、壁面の面積3㎡以内ごとに少なくとも1個の内径が7.5cm以上の陶管その他これに類する耐水性の材料を用いた**水抜き穴**を設け、かつ、擁壁の裏面の水抜き穴の周辺その他必要な場所には、砂利その他の資材を用いて**透水層**を設けなければならない（令12条）。

④ 〇 切土又は盛土をする土地の面積が1,500㎡を超える土地における**排水設備**の設置については、政令で定める**資格**を有する者の設計によらなければならない（法13条、令21条）。

正解 1

貨物自動車を使用して、分割できない資材を運搬する際に、「道路交通法」上、当該車両の出発地を管轄する警察署長の許可を必要とするものはどれか。ただし、貨物自動車は、軽自動車を除くものとする。

① 荷台の高さが1mの自動車に、高さ2.4mの資材を積載して運搬する場合

② 長さ11mの自動車に、車体の後ろに1mはみ出す長さ12mの資材を積載して運搬する場合

③ 積載する幅2mの自動車より、左右に0.25mずつはみ出す資材を積載して運搬する場合

④ 資材を看守するため必要な最小限度の人員を、自動車の荷台に乗せる場合

解 説 ➡テキスト 第5編 6-5

① × 積載物の高さは、3.8mからその自動車の積載をする場所の高さを減じた高さに制限される。つまり、荷台の高さと資材の高さの合計が3.8m以下であれば許可は不要である。設問は、3.8m－1m＝2.8mであるので、高さ2.4mの資材は制限内にあるため、許可は不要である。

② × 積載物の長さは、自動車の長さにその長さの$\frac{2}{10}$の長さを加えたものに制限される。また前後に$\frac{1}{10}$を超えてはみ出してはならない。長さ12mの資材は$\frac{2}{10}$以内であり、$\frac{1}{10}$を超えてはみ出していないので、許可は不要である。

③ ○ 積載物の幅は、自動車の幅にその幅の$\frac{2}{10}$の幅を加えたものに制限される。また左右に$\frac{1}{10}$を超えてはみ出してはならない。0.25mは幅の$\frac{1}{10}$を超えてはみ出しているので、出発地を管轄する警察署長の許可が必要である。

④ × 貨物自動車で貨物を積載しているものにあっては、当該貨物を看守するため必要な最小限度の人員をその荷台に乗車させて運転することができる。

正解 **3**

貨物自動車に分割できない資材を積載して運転する際に、「道路交通法」上、当該車両の出発地を管轄する警察署長の許可を必要とするものはどれか。ただし、貨物自動車は、軽自動車を除くものとする。

① 長さ11mの自動車に、車体の前後に0.5mずつはみ出す長さ12mの資材を積載して運転する場合

② 荷台の高さが1mの自動車に、高さ2.7mの資材を積載して運転する場合

③ 幅2.2mの自動車に、車体の左右に0.3mずつはみ出す幅2.8mの資材を積載して運転する場合

④ 積載された資材を看守するため、必要な最小限度の人員として1名を荷台に乗車させて運転する場合

解 説 ➡テキスト 第5編 6-5

① ✕ 11mの自動車の前後に0.5mずつはみ出して12mの資材を積載する場合、積載物の長さは**自動車の長さにその長さの** $\frac{2}{10}$ **を加えたもの**（11m×1.2＝13.2m）を超えておらず、**自動車の長さの** $\frac{1}{10}$（11m×0.1＝1.1m）を超えてはみ出してもいないので、許可は要しない。

② ✕ 設問は、3.8mから**自動車の積載場所の高さを減じた高さを超えていない**ので許可は要しない。

③ ○ 積載物の幅は、自動車の幅にその**幅の** $\frac{2}{10}$ の幅を加えたものに制限される。また左右に $\frac{1}{10}$ を超えてはみ出してはならない。0.3mは幅の $\frac{1}{10}$ を超えてはみ出しており、また全体の幅も $\frac{2}{10}$ を超えているため、許可が必要である。

④ ✕ 貨物自動車で貨物を積載しているものにあっては、その**貨物を看守するため必要な最小限度の人員**をその荷台に乗車させて運転することができるので、許可は要しない。

正解 **3**

貨物自動車を使用して分割できない資材を運搬する際に、「道路交通法」上、当該車両の出発地を管轄する警察署長の許可を必要とするものはどれか。ただし、貨物自動車は、軽自動車を除くものとする。

① 長さ11mの自動車に、車体の前後に0.5mずつはみ出す長さ12mの資材を積載して運搬する場合

② 荷台の高さが1mの自動車に、高さ3mの資材を積載して運転する場合

③ 積載する自動車の最大積載重量で資材を運搬する場合

④ 資材を看守するため必要な最小限度の人員を、自動車の荷台に乗せて運搬する場合

解説 ·· ➡テキスト 第5編 **6-5**

① ✕ 11mの自動車の前後に0.5mずつはみ出して12mの資材を積載する場合、積載物の長さは**自動車の長さにその長さの$\frac{2}{10}$を加えたもの**（11m×1.2＝13.2m）を超えておらず、**自動車の長さの$\frac{1}{10}$**（11m×0.1＝1.1m）を超えてはみ出してもいないので、許可は要しない。

② 〇 設問は、荷台高さ1m＋資材3m＝4mと、**規制高さ3.8mを超えている**ため、許可申請が必要である。

③ ✕ 積載物の重量は**制限を超えてはならない**とされているので、超えてなければ不要である（道路交通法57条）。

④ ✕ 貨物自動車で貨物を積載しているものにあっては、その**貨物を看守するため必要な最小限度の人員**をその荷台に乗車させて運転することができるので、許可は要しない。

正解 2

TAC PG

わかって合格る

1級建築 施工管理技士

一次検定8年過去問題集

2025年度版

第4分冊

令和6年度本試験問題

licensed building site manager

TAC出版
TAC PUBLISHING Group

令和6年度

本試験問題／午前

午前の試験

下記のとおり全44問のうちから36問を選択して解答してください。

- ● 問1〜問6

  6問全問を解答してください。

- ● 問7〜問15

  9問のうちから6問を選択して解答してください。

- ● 問16〜問20

  5問全問を解答してください。

- ● 問21〜問30

  10問のうちから8問を選択して解答してください。

- ● 問31〜問40

  10問のうちから7問を選択して解答してください。

- ● 問41〜問44

  4問全問を解答してください。

※ 令和3年度の本試験より、問題文の漢字には
すべて振り仮名が付されていますが、本書で
は省略しています。

中央管理方式の空気調和設備を設けた建築物における居室の室内環境に関する一般的な記述として、最も不適切なものはどれか。

① 室内空気中の一酸化炭素の濃度は、6ppm以下とする。

② 室内空気中の二酸化炭素の濃度は、1,000ppm以下とする。

③ 室内空気の気流の速さは、1.5m/s以下とする。

④ 室内空気の相対湿度は、40%以上70%以下とする。

解説 ……………………………………… ➡テキスト｜第1編｜1-4

①② ◯ 建築基準法及び建築物衛生法（建築物における衛生的環境の確保に関する法律）に定められた以下の基準が、**室内空気汚染物質の許容量**の目安である。

❶ 一酸化炭素（CO）6ppm（0.0006%）以下

❷ 二酸化炭素（CO_2）1,000ppm（0.10%）以下

※ 1 ppm = 1×10^{-6} = 0.000001 = 0.0001%

③ ✕ 建築基準法施行令により、室内空気の**気流**は、**0.5m/s以下**となるようにする。

④ ◯ 気温が高いと体表面温度が上昇して発汗し、その蒸発により気化熱が奪われて体温を一定に保つことができるが、湿度が高いと蒸発が遅くなって不快感が増す。建築基準法施行令により、**相対湿度は40%以上70%以下**となるようにする。

正解 **3**

MEMO

図に示すような鉄筋コンクリート壁の熱貫流率として、最も近い値はどれか。ただし、熱貫流率は、放射熱伝達率と対流熱伝達率を含めたものとする。

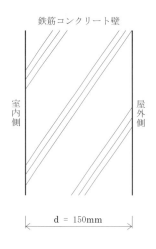

鉄筋コンクリート壁

鉄筋コンクリート 熱伝導率 [W/(m・K)]		1.6
左図鉄筋コンクリート壁 熱伝導抵抗 [(㎡・K)/W]		0.094

	室内側	屋外側
熱伝達率 [W/(㎡・K)]	9.0	23.0
熱伝達抵抗 [(㎡・K)/W]	0.111	0.043

d = 150mm

① 0.3

② 1.3

③ 4.0

④ 33.6

解説 ……………………………………………→テキスト　第 1 編　1-3

熱貫流率とは、熱伝達抵抗と熱伝導抵抗の和の逆数である。

熱貫流率　$U = \dfrac{1}{R_t}$

熱貫流抵抗　$R_t = \dfrac{1}{\alpha_i} + \dfrac{d}{\lambda} + \dfrac{1}{\alpha_o}$

α_i：室内側の熱伝導率 [W/(㎡・K)]
α_o：室外側の熱伝導率 [W/(㎡・K)]
d：壁の厚さ [m]
λ：壁の熱伝導率 [W/(m・K)]

上記に設問の数値をあてはめると、

$R_t = 1/9.0 + 0.15/1.6 + 1/23.0$
$\quad = 0.111 + 0.093 + 0.043$
$\quad = 0.248$

$\therefore U = \dfrac{1}{R_t} = 1 / 0.248 = 4.032\cdots \fallingdotseq 4.0$　となる。

　または、設問より図の鉄筋コンクリート壁の熱伝導抵抗と室内側、室外側の熱伝達抵抗の数値が提示されていることに気づけば、全て足し合わせて和を求め、その逆数が熱貫流率となる。

　「熱貫流率 U ＝ 熱伝達抵抗（室内側＋室外側）と熱伝導抵抗の和の逆数」から、
$U = 1 / (0.111 + 0.043 + 0.094)$
　　$= 1 / 0.248 = 4.032\cdots \fallingdotseq 4.0$　となり、
③が最も近い値となる。

正解　3

鉄筋コンクリート構造に関する一般的な記述として、最も不適当なものはどれか。

① 柱の主筋はD13以上の異形鉄筋を４本以上とし、その断面積の和は柱のコンクリート断面積の0.8％以上とする。

② 柱のせん断補強筋は直径9mm以上の丸鋼又はD10以上の異形鉄筋とし、せん断補強筋比は0.2％以上とする。

③ 梁のせん断補強筋の間隔は、梁せいの$\frac{1}{2}$以下、かつ、250mm以下とする。

④ 梁に孔径が梁せいの$\frac{1}{3}$の円形の貫通孔を２個設ける場合、その中心間隔は両孔径の平均値の２倍以上とする。

解 説 .... ➡テキスト｜第1編｜2-3

① ○ 柱の**主筋の全断面積**のコンクリート全断面積に対する割合は、**0.8％以上**とする。また、鉄筋径はD13以上の異形鉄筋、本数は４本以上とする。

② ○ 柱及び梁のせん断補強筋は、丸鋼９φ又は異形鉄筋D10以上を用い、**せん断補強筋比**は0.2％以上とする。

③ ○ 鉄筋コンクリート構造の**梁のせん段補強筋（あばら筋）**の配筋は、

❶ D10以上の異形鉄筋を用いる。
❷ 間隔は、梁せいの$\frac{1}{2}$以下、かつ、250mm以下とする。

④ ✕ 鉄筋コンクリート造の梁の貫通孔は、梁端部を避け（柱面から**1.5D以上離す**）、孔径は**梁せいの**$\frac{1}{3}$**以下**、中心間隔は孔径の**３倍以上**とする。
　なお、梁貫通孔が、梁せいの$\frac{1}{10}$以下、かつ、150mm未満のものは、鉄筋を緩やかに曲げ、開口部を避けて配筋できる場合、補強を省略できる。

正解 4

地盤及び基礎構造に関する記述として、最も不適当なものはどれか。

① 圧密沈下の限界値は、独立基礎のほうがべた基礎に比べて大きい。

② 直接基礎の滑動抵抗は、基礎底面の摩擦抵抗が主体となるが、基礎の根入れを深くすることで基礎側面の受動土圧も考慮できる。

③ 直接基礎の地盤の許容応力度は、基礎荷重面の底面積が同じであっても、その底面形状が正形の場合と長方形の場合とでは異なる値となる。

④ 基礎梁の剛性を高くすることにより、不同沈下が均等化される。

解説 ➡テキスト 第1編 **2-2**

① ✕ 圧密沈下の限界値は、独立基礎の方が、べた基礎に比べて小さい。上部構造に障害が発生するおそれがない範囲で、構造種別、地盤、基礎形式により、総沈下量の限界値が目安として示されている。RC造建築物の圧密沈下の標準値は、独立基礎の場合5cm、べた基礎の場合10cmである（建築基礎構造設計指針）。

② ○ 直接基礎の**滑動抵抗**は、原則として**基礎底面と地盤の摩擦抵抗**により評価するが、直接基礎の根入れが2m程度以上ある場合には、**基礎根入れ部前面の受働抵抗**と、**基礎側面の摩擦抵抗**を考慮することができる。

③ ○ 直接基礎の地盤の許容応力度は、基礎の形状に応じて変化し、円形・正方形に近づくほど大きな値となる。したがって、**許容応力度は基礎の形状によって異なる**ため、面積が同じであっても、基礎の形状が異なれば許容応力度も異なる。

④ ○ 直接基礎である独立フーチング基礎は、地盤の圧密沈下により不同沈下を生じやすいが、**基礎梁の剛性を大きくする**ことによりフーチングの沈下を平均化することができる。

正解 1

図に示す3ヒンジラーメン架構の点Cに集中荷重P_1及びP_2が作用したとき、支点Bに生じる水平反力H_Bの値の大きさとして、正しいものはどれか。

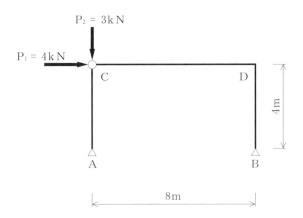

① $H_B = 0$ kN

② $H_B = 2$ kN

③ $H_B = 4$ kN

④ $H_B = 6$ kN

　3ヒンジラーメンは、X、Y、M（モーメント）のつり合い条件に加えて、ヒンジ部分でモーメントが0になる性質を用いて支点反力を求める。

支点反力、H_A、V_A、H_B、V_B を図のように仮定する。

$\Sigma X = 4 - H_A - H_B = 0 \cdots$ ❶

$\Sigma Y = V_A + V_B - 3 = 0 \cdots$ ❷

$\Sigma M_A = 4(kN) \times 4(m) - V_B \times 8(m) = 0$

$\qquad 16 - 8V_B = 0$

$\qquad \qquad \therefore V_B = 2(kN)$ 上向き $\cdots$ ❸

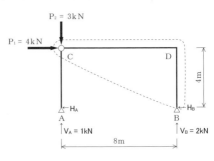

❸を❷に代入

$V_A + 2 - 3 = 0$

$\qquad \therefore V_A = 1(kN)$ 上向き

C点の右側のモーメントが0であるから（図の点線部分）

$H_B \times 4(m) - 2(kN) \times 8(m) = 0$

$\qquad \qquad 4H_B - 16 = 0$

$\qquad \qquad \qquad \therefore H_B = 4(kN)$

　したがって、③ $H_B = 4(kN)$ が正しい。

正解 3

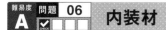

内装材料に関する一般的な記述として、最も不適当なものはどれか。

① 強化せっこうボードは、せっこうボードの芯に無機繊維等を混入したもので、性能項目として耐衝撃性や耐火性能等が規定されている。

② パーティクルボードは、木毛等の木質原料及びセメントを用いて圧縮成形した板で、屋根の下地等特に使用される。

③ コルク床タイルは、天然コルク外皮を主原料として、必要に応じてウレタン樹脂等で加工した床タイルである。

④ クッションフロアは、表面の透明ビニル層の下に印刷層、発泡ビニル層をもったビニル床シートである。

解説 ➡テキスト 第1編 **4-9**

① ○ **強化せっこうボード**は、心材のせっこうに無機質繊維等を混入したもので、**耐衝撃性**や**耐火炎性**が規定されている。防・耐火構造、遮音構造の壁などに用いられる（建築工事監理指針、JIS A 6901）。

② × **パーティクルボード**は、木片などの木質材料を接着剤により圧縮熱圧した板で、**ホルムアルデヒド放散量**によって区分がある。設問の内容は、木毛セメント板（木質系セメント板）についてである。

③ ○ **コルク床タイル**は、天然コルク外皮を主原料とした床材である。強度を高めるため、ウレタン樹脂等で表面加工した種類もある。

④ ○ **クッションフロア**とは、**透明ビニル表層**と印刷層、**発泡ビニル層**を中間層とする化学的または機械的にエンボス（表面に凹凸や模様を浮き出させる加工）を施した床シートである。断熱性に優れ、主に住宅の台所や洗面所など、水場回りに使用される（建築工事監理指針）。

正解 **2**

換気に関する記述として、最も不適当なものはどれか。

① 機械換気における第3種機械換気方式は、自然給気と排気機による換気方式で、浴室や便所等に用いられる。

② 室内外の温度差による自然換気の換気量は、他の条件が同じであれば、流入口と流出口の高低差に反比例する。

③ 自然換気における中性帯の位置は、流入口と流出口の開口面積の大きなほうに近づく。

④ 必要換気量が一定の場合、室容積が大きな空間に比べて小さな空間のほうが、必要な換気回数が多い。

解 説 ➡テキスト 第1編 **1-4**

① ◯ 機械換気方式には3種類あり、**第3種[自然給気＋機械排気]**は、空気を室内から外へ吸い出す（室内は**負圧**）ため、便所・浴室・湯沸室等に用いられる。なお、**第1種[機械給気＋機械排気]**は、室内の圧力の制御ができるため、調理室・屋内駐車場・機械室等に用いられる。**第2種[機械給気＋自然排気]**は、空気を室内へ取り込む（室内は**正圧**）ため汚染空気が入りにくく、クリーンルーム等に用いられる。

② ✕ 温度差による自然換気量は、「開口部面積」等のほか、「上下開口部中心間の**垂直距離の平方根**」「屋内外の**気温差の平方根**」に**比例**する。

上窓が大きい場合（$t_i > t_o$）

③ ◯ **中性帯**とは温度差換気の際、高さ方向において室内外の圧力差が0になる位置のことを指す。上下に大きさの異なる2つの開口部がある室において、温度差換気を行う場合、大きな開口部における内外圧力差は、小さな開口部に比べて小さくなる。このため、中性帯の位置は**開口部の大きいほう**へと近づくことになる。

④ ◯ **換気回数**とは、単位時間当たりの換気量を室容積で割った値である。換気量が一定の場合、室容積が小さいほど換気回数は多くなる。

$$換気回数（回/h）＝\frac{換気量（m^3/h）}{室容積（m^3）}$$

正解 2

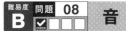
音

音に関する記述として、最も不適当なものはどれか。

① 人が知覚する主観的な音の大きさをラウドネスといい、音圧レベルが一定の場合、100Hzの音よりも1,000Hzの音のほうが大きく感じる。

② 残響時間とは、音源が停止してから音圧レベルが60dB減衰するのに要する時間のことをいう。

③ 1つの点音源からの距離が2倍になると、音圧レベルは3dB低下する。

④ マスキング効果は、マスキングする音とマスキングされる音の周波数が近いほど大きい。

解説 .... →テキスト 第1編 1-5

① ○ **ラウドネス**とは、人間の知覚する音の大きさのことである。人間の聴覚は、周波数の高い音（高音）には敏感だが、周波数の低い音（低音）は聴き取りにくいという特性をもっている。そのため、1,000Hzの**高音は大きく**、100Hzの**低音は小さく聞こえる**。

② ○ **残響時間**とは、音源の停止後、音圧レベルが**60dB減衰**するのに要する時間をいい、室容積が**大きいほど、長くなる**。

③ ✕ 点音源から放射される音の強さは、伝搬距離の2乗に反比例して減衰する。点音源からの距離が2倍になると、音響エネルギーが4倍の面積に拡散されるため、**音の強さ** [W/㎡] は$\frac{1}{4}$になる。よって、**距離が2倍**になると、**音の強さは$\frac{1}{4}$**になり、音圧レベルは**−6dB**となる。

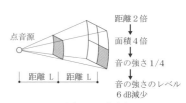

距離2倍
↓
面積4倍
↓
音の強さ1/4
↓
音の強さのレベル
6dB減少

点音源　距離L　距離L

点音源の距離減衰

④ ○ **マスキング効果**とは、聴きたい音が他の音に隠されて（マスクされて）聴き取りにくくなる現象である。一般に、マスキング効果が大きいのは次のケースである。❶妨害音が大きい場合、❷妨害音の周波数が妨害される音の周波数に近い場合、❸妨害音の周波数が低い場合。

正解 3

鉄筋コンクリート構造の建築物の構造計画に関する記述として、最も不適当なものはどれか。

① ねじれ剛性は、耐震壁等の耐震要素を、平面上の中心部に配置するよりも外側に均一に配置したほうが高まる。

② 耐震壁に換気口等の小開口がある場合でも、その壁を耐震壁として扱うことができる。

③ 腰壁、垂れ壁、そで壁等は、柱及び梁の剛性や靭性への影響を考慮して計画する。

④ 柱は、地震時の脆性破壊の危険を避けるため、軸方向圧縮応力度が大きくなるようにする。

解 説 ────────────────────── →テキスト｜第1編｜2-3

① ○ 地震時に建築物に生じる**ねじれ**を抑制するためには（**ねじれ剛性**を大きくするためには）、耐力壁等の耐震要素は、中心部よりも**外周部**に配置する。

② ○ エアコン用の貫通孔などで一定の形状のものは、剛性及び耐力の低減を行うべき開口部に該当しないものとして取り扱うことができる。ただし，これらの開口部の周囲は適切に補強されている必要がある（国土交通省告示第594号第1）。

③ ○ **腰壁、垂れ壁、そで壁の付いた柱**は、同一構面内の腰壁等の付かない柱に比べて**短柱**となり、剛性が大きく、せん断破壊が生じやすくなり、柱のじん性が低下する。また、**梁の剛性**及び応力の算定には、原則として腰壁や垂れ壁を考慮しなければならない。

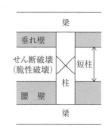

④ × RC造の柱は、強い地震による曲げ変形により、ひび割れをおこすことがある。ひび割れ発生後は、**脆性破壊の一種であるせん断破壊**を生じやすくなる。これを防ぐため、**柱断面積を意識的に大きくして軸方向圧縮応力度が小さくなる**ように計画する。

正解 4

鉄骨構造の設計に関する記述として、最も不適当なものはどれか。

① 柱頭が水平移動するラーメン構造の柱の座屈長さは、節点間の距離より長くなる。

② 梁のたわみは、部材断面と荷重条件が同一の場合、材料をSN400AからSN490Bに変更しても同一である。

③ 柱脚に高い回転拘束力をもたせるためには、根巻き形式ではなく露出形式とする。

④ トラス構造を構成する部材は、引張りや圧縮の軸力のみを伝達するものとする。

解説 ⋯⋯⋯⋯⋯⋯⋯⋯⋯⋯⋯⋯⋯⋯⋯⋯⋯⋯⋯⋯⋯⋯ ➡テキスト / 第1編 / **2-3**

① ○ 筋かい付き骨組や耐震壁といった剛な骨組と剛な床組によって拘束された、**節点の水平移動が拘束**されているラーメン構造の場合、柱の座屈長さは**支点間距離（階高）より長くなることはない**（鋼構造設計規準）。

② ○ 梁の変形は、荷重に比例し、曲げ剛性（EI）に反比例する。鋼材の強度がSN400材からSN490材へ高くなってもE（弾性係数）は変わらず、同一断面であればI（断面2次モーメント）も変わらないため、変形（たわみ）は同一である。

③ ✕ 鉄骨柱脚の**固定度（回転拘束の程度）**は、**露出形式＜根巻き形式＜埋込み形式**の順である。

④ ○ **トラス構造**の節点は、全て**ピン接合**となり、トラス部材に生じる力は、**引張力**か**圧縮力**の軸方向のみとなる。せん断力と曲げモーメントは生じない。

正解 3

MEMO

表に示す角形鋼管柱の座屈荷重の値として、正しいものはどれか。ただし、図に示すとおり、支点は両端固定とし水平移動は拘束されているものとする。

部材長さ L〔m〕	断面二次モーメント I〔mm⁴〕	ヤング係数 E〔N/mm⁴〕
10	3.0×10^3	2.0×10^3

直角

直角

① 600 π kN

② 600 π^2 kN

③ 2,400 π kN

④ 2,400 π^2 kN

解説 ····················· →テキスト 第1編 3-5

座屈荷重Pkを求める問題で、以下の公式を使う。

$$P_k = \frac{\pi^2 EI}{l_k^2}$$

EI：曲げ剛性（E：ヤング係数、I：断面二次モーメント）

l_k：座屈長さ

両端固定の場合、座屈長さℓ_kはスパンの0.5倍となる。

$\ell_k = 0.5 \, L = 5 \, (m) = 5.0 \times 10^3 \, mm$

また、座屈荷重P_kは上記公式により求めることができる。

$$P_k = \frac{\pi^2 EI}{\ell_k^2}$$

$$= \frac{\pi^2 \times 2 \times 10^5 \times 3 \times 10^8}{(5 \times 10^3)^2}$$

$$= \frac{\pi^2 \times 6 \times 10^{13}}{25 \times 10^6}$$

$$= \frac{\pi^2 \times 6 \times 10^{13^{7}}}{25 \times 10^{6}}$$

$$= \frac{\pi^2 \times 60 \times 10^6}{25}$$

$$= 2.4 \times 10^6 \, \pi^2$$

$$= 2400000 \, \pi^2$$

$$= 2400 \, \pi^2 \, (kN)$$

したがって、④が正しい。

水平移動拘束の場合			水平移動自由の場合	
両端ピン	一端ピン 他端固定	両端固定	一端ピン（又は自由） 他端固定	両端固定

正解 4

図に示す梁のAB間及びAC間に等分布荷重 w が作用したときの曲げモーメント図として、正しいものはどれか。ただし、曲げモーメントは桁の引張側に描くものとする。

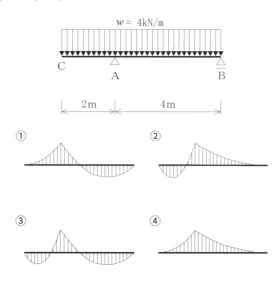

解　説　　　　　　　　　　　　　　　　　　　　　　　　　→テキスト／第1編／3-3

支点反力V_A、V_Bを図のように仮定する。

点Cから点Bにわたる等分布荷重は、点C－A間と点A－B間の2つに分けて考える。

まず、反力V_A、V_Bを求める。反力計算の場合は計算を簡単にするため、等分布荷重を集中荷重に置換する。

C－A間：$4(kN/m) \times 2(m) = 8(kN)$、A－B間：$4(kN/m) \times 4(m) = 16(kN)$

$\Sigma X = 0$

$\Sigma Y = V_A + V_B - 8(kN) - 16(kN) = 0$　…❶

$\Sigma M_A = -8(kN) \times 1(m) + 16(kN) \times 2(m)$
$\qquad - V_B \times 4(m)$
$\qquad = -8(kN \cdot m) + 32(kN \cdot m) - 4V_B = 0$
$\qquad \therefore V_B = 6(kN)$　…❷

これを❶に代入して整理すると　$V_A = 18(kN)$

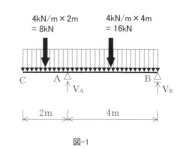

図-1

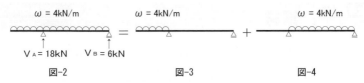

$\omega = 4\text{kN/m}$ $\omega = 4\text{kN/m}$ $\omega = 4\text{kN/m}$

$V_A = 18\text{kN}$ $V_B = 6\text{kN}$

図-2   図-3   図-4

・図－3の曲げモーメント図はC－A間は2次曲線となり、

$M_A = 8 \times 1 = 8\text{kN} \cdot \text{m}$

AB間中央の曲げモーメント$M_{AC中} = 4\text{kN}$

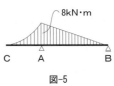

8kN・m

C   A   B

図-5

・図－4の曲げモーメントはA－B間は2次曲線となり、

AB間中央の曲げモーメント

$M_{AB中} = \dfrac{\omega \ell^2}{8} = 4 \times \dfrac{4^2}{8} = 8\text{ kN} \cdot \text{m}$

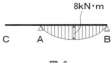

8kN・m

C   A   B

図-6

・図－5と図－6を重ね合わせると図－7となり、①が正しい。

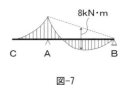

8kN・m

C   A   B

図-7

正解 1

本試験問題／午前

鋼材に関する一般的な記述として、最も不適当なものはどれか。

① 鋼は、炭素量が多くなると、引張強さは増加し、靭性は低下する。

② SN490BやSN490Cは、炭素当量の上限の規定がない建築構造用圧延鋼材である。

③ 鋼材の特性を変化させるための熱処理には、焼入れ、焼戻し、焼ならし等の方法がある。

④ 低降伏点鋼は、制振装置に使用され、地震時に早期に降伏させることで制振効果を発揮する。

解説 →テキスト 第1編 4-2

① ○ 鋼の性質は炭素量によって変化し、**引張強さ・降伏点**とも炭素量0.8％程度で最大になり、それ以上になると下降する。逆に伸びは炭素の増加とともに減少（じん性が**低下**）し、加工性や溶接性も低下する。

② × **SN材**（建築構造用圧延鋼材）A・B・C種の区分は次のとおりである。

・**SN材A種**：溶接性・塑性変形性能が保証されない。

・**SN材B種**：炭素当量や降伏点、降伏比の上限を規定するもので、溶接性・塑性変形性能が保証される。

・**SN材C種**：B種の規定に加えて、**板厚方向に大きな引張**を受ける場合でも、**板厚方向のはく離状き裂に対する抵抗力**がある。

③ ○ 鋼材の熱処理には、**焼入れ、焼戻し、焼ならし**などの方法があり、鋼の材質を調整することができる。焼入れとは、鋼を800〜900℃で加熱後、水・油などで急冷することで、強さ・硬さ・耐摩耗性は大きくなるが、伸びは減少しもろくなる。焼き戻しとは、焼き入れによる内部ひずみやもろさを除去するため、200〜600℃で再熱後、空気中で冷却することであり、強度は低下するがじん性は増加する。焼きならし（焼きなまし）は、鋼を800〜900℃で加熱後、炉中で冷却することであり、引張強度は低下するが、残留応力を除去することができ、伸びが増加し軟らかくなる。

④ ○ **低降伏点鋼**は、添加元素を極力低減した**純鉄に近い鋼材**である。軟鋼と比べ、強度が低く、延性（金属のじん性、変形能力）が極めて高い鋼材である。**早期**

に**降伏**させることで、地震入力エネルギーを鋼材の塑性エネルギーに変換して制振効果を発揮する（建築工事監理指針）。

正解 **2**

左官材料に関する記述として、最も不適当なものはどれか。

① 消石灰を混和材として用いたセメントモルタルは、こて伸びが良く、平滑な面が得られる。

② ドロマイトプラスターは、それ自体に粘りがないため、のりを混ぜる必要がある。

③ メチルセルロースは、粉体性の微粉末で、セメントモルタルに添加することで作業性を向上させる。

④ 適切な粒度分布を持った細骨材は、セメントモルタルの乾燥収縮やひび割れを抑制する効果がある。

解説 ⋯⋯⋯⋯⋯⋯⋯⋯⋯⋯⋯⋯⋯⋯⋯⋯⋯⋯ →テキスト 第1編 4-6

① ○ セメントモルタルの混和材として**消石灰**、ドロマイトプラスターなどを用いると、こての作業性が向上し、平滑な塗り面が得られる。また、保水性が向上して、貧調合とすることができるため、収縮によるひび割れを低減させることができる。

② × 「**ドロマイト**」とは石灰石に似たカルシウムとマグネシウムを含む鉱物で、**粘性**があり、海藻のような **「のり」を必要としない**が、硬化には長時間を要し、接着強度は弱い。保水性はよいので、こて塗りがしやすく作業性がよいが、乾燥に伴い**ひび割れ**が生じやすい欠点がある。

③ ○ **メチルセルロース**は水溶性の保水剤で、添加すると練混ぜ水量を減らすことができ作業性がよくなる。吸水の大きい下地や平滑な下地面の処理に用いる。

④ ○ 細骨材（砂）の**粒度分布**が適切であると、モルタルの流動性が増大するとともに、適度な粘性をもち、骨材の量を増やすことができるため、モルタルの**乾燥収縮やひび割れを抑制**する効果がある。

正解 **2**

日本産業規格（JIS）のドアセットに規定されている性能項目に関する記述として、不適当なものはどれか。

① スイングドアセットでは、日射熱取得性が規定されている。

② スイングドアセットでは、気密性が規定されている。

③ スライディングドアセットでは、遮音性が規定されている。

④ スライディングドアセットでは、ねじり強さが規定されている。

解説 →テキスト 第1編 **4-8**

　ドアセットとは、あらかじめ枠と戸が製作・調整されていて、現場取付けに際して１つの構成材として扱うことができるものである。**スイング**とは主に枠の面外に戸が移動する開閉形式、**スライディング**とは主に枠の面内を戸が移動する開閉形式をいう。等級は、**耐風圧性**、**気密性**、**水密性**、**遮音性**、**断熱性**、**日射熱取得性**及び**面内変形追随性**※について、それぞれの性能に応じて区分される。その他、用途に応じて、**ねじり強さ**※、**鉛直荷重強さ**※、**耐衝撃性**※、開閉力、開閉繰り返し及び戸先かまち強さ等を選択して適用する。ただし、**※はスライディングには適用しない**。具体的な性能適用は下表を参照のこと。

　したがって、①「日射熱取得性」、②「気密性」③「遮音性」、はいずれのドアセットにも規定され、④「ねじり強さ」はスイングドアセットには規定されているが、スライディングドアセットには規定されていないため、④が不適当である。

	耐風圧性	気密性	水密性	遮音性	断熱性	日射熱取得性	面内変形追随性	ねじり強さ	鉛直荷重強さ	耐衝撃性	戸先かまち強さ	開閉力	開閉繰り返し
スイングドアセット	○	○	○	○	○	○	○	○	○	○	—	○	○
スライディングドアセット	○	○	○	○	○	○	—	—	—	—	—	○	○
スイングサッシ	○	○	○	○	○	○	—	—	—	—	—	○	○
スライディングサッシ	○	○	○	○	○	○	—	—	—	—	—	○	○

正解 **4**

測量に関する記述として、最も不適当なものはどれか。

① 直接水準測量は、レベルと標尺を用いて、既知の基準点から順に次の点への高低を測定して、必要な地点の標高を求める方法である。

② スタジア測量は、レベルと標尺を用いて、2点間の距離を高い精度で求める方法である。

③ 間接水準測量は、傾斜角や斜距離等を読み取り、計算によって高低差を求める方法である。

④ GNSS測量は、複数の人工衛星から受信機への電波信号の到達時間差を測定して位置を求める方法である。

解説 ────────────────── ➡テキスト 第2編 3-1

① ○ **直接水準測量**は、**レベル**（水準儀）と**標尺**（スタッフ）を用いて、既知の基準点から順に次の点への高低を測定し、2地点間の**比高**を測定したり、必要な地点の標高を求めたりする測量である（土木用語大辞典、図解土木用語事典）。

② ✕ **スタジア測量**とは、レベルの望遠鏡内の焦点板にある上下一対のスタジア線ではさまれた標尺の2点間の間隔を読み取り、標尺までの距離を**簡易的**に求める方法である（あたらしい測量学）。**正確に求めることはできない**ので、不適当である。

③ ○ **間接水準測量**は、計算によって高低差を求める測量方法であり、鉛直角と水平距離又は斜距離から高低差を求める三角高低測量などがある。

④ ○ **GNSS測量**とは、衛星から**電波**が発信されてから受信機に到達するまでに要した時間を測り、距離に変換する測量である。位置のわかっているGNSS衛星を動く基準点として、4個以上の衛星から観測点までの距離を同時に知ることにより、観測点の位置を決定するものである。**GPS測量**は、GNSS測量の1つである。

正解 2

避雷設備に関する記述として、最も不適当なものはどれか。

① 避雷設備は、建築物の高さが15mを超える部分を雷撃から保護するように設けなければならない。

② 避雷設備の構造は、雷撃によって生ずる電流を建築物に被害を及ぼすことなく安全に地中に流すことができるものとしなければならない。

③ 接地極は、建築物を取り巻くように環状に配置する場合、0.5m以上の深さで壁から1m以上離して埋設する。

④ 鉄骨造の鉄骨部材は、構造体利用の引下げ導線の構成部分として利用することができる。

解説 ➡テキスト 第2編 1-3

① ✕ 高さ20mを超える建築物には、有効に**避雷設備**を設けなければならない。

② 〇 **避雷設備**は、雷撃によって生ずる電流を建築物に被害を及ぼすことなく安全に地中に流すことができるように構造方法が定められている（電気設備工事監理指針）。

③ 〇 避雷設備の**外周環状接地極**は、0.5m以上の深さで、**壁から1m以上離して**埋設するのが望ましい。また、接地極は、地中において相互の電気的結合の影響が最小となるように、できるだけ均等に配置しなければならない（JIS A 4201）。

④ 〇 避雷設備は、受雷部、引下げ導線、接地から構成される。鉄筋コンクリート造の**相互接続した鉄筋、鉄骨造の鉄骨**は、避雷設備の**引下げ導線**として利用することができる。なお、引下げ導線は、保護レベルに応じた平均間隔以内として、被保護物である建築物の外周に沿ってできるだけ等間隔に、かつ、建築物の突角部の近くになるように配置する。

正解 1

空気調和設備に関する記述として、最も不適当なものはどれか。

① 空気調和機は、一般にエアフィルタ、空気冷却器、空気加熱器、加湿器等で構成される装置である。

② 冷却塔は、温度上昇した冷却水を、空気と直接接触させて気化熱により冷却する装置である。

③ 二重ダクト方式は、2系統のダクトで送られた温風と冷風を、混合ユニットにより熱負荷に応じて混合室で調整して吹き出す方式である。

④ ファンコイルユニット方式における2管式の配管方式は、ゾーンごとに冷暖房の同時運転が可能で、室内環境の制御性に優れている。

解説 .... ➡テキスト 第2編 1-2

① ○ **空気調和機**は、エアコンディショナーまたはエアハンドリングユニットともいい、**加熱・冷却、加湿・除湿、清浄化**の機能を1台で行う装置であり、**空気加熱器**（加熱コイル）、**空気冷却器**（冷水コイル）、**加湿器、エアフィルター、送風機**などで構成される。

② ○ **冷却塔（クーリングタワー）**の原理は、水と空気を接触させることで、主に冷却水の蒸発潜熱によって冷却することにある。つまり、冷却塔は、温度上昇した冷却水を、空気と直接接触させて**気化熱**により冷却する装置である。

③ ○ **二重ダクト方式**は、空調機で**温風**と**冷風**をつくり、**別々のダクト**で各室・各ゾーンに送り、吹出口付近に設けた**混合ユニット**内で混合して、適度な温度にしてから室内に吹き出す方式である。

④ ✕ **ファンコイルユニット方式**は、送風機、冷温水コイル、フィルターなどを内蔵したファンコイルユニットに、機械室から冷温水を供給する方式である。ファンコイルユニット方式では、熱媒を放熱機器などへ送る「往き管（送水管）」と、ポンプに戻すための「還り管（還水管）」とが必要になる。**4管式**は、冷水配管、温水配管の往き管に対してそれぞれ還り管を設ける方式で、**2管式**と比較して**ゾーンごとの冷暖房同時運転が可能**で、室内環境の制御性に優れている。

正解 4

MEMO

消火設備に関する記述として、最も不適当なものはどれか。

① 不活性ガス消火設備は、二酸化炭素等の消火剤を放出するもので、酸素濃度の希釈効果や気化するときの熱吸収による冷却効果により消火するものである。

② 開放型スプリンクラー設備は、火災感知装置の作動、又は手動起動弁の開放によって放水区域のすべての開放型スプリンクラーヘッドから一斉に散水するものである。

③ 泡消火設備は、特に低引火点の油類による火災の消火に適し、主として泡による窒息効果により消火するものである。

④ 屋外消火栓設備は、散水ヘッドを消火活動が困難な場所に設置し、地上階の連結送水口を通じて消防車から送水して消火するものである。

解 説 ·· ➡️テキスト 第2編 1-5

① ○ **不活性ガス消火設備**は、酸素濃度を低下させる**希釈効果**（窒息効果）と、液化した薬剤が蒸発するときの**冷却効果**により消火を行う消火設備である。消火剤に液体や粉末を含まないため、博物館の収蔵庫、ボイラー室などに適している。また、電気絶縁性が高いことから電気室・通信機器室にも適している。

② ○ **開放型**は、火災時に火災感知器から送られる信号によるか、または人が手動開放弁を操作することによって一斉開放弁を開き、放水区域内の全てのヘッドから一斉に散水する方式である。

③ ○ **泡消火設備**は、界面活性剤などの**消火薬剤と水**とを一定の比率で混合した消火剤を用い、フォームヘッドから放出された泡が燃焼物を覆い、窒息効果と冷却効果によって消火する消火設備である。特に**低引火点の油類**による火災や**液体燃料**などの火災に対して有効で、駐車場、航空機の格納庫、指定可燃物の貯蔵所などに用いられる。しかし、消火剤に**水**を含むため、電気室・通信機器室や、水をかけると危険が生じるボイラー室などには適していない。

④ ✕ **屋外消火栓設備**は、防火対象物である1階及び2階の床面積の広い建築物の外部に設置され、1階及び2階で発生した火災の消火や、隣接する建築物への延焼防止を目的とした**初期消火用設備**である。機器は屋内消火栓設備とほぼ同

様である。設問は、連結散水設備についての内容である。

正解 4

工事費における共通費に関する記述として、「公共建築工事共通費積算基準（国土交通省制定）」上、**誤っている**ものはどれか。

① 現場事務所、下小屋に要する費用は、共通仮設費に含まれる。

② 共通的な工事用機械器具（測量機器、揚重機械器具、雑機械器具）に要する費用は、共通仮設費に含まれる。

③ 消火設備等の施設の設置、隣接物等の養生に要する費用は、現場管理費に含まれる。

④ 火災保険、工事保険の保険料は、現場管理費に含まれる。

解 説 ⋯⋯⋯⋯⋯⋯⋯⋯⋯⋯⋯⋯⋯⋯⋯ ➡テキスト / 第2編 / 4-1

共通費は、「共通仮設費」、「現場管理費」及び「一般管理費等」に区分される。

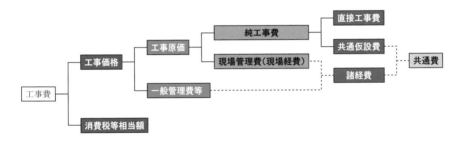

① ○ **共通仮設**とは、工事全体(複数の工事種目)で使用する仮設物、安全管理の要員等をいう。現場事務所、倉庫、下小屋、作業員施設等に要する費用（**仮設建物費**）は共通仮設費に含まれる。

② ○ 共通的な工事用機械器具(測量機器、揚重機械器具、雑機械器具)等に要する費用（**機械器具費**）は、共通仮設費に含まれる。

③ ✕ 安全標識、消火設備等の施設の設置、隣接物等の養生費用等に要する費用（**環境安全費**）は、共通仮設費に含まれる。

④ ○ **現場管理費**とは、工事施工に当たり、工事現場を管理運営するために必要な費用である。火災保険、工事保険、その他の損害保険の保険料等（**保険料**）は現場管理費に含まれる。

正解 3

乗入れ構台の計画に関する記述として、最も不適当なものはどれか。

① 道路から乗入れ構台までの乗込みスロープは、勾配を$\frac{1}{8}$とした。

② クラムシェルが作業する乗入れ構台の幅は、ダンプトラック通過時にクラムシェルが旋回して対応する計画とし、8mとした。

③ 乗入れ構台の支柱の位置は、作業の合理性や安全性を考慮し、使用する施工機械や車両配置を最優先して決めた。

④ 山留めの切梁支柱と乗入れ構台の支柱は、荷重に対する安全性を確認した上で兼用した。

解説 ➡テキスト **第3-1編** **2-2**

① ○ **乗入れ構台**は、工事用車両の動線や作業スペースを補うために設けるものである。乗込みスロープの勾配が急になると工事用機械や車両の出入りに支障を生じるおそれがあるため、通常は$\frac{1}{10} \sim \frac{1}{6}$程度とする。

② ○ クラムシェルが作業する**乗入れ構台の幅**は、ダンプトラック通過時にクラムシェルが旋回して対応する計画とする場合は、8mで可能である。なお、制限なく通過できるようにするには10m幅が必要である。

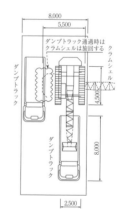

③ ✕ 構台は、作業性を考慮して位置・高さなどを計画し、構台支柱は、地下躯体の**主要構造部分に当たらない**ように配置する。したがって、「構台の配置」は、使用する**施工機械**、**車両の配置**によって決めるが、「構台の支柱の位置」は主要構造部分との位置関係を考慮しなければならない。

④ ○ **切りばり支柱**と**構台支柱**をやむを得ず**兼用**する場合は、切りばりから伝達される荷重に、構台上の重機、構台の自重などを加えた**合計荷重**に対して、**十分安全**であるように計画する。

正解 **3**

土質試験に関する記述として、最も不適当なものはどれか。

① 圧密試験により、砂質土の沈下特性を求めることができる。

② 三軸圧縮試験により、粘性土のせん断強度を求めることができる。

③ 原位置における透水試験により、地盤に入圧的に水位差を発生させ、水位の回復状況から透水係数を求めることができる。

④ 粒度試験で求められた土粒子粒径の構成により、透水係数の概略値を推定することができる。

解説 ────────────────── →テキスト 第3-1編 1-2

① × 粘性土層が載荷される場合の**沈下量**や**沈下速度**等を推定するために**圧密試験**が用いられる。なお、圧密沈下は、粘性土層において地中の有効応力の増加により、長時間かかって土中の間隙水が絞り出され、間隙が減少するためにおこる。

② ○ **三軸圧縮試験**は、供試体に水圧による拘束圧（側面及び上下面の全周囲面の圧力）を加えた状態で、さらにピストンにより圧縮して、せん断破壊するときの荷重を測定することで、**粘性土のせん断強度**、**粘着力**及び内部摩擦角を求めることができる。

③ ○ 透水試験は、土の透水性を調査する試験であり、室内法と現場法がある。**現場法（原位置での透水試験）**は、地盤に人工的に水位差を発生させ、水位の回復状況により**透水係数**を求める。

④ ○ 粒度試験は、土の粒度組成を数量化し、土を構成する土粒子粒径の分布状態を把握する試験である。細粒分（粘度・シルト）、粗粒分（砂・れき）の割合を求め、均等係数や細粒分含有率など**粒度特性**を表す指標を得ることができる。また、試験結果の粒径から、**透水係数の概略値**を推定することも可能である（建築基礎設計のための地盤調査計画指針）。

正解 1

ソイルセメント柱列壁工法を用いた山留め壁に関する一般的な記述として、最も不適当なものはどれか。

① 剛性や透水性に優れており、地下水位の高い軟弱地盤にも適している。

② 削孔撹拌速度は土質によって異なるが、引上げ撹拌速度は土質によらずおおむね同じである。

③ 単軸オーガーによる削孔は、大径の玉石や礫が混在する地盤に用いられる。

④ セメント系注入液と混合撹拌する原位置土が粗粒土になるほど、ソイルセメントの一軸圧縮強度は小さくなる。

解 説 ━━━━━━━━━━━━━━━ →テキスト 第3-1編 4-1

① ○ **ソイルセメント柱列壁工法**を用いた山留壁は**剛性・遮水性**に優れ、地下水位の高い砂層地盤、砂れき地盤、軟弱地盤と適用範囲は広い（建築工事監理指針）。

② ○ 削孔撹拌速度は、セメント系注入液と原位置土が十分に混合撹拌され、深さ方向に均質となるように設定する。この削孔撹拌速度は土質によって異なるが、**引上げ撹拌速度は土質によらずおおむね**同じである（JASS 3）。

③ ○ N値50以上の地盤や、N値50以下でも大径の玉石や礫が混在する地盤では**単軸**による**先行削孔併用方式**を採用し、施工性・遮水性を確保する（JASS 3）。

④ × 注入液の調合については、固化強度のばらつきが大きく、一般的に**粗粒度になるほど圧縮強さが大きくなる**。ただし、粒度分布、コンシステンシー、有機物含有量等により影響されるので、注意が必要である。

正解 **4**

場所打ちコンクリート杭の施工に関する記述として、最も不適当なものはどれか。

① 鉄筋かごの主筋と帯筋の交差部は、すべて溶接により接合した。

② アースドリル工法の掘削深さは、検測器具を用いて、孔底の外周部に近い位置で4か所確認した。

③ 杭頭部の余盛り高さは、孔内水があったため、800mm以上とした。

④ リバース工法における二次孔底処理は、トレミー管とサクションポンプを連結し、スライムを吸い上げた。

解 説 ....→ テキスト 第3-1編 5-2

① ✕ 場所打ちコンクリート杭に使用する鉄筋は、かご形に組み立て、**主筋と帯筋は鉄線で結束**して組み立て、主筋が断面欠損するおそれがあるので、**点付け溶接は行わない**。

② ○ 掘削深さの**検測**は、検測テープにより、孔底の**外周部に近い位置**において4カ所以上で掘削深度を測定する（建築工事監理指針）。

③ ○ 場所打ちコンクリート杭のコンクリート打込みに際し、打止め時には、余分に打ち上げて「**余盛り**」を行う。この余盛りの高さは、**孔内水がない場合**で50cm以上、**孔内水がある場合**では80～100cm程度必要である。コンクリートの硬化後にその余盛りは、**はつり取って除去**する（JASS 4）。

場所打ちコンクリート杭の余盛り

④ ○ **リバース工法**は、掘削孔の中に水を満たしながら掘削し、吸い上げた泥水を分離して水を再び孔内へ循環（逆循環）させる工法である。2次孔底処理（2次スライム処理）として、孔内の沈殿物を、トレミー管を用いた**サクションポンプ**、水中ポンプなどによる**吸上げ処理**を行う。

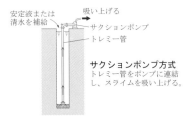

サクションポンプ方式
トレミー管をポンプに連結し、スライムを吸い上げる。

トレミー管を用いたスライム処理の例

正解 1

鉄筋（継手・定着）

異形鉄筋の継手及び定着に関する記述として、最も不適当なものはどれか。

① 径の異なる鉄筋相互の重ね継手の長さは、太いほうの径により算定する。

② D35以上の鉄筋には、原則として、重ね継手を用いない。

③ 180°フック付き重ね継手の長さは、フックの折曲げ開始点間の距離とする。

④ 梁の主筋を重ね継手とする場合、水平重ね又は上下重ねのいずれでもよい。

解説 ··· → テキスト 第3-1編 6-2

① × 鉄筋の「**重ね継手の長さ**」は、「鉄筋の種類」「コンクリートの設計基準強度」「フックの有無」により決まり、所定の数値に鉄筋径d（呼び名の数値）を乗じた値とする。径が異なる鉄筋の重ね継手の長さは、**細い方の鉄筋の径**による（公共建築工事標準仕様書）。

② ○ **付着割裂強度**（付着割裂破壊に抵抗できる強度）は、付着割裂面に配された鉄筋断面積（径×本数）が大きいほど、強度が低下する。つまり、太径の鉄筋を重ね継手とするほど付着割裂強度は低下するので、**D35以上の異形鉄筋**には、原則として**重ね継手を用いない**。

③ ○ フックがある場合の鉄筋の「**重ね継手長さ**」は、**フック部分の長さを含まず**、フックの折曲げ開始点間の距離とする（公共建築工事標準仕様書）。

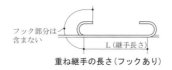

フック部分は
含まない   L（継手長さ）

重ね継手の長さ（フックあり）

④ ○ 梁の主筋を重ね継手とする場合、**水平重ね・上下重ね**のいずれでもよい（鉄筋コンクリート造配筋指針・同解説）。

正解 1

型枠工事に関する記述として、最も不適当なものはどれか。

① 等価材齢換算式による方法で計算した圧縮強度が所定の強度以上となったため、柱のせき板を取り外した。

② 合板せき板のたわみは、単純支持で計算した値と両端固定で計算した値の平均値とした。

③ コンクリートの施工時の側圧や鉛直荷重に対する型枠の各部材のたわみの許容値は、2㎜以下とした。

④ 固定荷重の計算に用いる型枠の重量は、0.4kN/㎡とした。

解 説 .... ➡テキスト **第3-1編** **7-2**

① ○ **等価材齢換算式**による方法とは、コンクリートの**温度**の影響を等価な材齢に換算した式によってコンクリート強度を計算する方法である。この方法によって計算した圧縮強度が、計画供用期間の級が短期及び標準の場合は5N/㎜²以上、長期及び超長期の場合は10N/㎜²以上であることを確認してせき板を取り外すことができる（建築工事監理指針、JASS 5）。

② × **「合板せき板」**は、転用などによる劣化を考慮し、**単純梁**として扱う。したがって、「単純支持で計算した値と両端固定で計算した値の平均値とする」のは不適当である。

③ ○ 型枠に作用する荷重及び外力に対し、型枠を構成する各部材それぞれの**許容変形量**は2㎜程度を許容値とすることが望ましい。

④ ○ 固定荷重は鉄筋を含んだ普通コンクリートの荷重（24kN/㎡×部材厚さ[m]）に在来工法の**型枠の重量0.4kN/㎡**を加えた値とする。

正解 2

MEMO

コンクリートの養生に関する記述として、最も不適当なものはどれか。ただし、計画供用期間の級は「標準」とする。

① 早強ポルトランドセメントを用いたコンクリートの湿潤養生の期間は、普通ポルトランドセメントを用いた場合と同じである。

② 連続的に散水を行って水分を供給する方法による湿潤養生は、コンクリートの凝結が終了した後に行う。

③ 打込み後のコンクリートが透水性の低いせき板で保護されている場合は、湿潤養生と考えてもよい。

④ マスコンクリートは、内部温度が上昇している期間は、コンクリート表面の温度が急激に低下しないように養生を行う。

解説 ……………………………………………… ➡テキスト 第3-1編 8-2

① ✕ **湿潤養生**の期間は、次表のように計画供用期間の級に応じる。したがって、早強ポルトランドセメントを用いたコンクリートの場合は、普通ポルトランドセメントを用いた場合より**短く**することができる。

湿潤養生の期間

セメントの種類＼計画供用期間の級	コンクリート材齢		
	早強	普通	中庸熱・低熱混合B種
短期・標準	3日	5日	7日
長期・超長期	5日	7日	10日

② ◯ コンクリートの**湿潤養生**には、以下の方法がある。

❶ 養生マット、水密シートなどの被覆による「水分維持」
❷ 散水又は噴霧による「水分供給」
❸ 膜養生や浸透性養生剤の塗布による「水分逸散防止」

❶はコンクリート打設時の仕上げ後、❷はコンクリート凝結終了後、❸はコンクリートのブリーディング終了後に行う必要がある。

③ ◯ 打込み後のコンクリートは、**透水性の小さいせき板**による被覆、養生マットまたは**水密シート**による被覆、散水・噴霧、膜養生剤の塗布などにより湿潤養

生を行う（JASS 5）。つまり、透水性の小さいせき板による被覆は湿潤養生とみなすことができる。

④ ○ **マスコンクリート**は、硬化中にセメントの水和熱が蓄積され内部温度が上昇し、部材の表面と内部に温度差が生じることなどによって、ひび割れが生じやすい。そのため、内部温度が上昇している期間は、コンクリート**表面部の温度が急激に低下しない**ように養生を行い、内部温度が最高温度に達した後は、内部と表面部の**温度降下が大きくならない**ように保温等の養生を行う（公共建築工事標準仕様書、建築工事監理指針）。

正解 1

大空間鉄骨架構の建方に関する記述として、最も不適当なものはどれか。

① スライド工法は、作業構台上で所定の部分の屋根架構を組み立てた後、所定位置まで順次滑動移引きしていき、最終的に架構全体を構築する工法である。

② 移動構台工法は、移動舞台上で組み立てた屋根鉄骨を、構台と共に所定の位置に移動させ、先行して構築した架構と連結する工法である。

③ ブロック工法は、地組みした所定の大きさのブロックを、クレーン等で吊り上げて架構を構築する工法である。

④ リフトアップ工法は、地上又は構台上で組み立てた屋根等の架構を、先行して構築した構造物等を支えとしてジャッキにより引き上げていく工法である。

解 説 ……………………………………………… **➡テキスト 第3-1編 9-4**

① 〇 **スライド工法**は、作業構台（組立て用ステージ）上で所定の範囲の屋根鉄骨をユニットとして組み立て、ウィンチ等にて所定位

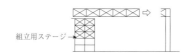

組立用ステージ→

置まで**ユニットを水平移動**させたあとに次のユニットを組み立て、ユニット相互を**接合**して、架構全体を構築する工法である。

② ✕ **移動構台工法**は、移動構台上で所定の範囲の屋根鉄骨を組み立てたのち、**構台を移動させて**次の範囲の屋根鉄骨を組み立てて、順次架構を構築していく工法である。構台と共に所定の位置に移動させるものではない。

③ 〇 **ブロック工法（地組ブロック工法）**は、地組みした所定の大きさのブロックを、クレーン等で吊り上げて架構を構築する工法である。

④ 〇 **リフトアップ工法**は、あらかじめ地上で組み立てた大スパン構造の屋根架構などを、先行して構築した構造体を支えとして、油圧ジャッキ又は**吊上げ装置**を用いて、所定の高さまで吊り上げ、又は、押し上げる方式である。

吊上げ装置

正解 2

木質軸組構造に関する記述として、最も不適当なものはどれか。

① アンカーボルトと土台の緊結は、アンカーボルトのねじ山がナットの外に3山以上出るようにした。

② 接合に用いるラグスクリューは、先にスパナを用いて回しながら締め付けた。

③ ラグスクリューのスクリュー部の先孔の径は、スクリュー径の＋2mmとした。

④ 接合金物のボルトの締付けは、座金が木材へ軽くめり込む程度とした。

解説 .... ➡テキスト／**第3-1編** 10-2

① ○ **アンカーボルト**と土台との緊結は、座金とナットが十分に締まり、かつ、ねじ山が**2～3山**出るようにする（公共建築木造工事標準仕様書）。

② ○ ラグスクリューの締付けは、ドリルによって先孔をあけ、スパナ、インパクトレンチ等を用いて、**必ず回しながら**行う。たたき込みによる挿入は行わない（同仕様書）。

③ ✕ ラグスクリューの孔あけ加工は、**2段の孔あけ加工**とする。

　❶ 胴部の孔あけは、胴部径と**同径**とし、その長さは胴部長さまでとする。

　❷ スクリュー部の孔あけは、スクリュー径の**50～70%**程度とし、その長さはスクリュー部長さと同じとする。

④ ○ **ボルトの締付け**は、座金が木材等へ軽くめり込む**程度**とし、過度に締め付けない。また、1群のボルトの締付けが一様となるように行う。工事中、木材の乾燥収縮等により緩んだナットは、緩みのないように**締め直す**（同仕様書）。

正解 3

建設機械に関する記述として、最も不適当なものはどれか。

① 工事用エレベーターは、定格速度が0.75m/sを超える場合、次第ぎき非常止め装置を設ける。

② ジブクレーンの定格荷重とは、負荷させることができる最大の荷重から、フック等のつり具の重量に相当する荷重を控除したものをいう。

③ アームを有しないゴンドラの積載荷重とは、その構造上作業床に人又は荷をのせて上昇させることができる最大の荷重をいう。

④ ロングスパン工事用エレベーターは、搬器の傾きが$\frac{1}{8}$の勾配を超えた場合、動力を自動的に遮断する装置を設ける。

解説 ➡テキスト 第3-1編 13-2

① ○ **工事用エレベーター**は、一定の速度を超えた場合には、自動的に制止する装置（非常止め装置）を備えなければならない。この装置は定格速度が0.75m/sを超える場合には、「**次第ぎき非常止め装置**」でなければならず、0.75m/s以下の場合には、「**早ぎき非常止め装置**」とすることができる（エレベーター構造規格33条）。

② ○ **定格荷重**とは、クレーン（移動式クレーンを除く）でジブを有しないものは、**つり上げ荷重**からフック等の**吊り具の重量**を控除した荷重をいい、クレーンでジブを有するもの（ジブクレーン）及び移動式クレーン等にあっては、**負荷させることができる最大の荷重**から、それぞれ**フック等の吊り具の重量に相当する荷重を控除した荷重**をいう（クレーン等安全規則）。

③ ○ **アームを有しないゴンドラ**の積載荷重は、その構造上作業床に人又は荷をのせて上昇させることができる最大の荷重をいう。なお、**アームを有するゴンドラ**の積載荷重は、アームを**最小の傾斜角**にした状態において、その構造上作業床に人又は荷をのせて上昇させることができる最大の荷重をいう（ゴンドラ安全規則1条）。

④ ✕ **ロングスパン工事用エレベーター**には、搬器の傾きを容易に矯正できる装置等のほか、搬器の傾きが$\frac{1}{10}$の勾配を超えないうちに動力を自動的に遮断する装置を設けなければならない（エレベーター構造規格33条）。

正解 4

合成高分子系ルーフィングシート防水に関する記述として、最も不適当なものはどれか。

① 加硫ゴム系シート防水の接着工法において、立上り部と平場部の接合部のシートの重ね幅は150mm以上とした。

② 塩化ビニル樹脂系シート防水の接着工法において、シート相互を熱風融着で接合した。

③ 塩化ビニル樹脂系シート防水の接着工法において、出入隅角の処理は、シートの張付け前に成形役物を取り付けた。

④ エチレン酢酸ビニル樹脂系シート防水の密着工法において、平場部の接合部のシートの重ね幅は、幅方向、長手方向とも100mm以上とした。

解説 ……………………………………………… ➡テキスト **第3-2編** **1-4**

① ○ **加硫ゴム系シート防水接着工法**において、**平場の接合部のシートの重ね幅は100mm以上**とし、**立上りと平場との重ね幅は150mm以上**とする。

シートの接合部（加硫ゴム系）

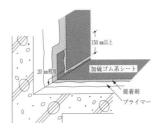

② ○ **塩化ビニル樹脂系シート防水の接着工法の重ね部**は、溶着剤（テトラヒドロフラン系）による**溶着**または熱風による**融着**とし、接合端部は液状シール材でシールする。

③ ✕ **塩化ビニル樹脂系シート防水**の出隅・入隅の処理は、シートの**張付け後**に成形役物を張り付ける。

④ ○ **エチレン酢酸ビニル樹脂系シート防水の密着工法**において、接合部のシートの重ね幅は、幅方向、長手方向とも**100mm以上**とする（公共建築工事標準仕様書）。

正解 **3**

長尺亜鉛鉄板葺に関する記述として、最も不適当なものはどれか。

① 塗装溶融亜鉛めっき鋼板を用いた際の留付け用のドリリングタッピングねじは、亜鉛めっき製品を使用した。

② 心木なし瓦棒葺の通し吊子は、平座金を付けたドリリングタッピングねじで、下葺材、野地板を貫通させて鉄骨母屋に固定した。

③ 横葺の葺板の継手位置は、縦に一直線状とならないように、千鳥に配置した。

④ 平葺の葺板の上はぜと下はぜは、折返し幅を同寸法とした。

解 説 ➡テキスト **第3-2編** **2-2**

① ○ **塗装溶融亜鉛めっき鋼板**を用いた金属板葺きの固定ボルト、ドリリングタッピンねじ等の留付け用部材は、**亜鉛めっき製品**とする。ステンレス製品にしないのは、異種金属間の電食を防止するためである。

② ○ **通し吊子**の鉄骨母屋への取付けは、**平座金を付けたドリルねじ**で、**下葺、野地板を貫通**させ母屋に固定する。

③ ○ **横葺**の葺板の継手位置は、目違い継ぎ、千鳥、廻し継ぎとし、直線継ぎは施工性及び雨水の排水が悪いので**使用しない**。

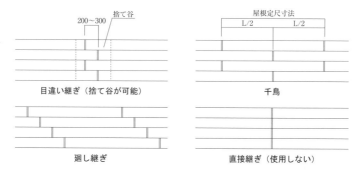

目違い継ぎ（捨て谷が可能）　　千鳥

廻し継ぎ　　直接継ぎ（使用しない）

④ ✕ 平葺の小はぜ掛けは、上はぜの折返し幅を15㎜程度、下はぜの折返し幅を18㎜程度とする（JASS 12）。

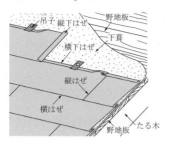

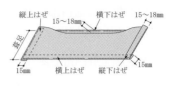

正解 4

軽量鉄骨壁下地に関する記述として、最も不適当なものはどれか。

① 間仕切壁の出入口開口部の縦の補強材は、上端部を軽量鉄骨天井下地に取り付けたランナに固定した。

② スタッドの高さが4.5mであったため、区分記号90形のスタッドを用いた。

③ スペーサは、スタッドの端部を押さえ、間隔600mm程度に留め付けた。

④ コンクリート壁に添え付くスタッドは、上下のランナに差し込み、コンクリート壁に打込みビスで固定した。

解 説 ·· **→テキスト** 第3-2編 **6-1**

① ✕ 出入口開口部の縦の**補強材**は、戸の開閉による振動や衝撃荷重に耐えられるように、床から上部の**梁下**または**スラブ下**に達する長さまで延ばして固定する。

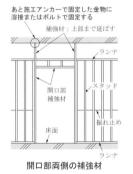

あと施工アンカーで固定した金物に
溶接またはボルトで固定する
補強材：上部まで延ばす
ランナ
開口部補強材
スタッド
振れ止め
床面
ランナ

開口部両側の補強材

② 〇 **スタッド**の種類は、50形・65形・90形・100形などがあり、それぞれスタッドの**断面**によって使用長さが右表のとおり制限される。

種　類		スタッドの高さ
壁下地材	50形	2.7m以下
	65形	4m以下
	75形	4m以下
	90形	4.5m以下
	100形	5m以下

③ 〇 **スペーサ**は、上下ランナの近くで各**スタッドの端部**を押さえるとともに、振れ止め上部を固定し、間隔は**600mm程度**とする。

④ 〇 **スタッド**がコンクリート壁等に添え付く場合は、上下ランナに**差し込み**、スペーサで振れ止め上部を押さえ、振れ止め上部のスタッドは必要に応じて**打込みピン等でコンクリート壁等に固定**する。

正解 **1**

防水形合成樹脂エマルション系複層仕上塗材（防水形複層塗材E）仕上げに関する記述として、最も不適当なものはどれか。

① プレキャストコンクリート面の下地調整において、仕上塗材の下塗材で代用ができたため、合成樹脂エマルションシーラーを省略した。

② 屋外に面するALCパネル面の下地調整において、合成樹脂エマルションシーラーを塗り付けた上に、下地調整材C-1を塗り付けた。

③ 主材の基層塗りは、1.7kg/m²を1回塗りとし、下地を覆うように塗り付けた。

④ 主材の模様塗りは、1.0kg/m²を1回塗りとし、ローラー塗りによりゆず肌状に仕上げた。

解 説 ➡テキスト 第3-2編 3-5

① 〇 モルタル及びプレキャストコンクリート面の下地調整は、**合成樹脂エマルションシーラーを全面に塗り付ける**ことを原則とする。ただし、仕上塗材の**下塗材で代用**する場合は、省略することができる。なお、合成樹脂シーラーとは、耐アルカリ性、造壁性及び耐水性が良い合成樹脂エマルション又は合成樹脂溶液で、仕上塗材の下地に対する吸込みを抑え、付着性を高めるために用いる（公共建築工事標準仕様書、建築工事監理指針）。

② 〇 ALCパネル面の下地調整は、合成樹脂エマルションシーラーを全面に塗り付ける。屋外の場合は、その上に仕上塗材の製造所の仕様により**下地調整塗材C-1**又は**下地調整塗材E**を全面に塗り付けて、平滑にする（公共建築工事標準仕様書）。

③ ✕ 主材塗りは基層塗り及び模様塗りを行い、主材の**基層塗り**は、所要量を1.7kg/m²以上を**2回塗り**で、だれ、ピンホール、塗り残しのないように均一に塗りつける。

④ 〇 主材の**模様塗り**は、0.9kg/m²以上を**1回塗り**で、見本と同様の模様になるように塗り付ける（同仕様書）。

正解 **3**

アルミニウム製建具工事に関する記述として、最も不適当なものはどれか。

① 外部建具周囲の充填モルタルは、NaCl換算0.04％（質量比）以下まで除塩した海砂を使用した。

② 建具枠に付くアンカーは、両端から逃げた位置にあるアンカーから、間隔を600mmで取り付けた。

③ 水切りと下枠との取合いは、建具枠回りと同一のシーリング材を使用した。

④ 建具の組立てにおいて、隅部の突付け小ねじ締め部分にはシーリング材を充填した。

解 説 .... →テキスト 第3-2編 7-1

① ◯ 塩化物によるアルミニウムの腐食は、保護塗装でも防げない場合が多いので、外部建具の周囲に充填するモルタルに使用する砂の**塩分含有量**は、**NaCl換算0.04％（質量比）以下**とし、海砂等は除塩したものを使用する。

② ✕ 建具枠、くつずり、水切り板等の**アンカー**は、両端から逃げた位置から、**間隔500mm以下**で取り付ける。

③ ◯ 水切りと下枠との取合いには、建具枠まわりと同一のシーリング材を使用する（公共建築工事標準仕様書）。これは建具枠まわりシーリングと、水切り・下枠取合部シーリングは連続する部分があり、その部分での異種シーリングの打継ぎを避けるためである。

④ ◯ 建具の組立てにおいて、**隅部の突付け部分**は、漏水防止のため**シーリング材**又は**シート状の止水材**を使用し、小ねじ留めとする。

正解 2

塗装工事に関する記述として、最も不適当なものはどれか。

① コンクリート面のアクリル樹脂系非水分散形塗料塗りにおいて、下塗り、中塗り、上塗りともに同一材料を使用し、塗付け量はそれぞれ0.10kg/㎡とした。

② 常温乾燥形ふっ素樹脂エナメル塗りにおいて、塗料を素地に浸透させるため、下塗りはローラーブラシ塗りとした。

③ 2液形ポリウレタンエナメル塗りにおいて、気温が20℃であったため、中塗り後から上塗りまでの工程間隔時間を16時間とした。

④ 合成樹脂エマルションペイント塗りにおいて、流動性を上げるため、有機溶剤で希釈して使用した。

解説 .... ➡テキスト 第3-2編 11-3

① 〇 コンクリート、モルタル面の**アクリル樹脂系非水分散形塗料塗り**（NAD）において、下塗り、中塗り、上塗りの**材料は同一**で、**塗付け量も同量**の0.10kg/㎡とする。

② 〇 **常温乾燥形ふっ素樹脂エナメル塗り**の塗装方法は、はけ塗り、ローラーブラシ塗り、吹付け塗りとする。ただし、下塗りにおいては、素地によく浸透させる目的で、**はけ塗り又はローラーブラシ塗り**とするが、中塗りや上塗りは原則として吹付け塗りとする（JASS 18）。

③ 〇 **2液形ポリウレタンエナメル塗り**において、下塗り後、及び中塗り後の次工程までの**工程間隔時間は16時間以上7日以内**である（同上）。受験対策上は工程間隔が3～5時間以上などと短いのは、主にエマルション系であることを押さえておくとよい。なお、工程間隔時間は気温20℃における値である。

④ ✕ 合成樹脂エマルションは、樹脂を水中で**乳化重合**して得られた乳白色の樹脂状物質で、**水で希釈**することができる塗料である（JASS 18）。

正解 **4**

合成樹脂塗床に関する記述として、最も不適当なものはどれか。

① 厚膜型のエポキシ樹脂系塗床の主剤と硬化剤の1回の練混ぜ量は、30分で使い切れる量とした。

② 弾性ウレタン樹脂系塗床のウレタン樹脂の1回の塗布量は、2kg/m²を超えないようにした。

③ エポキシ樹脂系塗床の流しのべ工法では、塗床材の自己水平性が高いため、下地コンクリートは木ごて仕上げとした。

④ プライマー塗りにおいて、下地への吸込みが激しい部分は、プライマーを再塗布した。

解説 ▶テキスト 第3-2編 9-6

① ○ 樹脂における主剤と硬化剤などの練混ぜ量は、通常30分以内に使い切れる量とする。なお、夏期は硬化反応が早くなるので、これよりも短時間に可使時間を設定することが望ましい（JASS 26）。

② ○ 弾性ウレタン樹脂系塗り床は、硬化するときに少量のガスを発生することがあり、1回の塗付け量があまり多いと内部にガスを封じ込めて仕上がり不良となるため、ウレタン樹脂の**1回の塗付け量は2kg/m²以下**とする（塗付け量2kg/m²は硬化物比重1.0の場合、厚さ2mmとなる）。

③ × **流しのべ工法**は、調合した流しのべ材を下地塗布面に金ごてなどで1〜3mm程度の厚みに塗布し、材料の自己流動性で、平滑な塗膜を得る工法である。下地となるコンクリート又はモルタルの仕上げ方法は、原則として**金ごて仕上げ**とする（JASS 26）。

④ ○ プライマーは、下地の吸込みが激しく塗膜を形成しない場合、先に塗ったプライマー全体が**硬化**した後、吸込みが止まるまで繰り返し**塗布**する。

正解 **3**

鉄筋コンクリート構造の建物内部の断熱工事に関する記述として、最も不適当なものはどれか。

① 硬質ウレタンフォーム吹付け工法において、随時吹付け厚さを測定しながら作業し、厚さの許容誤差を − 5 mmから +10 mmとして管理した。

② 硬質ウレタンフォーム吹付け工法において、ウレタンフォームには自己接着性があるため、コンクリート面に接着剤を塗布しなかった。

③ 押出法ポリスチレンフォーム張付け工法において、下地面の不陸が最大 3 mmであったため、接着剤を厚くして調整することで不陸に対応した。

④ 押出法ポリスチレンフォーム打込み工法において、断熱材の端部にコンクリートがはみ出している箇所は、Ⅴカットした後に断熱材現場発泡工法により補修した。

解説 ➡テキスト 第3-2編 9-7

① ✕ 吹付厚さの許容誤差は0〜+10 mmで、マイナス（厚み不足）は許容されない。ワイヤゲージなどを用いて、随時厚みを確認しながら吹付け作業を行う。なお、吹付け厚さは、確認ピンを用いて確認し、その確認ピンはそのまま存置する。

② ◯ ウレタンフォーム（現場発泡断熱材）は**自己接着性**があるため、接着剤は不要である。

③ ◯ 押出法ポリスチレンフォーム張付け工法における下地コンクリートの不陸は、数mm程度であれば**接着剤を厚く塗る**ことによって調整する。調整可能な不陸は、**長さ 2 m当たり 3 mm程度以下**である(建築工事監理指針)。

④ ◯ **断熱材打込み工法**とは、ボード状断熱材をあらかじめ型枠内面に仮留めしておいてコンクリートを打ち込む工法をいう。この場合、断熱材の継目にコンクリートが**はみ出している箇所**は、そのまま補修するが、継目の隙間が大きい場合には**Ⅴカット**した後に**断熱材現場発泡工法**により補修する。

正解 1

外壁の押出成形セメント板横張り工法に関する記述として、最も不適当なものはどれか。

① 高湿度の環境となる部分に用いるパネル取付け金物（Ｚクリップ）は、溶融亜鉛めっき処理を行ったものを使用した。

② パネルは、層間変形に対してスライドにより追随するため、縦目地を15㎜、横目地を10㎜とした。

③ パネル取付け金物（Ｚクリップ）は、パネル左右端部の位置に取り付け、下地鋼材に溶接した。

④ パネルは、積上げ枚数５枚ごとに構造体に固定した自重受け金物で受けた。

解 説 .... →テキスト　第3-2編 10-1

① ○ 取付金物の表面処理は、**電気亜鉛めっき処理**を原則とする。ただし、常に湿度が高い環境や雨水がかかる屋外に暴露した所に用いる場合は**溶融亜鉛メッキ処理**等を行う（建築工事監理指針）。

② ○ **押出成形セメント板**のパネル相互の目地幅は、特記がなければ、**長辺の目地幅は10㎜以上**、**短辺の目地幅は15㎜以上**とする（縦張り・横張り共通）。横張りの場合、縦目地が短辺、横目地が長辺となるため、設問は適当である。

③ ○ **パネル取付け金物（Ｚクリップ）**は下地
鋼材への**かかり代30㎜以上**を確保し、層間
変位に追従できるように（スライドできる
ように）正確かつ堅固に取り付ける。また、
Ｚクリップは回転しないように、長さ15㎜
以上**溶接**する（JASS 27）。

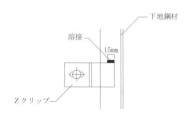

④ × 押出成形セメント板のパネルの取付け方法には、パネルの縦使い（**縦張り工法**）と、横使い（**横張り工法**）の２つがある。横張り工法では、パネルは**積上げ枚数３枚以下**ごとに、躯体に固定した**自重受け金物**で受ける。

正解 4

MEMO

鉄筋コンクリート構造の建築物の外壁改修工事に関する記述として、最も不適当なものはどれか。

① 小口タイル張り仕上げにおいて、タイル陶片のみ浮きが発生している部分は、浮いているタイルを無振動ドリルで穿孔して、注入口付アンカーピンニングエポキシ樹脂注入タイル固定工法で改修した。

② 小口タイル張り仕上げにおいて、下地モルタルを含むタイル陶片の剥落欠損が発生していたため、ポリマーセメントモルタルを用いたタイル張替え工法で改修した。

③ 外壁コンクリート打放し仕上げにおいて、生じたひび割れの幅が2.0mmで挙動のおそれがあったため、可とう性エポキシ樹脂を用いたUカットシール材充填工法で改修した。

④ 外壁コンクリート打放し仕上げにおいて、生じたひび割れの幅が0.1mmで挙動のおそれがなかったため、パテ状エポキシ樹脂を用いたシール工法で改修した。

解説 ……………………………………………… →テキスト 第3-2編 12-1

① ○ 注入口付アンカーピンニングエポキシ樹脂注入タイル固定工法は、タイル陶片のみに**浮き**が発生している場合に用いられるもので、**小口平タイル以上の大きなタイル**に適した唯一の工法である。

② ○ **タイル張替え工法**は、タイルがモルタル下地をともなってはく離し、通常レベルの打撃力で剥落する浮きや欠損などで、一箇所の張り替え面積が**大きい場合**に適用する(建築改修工事監理指針)。タイル張りには、**ポリマーセメントモルタル**または外装タイル張り用**有機系接着剤**を用いる。

改修工法	適用欠損部
❶ タイル部分張替え工法	1カ所の張替え面積が小さい場合（0.25㎡以下）
❷ タイル張替え工法	1カ所の張替え面積が大きい場合

③ × **ひび割れ幅が1.0mmを超え**（設問2.0mm）で挙動のおそれのあるひび割れは、シーリング材による「**Uカットシール材充填工法**」を用いる。

④ ○ **ひび割れ幅が0.2mm未満**（設問0.1mm）で挙動のおそれのないひび割れは、パ

テ状エポキシ樹脂による「**シール工法**」を用いる。

改修工法	幅	挙動	使用材料
シール工法	0.2mm未満	無	パテ状エポキシ樹脂
		有	可とう性エポキシ樹脂
エポキシ樹脂注入工法	0.2mm以上 1.0mm以下	無	硬質形エポキシ樹脂
		有	軟質形エポキシ樹脂
			可とう性エポキシ樹脂
Uカットシール材充填工法	1.0mm超	無	可とう性エポキシ樹脂
		有	シーリング材

正解 **3**

建築工事における事前調査や準備作業に関する記述として、最も不適当なものはどれか。

① 掘削深さや地盤条件に応じた山留めを設けることとしたため、隣接建物の基礎構造形式の調査を省略した。

② 軒の高さが9mの木造住宅の解体工事計画に当たって、石綿等を含有する建材がなかったため、建設工事計画届は提出しないこととした。

③ 敷地内の排水工事計画に当たって、排水管の勾配が公設桝で確保できるか調査することとした。

④ 請負代金が1,000万円のアスファルト舗装駐車場の撤去工事計画に当たって、再資源化施設の場所を調査することとした。

解説 ・・・ ➡テキスト 第4編 1-2

① ✕ 杭工事、根切り工事等近隣に影響を与える可能性のある工事を行う場合には、関係者に立会いを求め、近隣建物等を事前調査し、できるだけ写真、測量等により現状を記録しておくことが重要である（建築工事監理指針）。

② 〇 事業者は、以下の工事を行うときは、「建設工事計画届」を当該工事の開始の日の14日前までに、**労働基準監督署長**に届け出なければならない（労働安全衛生法88条3項、同規則90条）。したがって、設問の場合においては、当該届は不要である。

  ・高さ31mを**超える**建築物又は工作物の**建築**、**解体**など
  ・深さ**10m以上**の地山の掘削
  ・吹付石綿、**石綿**を含む保温材・耐火被覆材の除去・封じ込め・囲い込み作業

③ 〇 着工に先立ち、敷地の排水及び新設する建築物の排水管の勾配が、排水予定の排水本管、**公設桝**、水路等まで確保できるか、雑用水と汚水との区分の必要があるか等を確認する（機械設備工事監理指針）。

④ 〇 「**建設工事に係る資材の再資源化等に関する法律**」（建設リサイクル法）における対象建設工事は再資源化が必要な**特定建設資材**を用いた建築物などに係る解体工事又はその施工に特定建設資材を使用する新築工事などで、以下の規模の工事が対象となる。

❶ 建築物の**解体**工事：床面積80㎡以上

❷ 建築物の**新築又は増築**：床面積500㎡以上

❸ 建築物の**修繕・模様替**：**請負代金1億円以上**

❹ 建築物以外の解体又は新築：**請負代金500万円以上**

設問は上記❹に該当する。建設リサイクル法の対象工事においては、**特定建設資材廃棄物**（コンクリート、コンクリート及び鉄からなる建設資材、建設発生木材、**アスファルト・コンクリート**など）を**再資源化**しなければならない（建設工事に係る資材の再資源化等に関する法律）。工事の施工計画に当たっては、**再資源化施設**等を調査しなければならない。

正解　1

施工計画に関する記述として、最も不適当なものはどれか。

① 大深度の土工事において、不整形な平面形状であったため、逆打ち工法とした。

② 土工事において、3次元の測量データ、設計データ及び衛星位置情報を活用するICT建設機械による自動掘削とした。

③ 鉄筋工事において、工期短縮のため、柱や梁の鉄筋を先組み工法とし、継手は機械式継手とする計画とした。

④ 鉄骨工事において、鉄骨の建方精度を確保するため、できるだけ大きなブロックにまとめて建入れ直しを行う計画とした。

解説 ➡テキスト 第4編 **1-3**

① ○ 逆打ち工法は、山留め壁、仮支柱を設けた後、**先行して1階床を築造**し、地下各階の梁・床を支保工として順次掘り下げていきながら、**同時に地上部の躯**体施工も進めていく工法である。剛性が非常に高く、山留め壁の変形が少ないため、軟弱地盤での工事や地階が深く広い建築物、不整形な**平面形状**の建築物に有効である。また、**地下・地上の同時施工**が可能で**全体工期の短縮**が可能である。

② ○ 3次元の測量データ、設計データ及びGNSSの**衛星位置情報**を活用するICT建設機械による自動掘削などの「**ICTの全面的な活用**」が、建設現場における生産性の向上を目的として、国土交通省を中心に取り組まれている（ICT：Information and Communication Technology）。

③ ○ 鉄筋工事において、工期短縮などのために、柱や梁の鉄筋を**地組み**（工場や現場でかご状に**先組み**すること）とする場合、継手には一般に**機械式継手**が用いられる（JASS 5）。

④ × **建入れ直し**とは、鉄骨の建方の途中または最後に柱や梁の鉛直度・水平度などを測定し、修正する作業のことである。建入れ直し及び建入れ検査は、建方完了後にまとめて行おうとすると困難になることが多いため、**建方の進行とともに、できるだけ小区画に区切って行う。**

正解 4

施工者が作成する工事の記録等に関する記述として、最も不適当なものはどれか。

① 発注者から直接工事を請け負った建設業者が作成した発注者との打合せ記録のうち、発注者と相互に交付したものではないものは、保存しないこととした。

② 建設工事の施工において作成した施工体系図は、元請の特定建設業者が当該建設工事の目的物の引渡しをしたときから10年間保存することとした。

③ 建設工事の施工において変更に応じて作成した完成図は、元請の建設業者が建設工事の目的物の引渡しをしたときから5年間保存することとした。

④ 設計図書に定められた内容に疑義が生じたため、監理者と協議を行った結果、設計図書の訂正に至らない事項について、記録を整備することとした。

解説 ➡テキスト 第4編 1-6

①② ○ 元請建設業者は、以下の「**営業に関する図書**」を目的物の引渡し時から10年間保管しなければならない（建設業法40条の3、同規則26条5項）。

❶ **完成図**（工事目的物の完成時の状況を表した図）
❷ **発注者との打合せ記録**（工事内容で、当事者間で交付されたものに限る）
❸ **施工体系図**

③ × 同上。

④ ○ 設計図書に定められた内容に**疑義が生じた場合**又は現場の納まり、取合い等の関係で、設計図書によることが困難若しくは不都合が生じた場合、監理者と協議した結果、設計図書の訂正又は**変更に至らない事項**についても、記録を整備する（公共建築工事標準仕様書）。

正解 **3**

工程の実施計画に関する記述として、最も不適当なものはどれか。

① 高層集合住宅のタクト手法による工程計画において、作業期間がタクト期間の２倍となる作業には、その作業の作業班を２班投入して、切れ目のない工程とした。

② 高層事務所ビルの鉄骨建方計画において、タワークレーンによる鉄骨の取付け歩掛りは、１台１日当たり80ピースとして計画した。

③ 一般的な事務所ビルの鉄骨建方計画において、建方用機械の鉄骨建方作業での稼働時間を１台１日当たり５時間30分として計画した。

④ 一般的な事務所ビルの鉄骨建方計画において、タワークレーンの鉄骨建方作業のみに占める時間の割合を、65％として計画した。

解説 ➡️テキスト 第４編 **2-3**

① ○ 設定したタクト期間では終わることができない一部の作業については、作業期間をタクト期間の２倍又は３倍とし、２班又は３班投入することによって、切れ目のない工程を編成することができる(建築工事における工程の計画と管理指針・同解説)。

6階				作業A	作業B(第2班)	作業C	作業D
5階			作業A	作業B(第1班)	作業C	作業D
4階		作業A	作業B(第2班)	作業C	作業D
3階	作業A	作業B(第1班)	作業C	作業D
2階	作業A	作業B(第2班)	作業C	作業D
1階	作業A	作業B(第1班)	作業C	作業D

② ✕ 一般的な重層建築において、鉄骨建方の取付けピース数は、**トラッククレーン**の場合で１台１日当たり**30〜35ピース**、**タワークレーン**の場合では**40〜45ピース**である（鉄骨工事技術指針）。

③④ ○ 一般的なビル鉄骨において、建方用機械の**鉄骨建方作業占有率**は、**0.6〜0.7程度**である。したがって、建方用機械の稼働時間を１台１日当たり**５時間30分**（８時間×0.69）として計画したことは適当である。

正解 **2**

令和6年度

本試験問題／午後

午後の試験

下記のとおり全28問のうちから24問を選択して解答してください。

- ● 問45〜問50

  6問全問を解答してください。

- ● 問51〜問60

  10問全問を解答してください。

- ● 問61〜問72

  12問のうちから8問を選択して解答してください。

※ 令和3年度の本試験より、問題文の漢字には
すべて振り仮名が付されていますが、本書で
は省略しています。

品質管理に関する記述として、最も適当なものはどれか。

① 品質管理は、品質計画の目標のレベルに係わらず、緻密な管理を行う。

② 品質管理は、品質の目標値を大幅に上回る品質が確保されていれば、優れた管理といえる。

③ 品質管理は、品質計画を施工計画書に具体的に記述し、そのとおりに実施することである。

④ 品質管理は、前工程より後工程に管理の重点を置くほうがよい。

解説　　　　　　　　　　　　　　　　　　　➡テキスト　第4編　3-1

① × **品質管理**は、品質計画の**目標のレベル**（顧客の要求品質）を達成するために、そのレベルに見合った**管理**を行うことが重要である。必要以上に緻密な管理を行うことは、工程、コストに影響を及ぼす面からも好ましくない。

② × **品質管理**は、品質計画の**目標のレベル**（顧客の要求品質）を達成するために、そのレベルに見合った**管理**を行うことが重要である。品質の目標値を大幅に上回る品質を確保することは、工程、コストにも影響を及ぼす面からも好ましくなく、優れた品質管理とはいえない。

③ ○ 品質確保のための**作業標準**が計画できたら、工程がそのとおり行われているかどうかの管理、維持、改善が重要である。これを**プロセスに基づく管理**という（品質管理用語85）。

④ × 品質に及ぼす影響の検討・品質の造り込み・プロセスの改善・再発防止は、**施工段階よりも計画段階**、すなわち、より**源流のプロセス**において行う方が、効果的かつ効率的である。これを**源流管理**、フロントローディングともいう（同上）。

正解 3

鉄筋コンクリート構造の建築物の解体工事における振動対策及び騒音対策に関する記述として、最も不適当なものはどれか。

① 周辺環境保全に配慮し、振動や粉塵の発生が抑えられるコンクリートカッターを用いる切断工法を採用した。

② 内部スパン間を先に解体し、外周スパンを最後まで残すことにより、解体する予定の躯体を防音壁として利用した。

③ 振動レベル計の指示値が周期的に変動したため、変動ごとの指示値の最大値と最小値の平均を求め、その中の最大の値を振動レベルとした。

④ 壁等を転倒解体する際の振動対策として、先行した解体作業で発生したガラを床部分に敷き、クッション材として利用した。

解説 ……………………………………………… ➡テキスト **第4編** **3-6**

① 〇 **コンクリートカッター**は、ブレードで柱、梁、床、壁を適当な大きさに切断し、**部材解体や縁切り**等に用いる（コンクリート工作物解体工事の作業指針）。振動と粉じんがほとんど発生せず、騒音は高周波の音が発生するものの、防音シート等で比較的容易に遮音できる工法である（建築物解体工事共通仕様書・同解説）。

② 〇 中央部のスパンを先に解体し、**外周スパンを残す**ように解体すると、外部への飛散物の**防止**に有効であるとともに、外周躯体を遮音壁として利用することとなり、**騒音拡散の防止**に有効である（鉄筋コンクリート造建築物等の解体工事施工指針・解説）。

③ ✕ 振動測定器の指示値が**周期的又は間欠的に変動**し、その**指示値が概ね一定**の場合には、**変動ごとの指示値の最大値の平均値**を振動値とする。なお、**不規則かつ大幅に変動**する場合は、80%レンジの上端値を振動値とする（同指針・解説）。

④ 〇 躯体を**転倒解体**する際に、転倒体が転倒する位置の床部分に、先行した解体工事で発生したガラや鉄筋ダンゴ等の**クッション材**を設置する。

正解 **3**

足場に関する記述として、最も不適当なものはどれか。

① くさび緊結式足場の建地の間隔は、桁行方向2m、梁間方向1.2mとした。

② つり足場の作業床は、幅を40cm以上とし、かつ、隙間がないようにした。

③ 移動はしごは、丈夫な構造とし、幅は30cm以上とした。

④ 移動式足場の作業床の周囲は、高さ90cmで中桟付きの丈夫な手すり及び高さ10cmの幅木を設置した。

解 説 ➡テキスト／第4編 **4-4**

① ✕ 労働安全衛生規則において、**くさび緊結式足場**は単管足場に含まれる。単管足場の建地の間隔は、**けた行方向を1.85m以下、はり間方向を1.5m以下**とする（労働安全衛生規則570条1項五号イ）。

② 〇 **つり足場の作業床**は、**幅を40cm以上**とし、かつ、**隙間がないよう**にする（同規則574条）。

③ 〇 **移動はしご**は、**幅30cm以上**とし、すべり止め装置の取付け、その他転位を防止するために必要な措置を講ずる（同規則527条）。

④ 〇 高さ2m以上の作業場所には、**作業床**を設けなければならない。その作業床においては、次の設備を設けなければならない（同規則563条1項）。

・墜落により労働者に危険を及ぼすおそれのある箇所の墜落防止設備

➡ 85cm以上の手すり及び高さ35cm以上50cm以下の中さんなど

・物体が落下することで、労働者に危険を及ぼすおそれのあるときの**落下防止設備**

➡ 高さ10cm以上の幅木、メッシュシート・防網等と同等以上の設備

正解 1

特定元方事業者の講ずべき措置として、「労働安全衛生規則」上、定められていないものはどれか。

① 特定元方事業者と関係請負人との間及び関係請負人相互間における、作業間の連絡及び調整を随時行うこと。

② 有機溶剤等を入れてある容器を集積する箇所を統一的に定め、これを関係請負人に周知させること。

③ 関係請負人が新たに雇い入れた労働者に対し、雇入れ時の安全衛生教育を行うこと。

④ 作業用の仮設の建設物の位置に関する計画の作成を行うこと。

解説 ➡テキスト 第4編 4-5

① ○ **特定元方事業者**は、随時、特定元方事業者と関係請負人との間、及び関係請負人相互間における、**作業間の連絡及び調整**を行わなければならない（労働安全衛生規則636条）。

② ○ 特定元方事業者は、有機溶剤等の容器が集積されるときは、当該容器を集積する箇所を統一的に定め、これを関係請負人に**周知**させなければならない（同規則641条）。

③ ✕ 雇入れ時等の安全衛生教育は、その者を**雇い入れた事業者**が行う。下請業者が雇い入れた労働者に対する教育は、その下請事業者が行う。

④ ○ 特定元方事業者は、工程表等の仕事の**工程に関する計画**並びに当該作業場所における**主要な機械、設備及び作業用の仮設の建設物の配置に関する計画**を作成しなければならない（同規則638条の3）。

正解 3

ゴンドラに関する記述として、「ゴンドラ安全規則」上、誤っているものはどれか。

① ゴンドラを使用して作業するときは、原則として、1月以内ごとに1回、定期に、自主検査を行わなければならない。

② ゴンドラを使用する作業を、操作する者に単独で行わせるときは、操作の合図を定めなくてもよい。

③ ゴンドラを使用して作業を行う場所については、当該作業を安全に行うため必要な照度を保持しなければならない。

④ ゴンドラの検査証の有効期間は2年であり、保管状況が良好であれば1年を超えない範囲内で延長することができる。

解説 ・・・・・・・・・・・・・・・・・・・・・・・・・・・・・・・・・・・・ →テキスト 第4編 4-6

① ○ 事業者は、ゴンドラについて、月1回以上の**定期自主検査**と作業開始前の点検を行わなければならない（ゴンドラ安全規則21条・22条）。

② ○ ゴンドラを使用して作業を行うときは、ゴンドラの操作について**一定の合図**を定め、合図を行う者を指名して、その者に合図を行わせなければならない。ただし、ゴンドラを操作する者に単独で作業を行わせるときは、**この限りでない**。

③ ○ 事業者は、ゴンドラを使用して作業を行う場所については、当該作業を安全に行うため必要な照度を保持しなければならない。

④ ✕ ゴンドラの**検査証の有効期間は1年**である。ただし、保管状況が良好である等の場合は、有効期間を検査の日から起算して2年を超えず、かつ、当該ゴンドラを設置した日から起算して1年を超えない範囲内で延長することができる。

正解 4

酸素欠乏症等防止規則

酸素欠乏危険作業に労働者を従事させるときの事業者の義務に関する記述として、「酸素欠乏症等防止規則」上、**誤っているもの**はどれか。

① 酸素欠乏危険場所で空気中の酸素の濃度測定を行ったときは、その記録を3年間保存しなければならない。

② 酸素欠乏危険場所では、原則として、空気中の酸素の濃度を15％以上に保つように換気しなければならない。

③ 酸素欠乏危険作業については、所定の技能講習を修了した者のうちから、酸素欠乏等危険作業主任者を選任しなければならない。

④ 酸素欠乏危険作業に従わせる労働者に対して、酸素欠乏危険作業に係る特別の教育を行わなければならない。

解説 ┈┈┈┈┈┈┈┈┈┈┈┈┈┈┈┈┈┈┈┈┈┈┈┈┈┈┈┈┈┈ ➡テキスト 第4編 4-7

① 〇 事業者は、酸素欠乏危険場所における作業場について、その日の**作業を開始する**前に、当該作業場における空気中の**酸素濃度を測定**しなければならない。また、この測定記録を**3年間**保存しなければならない。

② ✕ 事業者は、酸素欠乏危険作業に労働者を従事させる場合は、当該作業を行う場所の空気中の**酸素濃度を18％以上**に保つように**換気**しなければならない。

③ 〇 事業者は、酸素欠乏危険作業については、所定の**技能講習**を修了した者のうちから**酸素欠乏危険作業主任者**を選任しなければならない。

④ 〇 事業者は、酸素欠乏危険作業に労働者を就かせるときは、労働者に対して酸素欠乏危険作業に係る**特別の教育**を行わなければならない。

正解 **2**

鉄筋のガス圧接に関する記述として、最も不適当なものはどれか。ただし、鉄筋はSD345とする。

① 径の異なる鉄筋のガス圧接部のふくらみの直径は、細いほうの径の1.4倍以上とする。

② 圧接継手において鉄筋の長さ方向の縮み量は、1か所当たり鉄筋径の1.0〜1.5倍を見込む。

③ 同一径の鉄筋の圧接部における鉄筋中心軸の偏心量は、鉄筋径の1/5以下とする。

④ 圧接端面は平滑に仕上げ、ばり等を除去するため、その周辺を軽く面取りを行う。

⑤ 鉄筋の圧接部の加熱は、圧接端面が密着するまでは中性炎で行い、その後は還元炎で行う。

解説 ……………………………………………… →テキスト｜第3-1編｜6-2

① ○ 鉄筋の圧接部の品質において、**ふくらみ直径**は、鉄筋径（径の異なる場合は、細い方の鉄筋径）の**1.4倍以上**とする。この値に満たない場合、圧接部を**再加熱**し、**圧力を加えて**鉄筋径の1.4倍以上のふくらみとなるようにする。

② ○ ガス圧接では、1カ所当たり$1.0〜1.5d$（d：鉄筋の径）の**アプセット（縮み量）**が必要である。

③ ○ ガス圧接継手において、鉄筋中心軸の**偏心量**は、鉄筋径の$\frac{1}{5}$**以下**とする。なお、鉄筋中心軸の偏心量が規定値を超えた場合は、圧接部を**切り取って再圧接**する。

④ ○ 軸線上に対して直角になるように鉄筋を切断し、圧接端面を平滑に仕上げる。また、ばり等を除去するため、**グラインダー**によりその周辺を軽く**面取り**する。

⑤ ✕ 鉄筋の圧接部の加熱は、**圧接端面が密着する**までは圧接端面の酸化を防ぐため還元炎で行い、圧接端面同士が**密着した後**は、還元炎より熱効率の高い**中性炎**で加熱する。

正解 5

MEMO

コンクリートの運搬、打込み及び締固めに関する記述として、最も不適当なものはどれか。

① 暑中コンクリートの荷卸し時のコンクリート温度は、35℃以下とした。

② コンクリートの圧送負荷の算定に用いるベント管の水平換算距離は、ベント管の実長の3倍とした。

③ 同一区画のコンクリート打込み時における打重ねは、先に打ち込まれたコンクリートの再振動可能時間以内に行った。

④ 梁及びスラブの鉛直打継ぎ部は、スパンの中央付近に設けた。

⑤ コンクリート内部振動機（棒形振動機）による締固めにおいて、加振時間を1か所当たり60秒程度とした。

解説 ・・・ ➡テキスト 第3-1編 8-2

① ○ **暑中コンクリート**において、荷卸し時のコンクリート温度は**35℃以下**とする。コンクリート温度が高くなると、コールドジョイントが発生しやすく、また、冷却に伴う容積変化が大きくなり、ひび割れが発生しやすくなるので、荷卸し時のコンクリート温度はできるだけ低く抑える。

② ○ コンクリートポンプに加わる**圧送負荷**の算定に用いる配管長さは、**ベント管**の水平換算長さは実長の**3倍**、テーパー管・フレキシブルホースは実長の**2倍**とする（JASS 5）。

③ ○ コンクリートの**打重ね**は、先に打ち込まれたコンクリートの**再振動可能な時間以内**とし、外気温が**25℃未満**の場合は150分以内、**25℃以上**の場合は120分以内とする。

④ ○ 梁及びスラブの鉛直打継ぎ部は、欠陥が生じやすいので、できるだけ設けないほうがよい。やむを得ず鉛直打継ぎ部を設ける場合、せん断応力の小さいスパンの中央部付近または曲げ応力の小さい**スパンの**$\frac{1}{4}$**付近**に設ける。

気温と各作業の時間の限度

気温　　　作業	練り混ぜから打込み終了までの時間	打重ね時間
25℃未満	120分以内	150分以内
25℃以上	90分以内	120分以内

⑤ × コンクリート内部振動機（棒形振動機）は、打込み各層ごとに、その下層に振動機の先端が入るように、**挿入間隔**は60cm以下とし、加振時間は5〜15秒程度でコンクリート表面にセメントペーストが浮くまでとする。

正解 5

鉄骨の加工及び組立てに関する記述として、最も不適当なものはどれか。

① 鋼材は、自動ガス切断機で開先を加工し、著しい凹凸が生じた部分を修正した。

② 鉄骨鉄筋コンクリート構造において、鉄骨柱と鉄骨梁の接合部のダイアフラムに、コンクリートの充填性を考慮して、空気孔を設けた。

③ 490N/mm²級の鋼材において、孔あけにより除去される箇所にポンチでけがきを行った。

④ 公称径が24mmの高力ボルト用の孔あけ加工は、ドリル孔あけとし、径を27mmとした。

⑤ アンカーボルト用の孔あけ加工は、板厚が13mmであったため、せん断孔あけとした。

解説 ➡テキスト 第3-1編 9-1

① ○ **開先の加工**は、**自動ガス切断**又は機械加工とする。加工面の精度は、粗さ100μmRz、ノッチ深さ1mm以下とし、精度が不良なものは、溶接盛り、グラインダなど、適切な方法で補修する（公共建築工事標準仕様書、JASS 6）。

② ○ 鉄骨鉄筋コンクリート造の最上部柱頭のトッププレートやダイアフラムには、コンクリートの充填性を考慮して**空気孔**を設置する。

③ ○ 490N/mm²級以上の高張力鋼及び曲げ加工される400N/mm²級の鋼材の外面には、溶接により**溶融する箇所**または切断により**除去される部分**を除き、ポンチやたがねによる**打痕を残してはならない**。

④ × 高力ボルト用の孔あけ加工は、ドリル孔あけとし、孔径は次表のとおりとする。したがって、公称軸径が24mmの高力ボルトの孔径は24mm＋2mm＝26mm以下であるので不適当である。

	ボルト径（d）	孔 径
高力ボルト	$d < 27mm$	d＋2mm 以下
	$d \geqq 27mm$	d＋3mm 以下

⑤ ○ 鉄骨の「アンカーボルト用の孔あけ加工」は、ドリルあけを原則とする。ただし、板厚13mm以下はせん断孔あけとすることができる。

正解 **4**

塗膜防水に関する記述として、最も不適当なものはどれか。

① ウレタンゴム系塗膜防水の絶縁工法において、立上り部の補強布は、平場部の通気緩衝シートの上に100mm張り掛けた。

② ウレタンゴム系塗膜防水の絶縁工法において、平場部の防水材の総使用量は、硬化物比重が1.3だったため、3.9kg/m²とした。

③ ウレタンゴム系塗膜防水の絶縁工法において、通気緩衝シートの重ね幅は、50mmとした。

④ ゴムアスファルト系塗防水工法において、補強布の重ね幅は、50mmとした。

⑤ ゴムアスファルト系防水材の室内平場部の総使用量は、固形分60％のものを使用するため、4.5kg/m²とした。

解説 ……………………………………………………………… **→テキスト** 第3-2編 **1-5**

① ○ ウレタン系塗膜防水において、**絶縁工法は通気緩衝シート**を張り付けた上に、塗膜を構成するものであるが、**立上り面**には**密着工法**を適用する。平場部と立上り部の接合部は、**補強布を平場部の通気緩衝シートの上に100mm張り掛けて**防水材を塗布する。

② ○ ウレタンゴム系塗膜防水の防水材使用量は、**硬化物比重1.3の場合、平場部3.9kg/m²、立上り部2.6kg/m²**とする（建築工事監理指針）。基準膜厚は平場部3mm、立上り部2mmであり、硬化物比重1.0の場合のウレタン系塗膜防水材の使用量は、平場部3kg/m²、立上り部2kg/m²である。硬化物比重が異なる場合、換算して求めることができる（JASS 8）。

　　平場　使用量（kg/m²）　＝3.0（kg/m²）×硬化物比重

　　立上り部　使用量（kg/m²）　＝2.0（kg/m²）×硬化物比重

③ × **ウレタンゴム系防水の絶縁工法**においては、下地からの空気・水蒸気を逃がして防水層のふくれを低減するため、**通気緩衝シート**を設ける。通気緩衝シートの継目は突付けとする。

④ ○ **ウレタンゴム系塗膜防水**における防水材の**塗継ぎの重ね幅は100mm以上、補強布の重ね幅は50mm以上**とする。

⑤ ◯ ゴムアスファルト系防水の室内平場部の防水材使用量は、固形分60％の場合、4.5kg/㎡とする。これは、平均2.7mmの硬化後の防水層の塗膜厚さとするためである。

正解 3

セメントモルタルによる壁タイル後張り工法に関する記述として、最も不適当なものはどれか。

① 改良積上げ張りの張付けモルタルは、下地モルタル面に塗厚4mmで塗り付けた。

② 密着張りの張付けモルタルは、1回の塗付け面積を2㎡以内とした。

③ モザイクタイル張りの張付けモルタルは、下地面に対する塗付けを2度塗りとし、1層目はこて圧をかけて塗り付けた。

④ マスク張りの張付けモルタルは、ユニットタイルの裏面に厚さ4mmのマスク板をあて、金ごてで塗り付けた。

⑤ 改良圧着張りの張付けモルタルは、下地面に対する塗付けを2度塗りとし、その合計の塗厚を5mmとした。

解説 ➡️ テキスト **第3-2編** **4-1**

① ✕ **改良積上げ張り**は、張付けモルタルを**タイル裏面**に平らに塗り付ける。塗厚は外装タイルの場合7〜10mmとする。改良積上げ張りは下地側ではなく、**タイル裏面**に張付けモルタルを塗る工法であるので、設問は不適当である。

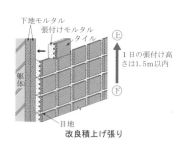

下地モルタル
張付けモルタル
タイル
上
躯体
1日の張付け高さは1.5m以内
下
目地
改良積上げ張り

② 〇 **密着張り**の張付けモルタル塗付け面積の限度は、触れると手につく状態のままタイル張りが完了できることとし、**2㎡/人以内**とする。

③ 〇 **モザイクタイル張り**とする場合、下地面に対する張付け用モルタルの塗付けは2度塗りとし、1層目は**こて圧**をかけて塗り付ける。

④ ○ **マスク張り**の張付けモルタルは、ユニットタイル裏面に厚さ **4mm**の**マスク板**をあて、金ごてで塗り付け、マスク板を外した後、**直ちに（5分以内）**ユニットタイルを壁面に張り付け、たたき押さえる。

マスク板

張付けモルタル
（タイル裏面）

マスク張り

⑤ ○ **改良圧着張り**は、中塗りまで施工した**下地モルタル面側**及び**タイル裏面の両面**に張付けモルタルを塗り、たたき押さえて張り付ける方法である。下地面へは2度塗りとし合計塗り厚は**4～6mm**、タイル裏面には厚さ**1～3mm**程度に張付けモルタルを塗る。

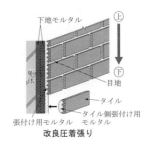

下地モルタル

躯体

上

下

目地

タイル

タイル側張付け用モルタル

張付け用モルタル

改良圧着張り

正解 **1**

内装工事におけるボード張りに関する記述として、最も不適当なものはどれか。

① せっこうボードを軽量鉄骨壁下地に張り付ける際、ドリリングタッピングねじの留付け間隔は、周辺部200mm程度、中間部300mm程度とした。

② せっこうボードを軽量鉄骨天井下地に張り付ける際、ドリリングタッピングねじの長さは、下地材の裏面に5mm以上の余長が得られる長さとした。

③ せっこうボードを軽量鉄骨壁下地に張り付ける際、ボードの下端と床面の間を10mm程度浮かして張り付けた。

④ ロックウール化粧吸音板を天井せっこうボード下地に重ね張りする際、吸音板の目地は、下地ボードの目地と重ならないよう、50mm以上ずらして張り付けた。

⑤ 厚さ9.5mmのせっこうボードを厚さ12.5mmの壁せっこうボード下地に接着剤を用いて重ね張りする際、併用するステープルの足の長さを20mmとした。

解説 .... →テキスト／**第3-2編**／**9-1**

① 〇 ボード類を下地に直接張り付ける場合の留付け用小ねじ類の間隔は、軽量鉄骨下地及び木造下地とも**壁中央部で300mm程度、壁周辺部は200mm程度**とする。

② ✕ 鋼製下地にねじ留めする場合は、鋼製下地の裏面に**10mm以上**の余長が得られる長さのドリリングタッピンねじを用い、頭が石膏ボードの表面から少しへこむように確実に締め込む（JASS 26）。

③ 〇 ボードの下端部は、ボード小口における床面からの吸水を防ぐため、床面から**10mm程度**上げて張り付ける（建築工事監理指針）。

④ 〇 ボード類下地に対してロックウール化粧吸音板を重ねて張る場合、下張りとロックウール化粧吸音板の目地の位置が重ならないように、**50mm以上ずらして**取り付ける（JASS 26）。

⑤ 〇 壁せっこうボード下地に接着剤を用いて重ね張りする際、足の長さ**20mm**のステープルなどを用いる。ただし、保持力は低いので、接着剤による取付け時の仮留め金物とする（JASS 26）。

正解 **2**

MEMO

仮設計画に関する記述として、最も不適当なものはどれか。

① 傾斜地に設置する仮囲いの下端の隙間を塞ぐため、土台コンクリートを設ける計画とした。

② 仮囲いは、工事現場の周辺や工事の状況により危害防止上支障がなかったため、設けない計画とした。

③ 仮囲いは、道路管理者や所轄警察署の許可を得て、道路の一部を借用して設置する計画とした。

④ 女性用便所は、同時に就業する女性労働者が45人見込まれたため、便房を2個設置する計画とした。

⑤ ガスボンベ類の貯蔵小屋は、通気を良くするため、壁の1面を開口とし、他の3面は上部に開口部を設ける計画とした。

解 説 ··· ➡テキスト **第4編** **1-1**

① ◯ 仮囲い下部の隙間は、背面に**幅木**を取り付けたり、**土台コンクリート**を打設したりして塞ぐ。道路に傾斜がある場合は、土台コンクリートを階段状に打設して、隙間が生じないようにする（建築施工計画実践テキストⅠ）。

② ◯ 仮囲いは工事現場と外部とを区画する仮設構築物で、所定の規模の工事を行う場合は、原則として設置しなければならない。高さ**1.8m以上の板塀等と同等以上の囲い**がある場合や、工事現場の周辺や工事の状況により**危害防止上支障がない**などの場合には、設けなくともよい。

③ ◯ 足場や仮囲いなどを設けて、道路を継続的に長期間使用する場合には「**道路占用許可申請書**」を、**道路管理者**に提出し許可を得る（道路法32条）。また、作業等で道路を一時的に使用する場合には使用開始前に「**道路使用許可申請書**」を**警察署**に提出し許可を得る（道路交通法77条）。

④ ✕ 事務所・作業員詰所などに設置する仮設便所において、**女子用**の仮設便房数は**20人以内**ごとに**1個**以上、**男性は60人以内**ごとに**1個**以上とする（労働安全衛生規則、JASS 2）。よって、設問にある、同時に就業する女性労働者が45人見込まれる場合は、3個以上の設置が望ましい。

⑤ ◯ ボンベ類は、通風がよく火気が近づくおそれのない位置を選び、貯蔵小屋を

設置して保管する。小屋は通気をよくするため、1面は開口とし、他の3面は
上部に開口部を設ける。

正解 4

工事原価（コスト）

建築工事における工期と費用に関する一般的な記述として、最も不適当なものはどれか。

① 総工事費は、工期に比例して増加する。

② 間接費は、工期の長短に相関して増減する。

③ 直接費と間接費の和が最小となるときが、最適な工期となる。

④ ノーマルタイム（標準時間）とは、直接費が最小となるときに要する工期をいう。

⑤ クラッシュタイム（特急時間）とは、どんなに直接費を投入しても、ある程度以上には短縮できない工期をいう。

解説　　　　　　　　　　　　　　　　　　　➡テキスト 第4編 2-1

① ✕ 工期を最適工期より短縮すれば、一般に間接費は減少するが、直接費は増加し、総工事費としては増加する。工期を最適工期より延長すれば、直接費は減少するが、間接費が直線的に増加し、総工事費としては増加する。したがって、**総工事費は最適な工期より短縮しても、延長しても増加し、工期に比例する**ものではない。

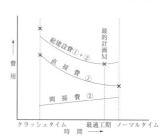

② 〇 **間接費**とは、管理費、共通仮設費、減価償却費、金利等の費用のことである。間接費は、一般に**工期の延長**に従って、ほぼ直線的に増加する傾向となり、**工期の短縮**にともなって一般に間接費は減少する（施工最適化のための工程管理）。

③ 〇 **最適工期**とは、**直接費と間接費の和**である総建設費（総工事費）が最小となる最も経済的な工期のことである（施工最適化のための工程管理）。

④ 〇 **直接費**が最小となる工期を**ノーマルタイム（標準時間）**、費用を**ノーマルコスト（標準費用）**という。

⑤ 〇 作業は作業速度を速めて工期を短縮できるが、一般に直接費は増加する。しかし、どんなに直接費をかけても、ある限度以上には**短縮できない時間**があり、これを**クラッシュタイム**と呼ぶ（施工最適化のための工程管理）。

正解 1

MEMO

躯体工事における試験及び検査に関する記述として、最も不適当なものはどれか。

① フレッシュコンクリートの荷卸し地点での検査において、スランプ試験は、試料をスランプコーンに詰める際、ほぼ等しい量の3層に分けて詰めた。

② フレッシュコンクリートの荷卸し地点での検査において、スランプ18cmのコンクリートのスランプの許容差は、±2.5cmとした。

③ フレッシュコンクリートの荷卸し地点での検査において、1回の試験における塩化物含有量は、同一試料からとった3個の分取試料についてそれぞれ1回ずつ測定し、その平均値とした。

④ 鉄筋工事のガス圧接継手の超音波探傷試験において、抜取りの1ロットの大きさは、1組の作業班が1日に施工した圧接ヵ所とした。

⑤ 鉄筋工事のガス圧接継手の超音波探傷試験において、抜取りは、1ロットに対して無作為に3か所抽出して行った。

解説 ➡テキスト 第4編 **3-4**

① ○ 試料はほぼ等しい量の**3層に分けて**詰める。その各層は、突き棒でならした後、25回偏りがないように一様に突く。各層を突く際の突き棒の突き入れ深さは、その前層にほぼ達する程度とする（建築工事監理指針）。

② ○ スランプ試験の許容差は下表のとおりとし、許容差を満足しない場合は、その旨を製造者に連絡するなどの対策を講じなければならない。

スランプの許容差（単位：㎝）

スランプ	許容差
8以上18以下	±2.5
21	±1.5※

※ 呼び強度27以上で、高性能AE減水剤を使用する場合は±2とする。

③ ○ 鉄筋の腐食防止のため、コンクリート中に含まれる塩化物量は制限され、**塩化物イオン量**として0.30kg/㎥以下で、同一試料からとった3個の分取試料についてそれぞれ1回ずつ測定し、その**平均値**から算定する。

④ ○ ガス圧接継手の検査には「**全数検査**」と「**抜取検査**」があり、外観の全数検

査を行い、その合格確認後に抜取検査を行う。この抜取検査の方法のうち、非破壊検査である「**超音波探傷試験**」の1検査ロットは「**1組の作業班が1日に施工した圧接箇所の数量**」とする。

⑤ ✕ **超音波探傷試験**は、1検査ロット（1組の作業班が1日に施工した圧接箇所の数量）から、ランダムに30カ所を無作為に**抜き取って検査**を行う。

正解 **5**

労働災害に関する用語の説明として、最も不適当なものはどれか。

① 労働災害とは、業務に起因して、労働者が負傷し、疾病にかかり、又は死亡することで、公衆災害は含まない。

② 休業日数は、労働災害により労働者が労働することができない日数で、休日であっても休業日数に含める。

③ 強度率とは、労働者1,000人当たり1年間に発生した死傷者数を示す。

④ 度数率とは、災害発生の頻度を表すもので、100万延労働時間当たりの労働災害による死傷者数を示す。

⑤ 労働損失日数は、死亡及び身体障害等が永久全労働不能の場合、1件につき7,500日とする。

解説 ➡️テキスト 第4編 4-1

① ○ **労働災害**とは、労働者が業務遂行中に業務に起因して受けた業務上の災害のことで、業務上の**負傷**、業務上の**疾病**及び**死亡**をいう。物的災害及び**公衆災害**は含まれない。

② ○ **休業日数**とは、労働者が就業中に、労働災害又は負傷により労働することができない日数をいい、**暦日数**（日曜、祭日などは関係しないカレンダー上の日数）により算出する。したがって、休日であっても休業日数に含まれる。

③ × **強度率**は、1,000延べ実労働時間当たりの延べ労働損失日数をもって、**災害の重さの程度**を表したものである。統計をとった期間中に発生した労働災害による延べ労働損失日数を同じ期間中の全労働者の延べ実労働時間数で割り、それに1,000を掛けた数値で表す。設問は、年千年率についての説明である。年千人率は、1年間の労働者1,000人当たりに発生した死傷者数の割合を示すものである。

$$強度率＝\frac{延べ労働損失日数}{延べ実労働時間数}×1,000$$

④ ○ **度数率**とは、100万延べ実労働時間当たりの労働災害による死傷者数で、災害発生の頻度を表す。ただし、度数率は休業1日以上及び身体の一部又は機能を失う労働災害による死傷者数に限定して算出する。

$$度数率＝\frac{労働災害による死傷者数}{延べ実労働時間数}×1,000,000$$

⑤ ○ **労働損失日数**は、一時全労働不能の場合は暦日による休業日数に$\frac{300}{365}$を乗じて、**死亡及び永久全労働不能**の場合は休業日数に関係なく1件につき7,500日として算出する。

正解 **3**

次の記述のうち、「建築基準法」上、**誤っているもの**はどれか。

① 高さが4mを超える広告塔を設置しようとする場合においては、確認済証の交付を受けなければならない。

② 床面積の合計が5㎡の建築物を除却しようとする場合においては、当該除却工事の施工者は、その旨を都道府県知事に届け出る必要はない。

③ 防火地域及び準防火地域内に建築物を増築しようとする場合においては、その増築部分の床面積の合計が10㎡以内のときは、建築確認を受ける必要はない。

④ 木造3階建ての戸建て住宅について、大規模の修繕をしようとする場合においては、確認済証の交付を受けなければならない。

解 説 ·································· ➡テキスト｜第5編｜1-2

① ○ 建築基準法88条1項及び令138条1項三号により、高さが4mを超える広告塔は、確認済証の交付（法6条）が準用される工作物に該当するので、その築造について確認済証の交付を受ける必要がある。

② ○ 床面積の合計が**10㎡を超える建築物の除却**の工事を施工する者は、**建築主事**を経由して、その旨を**都道府県知事**に届け出なければならない。よって、5㎡の建築物を除却しようとする場合は、届出不要である。

③ × 10㎡以内の増改築について確認を受ける必要がないのは、防火地域・準防火地域以外の地域である。**防火地域・準防火地域**では、10㎡以内の増改築についても**建築確認**が必要である。

④ ○ 建築主は、**木造の建築物で3以上の階数を有するもの**の、大規模の修繕をしようとする場合は、当該工事に着手する前に、確認済証の交付を受けなければならない。

正解 3

MEMO

次の記述のうち、「建築基準法」上、誤っているものはどれか。

① 特定行政庁は、建築物の工事施工者に対して、当該工事の施工の状況に関する報告を求めることができる。

② 特定行政庁は、原則として、建築物の敷地について、そのまま放置すれば保安上危険となり、又は衛生上有害となるおそれがあると認める場合、所有者に対して、その敷地の維持保全に関し必要な指導又は勧告をすることができる。

③ 建築主は、延べ面積が1,000㎡を超え、かつ、階数が2以上の建築物を新築する場合、一級建築士である工事監理者を定めなければならない。

④ 建築主は、軒の高さが9mを超える木造の建築物を新築する場合においては、二級建築士である工事監理者を定めなければならない。

解 説 ………………………………………………… **→テキスト** **第5編** **1-3**

① ○ **特定行政庁、建築主事**又は**建築監視員**は、建築物の工事施工者等に対して、工事の計画や施工の状況等について**報告**を求めることができる。

② ○ **特定行政庁**は、建築物の敷地、構造又は建築設備について、損傷、腐食その他の劣化が生じ、そのまま放置すれば**保安上危険**となり、又は**衛生上有害**となるおそれがあると認める場合においては、当該建築物又はその**敷地の所有者**、**管理者**又は**占有者**に対して、**修繕**、**防腐措置**その他当該建築物又はその**敷地の維持保全**に関し必要な指導及び助言をすることができる（法9条の4）。

③ ○ 延べ面積が1,000㎡を超え、かつ、階数が2以上の建築物の設計・工事監理は、**一級建築士**の独占業務である。

④ × 次の建築物を新築する場合は、**一級建築士**でなければ、その設計又は工事監理をしてはならない。

746

一	学校、病院、劇場、映画館、観覧場、公会堂、集会場（オーディトリアムを有しないものを除く。）又は百貨店の用途に供する建築物で、延べ面積が500㎡を超えるもの
二	木造建築物又は建築物の部分で、**高さが13m又は軒の高さが9ｍを超える**もの
三	鉄筋コンクリート造、鉄骨造り、石造、れん瓦造、コンクリートブロック造若しくは無筋コンクリート造の建築物又は建築物の部分で、**延べ面積が300㎡、高さが13m又は軒の高さが9ｍを超える**もの
四	**延べ面積が1,000㎡を超え、かつ、階数が２以上**の建築物

正解 **4**

避難施設等に関する記述として、「建築基準法施行令」上、誤っているものはどれか。

① 小学校の児童用の廊下の幅は、両側に居室がある場合、1.8m以上としなければならない。

② 集会場で避難階以外の階に集会室を有するものは、その階から避難階又は地上に通ずる２以上の直通階段を設けなければならない。

③ 回り階段の部分における踏面の寸法は、踏面の狭いほうの端から30cmの位置において測らなければならない。

④ 建築物の高さ31m以下の部分にある３階以上の階には、原則として、非常用の進入口を設けなければならない。

解説　　　　　　　　　　　　　　　　　　　　➡テキスト｜**第５編**｜**1-7**

① × 学校～高等学校の廊下の幅は、**両側に居室がある**場合は**2.3m**、その他は**1.8m以上**としなければならない。

② ○ 集会場で避難階以外の階に**集会室を有するもの**は、その階から避難階又は地上に通ずる**２以上の直通階段**を設けなければならない。

③ ○ **回り階段**の部分における踏面の寸法は、踏面の狭い方の端から**30㎝の位置**において測る。

④ ○ 建築物の高さ31m以下の部分にある**３階以上の階**には、非常用エレベーターを設置している場合などを除き、**非常用の進入口**を設けなければならない（建築基準法施行令126条の６）。

30cm

けあげ

踏面

階段の幅

正解 **1**

建設業の許可に関する記述として、「建設業法」上、誤っているものはどれか。

① 内装仕上工事等の建築一式工事以外の工事を請け負う建設業者であっても、特定建設業の許可を受けることができる。

② 特定建設業の許可を受けようとする者は、発注者との間の請負契約で、その請負代金の額が8,000万円以上であるものを履行するに足りる財産的基礎を有していなければならない。

③ 特定建設業の許可を受けた者でなければ、発注者から直接請け負った建設工事を施工するために、建築工事業にあっては下請代金の額の総額が7,000万円以上となる下請契約を締結してはならない。

④ 建設業の許可を受けようとする者は、複数の都道府県の区域内に営業所を設けて営業をしようとする場合、それぞれの都道府県知事の許可を受けなければならない。

解説 ➡テキスト 第5編 2-2

① ○ 下請金額が4,500万円（建築一式工事業は7,000万円）以上の下請契約を締結する元請業者として建設業を営もうとする者は、特定建設業の許可を受けなければならない。したがって、建築一式工事以外の工事を請け負う建設業者であっても、特定建設業者となることができる。

② ○ 特定建設業の許可を受けようとする者は、発注者との間の請負契約で、その請負代金の額が8,000万円以上であるものを履行するに足りる財産的基礎を有していなければならない。

③ ○ 発注者から直接請け負った建設工事を施工するために、建築工事業にあっては下請代金の額の総額が7,000万円以上となる下請契約を締結する場合は特定建設業の許可が必要である。

④ ✕ 複数の都道府県の区域内に営業所を設けて営業をしようとする場合、国土交通大臣の許可を受けなければならない。一の都道府県内のみで営業しようとする場合は、当該営業所の所在地を管轄する都道府県知事の許可を受けなければならない。

正解 4

請負契約に関する記述として、「建設業法」上、誤っているものはどれか。

① 元請負人は、その請け負った建設工事を施工するために必要な工程の細目、作業方法その他元請負人において定めるべき事項を定めようとするときは、あらかじめ、注文者の意見をきかなければならない。

② 特定建設業者は、当該特定建設業者が注文者となった請負契約に係る下請代金の支払いにつき、当該下請代金の支払期日までに一般の金融機関による割引を受けることが困難であると認められる手形を交付してはならない。

③ 元請負人は、下請負人に対する下請代金のうち労務費に相当する部分については、現金で支払うよう適切な配慮をしなければならない。

④ 注文者は、請負人に対して、建設工事の施行につき著しく不適当と認められる下請負人があるときは、あらかじめ注文者の書面等による承諾を得て選定した下請負人である合を除き、その変更を請求することができる。

解説 ……………………………………………………… ➡テキスト 第5編 2-3

① ✕ 元請負人が、建設工事の工程の細目、作業方法等を定める場合、あらかじめ、**下請負人の意見**をきかなければならない。

② 〇 特定建設業者は、当該特定建設業者が注文者となった下請契約に係る下請代金の支払につき、当該下請代金の支払期日までに一般の金融機関による**割引を受けることが困難であると認められる手形**を交付してはならない（法24条の6第3項）。

③ 〇 請負代金について、出来形部分の支払い、又は工事完成後における支払いを受けた元請負人は、当該工事を施工した下請負人に対して、その施工した割合に相応する下請代金を、**支払いを受けた日から1月以内**で、かつ、できる限り**短い期間内**に支払わなければならない（法24条の3第1項）。この場合、元請負人は、下請負人に対する下請代金のうち労務費に相当する部分については、**現金で支払う**よう適切な配慮をしなければならない（法24条の3第2項）。

④ 〇 注文者は、請負人に対して、建設工事の施工につき著しく不適当と認められる下請負人があるときは、その**変更を請求**することができるが、あらかじめ注文者の**書面**による**承諾**を得て選定した下請負人は**この限りでない**。

正解 **1**

工事現場に置く技術者に関する記述として、「建設業法」上、誤っているものはどれか。

① 発注者から直接建築一式工事を請け負った特定建設業者は、下請契約の総額が7,000万円以上の工事を施工する場合、監理技術者を工事現場に置かなければならない。

② 特定専門工事の元請負人が置く主任技術者は、当該特定専門工事と同一の種類の建設工事に関し1年以上指導監督的な実務の経験を有する者でなければならない。

③ 工事一件の請負代金の額が7,000万円である事務所の建築一式工事において、工事の施工の技術上の管理をつかさどるものは、工事現場ごとに専任の者でなければならない。

④ 専任の者でなければならない監理技術者は、当該選任の期間中のいずれの日においても国土交通大臣の登録を受けた講習を受講した日の属する年の翌年から起算して5年を経過しない者でなければならない。

解 説 ➡テキスト 第5編 2-4

① ○ 特定建設業者は、建築一式工事に係る**下請契約の総額**が**7,000万円以上**の工事を施工する場合、**監理技術者**を工事現場に置かなければならない。

② ○ **特定専門工事**の元請負人及び下請負人は、その合意により、当該元請負人がおいた主任技術者が、下請負人が置かなければならない主任技術者の職務を行うことができる。この場合、下請負人は主任技術者を置くことを要しない（建設業法26条の3）。この特定専門工事の元請負人が置く主任技術者は、当該特定専門工事と同一の種類の建設工事に関し**1年以上**指導監督的な実務の経験を有するものでなければならない。（建設業法26条の3第7項一号）。

③ × 専任の要件は、病院又は診療所といった**公共性**のある建築物であり、かつ建築一式工事の場合は**請負代金の額**が**8,000万円以上**の場合である。

④ ○ 専任の者でなければならない監理技術者は、当該選任の期間中のいずれの日においても、**国土交通大臣の登録を受けた講習**を受講した日の属する年の翌年から起算して5年を経過しない者でなければならない。

正解 **3**

労働基準法-未成年

次の記述のうち、「労働基準法」上、誤っているものはどれか。

① 満18才に満たない者を、原則として午後10時から午前5時までの間において使用してはならない。

② 満18才に満たない者を、高さが5m以上の場所で、墜落により危害を受けるおそれのあるところにおける業務に就かせてはならない。

③ 満18才以上で妊娠中の女性労働者を、動力により駆動される土木建築用機械の運転の業務に就かせてはならない。

④ 満18才以上で妊娠中の女性労働者を、足場の組立て、解体又は変更の業務のうち地上又は床上における補助作業の業務に就かせてはならない。

解 説 .... →テキスト **第5編** **3-3**

① ○ 満18歳未満の者に、**午後10時から午前5時**までの深夜時間帯に労働させることは原則として禁止されている。ただし、**交替制**によって使用する**満16歳以上の男性**については、この限りでない（労働基準法61条）。

② ○ 満18歳未満の者は、次のような危険な業務に就かせてはならない。

❶ クレーン運転業務

❷ クレーンの**玉掛け**業務（ただし、2人以上の者によって行う玉掛け業務における**補助作業**を除く）

❸ 動力駆動する土木建築用機械の運転業務

❹ 高さ5m以上の場所で、**墜落危険性**のあるところにおける業務

❺ 足場の組立、解体又は変更の業務（**地上又は床上**における補助作業を除く）

③ ○ **満18歳以上**で妊娠中の女性労働者を、動力により駆動される土木建築用機械の運転の業務に就かせてはならない（女性労働基準規則2条）。

④ × **満18歳以上**で妊娠中の女性労働者を、足場の組立て、解体又は変更の業務に就かせてはならない。ただし、**地上又は床上における補助作業の業務を除く**（同規則2条）。

正解 4

安衛法−安全衛生管理体制

建設業の事業場における安全衛生管理体制に関する記述として、「労働安全衛生法」上、誤っているものはどれか。

① 統括安全衛生責任者を選任した特定元方事業者は、元方安全衛生管理者を選任しなければならない。

② 安全衛生責任者は、安全管理者又は衛生管理者の資格を有する者でなければならない。

③ 元方安全衛生管理者は、その事業場に専属の者でなければならない。

④ 統括安全衛生責任者は、その事業の実施を統括管理する者でなければならない。

解説 .... ➡テキスト **第5編** **4-1**

① ○ **統括安全衛生責任者**を選任した事業者で、建設業等の事業を行うものは、**元方安全衛生管理者を選任**し、作業間の連絡及び調整等、技術的事項を管理させなければならない。

② ✕ 設問のような規定はない。なお、**安全衛生責任者**は、統括安全衛生責任者を選任すべき事業者**以外**の請負人が選任する。

③ ○ **元方安全衛生管理者**の選任は、その事業場に専属の者を選任しなければならない。

④ ○ **統括安全衛生責任者**は、当該場所においてその事業の実施を統括**管理**する者でなければならない。

正解 2

労働者の就業に当たっての措置に関する記述として、「労働安全衛生法」上、正しいものはどれか。

① 事業者は、建設業の事業場において新たに業務に就くこととなった作業主任者に対し、作業方法の決定及び労働者の配置に関する事項について、安全又は衛生のための教育を行わなければならない。

② 就業制限に係る業務に就くことができる者が当該業務に従事するときは、これに係る免許証その他のその資格を証する書面の写しを携帯していなければならない。

③ 作業床の高さが10m以上の高所作業車の運転の業務には、高所作業車運転技能講習を修了した者を就かせなければならない。

④ つり上げ荷重が5 t 以上の移動式クレーンの運転の業務には、クレーン・デリック運転士免許を受けた者を就かせなければならない。

解説 ➡テキスト 第5編 4-2

① ✕ 事業者は、**新たに職務に就くこととなった職長**その他の作業中の労働者を**直接指導又は監督する者**（作業主任者を除く）に対し、安全又は衛生のための教育を行わなければならない。

② ✕ 就業制限に係る業務に就くことができる者は、**免許証**その他その**資格を証する書面を携帯**していなければならない。**写しでは足りない**。

③ 〇 業床の高さが10m以上の**高所作業車**の運転の業務は、高所作業車運転技能講習を修了した者を就かせることができる。

④ ✕ つり上げ荷重が5 t 以上の**移動式クレーン**の運転の業務は、移動式クレーンの免許が必要であり、クレーン・デリックの免許では就かせることができない。

正解 3

特定建設資材を用いた次の工事のうち、「建設工事に係る資材の再資源化等に関する法律」上、分別解体等をしなければならない建設工事に該当しないものはどれか。

① 建築物の増築工事であって、当該工事に係る部分の床面積の合計が500㎡の工事

② 建築物の耐震改修工事であって、請負代金の額が8,000万円の工事

③ 擁壁の解体工事であって、請負代金の額が500万円の工事

④ 建築物の解体工事であって、当該工事に係る部分の床面積の合計が80㎡の工事

解 説 ⋯⋯⋯⋯⋯⋯⋯⋯⋯⋯⋯⋯⋯⋯⋯⋯⋯⋯ ➡テキスト／第 **5** 編／**5-2**

① ◯ 建築物の**新築・増築工事**は、建築物（増築の工事は、工事に係る部分）の床面積の合計が**500㎡以上**のものが、原則として分別解体等の対象となる。

② ✕ **改修**工事の場合は、その**請負代金の額**が**1億円以上**であるものが、分別解体等をしなければならない建設工事に該当するので、8,000万円の工事はこれに該当しない。

③ ◯ 擁壁のような**建築物以外**のものに係る**解体**工事又は**新築**工事等については、その**請負代金の額**が**500万円以上**のものが、分別解体等の対象となる。

④ ◯ 建築物の**解体**工事は、解体部分の床面積の合計が**80㎡以上**の工事が分別解体等の対象となる。

正解 **2**

指定地域内における特定建設作業において、「騒音規制法」上、実施の届出を必要としないものはどれか。ただし、作業はその作業を開始した日に終わらないものとする。

① 環境大臣が指定するものを除き、原動機の定格出力が80kW以上のバックホウを使用する作業

② 環境大臣が指定するものを除き、原動機の定格出力が70kW以上のトラクターショベルを使用する作業

③ さく岩機の動力として使用する作業を除き、電動機以外の原動機の定格出力が15kW以上の空気圧縮機を使用する作業

④ さく岩機を使用する作業であって、作業場所が連続的に移動し、1日における当該作業に係る2地点間の距離が50mを超える作業

解 説 ┈┈┈┈┈┈┈┈┈┈┈┈┈┈┈┈┈┈┈┈┈┈┈┈┈┈ **→テキスト 第5編 6-1**

　指定地域内において**特定建設作業**を伴う建設工事を施工しようとする者は、当該特定建設作業の開始の日の**7日前**までに、場所・実施の期間、騒音の防止方法等を市町村長に届け出なければならない。　特定建設作業とは、次のような著しい騒音を発生する作業である。

❶ **杭打機**（もんけんを除く）、**杭抜機**又は**杭打杭抜機**（圧入式を除く）を使用する作業（アースオーガー併用を除く）

❷ **さく岩機**を使用する作業（1日における当該作業に係る2地点間の**最大移動距離**が50mを超えない作業に限る）

❸ **空気圧縮機**（電動機以外の原動機を用いるものであって、その原動機の定格出力が15kW以上のものに限る）を使用する作業

❹ **バックホウ**（環境大臣が指定する低騒音型を除き、原動機の定格出力が80kW以上のものに限る）を使用する作業

❺ **トラクターショベル**（環境大臣が指定する低騒音型を除き、原動機の定格出力が70kW以上のものに限る）を使用する作業

❻ **ブルドーザー**（環境大臣が指定する低騒音型を除き、原動機の定格出力が40kW以上のものに限る）を使用する作業

①は❹、②は❺、③は❸に該当し、④のさく岩機を使用する作業は、1日の作

業に係る2点間の距離が50mを超えるものは、❷の特定建設作業に該当しない。
よって、④は届出を必要としない。

正解 4

政令で定める積載物の重量や大きさ等の制限を超えて車両を通行する際の対応として、「道路交通法」上、誤っているものはどれか。

① 制限外許可証は、当該車両の出発地を管轄する警察署長から交付を受ける。

② 積載した貨物の長さが制限を超えたときは、昼間にあっては、その貨物の見やすい箇所に、白い布をつける。

③ 積載した貨物の長さ又は幅が制限を超えたときは、夜間にあっては、その貨物の見やすい箇所に、反射器をつける。

④ 積載した貨物の高さが制限を超えたときは、夜間にあっては、その貨物の見やすい箇所に、赤色の灯火をつける。

解説 ⋯⋯⋯⋯⋯⋯⋯⋯⋯⋯⋯⋯⋯⋯⋯⋯⋯⋯⋯⋯⋯⋯⋯ →テキスト 第5編 6-5

①③④ ○ 積載物の重量、大きさや積載の方法の制限を超える積載をして車両を運転する場合に、**出発地の警察署長の許可**が必要。

② × 積載した貨物の長さ又は幅が制限を超える場合、その貨物の見やすい箇所に、**昼間**にあっては、**0.3㎡以上**の大きさの**赤色の布**を、夜間にあっては、**赤色の灯火又は反射器**をつけなければならない（道路交通法施行令24条）。

正解 **2**

TAC PG